Bert Nagel

FRANZ KAFKA

Aspekte zur Interpretation und Wertung

ERICH SCHMIDT VERLAG

ISBN 3 503 00782 2

Library of Congress Catalog Card Number 74-81119
© Erich Schmidt Verlag, Berlin 1974
Druck: Berliner Buchdruckerei Union GmbH, Berlin 61
Printed in Germany · Nachdruck verboten

Inhalt

Einführung

Die Kafka-Mode der fünfziger Jahre ist abgeklungen, die Faszination des Werkes ist geblieben. Geblieben ist freilich auch die kontroverse Vielfalt der Deutungen. In der künstlerischen Wertung des Dichters herrscht keine Einigkeit. „Von grenzenloser Bewunderung und gläubiger Nachfolge bis zu erbitterter Verurteilung und prinzipieller Ablehnung reicht die Skala der Bewertungen ...".[1] Vor allem aber ist die Kafka-Forschung unüberschaubar geworden und spricht in vielen Zungen. Die Sekundärliteratur umfaßt schon über 10 000 Publikationen und schwillt laufend weiter an. Aber gerade diese permanente und fast hektische Aktivität zeigt, daß das Kafka-Problem nach wie vor eine dringliche Forderung an die Literaturwissenschaft stellt. Zu den Fragen, die die Dichtung Kafkas hinterlassen hat, gesellen sich die Fragen, die aus den Interpretationsbemühungen neu erwachsen sind. Dabei kann kein Zweifel darüber bestehen, daß auf diesem Feld Bedeutendes geleistet worden ist.[2] Aber ebenso sicher ist, daß die Einordnung des Autors in die Literaturgeschichte noch nicht gelang. Im Gegenteil, die Kafka-Forschung erweist sich als ein ebenso labyrinthischer „Schacht von Babel" wie das Werk des Dichters selbst.

Wer einen Beitrag zur Klärung des Phänomens leisten will, kann daher nicht unbelastet an die Arbeit gehen, sondern muß sich — durch vielerlei erregende und verwirrende Auseinandersetzungen hindurch — seinen Weg erst freikämpfen, um im Für und Wider der Standpunkte die eigene Position zu bestimmen. Die erste Frage, die sich stellt: „Wo anfangen?" hat schon Max Brod zutreffend beantwortet: „Es ist einerlei. Denn zum Besonderen dieser Erscheinung gehört es, daß man von jeder Seite her zu demselben Ergebnis kommt."[3] In ähnlichem Sinn erklärte Friedrich Beißner, daß „jedes Stück der kleinen Prosa ein vollgültiger Stellvertreter der größeren Werke Kafkas ist und Kafkas Grundthema auch auf engstem Raum voll entwickelt".[4] Infolgedessen fordert jede Deutung eines Einzelwerkes zugleich eine Auseinandersetzung mit der Kafka-Problematik insgesamt. Auch dieses Buch ist aus

---

[1] HELMUT RICHTER: Franz Kafka. Werk und Entwurf. Berlin 1962, 5.
[2] Stellvertretend seien hier nur einige wenige Verfassernamen aufgeführt und gleichzeitig auf das Literaturverzeichnis verwiesen: Evelyn Torton Beck, Beißner, Binder, Brod, Camus, Emrich, Heinrich und Ingeborg Henel, Hillmann, Kassel, Politzer, Richter, Marthe Robert, Ryan, Ingo Seidler, Sokel, Wagenbach, Walser, Weigand.
[3] Der Dichter Franz Kafka. In: HANS MAYER (Hrsg.): Deutsche Literaturkritik im zwanzigsten Jahrhundert, Stuttgart 1965, 352.
[4] Kafka der Dichter, Stuttgart ²1961, 15.

einem ursprünglich auf eine einzelne Erzählung konzentrierten Interpretationsversuch hervorgegangen.[5] Daß es einen eigenen Weg verfolgt, aber zugleich fremder Forschung dankbar verpflichtet ist, bestätigt sich in der Vielzahl ausführlicher Zitate.[6] Überhaupt war das Studium der Kafka-Literatur nicht nur instruktiv, sondern auch genußreich, insofern ich mich vieler spontaner Übereinstimmungen erfreute und auch die Auseinandersetzungen mit abweichenden Auffassungen als stimulierend und reizvoll empfand. Aber freilich ließ sich nicht alles verwerten, was mir förderlich war. Hätte ich wirklich alles Bedeutungsvolle in meine Darstellung einschmelzen wollen, so wäre über diesem enzyklopädischen Bemühn das Eigene verloren gegangen oder nur in geschwächter Form zum Ausdruck gekommen. Nicht einmal alles für die eigene Aussage Interessante und Relevante konnte ich ausbreiten, habe vielmehr Lücken gelassen, um lesbar zu bleiben und den Leser zu selbsttätigem „Assoziieren und Supplieren" anzuregen.

Daß einzelne Erzählungen Kafkas mehr als einmal und unter verschiedenen Aspekten berührt werden, resultiert daraus, daß Mehrschichtigkeit und Multivalenz die Wesensmerkmale dieser Epik darstellen und es daher bei keinem Werk des Dichters nur e i n e Interpretation geben kann.

Zur Einführung in die Problematik des Gegenstandes vermittelt das e r s t e K a p i t e l einen Überblick über die widersprüchlichen Auffassungen, die Werk und Persönlichkeit Kafkas bei Zeitgenossen und Nachfahren gefunden haben. Das Lob der Bewunderer und die Kritik der Tadler kommen darin gleichermaßen zu Wort. Diesem Für und Wider der Meinungen wird im z w e i t e n K a p i t e l die Selbstauffassung des Dichters in einer Vielzahl authentischer Zeugnisse gegenübergestellt. Dabei geht es vor allem darum, das Neben- und Ineinander der persönlichen und künstlerischen Problematik Kafkas zu enthüllen.

Das d r i t t e K a p i t e l handelt über das Gesamtwerk des Dichters unter dem Gesichtspunkt „Thematik und Sprache". Es erörtert also die „Grundthematik" Kafkas, sein (zugleich ästhetisches und moralisches) „Verhältnis zur Sprache" und insbesondere den Spannungsgegensatz zwischen den erregenden Inhalten und der stilistischen Askese der Darstellung. Die „sprachliche Leistung" in den Gestaltungen des (scheinbar) Absurden soll als der eigentliche Kern von Kafkas Künstlertum gewürdigt werden.

Auf das v i e r t e K a p i t e l, das — in Auseinandersetzung mit der Beißner-Walserschen These von der grundsätzlichen Einsinnigkeit der epischen Sicht des Dichters — die „Erzählperspektiven" in seinen Werken beleuchtet, folgen I n t e r -

---

[5] Ursprünglich wollte ich lediglich die Erzählung *In der Strafkolonie* interpretieren. Doch zeigte sich schon bald, daß sich die weiterführenden allgemeinen Fragen, die die Kafka-Literatur aufgeworfen hat, nicht ausklammern ließen. Der lange Weg durch die Stationen der einschlägigen Literaturkritik mußte gegangen werden.

[6] Neben direktem Zitieren begegnet nicht selten das Integrieren des Zitierten in den neuen eigenen Kontext.

p r e t a t i o n e n einzelner charakteristischer Dichtungen Kafkas aus verschiedenen Phasen seiner künstlerischen Entwicklung. Zu Beginn steht der Versuch einer Deutung seiner „Durchbruchsgeschichte" *Das Urteil* und der *Verwandlung*. Es folgen *Ein Hungerkünstler* und andere „Künstlernovellen". Bei beiden Erzählungsgruppen geht es in erster Linie darum, das Selbstverständnis des Dichters werkimmanent zu erhellen, zumal ohne Erfassung dieses eigentümlich ambivalenten Selbstverständnisses kein Zugang zu Kafkas dichterischer Welt gefunden werden könnte.

Als Beispiel einer P a r a b e l (und zugleich Schlüssel zum *Prozeß*-Roman) wurde Kafkas ‚Legende' *Vor dem Gesetz* gewählt. Besonderes Interesse galt ferner der *Strafkolonie,* die ein Unikum im Werk des Autors darstellt. Zwar erscheint sie in ihrer schockierenden Thematik und der zwischen Parabolik und Allegorie spielenden Darstellung als eine typische Kafkasche Dichtung, zeigt aber andrerseits einen auffällig abweichenden Stil des Erzählens, insofern sie den sonst verabschiedeten wissenden Autor wieder einführt. Infolgedessen trifft manches, was für die anderen Erzählungen Kafkas typisch ist, für diese Geschichte nicht zu. Mit dem *Bau* beschließen wir die Reihe der Interpretationen. Dieses späte Werk ist die vielleicht am stärksten autobiographische Dichtung Kafkas und in noch höherem Maße als die (etwas spätere) *Josefine* Kafkas letztes Wort in eigener Sache. Diesem letzten Wort des Dichters gilt auch das letzte Wort des Buches. Die Interpretation des *Baues* stellt zugleich die S c h l u ß betrachtung dar.

Wenn die hier mitgeteilten Deutungen einzelner Werke als „Versuche" bezeichnet wurden, so ist das nicht lediglich Bescheidenheitsformel, sondern Programm. Es will sagen, daß hier grundsätzlich darauf verzichtet wird, jede Spur nachzuverfolgen und alle Züge auszudeuten, die mit dem Erzählten überhaupt assoziiert werden können. Sie konzentrieren sich vielmehr auf das, was als Sinn erkennbar und als Aussage formulierbar erscheint. Zwar hat Goethe recht, wenn er sagt: ‚Man reist nicht, um anzukommen', aber umgekehrt gilt auch, daß ohne Fixierung auf das Ziel der Reichtum des Weges auseinanderfiele und zu nichts nütze wäre. Im übrigen spiegeln alle Dichtungen Kafkas den für ihn kennzeichnenden Kontrast zwischen Vielschichtigkeit der Voraussetzungen und Eindeutigkeit der (letzten) Zielsetzung. Offenbar ergeben sich viele Kontroversen der Kafka-Forschung eben daraus, daß nicht streng genug zwischen Hauptstraßen, Nebenstraßen, Seitenwegen und Bedarfspfaden unterschieden wird und infolgedessen mitunter ein bloßer Notpfad zu einer Hauptstraße aufgewertet erscheint. Gewiß rufen Kafkas (oft traumhaft konzipierte) Gestaltungen eine disparate Vielzahl von Assoziationen hervor. Und sicher sind diese nicht schlechthin sinnlos oder unwichtig, sondern haben eine signalisierende Funktion. Doch sind sie nicht alle gleichwertig. Absurdität im Vollsinn des Wortes tritt erst dort ein, wo lediglich Assoziatives zum Kern der Sache gemacht wird.

Worum es in den folgenden Ausführungen geht, ist im Untertitel des Werkes klar bezeichnet: „Aspekte zur Interpretation und Wertung" eines Dichters, dessen Würdigung noch immer ‚von der Parteien Gunst und Haß verwirrt' erscheint. Den

Kritikern, die ihn — meist aus ideologischen Gründen — ablehnen, stehen die ebenso fixierten Hymniker gegenüber, die jedes Nichtlob schon für eine Gotteslästerung halten. Was aber der Forschung vor allem nottut, sind gerade umgekehrt offener Horizont und Augenmaß für die Relationen, eine nicht lediglich bequeme, sondern wohlausgewogene Mitte. Es gilt, Größe zu erkennen, ohne die Augen vor Schwächen zu verschließen. Was an Kafka fasziniert, ist ja nicht zuletzt die seltsam widersprüchliche Mischung der Elemente in seinem Menschen- und Dichtertum.

Kafka im Für und Wider der Literaturkritik[1]

Schon früh hat Kafka bei namhaften Schriftstellern seiner Generation Anerkennung, ja Bewunderung gefunden.[2] KURT TUCHOLSKY nannte ihn einen „Großsohn von Kleist — aber doch selbständig". Er schreibe „die klarste und schönste Prosa, die zur Zeit in deutscher Sprache geschaffen wird". Dieser „herrliche Prosaiker" sei ein „Dichter seltenen Formats" und sein Roman ‚Der Prozeß' „das unheimlichste und stärkste Buch der letzten Jahre". Ja, seine Werke seien „unerreichbare, nie auszulesende Bücher". „Wir dürfen lesen, staunen, danken."[3] RAINER MARIA RILKE rühmte: „Ich habe nie eine Zeile von diesem Autor gelesen, die mir nicht auf das eigentümlichste mich angehend oder erstaunend gewesen wäre". ROBERT MUSIL bewunderte vor allem „die moralische Zartheit" des Dichters: „ein ursprünglicher Trieb zur Güte, kein Ressentiment, sondern etwas von der verschütteten Leidenschaft des Kindesalters für das Gute". FRANZ WERFEL pries ihn als „einen Herabgesandten und Auserwählten", dem die Gabe zuteil geworden sei, „sein jenseitiges Wissen und seine unaussprechlichen Erfahrungen in dichterische Gleichnisse zu gießen". Er sah in Kafka einen tief im Metaphysischen verwurzelten religiösen Menschen und hielt ihn — wie MAX BROD — für „den größten deutschen Dichter". Auch HERMANN HESSE zählte Kafka zu den prophetischen Gestalten, nämlich „zu jenen Seelen, in welchen die Vorahnung der großen Umwälzungen schöpferisch, wenn auch qualvoll zum Ausdruck kam". „Spätere Zeiten werden sich ein Spiel oder einen Scherz daraus machen, die Seismographen unserer Epoche nachträglich zu lesen." ANDRÉ GIDE betonte vor allem die gestalterische Kunst des Dichters: „Der Realismus der Bilder übersteigt ständig die Vorstellungskraft, und ich wüßte nicht zu sagen, was ich mehr bewundere: Die ‚naturalistische' Wiedergabe einer phantastischen Welt, die durch

---

[1] Vgl. den Titel des Kafkabuches von GÜNTHER ANDERS: Kafka — Pro und Contra, München 1951; ferner ders.: Reflections on my book ‚Kafka — Pro and Contra'. In: Mosaic, A Journal for the Comparative Study of Literature and Ideas III/4, 1970, 59—72.

[2] Die nachfolgenden Zitate, deren Herkunft nicht eigens genannt wird, stammen aus: Franz Kafka in Selbstzeugnissen und Bilddokumenten, dargestellt von KLAUS WAGENBACH, Reinbek bei Hamburg 1968, 143 f.

[3] In: HANS MAYER (Hrsg.): Deutsche Literaturkritik im zwanzigsten Jahrhundert, Stuttgart 1965, 398 ff. Die gleichen Superlative gebrauchen KLAUS WAGENBACH (Franz Kafka. Eine Biographie seiner Jugend, Bern 1958, 96 und 185): „die schlichteste Sprache", „die klarste deutsche Prosa" und WILHELM EMRICH (Die Erzählkunst des 20. Jahrhunderts und ihr geschichtlicher Sinn. In: Protest und Verheißung, Frankfurt a. M. ²1963, 186): „Kafka kann wieder erzählen ... kontinuierlich im durchsichtigsten, reinsten Deutsch unseres Jahrhunderts."

minuziöse Genauigkeit der Bilder glaubhaft wird, oder die sichere Kühnheit der Wendung zum Geheimnisvollen."[4] THOMAS MANN rechnete „Kafkas liebevolle Fixierungen zum Lesenswertesten ..., was die Weltliteratur hervorgebracht hat". Wie Gide sah er in Kafka in erster Linie den gestalterischen Könner, dessen Dichtungen „oft ganz und gar im Charakter des Traumes konzipiert" sind und die „alogische und beklommene Narretei der Träume, dieser wunderlichen Schattenspiele des Lebens, zum Lachen genau" nachahmen. Indem er damit auf das (meist nicht beachtete oder überhaupt nicht wahrgenommene) parodistisch-humoristische Moment in Kafkas Gestaltungen hinwies, hob er jenen Zug heraus, der seinem eigenen Hang zum ironischen Spiel von ferne verwandt war. Doch fühlte Mann, daß solche schriftstellerische Kunst allein die Wirkung Kafkas nicht zu erklären vermöchte, und fügte vertiefend hinzu, daß das hier angesprochene „Lachen, das Träne-Lachen aus höheren Gründen, das Beste ist, was wir haben, was uns bleibt". Dem „Träumer" Kafka galt auch die Bewunderung ALFRED DÖBLINS. Aber er sah diese Traumdichtungen eigentlich nicht als „wunderliche Schattenspiele", sondern als „Berichte von völliger Wahrheit, ganz und gar nicht wie erfunden, zwar sonderbar durcheinander gemischt, aber von einem völlig wahren, sehr realen Zentrum geordnet". Was ihn daran faszinierte, waren also primär der Wahrheitsgehalt des Dargestellten, die „jederzeit ganz einleuchtende" Transparenz, die „tiefe Richtigkeit dieser ablaufenden Dinge und das Gefühl, daß diese Dinge uns sehr viel angehen". Das Gleiche meint die Laudatio, mit der ALBERT CAMUS die Dichtung Kafkas gewürdigt hat: „Wir werden hier an die Grenzen des menschlichen Denkens versetzt. Ja, in diesem Werk ist im wahren Sinne des Wortes alles wesentlich. Jedenfalls stellt er das Problem des Absurden in seiner Gesamtheit dar ... Es ist das Schicksal und vielleicht auch die Größe dieses Werkes, daß es alle Möglichkeiten darbietet und keine bestätigt."[5]

Was aber hier bewundernd festgestellt wird, daß nämlich diese Dichtung „das Problem des Absurden in seiner Gesamtheit" darstelle, löste andrerseits Unbehagen und Ablehnung aus. Im Glauben an die heile (oder doch heilbare) Welt wehrte man sich gegen die enthüllenden Alpträume Kafkas wie gegen eine Krankheit und sprach ihnen den Wahrheitsgehalt ab. EMIL BELZNER klassifizierte den Dichter kurz und bündig als einen „Mystifizinski des Nichts".[6] WERNER KRAFT schrieb am 17. März

---

[4] Kafkas „Geheimnisvolles" ist aber — nach seinen eigenen Worten — nichts Außernatürliches oder ‚Ungewöhnliches'; es hat nichts mit Phantastik in der Art von E. Th. A. Hoffmann, Wilhelm Hauff, E. A. Poe, Paul Ernst oder gar mit der Gruselthematik moderner Science Fiction zu tun.

[5] Vgl. ALBERT CAMUS: Le mythe de Sisyphe, Paris 1943 (Übersetzung ins Deutsche 1950).

[6] In seinem Feuilletonbeitrag in der Heidelberger Rhein-Neckar-Zeitung vom März 1955 schrieb er: „Es blieb unserem Zeitalter vorbehalten, aus einem Mystifizinsky des Nichts ... so etwas wie einen ‚Propheten' oder ‚Weisen' zu machen — einen Modegötzen seelischer Deformiertheit ... Er ist ein Warnzeichen für die katastrophale Lage unserer Zivilisation. Wir müssen aus dem Kafka-Dämmerschlaf endlich erwachen und uns auf

1917 an MARTIN BUBER: „Denken Sie an die entsetzliche Novelle Franz Kafkas *Die Verwandlung*, die von Staats wegen hätte verboten werden müssen". Umgekehrt rühmte MAX BROD in seinem Brief an Martin Buber vom 13. Februar 1917 „die mimosenhaft zarte Natur" seines Freundes Kafka. Andere sprachen von „Giftschrankliteratur", die man, um Schaden zu verhüten, unter Verschluß halten sollte. Denn nicht Erhellung, sondern Verdüsterung des Lebenshorizontes gehe von diesen Gestaltungen aus. Es handle sich um Ausgeburten einer selbstquälerischen kranken Phantasie, die monomanisch besessen am Absurden festhafte und daher der befreienden, reinigenden Wirkung der „echten" Tragödie ermangele. Die Katharsis, in der sich tragische Dichtung abschließend erhöht und überwindet, stelle sich hier nicht ein. Der Schock des Erkennens, daß alles ganz anders ist, werde nicht transzendiert, sondern verfestige sich zum bleibenden Trauma. Der desillusionierende Augenblick des Erwachens werde krampfhaft festgehalten und zu einem Dauerzustand unheilbaren Leidens verewigt. Kafka sei der „Klassiker" des „Stehenbleibens bei der blinden und panischen Angst vor der Wirklichkeit".[7] In seinen lähmend dunklen Visionen erscheine die Welt als Labyrinth, ja als feindlich bedrängendes Chaos und das Leben insgesamt als qualvoller Irrgang, als eine unauflösliche und widersinnige Parabel. Der Seele dieses Unglücklichen — so sieht es HERMANN PONGS — fehlten recht eigentlich die Lichtorgane.[8]

Im Gegensatz dazu sieht WILHELM EMRICH die Dichtung Kafkas eindeutig positiv. Kafka habe den wahren Mythos des 20. Jahrhunderts geschrieben. Er zeige die wahre Struktur der Dinge selbst, die Struktur der heutigen Entfremdungsvorgänge mit allen Konsequenzen.[9] Und ähnlich rühmt WALTER MUSCHG: Kafka sei der einzige

---

unsere Urteilsfähigkeit besinnen." Es sei eine Blasphemie, Kafka philosophisch zu nehmen. Da er nur Schemen gestalte, werde die Existenz des Menschen in seinem Werk nicht berührt. „Wahrscheinlich ist [er] ein verhinderter Humorist", dessen „neurotische phantasielose Phantasie" aber nicht einmal halbwegs zu einer Komödie ausreiche. Aber auch sonst — und gerade in der studierenden Jugend — häufen sich neuerdings kritische Stimmen, die ästhetisches Ungenügen an Kafkas Dichtung äußern und z. B. seinen Amerika-Roman als „schlecht geschrieben" bezeichnen. Wie Kafka selbst werten sie das Bruchstückbleiben der Romane und das oft nicht Befriedigende der Erzählungsschlüsse als künstlerisches Versagen des Dichters und sind nicht gewillt, sie der besonderen Erfahrungsweise eines stark isolierten Individuums zugute zu halten.

[7] GEORG LUKÁCS: Wider den mißverstandenen Realismus, Hamburg 1958, 86. Ebd. 45 wird Kafka als die „größte dichterische Gestalt der avantgardistischen Literatur heute" gewürdigt.

[8] Franz Kafka. Dichter des Labyrinths, Heidelberg 1960, 127: „Es ist der ‚Sprung in den Abgrund des Nichts', der sich mit monotoner Gewalt immer wiederholt. Es ist die Monotonie der Lichtlosigkeit, nachdem das Lichtorgan in der Seele erloschen ist." Das erinnert an GÜNTHER ANDERS (Franz Kafka. Pro und Contra, München 1951, 29), der Kafkas Grundhaltung mit einem „moralischen Marterkarussell" verglichen hat.

[9] Franz Kafka, Bonn 1958, 122. Auch HEINZ POLITZER (Monat XI, 1959, Nr. 132, 3—13) betont, daß Kafka „einen universellen Zwiespalt" aussage. Sicher ist, daß Kafka zeigt, was andere nicht zeigen bzw. übersehen oder nur halb sehen. Doch kann er selber diese seine negativen Sichten nur deshalb so unerbittlich enthüllen, weil er vieles andere

wirklich geweihte Dichter der Gegenwart, weil er die Verwandlung des Menschen ins Ungeziefer, diese furchtbarste Tatsache des 20. Jahrhunderts, am eigenen Leibe erlebt habe.[10] Aber Pongs will „Muschg und Emrich nicht ohne weiteres zustimmen, wenn sie behaupten, Kafka zeige als einziger die wirkliche Struktur des heutigen Menschen auf". Und er fährt fort: „Wir werden uns weigern, als Ungeziefer zu erwachen. Das eben heißt: die Welt mit Kafka-Augen sehen."[11] Auch „das eigentlich Faszinierende der Kafka-Wirkung", das Pongs nicht leugnet, wertet er letztlich negativ: Kafka verführe dazu, sich den Widersprüchen des Daseins wehrlos und mit einer Art Lust am Absurden hinzugeben, wobei der Dichter selbst die Lust am Absurden als „Teufelsdienst" bezeichne. Ja, mit einem Ausdruck ARNOLD GEHLENS nennt Pongs Kafka einen „ästhetischen Wüstling des Möglichen"[12], eine Charakteristik, die gewiß Kafkas künsterische Zielsetzung mißdeutet. Indem er aber Kafka und das „Kafkaeske" entschieden gegeneinander abgrenzt, vollzieht er doch auch eine positive Wertung: „Was das Kafkaeske vom Kafkastil unterscheidet, ist vor allem eins: daß der echte Verzweiflungston, wie ihn Kafka selbst in allem durchspüren läßt, verschwindet, denn das ist nicht nachzumachen."[13]

Als einen Autor des „Kafkaesken" nennt Pongs den französischen Schriftsteller GEORGE LANGELAAN, der mit seiner Erzählung ‚*Die Fliege*' Kafkas *Verwandlung* überboten habe: Ein Atomphysiker vermag Dinge in ihre Atomteile zu zertrümmern und wieder zusammenzusetzen. Als er das bei einer Katze versucht, mißrät es. Als er es bei sich selbst versucht, kommt ihm eine Fliege dazwischen. Sie hat sich mit Atomteilen des Menschen verselbständigt, die ihm beim Aufbau fehlen. Dafür haben sich Atomteile der Katze ihm integriert. Der Anblick, der sich der zu Hilfe gerufenen Frau des Atomforschers bietet, ist das Urgrauen selbst: ‚Niemals würde ich das Bild des Alptraums aus der Erinnerung löschen können: dieses weißen behaarten Kopfes mit flachem Schädel, mit Katzenohren, mit Augen, die von zwei braunen Scheiben bedeckt waren, groß wie Teller und bis zu den spitzigen Ohren reichend. Rosig war die Schnauze, anstelle des Mundes ein senkrechter Schlitz, umgeben von langen roten Haaren, von denen eine Art schwarzen behaarten Rüssels herabhing, der sich trom-

---

(und nicht weniger Wesentliche) ebenso unerbittlich n i c h t sieht, was freilich die behauptete Universalität seines Weltbildes in Frage stellt.

[10] Tragische Literaturgeschichte, Bern 1948, 104.

[11] Ambivalenz in moderner Dichtung. in: Sprachkunst als Weltgestaltung. Festschrift für HERBERT SEIDLER, München/Salzburg 1966, 203.

[12] Ebd. 206.

[13] Ebd. 208. Wie schon MAX BROD lehnt auch HEINRICH HENEL (Das Ende von Franz Kafkas *Der Bau*, GRM 22, 1972, 8) „die Berechtigung des häßlichen und oberflächlichen Modewortes ‚Kafkaesk'" mit guten Gründen ab. Man pflege ja auch „die Wörter ‚quichotisch' und ‚faustisch' nicht einfach durch ‚Cervantesk' und ‚Goethesch' zu ersetzen; so soll man auch nicht ‚Kafkaesk' sagen, wenn von dem Irren auf endlosen Gängen und Treppen, überhaupt den labyrinthischen Verwirrungen im Tun und Denken seiner Helden die Rede ist."

petenartig weitete.'[14] Das ist in der Tat „kafkaesk" und zeigt, daß dieser zum Terminus gewordene Ausdruck auf ein Mißverständnis Kafkas hinausläuft. Denn Kafka selbst ist es gar nicht um Abseitiges oder gar Überwirkliches zu tun, sondern — nach seinen eigenen Worten — um das ganz Alltägliche, immer und überall Übliche, nur eben meist nicht richtig Gesehene. Wir werden nicht in eine phantastische Welt entrückt, sondern auf eindrücklich neue Weise mit dem Gewohnten konfrontiert. Was aber die erwähnte Erzählung *Die Fliege* betrifft, so „haben wir [hier] die Radikalisierung dessen, was der ‚Wüstling des Möglichen‘ heute anrichten kann, im Utopischen einer Science fiction. Rache der im Experiment mißbrauchten Tierelemente am Menschen".[15] Das Beispiel zeige, daß es für den „Wüstling des Möglichen" im Atomzeitalter keine Grenzen mehr gebe und daß sich die Künstler, wie Arnold Gehlen von den Malern gesagt hat, „bei wachsender Wortunfähigkeit der Seelen der Göttin des Zufalls und des Experiments verschreiben", bis zum „abstrakten Kitsch", zur „leerlaufenden Verrätselung".[16] Solche Kennzeichnungen mögen zwar vielleicht mit Recht auf „k a f k a e s k e" Gestalter, aber sicher nicht auf Kafka selbst angewandt werden.[17]

Aber wie schon Georg Lukács' ambivalente Kafka-Charakteristik erkennen ließ, tut sich auch die gesellschaftspolitisch engagierte Literaturkritik mit der Bewertung des Dichters nicht leicht.[18] Einerseits kann sie sich der Wirkung seines Werkes nicht

---

[14] Ebd. 209.
[15] Ebd. 209.
[16] Zeitbilder. Zur Soziologie und Ästhetik der modernen Malerei, Frankfurt a. M. 1960, 16 ff. und 56.
[17] Wenn PONGS — wie betont — zwischen Kafka und dem „Kafkaesken" unterscheidet, so färbt doch seine Abneigung gegen das „Kafkaeske" auch auf sein Kafkabild ab. Und wenn nach seiner kulturpessimistischen Zeitdiagnose „hinter dem modernen Schriftling ... als bedrohliche Gefahr der ‚Wüstling des Möglichen‘ steht", so stellt sich hier die Gegenfrage, ob es diesen in irgendeiner Form nicht schon immer gegeben habe.
[18] Vgl. u. a. JA ELSBERG: Sozialistischer Realismus. In: Kunst und Literatur 3, 1957, 5. Jg.; KLAUS HERMSDORF: Kafka, Weltbild und Roman, Berlin 1961; PAUL REIMANN: Die gesellschaftliche Problematik in Kafkas Romanen. In: Weimarer Beiträge 4, 1957, 3. Jg.; HELMUT RICHTER: Franz Kafka, Werk und Entwurf, Berlin 1962. Die „Kafka-Situation" — so urteilt HERMSDORF (a.a.O. 176) — sei immer dieselbe, nämlich ein „Stehenbleiben im Niemandsland der Widersprüche", eine „Statik" der Grundhaltung also, verbunden mit einer „hektischen Bewegung des Auf-der-Stelle-Tretens". Vgl. ferner EDUARD GOLDSTÜCKER: Kampf um Kafka (Die Zeit — Nr. 35 — 24. August 1973), worin u. a. auf „den Angriff ALFRED KURELLAS auf die Kafka-Konferenz (am 27./28. Mai 1963 auf Schloß Liblice bei Prag)" eingegangen wird. Hatten die Konferenzteilnehmer aus der DDR betont, „Kafka sei zwar ein bedeutender Künstler, habe jedoch der sozialistischen Welt nichts zu sagen und müsse nur als historisches Phänomen betrachtet werden", so ging Kurella in seiner Attacke noch darüber hinaus und verwarf alle, die Kafka noch eine gewisse Aktualität zubilligten, als „Revisionisten". Vor allem warf er ihnen vor, „daß sie die marxistische Philosophie mit dem Existentialismus verheiraten möchten". Goldstücker beschließt seinen Artikel mit der Feststellung: „Nun, die Diskussion über Kafka wird fortgesetzt. Und in einem Streit der Ideen sind Panzer nie das letzte Argument."

ganz entziehen, andrerseits ist es — selbst bei großzügiger Auslegung — nicht möglich, Kafka für den sozialistischen Realismus in Anspruch zu nehmen. Infolgedessen hat man mit Kritik nicht gespart und ihm vorgeworfen, daß ihm die richtige politische Einsicht fehle und er daher sowohl als Mensch wie als Künstler habe scheitern m ü s s e n. Die Situationen, die er als Dichter darstellte, seien von ihm nicht durchschaut und bewältigt worden. Wäre er jedoch ideologisch auf der Höhe der Zeit gestanden, so hätte er seine negativen Erfahrungen politisch positiv auswerten können. So aber seien seine Werke „antirealistisch" und könnten „nur zur Verbreitung von seelischer Armut, Gleichgültigkeit und Verzweiflung dienen"; „eng mit der Psychoanalyse verbunden", seien sie „ein Beispiel dafür, wie furchtbar die Tatsachen der Wirklichkeit und die menschlichen Gefühle im Schaffen eines Schriftstellers entstellt werden können, der ... das Leben engstirnig und einseitig betrachtete, seine Erscheinungen willkürlich deformierte".[19] Wenn sie dennoch Popularität gewannen, so entspringe das daraus, „daß eine breite Schicht der bürgerlichen Intelligenz sich in einer ähnlichen Lage [wie Kafka] befindet: sie empfindet dumpf die Widersprüche der kapitalistischen Ordnung, ist aber von den Volksmassen noch zu weit entfernt, um diese Widersprüche auflösen zu können. Deshalb interessiert sie sich für Kafka, der in gleicher Weise einen Weg suchte".[20]

Obwohl die Dichtungen selbst keinen Anhalt für solche pointiert politischen Interpretationen bieten, sucht auch HELMUT RICHTER politisch Relevantes aus seinen Kafka-Untersuchungen herauszuholen. Er sieht das Werk des Dichters „als eigentümliche Widerspiegelung der Welt seiner Zeit".[21] Andrerseits kennzeichnet er Kafka zutreffend als einen „von lebendigen, ausgleichenden Kontakten zur Umwelt weitgehend abgeschnittenen" Menschen, der „mit keinem seiner Probleme, weder mit seiner Stellung zur nationalen und sozialen Frage noch mit seinem Judentum oder mit dem Verhältnis zum Vater, jemals auch nur annähernd fertig geworden ist".[22] „Für seine Stellung zur gesellschaftlichen Wirklichkeit" sei bezeichnend, „daß er auch hierbei — wie in allen Lebensbeziehungen — zwischen den Fronten stand,

---

[19] ELSBERG a.a.O. 234. Der Gegensatz zu EMRICH (Franz Kafka, Bonn 1958) ist deutlich. Was dieser grundsätzlich als „universelle Thematik" wertet, erscheint in Elsbergs Sicht als verengtes, einseitiges Zerrbild der dargestellten Wirklichkeit. Den gleichen Vorwurf äußern auch Nichtmarxisten und politisch neutrale Kritiker.

[20] REIMANN a.a.O. 618.

[21] Franz Kafka, Werk und Entwurf, Berlin 1962, 5.

[22] Ebd. 9. „Unsicherheit und Schwanken charakterisiert auch seine Berufswahl nach dem Abitur." Erst wählte er Chemie, dann Jurisprudenz, belegte aber (im zweiten Semester) nur germanistische und kunstgeschichtliche Vorlesungen. Als er dann schließlich doch als promovierter Jurist ein Amt ausübte, strebte er mit allen Kräften aus der juristischen Berufspraxis heraus, um nur zu schreiben. Ein ähnlich problematisches Verhältnis zur Wirklichkeit zeigte JOSEPH ROTH. Was dieser 1936 in einem Brief über sich äußerte, könnte von Kafka geschrieben sein: „Ich komme einfach mit der Welt nicht zu Rande ... Ich kenne, glaube ich, die Welt nur, wenn ich schreibe, und wenn ich die Feder weglege, bin ich verloren."

weder zu den Arbeitern noch zu den Unternehmern gehörte", ja, daß es für ihn überhaupt „keine wirkliche Befriedigung und Einordnung in die Welt geben konnte".[23] Richter stellt fest, daß die Außenwelt Kafkas Entwicklung nicht entscheidend zu beeinflussen vermochte und daß die großen weltpolitischen Ereignisse seit dem Ausbruch des ersten Weltkrieges in seinen Werken, Briefen und Tagebüchern eine „fast bestürzend geringe Resonanz" gefunden hätten.[24] Wenn er aber gelegentlich einmal das politische Geschehen verfolgt habe, blieb sein Interesse „rein passiv und führte weder zu persönlichen Entscheidungen noch zu einer direkten Widerspiegelung im dichterischen Werk".[25] Sein Desinteresse gegenüber der Außenwelt, seine meditative Versponnenheit in die Welt des eigenen Innern waren so konsequent, daß er kaum aufnahm, was um ihn geschah und sogar Ereignisse innerhalb seines persönlichen Lebensbereiches nicht bemerkte. Kafkas Innerlichkeit war in der Tat Weltfremdheit: Er wußte nicht einmal, daß er einen Sohn hatte.[26]

Es ist klar, daß ein solcher Dichter den Erwartungen des sozialistischen Realismus nicht entspricht. Wenn aber Richter trotz der gekennzeichneten Selbstisolation Kafkas behauptet, das Innenleben eines solchen Menschen könne „nichts anderes sein … als die Widerspiegelung der Außenwelt und der spezifischen Auseinandersetzung des Subjektes mit ihr"[27], so verkennt er das Eigentliche und Schöpferische dieses Dich-

---

[23] Ebd. 10.
[24] Ebd. 10.
[25] Ebd. 11.
[26] Dieses Entrücktsein aus der umgebenden realen Welt, das bis zur Unzurechnungsfähigkeit ging, meint auch KORBINIAN NEMO (Formen des Antihumanen in der Literatur. In: Die Weltbühne 2/1956), wenn er lapidar behauptet, Kafka habe „in Wirklichkeit niemand etwas zu sagen, es sei denn denjenigen, die gleich ihm in ihrer Gesellschaftlichkeit defekt sind". Für diesen Autor gebe es „nur den in der Gesellschaft verlorenen und definitiv isolierten einzelnen, der sich von allen anderen denkbaren Nächstenbeziehungen den Verfolgungswahn als die ihm einzig gemäße herausgesucht hat. Thema aller Kafkaschen Schriften … bildet das alte ‚homo homini lupus', der Mensch ist der Wolf seines Mitmenschen". Kafkas Fernsein von der Wirklichkeit scheint auch die Bemerkung PAVEL EISNERS (Kafka and Prague, New York 1950) zu bestätigen, daß sich nur wenig Pragerisches in seinen Werken finden lasse. Das trifft indessen nur bei ganz vordergründiger Betrachtung zu. In Wahrheit war Kafka der Dichter der Stadt Prag, wie insbesondere JOHANNES URZIDIL (Da geht Kafka, Zürich und Stuttgart 1965) und auch WAGENBACH erhärtet haben. Kafka selbst sagte von Prag: ‚In diesem kleinen Kreis ist mein ganzes Leben eingeschlossen.' (Friedrich Thieberger: Erinnerungen an Franz Kafka. „Eckart", Oktober 1953). Bis in die Einzelheiten läßt Kafkas Dichtung seine Verwurzelung im Prager Milieu erkennen. So ist z. B. die Gestalt des Türhüters (*Vor dem Gesetz*) sehr genau nach dem gängigen Typ des Prager Hotelportiers gezeichnet. Andrerseits gilt freilich auch die grundsätzliche Isolierung des Dichters, die in einer seiner letzten Erzählungen, *Der Bau*, thematische Bedeutung besitzt.
[27] Ebd. 14. Indessen stellt auch RICHTER (Ebd. 325, Anm. 64) fest, daß Kafkas Darstellung der Gesellschaft „an der Oberfläche bleibt", und bestätigt somit die in andere Dimensionen drängende Interessenrichtung des Dichters. Aktuelle Sozialkritik war nicht sein Ziel. Es ging ihm um die metaphysischen Grundbefindlichkeiten des menschlichen

ters, die Tatsache nämlich, daß hier der Mensch fast zur Monade geworden ist, zur Monade ohne Fenster und ohne Verlangen, aus sich selbst herauszutreten. Darum ist die Welt, die in Kafkas Dichtung erscheint, nahezu ganz eine Welt von Dichters Gnaden, eine „hermetische Transzendentalität".[28] Auch wenn sich — zugegebenermaßen — kein Mensch jemals völlig von der Welt der äußeren Wirklichkeit loslösen kann, so ist doch gerade in Kafkas Dichtungen ein hohes Maß an kreativer Unabhängigkeit erreicht. Er selbst hat das klar zum Ausdruck gebracht: ‚Der Sinn für die Darstellung meines traumhaften inneren Lebens hat alles andere ins Nebensächliche gerückt und es ist in einer schrecklichen Weise verkümmert und hört nicht auf zu verkümmern.'[29] „Die künstlerische Wirklichkeit der Werke Kafkas" und „die Realität der Umwelt" sind daher so weit voneinander getrennt, daß nicht einmal direkte symbolische Entsprechungen aufgewiesen werden können.[30] Was hier zugrundeliegt, ist weithin ein Akt schöpferischer Hinzugestaltung. Wie Beißner formuliert, hat Kafka „den inneren Menschen als Gegenstand epischer Kunst" entdeckt, als „eine Welt von nicht geringerer Ausdehnung und voller Möglichkeiten, und dazu eine Welt, deren Einheit und Einheitlichkeit unzerstörbar ist".[31] Entsprechend bestehe seine gestalterische Leistung in der „Verwandlung einer … Seelenwirklichkeit in ein lückenlos strukturiertes Kunstgebilde der Sprache".[32]

Es tut not, Kafkas vielzitiertes und oft mißverstandenes Wort vom ‚traumhaften inneren Leben' zu erläutern. Schon Kurt Tucholsky stellt im Blick auf das Werk des Dichters die skeptische Frage: „Also ein Traum?" und fährt fort: „Nichts ist für mein Gefühl verkehrter, als mit diesem verblasenen Wort Kafka fangen zu wol-

---

Daseins. ‚Alles andere' war für ihn ‚ins Nebensächliche gerückt'. Dem entspricht sein traumhaftes Konzipieren und Assoziieren, daß — wie er selbst sagte (T 241) — ‚optische Zufälle' sein Gesamturteil bestimmen und Sinneswahrnehmungen, die ihm vor den Augen flimmern, sich auf unvorhergesehene Weise beeinflussen und ‚verjagen'. HARTMUT BINDER (Kafkas literarische Urteile, ZfdPh. 86, 1967, 213 und 219) betont, „daß die Wahrnehmungen Kafkas ganz am Rande liegende Erscheinungen einfangen, die dazu häufig nur augenblicksweise bestehen". Diesem ungesicherten, ja untergeordneten Dingbezug — bei auffälliger Genauigkeit in Details — entspricht der Rückzug aus der Welt, die Introversion, die Neigung des Dichters, „durch traumbildnerische Imagination" das Unbewußte bewußt zu machen. Vgl. BERNHARD RANG: Die deutsche Epik des 20. Jahrhunderts. In: HERMANN FRIEDMANN und OTTO MANN (Hrsg.): Deutsche Literatur im 20. Jahrhundert, Bd. 1, Heidelberg [4]1961, 82.
[28] MARTIN WALSER: Beschreibung einer Form — Franz Kafka, München 1961, 65.
[29] Tagebucheintragung vom 6. August 1914. Kafka fügt noch hinzu: „Nichts anderes kann mich jemals zufriedenstellen." Zu JANOUCH sagte er: „Der Traum enthüllt die Wirklichkeit, hinter der die Vorstellung zurückbleibt. Das ist das Schreckliche des Lebens, das Erschütternde der Kunst" (J 27).
[30] EMRICH, a.a.O. 81 kennzeichnet Kafkas Gestaltungen als „jenseits von Allegorie und Symbol" und auch HERMSDORF, a.a.O. 204. betont, daß Kafkas Bildersprache „weder mit dem ästhetischen Wesen des Symbols noch der Allegorie vereinbar" sei.
[31] Der Erzähler Franz Kafka, Stuttgart 1952, 28.
[32] Ebd. 41.

len. Dies ist viel mehr als ein Traum."[33] Tatsächlich ist es genau das, was Kafka selbst als den Kern seines dichterischen Schaffens bezeichnet hat, nämlich sein ‚traumhaftes inneres Leben', das heißt: nichts Verträumtes, sondern bedrängend gegenständlich gewordene Vision, nicht Allegorie noch auch Symbol im üblichen Sinn, sondern R e a l s y m b o l, also Symbol, das „sich selbständig gemacht" hat und „sein eigenes Leben" lebt. Auf alle Fälle meint es nicht lediglich „Träumen", was ja auch mit der planvoll bewußten, disziplinierten Arbeitsweise des Dichters ganz unvereinbar wäre, sondern bezieht sich auf jene konsequente Introversion, die Kafka als eine unerläßliche Voraussetzung künstlerischen Schaffens empfunden hat. Sein traumhaftes inneres Leben ist also nichts anderes als der „Rückzug aus dem Leben als Bedingung des Dichtens".[34] Dieser Rückzug war notwendig, weil ihm — nach Ausweis der Tagebücher[35] — „sein Leben in jedem Augenblick als eine vollkommene Katastrophe" erschien, die er einzig nur durch ‚Schreiben' überwinden zu können glaubte.[36] In ähnlichem Sinn deutet INGEBORG HENEL Kafkas Hinweis auf die Priorität seines traumhaften inneren Lebens dahingehend, „daß der Schriftsteller auf Kosten des Menschen in ihm gediehen ist", daß also das traumhafte innere Leben den Gegensatz zum tätig praktischen Leben meint.[37] Der Tagebucheintrag besage also nicht, daß der Dichter seine Träume, seine Tagträume oder seine richtigen Träume wiedergebe. Wohl gebrauche er nicht selten „Traummaterial", um innere Vorgänge und Zustände zu verbildlichen, aber er tue das nicht als ein Träumender, sondern stets in hellwacher gestalterischer Bewußtheit. Infolgedessen irre Thomas Mann, wenn er behauptet, die Dichtungen Kafkas seien „ganz und gar im Charakter des Traums konzipiert und gestaltet".

Hier schießt jedoch Ingeborg Henel übers Ziel hinaus. Denn in dem von ihm gemeinten Sinn hat Thomas Mann (und mit ihm Kafka!) durchaus recht, wenn er von traumhaftem Konzipieren spricht. Zwar erzählt der Dichter keinen Traum, aber was er erzählt, läuft in assoziativer Freiheit w i e e i n T r a u m, eben „traumhaft" ab. Die geschaffene, autonome Welt der Dichtung Kafkas ist daher auch von der empirischen Wirklichkeit ebenso weit entfernt, wie es Träume sind, und was darin geschieht, könnte so, wie es erzählt wird, in der wirklichen Welt nicht erlebt, wohl aber g e t r ä u m t werden.

---

[33] KURT TUCHOLSKY: Der Prozeß. In: Hans Mayer (Hrsg.): Deutsche Literaturkritik, a.a.O. 402. Vgl. neuerdings: FRIEDRICH BEISSNER: Kafkas Darstellung des ‚traumhaften innern Lebens', Bebenhausen 1972.

[34] HEINZ HILLMANN: Franz Kafka. Dichtungstheorie und Dichtungsgestalt, Bonn 1964, 22.

[35] HEINZ HILLMANN: Franz Kafka. In: BENNO VON WIESE (Hrsg.): Deutsche Dichter der Moderne, Berlin 1965, 258: „Ein Buch . . . ruft die Vorstellung von einem unglücklichen und verzweifelten Kafka stets von neuem wach: das Tagebuch."

[36] HEINZ HILLMANN: Franz Kafka. Dichtungstheorie . . . a.a.O. 20.

[37] Die Deutbarkeit von Kafkas Werken, ZfdPh. 86, 1967, 252.

Dieser „visionären und traumhaften Erlebnisweise" entspricht, daß sie „Vorstellungen und Bilder" hervortreibt, „die häufig den Charakter des Grotesken tragen". Vermag doch „die Traumwelt als gegenständliche Bilderwelt... schon von sich aus der Erscheinungsweise des Grotesken Raum zu geben, da in ihr die empirischen Grenzen von Raum und Zeit auf bezeichnende Weise verschoben sind". „Der Blick des Träumenden ... ist ein verzerrender. Er verwandelt die Umgebung zuweilen in Ungeheuer und läßt das Groteske solcher Vorstellungen in der Weise des Grauenhaften und Schreckensvollen erscheinen ... Nur ein kleiner Schritt genügt, um im Weglassen eindeutiger Traumbezeichnungen einen solchen Traum fiktive Realität in Form eines kleinen Prosastücks gewinnen zu lassen ... An der Nahtstelle des unvermittelten Übergangs von Traum und Wirklichkeit konstituiert sich das Groteske Kafkas. [Zugleich] ist eindeutig, daß man sich ... mit dem Erzähler in einer anderen Zeit als der empirischen [des Erzählungseingangs] befindet, in einer Zeit, die von den Anschauungskategorien traumhaften Ineinanderübergehens und nicht bewußtspielerischer Willkür bestimmt wird."[38]

Als „traumhaft" erscheint also die durch keine kausal-logischen Bedingungen beeinträchtigte Freiheit der Vorgänge, der von allen raum-zeitlichen Ordnungen unabhängige Ablauf des Geschehens, kurz: das scheinbar Unwirkliche der Begebenheiten. Wir wissen jedoch, daß Kafka selbst dieses ‚traumhafte innere Leben' als das wahre Schauen, als den Blick in die Tiefe wertete. ‚Traumhaft' bedeutet daher in seinem Sinn nicht planloses Ausschweifen oder Treibenlassen der Phantasie, sondern das autonome Außerhalbstehen des Dichters, sein Entbundensein von den Zwängen des Normal-Üblichen. Es meint, wie Hillmann formuliert, daß sich „das dichterische Subjekt... aus der Umklammerung der Welt und aus der Befangenheit des eigenen Ichs" befreit, „das Engagiert-Sein" überwunden und damit „die für das umfassende Erkennen unabdingbare Distanz" geschaffen hat.[39] Das heißt, es geht um jene von der vordergründigen Realität der Welt abgelöste Situation des Künstlers, die Kafka als ‚lebendiges Totsein und klares Sehen' bzw. als die den Dichter bedrohende Gefahr des ‚nicht gelebten Lebens' bezeichnet hat.[40] Hillmann gebraucht dafür die Formel „Dichten als Nicht-Leben", und tatsächlich wehrte Kafka die „Wirklichkeit fortwährend von sich ab, versuchte, sich ihr zu entziehen, um sie im Bereiche der Dichtung desto vollkommener zu ‚leben'.[41] „Lebensschwäche" erscheint in solchem Licht geradezu als „Bedingung des Dichtens".[42] Gefordert wird

---

[38] NORBERT KASSEL: Das Groteske bei Franz Kafka, München 1969, 30 ff. und 49 ff. Ebd. 55: ein traumhaft groteskes Verfahren, das „Unähnliches und Divergierendes willkürlich miteinander mischt".

[39] Franz Kafka. Dichtungstheorie, a.a.O. 24. Entsprechend empfand sich Kafka bei seinem traumhaften Konzipieren „keineswegs als Reformator, sondern als ein ganz schlichter, möglichst genau arbeitender ‚Abzeichner' ". (WILHELM EMRICH: Protest und Verheißung, Frankfurt a. M. ²1963, 128).

[40] B 19 und B 195.

[41] Dichtungstheorie, 26 f.

[42] Ebd. 34.

hier ja die vollkommen isolierte Existenz des Schriftstellers ‚ohne Vorfahren, ohne Ehe, ohne Nachkommen‘, ‚außerhalb unserer Menschheit‘ mit nur ‚soviel Boden als seine zwei Füße brauchen, und soviel Halt, als seine zwei Hände bedecken‘.[43] Traumhaftes inneres Leben meint also auch jenes Versagen gegenüber dem konkreten Leben, das — nach der Überzeugung Kafkas — als Preis für erwähltes Künstlertum bezahlt werden muß.

Das heißt aber zugleich, daß Kafka als Dichter „das Problem des Daseins nicht mehr in der Auseinandersetzung mit einer äußeren Welt, sondern in der existenziellen Situation selbst, in der Innerlichkeit des Menschen" sieht, eine Innerlichkeit, die „aber keine subjektive, keine Wahnwelt" ist, ... sondern eine intrasubjektive; denn der Mensch, der seine Situation erkennt, erkennt zugleich die menschliche Situation schlechthin. Die Welt, die ein solcher Dichter darstellt, ist unabhängig, von der Subjektivität, die sie erschuf"[44]; sie ist gleichermaßen autonom und universal, also weder Abbild noch Gleichnis der realen Welt[45], sondern eine Eigenwelt, die ihren Sinn in sich selbst trägt, eine Welt, in der die Modelle menschlichen Seins — „jenseits von Allegorie und Symbol" (Emrich) — konkrete Realität besitzen.

Mit vordergründiger Empirie kann man einem solchen Dichter nicht gerecht werden noch überhaupt nahekommen. Und Emrich leugnet mit Recht, daß Kafkas Werk „bestimmte religiöse Vorstellungen und Glaubensinhalte oder ... bestimmte soziale und biographische Phänomene (in einem rein empirischen Sinn)" symbolisch oder allegorisch spiegelt.[46] Vielmehr handle es sich in dieser Dichtung immer und grundsätzlich um „universelle Thematik", um menschliche Existenz als solche und nicht lediglich um apart verschlüsselte Autobiographie, auch wenn der Rohstoff seines Dichtens stets autobiographisch ist. Das aber heißt: seine Darstellungen sind nicht lediglich Transformationen, sondern autonome Formen, die in sich selber und durch sich selber leben und daher auch nur durch sich selber Gewicht und Geltung besitzen.

Die konsequente Introversion Kafkas und — als Folge daraus — die kreative Unabhängigkeit seiner Gestaltungen verpflichten den Deuter, ihn als einen p o e t a s u i g e n e r i s zu respektieren. Es war nicht so, daß er sich willentlich außerhalb aller Ordnungen stellte und somit aus einer programmatisch artikulierten Oppositionshaltung heraus klassifiziert werden könnte, sondern er stand a priori außerhalb. Nach dem Gesetz, nach dem er angetreten, war er auf sich selbst, eben auf sein ‚traumhaftes inneres Leben‘ verwiesen. Alles Andere konnte nur Störung, ja Verhinderung seines Selbstseins bedeuten. Diese Stellung außerhalb war für den

---

[43] T 558 und T 21.
[44] INGEBORG HENEL: Die Deutbarkeit von Kafkas Werken, 254.
[45] Vgl. KURT TUCHOLSKY: Der Prozeß. In: HANS MAYER (Hrsg.): Deutsche Literaturkritik a.a.O. 400: „So wenig, wie die *Strafkolonie* eine Militärsatire ist oder die *Verwandlung* eine Bourgeois-Satire — es sind selbständige Gebilde ..."
[46] Ebd. 22.

Dichter gleichermaßen eine Chance und eine Gefahr. Zugleich macht sie deutlich, daß Kafka weder bürgerlich noch marxistisch, sondern im wesentlichen nur als ein Sonderfall menschlicher und künstlerischer Existenz gedeutet werden kann. Wenn er dennoch eine außerordentliche Breitenwirkung übt, so erklärt sich das daraus, daß sich mit Vorzug am Sonderfall der Allgemeinfall erhellt, weil vollgültiges menschliches Selbstverständnis ohne Blick auf die Grenzpositionen nicht möglich ist. Nur in Konfrontation mit den Extremen kann sich die Mitte als Mitte erkennen. Kafka ist ein solcher Dichter, der den Menschen unerbittlich mit seinen (ihm kaum bewußten) äußersten Möglichkeiten konfrontiert und die so gewohnte Selbstsicherheit auf eine harte Probe stellt. Auch die als unheilbar sich erweisende Krankheit Kafkas ist letzthin ein Symptom; sie spiegelt sein „durchgehendes Thema, d i e m i ß l i n g e n d e A n k u n f t o d e r d a s v e r f e h l t e Z i e l"[47], sie demonstriert die These Kleists von der ‚gebrechlichen Einrichtung der Welt' und bestätigt dieses Übel als permanent und irreparabel.

Es versteht sich, daß dieser aus „einer ausweglosen Einsamkeit"[48] resultierende Pessimismus, der sich in schockierend absurden Parabeln vergegenwärtigt, bedrückend wirkt und weithin auch Ablehnung provoziert. Demgegenüber versuchte MAX BROD den auf ein positives Ziel gerichteten Kafka zu zeigen.[49] Er verweist auf die „Aphorismen" und z. T. auch die „Tagebücher", in denen Kafka positiv auf das ‚Unzerstörbare' im Menschen gerichtet sei und ein gläubiges Verhältnis zur Welt besitze, ja als „ein religiöser Held vom Rang eines Propheten" erscheine. Doch räumt er ein, daß der Kafka der Romane und Novellen den hoffnungslos irrenden Menschen zeige, der seiner Verlassenheit ausgeliefert ist und den Zusammenhang mit dem ‚Unzerstörbaren' verloren hat. Aber man mißverstehe den Dichter, wenn man nicht auch sein „positives Wort an die Menschheit" aufnehme, das er in den Aphorismen formuliert habe. Hier spreche kein heilloser Pessimist, kein Verkünder unvermeidlichen Scheiterns, sondern ein auf die Erreichung des Zieles vertrauender, tiefreligiöser Mensch. Brod zitiert zum Beweis den Aphorismus Nr. 50 im dritten Oktavheft 1917: ‚Der Mensch kann nicht leben ohne ein dauerndes Vertrauen zu etwas Unzerstörbarem in sich, wobei sowohl das Unzerstörbare als auch das Ver-

---

[47] FRIEDRICH BEISSNER: Kafka der Dichter, Stuttgart 1952, 13. Ebenso betont HARTMUT BINDER (Motiv und Gestaltung bei Franz Kafka, Bonn 1966, 383 und 395), daß sich die Thematik bei Kafka nicht ändert, daß „die mißlingende Ankunft, das Scheitern mitmenschlicher Beziehung und beruflicher Einordnung ein durchgehendes Thema Kafkas" sei. Doch werde „seit 1917 die mißlingende Ankunft als schon mißlungene Ankunft zur Erzählvoraussetzung". Auch im sprachlichen (dichterischen) Bereich fänden wir „eine Statik, die der Konstanz seiner Thematik vergleichbar ist" (Ebd. 395). Ähnlich spricht KURT WEINBERG (Kafkas Dichtungen, Bonn und München 1963, 9) von den „Hauptthemen, welche in den Dichtungen Kafkas geradezu mit faszinierender Monotonie wiederkehren".

[48] Ebd. 13.

[49] Franz Kafka. Eine Biographie, Frankfurt ³1954. Ferner: Franz Kafkas Glauben und Lehre (Kafka und Tolstoi), Winterthur 1948.

trauen ihm dauernd verborgen bleiben können.ʻ In einem Tagebuchwort äußerte Kafka sich im Sinne eines Wunschzieles: . . . ,falls ich die Welt ins Reine, Wahre, Unveränderliche heben kannʻ. Gläubig positiv klingt ferner seine These, ,man müsse nur einmal zum Guten übergehen und sei schon gerettet, ohne Rücksicht auf die Vergangenheit und sogar ohne Rücksicht auf die Zukunftʻ.[50]

Im gleichen Sinn wie Max Brod betonte auch HANS JOACHIM SCHOEPS das Positive in Kafka. Obwohl der Dichter bis zum Ende „in der tragischen Position der potenzierten Verzweiflung verblieben" sei, habe er doch „Waffen gehabt, sich zu wehren, wie Humor, Ironie und Hoffnung". Und gerade „die Hoffnung [sei] die stärkste gewesen, . . . von geradezu messianischer Gewalt . . . in Kafkas persönlichem Leben trotz aller Not und Leiden eine reale Macht". Es gebe kein zweites Dokument aus neuerer Zeit, das so für die Macht der Hoffnung Zeugnis gibt und von einer solchen Urkraft messianischer Erwartung durchglüht ist wie dieser Satz Franz Kafkas: ,Ein erstes Zeichen beginnender Erkenntnis ist der Wunsch zu sterben. Dieses Leben scheint unerträglich, ein neues unerreichbar. Man schämt sich nicht mehr, sterben zu wollen. Man bittet, aus der alten Zelle, die man haßt, in eine neue gebracht zu werden, die man erst hassen lernen wird. Der Rest von Glauben wirkt dabei mit, während des Transportes wird zufällig der Herr durch den Gang kommen, den Gefangenen ansehen und sagen: „Diesen sollt ihr nicht wieder einsperren. Er kommt zu mir."ʻ[51] Hier äußert sich in Kafka ein Element jüdisch-biblischer Religiosität und Gotteshoffnung, jener gerade in der tiefsten Not bewährte Hiobsglaube: ,Ich weiß, daß mein Erlöser lebt.ʻ

---

[50] Ebd. 28. Brod weist noch auf weitere Äußerungen Kafkas hin, die dessen geheime Sehnsucht nach dem Positiven erkennen lassen, z. B. die Tagebucheinträge: ,Nicht verzweifeln, auch darüber nicht, daß du verzweifelst. Wenn alles zu Ende scheint, kommen doch noch neue Kräfte angerückt, das bedeutet eben, daß du lebst.ʻ Oder: ,Starker Regenguß. Stell dich dem Regen entgegen, laß die eisernen Strahlen dich durchdringen, gleite in dem Wasser, das dich fortschwemmen will, aber bleibe doch, erwarte so, aufrecht, die plötzlich und endlos einströmende Sonne.ʻ Oder Nr. 69 im dritten Oktavheft 1917: ,Theoretisch gibt es eine vollkommene Glücksmöglichkeit: An das Unzerstörbare in sich glauben und nicht zu ihm streben.ʻ Zu Kafkas Roman *Der Prozeß* bemerkt BROD (Der Dichter Franz Kafka. In: HANS MAYER (Hrsg.): Deutsche Literaturkritik a.a.O. 359): „Es schwebt eben bei aller Verzweiflung doch eine unendliche Hoffnung, ein unsichtbares Himmelsgewölbe gleichsam, über diesem Buch wie über Kafkas ganzem Werk. Irgendwo verborgen ahnt man Auswege, Transzendenz, Möglichkeit eines richtigen Lebenswandels. Wir hören Frage, Frage und nochmals Frage — eine Antwort wird nicht gegeben — u n d d o c h i s t s i e d a , man kann sich diesem Eindruck nicht entziehen. So sind Kafkas Bücher das Geheimnisvollste, was ich kenne." Es geht hier um jene Hoffnung, die das Korrelat der Verzweiflung ist. Vgl. ferner ROBERT ROCHEFORT: Kafka oder die unzerstörbare Hoffnung. Mit einem Geleitwort von ROMANO GUARDINI , Wien—München 1955.
[51] Theologische Motive in der Dichtung Franz Kafkas. In: Die neue Rundschau, Jg. 62, 1951, 37.
[52] Vorwort zur französischen Übersetzung der *Tagebücher* Kafkas (Journal Intime, Editions Bernard Grasset, Paris).

Das Positive und Religiöse Kafkas hebt auch PIERRE KLOSSOWSKI hervor.[52] Es sei irrig, in diesem Dichter nur Negatives, Selbstzerstörerisches und Auswegsloses sehen zu wollen. Kafka sei kein uferloser Pessimist, kein Dichter der Verzweiflung, sondern glaube an das ,Unzerstörbare' im Menschen, in allen Menschen. Auch habe er eine Vision eines letzten Zieles gehabt: „Nous ne pouvons en aucun cas parler de lui comme s'il n'avait pas eu de vision finale."[53] Zugleich lehnte Klossowski eine rein ästhetische Interpretation Kafkas ab, da dieser, auch als Schriftsteller, in erster Reihe ein Phänomen der religiösen Welt gewesen sei. Das stimmt zu Kafkas eigener Definition des Schreibens als einer ,Form des Gebetes'.[54] Um dieser ethisch-religiösen Substanz seines Werkes willen hat ihn Brod mit Recht als einen Geistes- und Seelenverwandten Tolstois gekennzeichnet. Mit diesem wie mit Kleist verbindet Kafka die gleiche „moralische Zartheit", die gleiche Unbedingtheit des Gefühls, die gleiche Kompromißlosigkeit im Blick auf die letzten Fragen.[55] Leo Tolstois Tagebucheintrag vom November 1896 könnte — bis in den Wortlaut hinein — von Kafka verfaßt sein: ,Hauptsächlich tut es not zu wissen, daß, wenn in mir Nicht-Liebe ist, ich schon deshalb, weil diese Nicht-Liebe in mir ist, schuldig bin.'[56] In solchem Sinne ist auch für den Dichter der Erzählungen *Das Urteil, Die Verwandlung, In der Strafkolonie* oder die Romane *Der Prozeß* und *Das Schloß* der Begriff der dem Menschen verborgenen Schuld schlechthin zentral. Deshalb schildert der Erzähler Kafka in extenso die grauenhaften Strafsanktionen, die den

---

[53] Ebd.

[54] Nach WEINBERG (Kafkas Dichtungen. Die Travestien des Mythos, Bern und München 1963, 33 und 35) bilden Kafkas Fabeln „einen fortwährenden Dialog mit dem Schweigen Gottes". Seine religiöse Situation sei gekennzeichnet durch „eine urbane Unmöglichkeit des Glaubens, ein ,Zögern vor dem Glauben' bei gleichzeitigem Heißhunger auf ein Glaubensideal". „Kafka mag wohl zeitlebens ein tiefes, unstillbares Bedürfnis nach Religiosität empfunden haben; aber religiöse Erfüllung, ,religio' im wörtlichen Sinn als ,Bindung' an eine Glaubensgemeinschaft, gibt es für ihn ebensowenig wie für seine auf sich selbst gestellten Helden, die an allem und an sich selbst zweifeln und verzweifeln müssen, die auch am eigenen Leben keine Stütze mehr finden."

[55] In diese Reihe der kompromißlos Unbedingten gehört unter den Schriftstellern der jüngsten Zeit Alexander Solschenizin, der Nobelpreisträger für Literatur 1970, ein Dichter, der — durch das Leid schwerer Krankheit gegangen — den Menschen vor die Realität des Todes stellt und überhaupt mit dem Ganzen seines Lebens und seines Werkes den kurzschlüssigen Materialismus seiner Umwelt widerlegt. Als religiöser Mensch sieht er in Gott die letzte, die einzige Instanz: ,Wenn mein Geist sich in Zweifel aufspaltet und erschlafft, wenn die klügsten Leute nicht weiter sehen als bis zum heutigen Abend und nicht wissen, was morgen zu tun sein wird, sendest Du mir die klare Gewißheit herab, daß Du bist...' Auch von der Thematik seiner Dichtungen her — *Krebsstation, Erster Kreis der Hölle* — drängt sich der Vergleich mit Kafka auf.

[56] Es ist die gleiche unbedingte, Gericht über sich selber haltende Ehrlichkeit, die die Tagebucheintragungen Tolstois und Kafkas, aber auch die persönlichen Selbstzeugnisse Kleists und Solschenizins kennzeichnet. Auch der Kafkakritiker REIMANN (a.a.O. 602) räumt ein, daß „schon durch seine Ehrlichkeit Kafka turmhoch über dem ganzen Troß seiner Trabanten und kritiklosen Bewunderer" stehe.

irrenden Menschen treffen; deshalb handeln seine Dichtungen vorzugsweise von Urteil und Gericht.[57] Je unbedingter der religiöse Moralist d i e V o l l k o m m e n - h e i t d e s Z i e l e s forderte, desto schonungsloser enthüllte er d i e U n v o l l - k o m m e n h e i t d e s M e n s c h e n. In seinen Romanen und Novellen geht es immer wieder um dieses Grundthema, um das Versagen und Scheitern der „Helden", die trotz größtmöglicher Anstrengung das Ziel verfehlen. „Daher der überwiegend pessimistische Klang seines Werkes."[58]

Wenn aber Brod, gestützt auf „das positive Wort" Kafkas in seinen Aphorismen und persönlichen Aufzeichnungen, den Dichter trotzdem als eine insgesamt aufbauende Persönlichkeit charakterisiert, so mutet das überraschend an. Denn die Dichtung selbst bedrückt und entmutigt; läßt sie doch nur das Eine erkennen, wie unzulänglich und vergeblich alles Bemühen ist. Aber in einem tieferen Sinn hat Brod wohl dennoch recht, im Sinne des Hölderlinwortes: ‚Wo aber Gefahr ist, wächst das Rettende auch.' Auch der Schock der Entmutigung ist heilsam, wenn man sich ihm rückhaltlos stellt. Die Einsicht in die Ausweglosigkeit impliziert zugleich, daß es auf anderer Ebene einen Ausweg geben muß, daß aber dieser Ausweg Verwandlung fordert. Der Sackgasse entrinnen kann nur der, der sich ihrer bewußt geworden ist. Auf die Erkenntnis ‚Mit unserer Macht ist nichts getan', auf dieses grundreligiöse Gefühl ‚schlechthinniger Abhängigkeit' gibt es nur eine adäquate Antwort: unbedingte Glaubenszuversicht. Indem Kafkas Dichtung den äußersten Punkt der Hoffnungslosigkeit enthüllt, provoziert er zugleich diese Entscheidung zum Glauben an das Absolute. Wer seine Werke genau liest, wird feststellen, daß nicht nur in den Aphorismen, sondern auch in der verdüsterten Welt seiner Erzählungen und Romane mitunter ein Lichtschein aufschimmert. Man würde Wesentliches verfehlen, wenn man diese Spurenelemente der Sehnsucht, der Hoffnung und des Glaubens in seinem Werk ganz übersähe.

Wer freilich einen klar formulierbaren, eindeutigen Sinn oder gar Trost und Lebenshilfe in Kafkas Dichtung sucht, wird enttäuscht und entmutigt. Denn wie der Dichter selbst erklärt, geht es ihm bei der Darstellung seines ‚traumhaften inneren Lebens' um das Erschreckende und Schreckliche hinter den Dingen: ‚Der Traum enthüllt die Wirklichkeit, hinter der die Vorstellung zurückbleibt. Das ist das Schreckliche des Lebens — das Erschütternde der Kunst.'[59] Auch was er in dem späten Prosastück *Von den Gleichnissen* ausführt[60], verunsichert den Leser und warnt davor, das schlechthin Vieldeutige in den eindeutigen Griff einer Erklärung

---

[57] WERNER REHFELD: Das Motiv des Gerichts im Werke Franz Kafkas, Diss. Frankfurt 1959.

[58] BROD: Kafkas Glauben und Lehre a.a.O. 27.

[59] GUSTAV JANOUCH: Gespräche mit Kafka, Frankfurt 1951, 27. (Erweiterte Ausgabe 1968.)

[60] In ihrer Datierung sämtlicher Texte Franz Kafkas (Kafka-Symposium, Berlin 1965, 55) datieren MALCOLM PASLEY / KLAUS WAGENBACH dieses Stück auf 1922—23.

bringen zu wollen.[61] Gleichwohl bleibt es wichtig, im scheinbar Widersinnigen der Dichtungen Kafkas dem Sinn — oder doch e i n e m Sinn — auf die Spur zu kommen und so die geheimen Züge aufzudecken, die dieses Werk mit unserem Leben verbinden. Zugleich aber nötigt die Multivalenz des Ganzen, den Deutungseifer zu zügeln und Fragen offen zu lassen, die durch rational kurzschlüssige Beantwortung ihren eigentlichen Sinn verlören. Man kann auch hier nichts aufdecken, ohne anderes — und vielleicht wichtigeres — zuzudecken.

Wer die Gleichnisse Kafkas n u r als Parabeln auffaßt, geht in die Irre, da ihr Sinn nicht mit vorausgegebenen Begriffen zu identifizieren ist. Seine Gleichnisse d e u t e n u m. Sie verändern Bewußtsein und Anschauung, wenn man in ihre Welt eintritt. Aber eben dadurch, daß sie über die „normale" Wirklichkeit wie auch über sich selbst hinausweisen[62], dienen sie, wie Emrich unterstellt, „der Enthüllung, dem Offenbarwerden der vollen Wahrheit ... Sie sind keine Verzeichnung der Wirklichkeit, sondern ihre volle Aufdeckung".[63] Für Emrich besteht somit kein Zweifel, daß Kafkas „merkwürdige Verfremdung ... seine Durchbrechungen der normalen raumzeitlichen Anschauungs- und Vorstellungswelt" keine abwegigen Ausgeburten der Phantasie darstellen, sondern im Gegenteil eine vollgültige „Wiederherstellung" der Wirklichkeit bedeuten.[64] „Die scheinbar absurden, unwahrscheinlichen Vorgänge ... die sich durchkreuzenden Instanzenwege, die sonderbar traumhaften Szenen, die erotischen Vorgänge, all das ist Enthüllung dessen, was sich ständig in unserer privaten und gesellschaftlichen Wirklichkeit ereignet."[65]

---

[61] Vgl. WERNER KRAFT: Franz Kafka. Durchdringung und Geheimnis, Frankfurt 1968, 11—13: Die Mühe des Tages: *Von den Gleichnissen.*

[62] Für Kafkas Gleichnisse gilt, was HEINZ POLITZER insgesamt über die von Lessing, Jean Paul, Heine, Dostojewski und Nietzsche kommende „moderne Parabel" gesagt hat, daß sie nämlich „eine Aussage über das Übernatürliche [ist], das sich dem Bewußtsein oder dem Unbewußtsein des zeitgenössischen Dichters aufgedrängt hat. Weit davon entfernt..., den Abgrund zwischen der empirischen Welt und dem Geheimnis der Suprarealität zu überbrücken, offenbaren diese Parabeln nichts als das Mysterium des Mysteriums und verewigen in unlösbaren Rätseln den Bruch, der zwischen Diesseits und Jenseits klafft".

[63] EMRICH a.a.O. 36.

[64] Ebd. 36. Im Gegensatz dazu betont JOHN FOWLES (My recollections of Kafka, Mosaic III/4, 39) die Einseitigkeit der Kafkaschen Gestaltungen: „....he conveys how things feel when we are depressed and frustrated ... Kafka erects a model of a hypothetical universe that is much worse than the actuality." Ebd. 37: „No doubt something in Kafka grated with my racial quantum of empiricism in one direction, of romanticism in another. He took his fantasies too seriously. Not in the whimsical or satirical Anglo-Saxon style at all."

[65] Ebd. 40. Auch die Auffassung von Camus, daß die Dichtung Kafkas „das Absurde in seiner Gesamtheit" vergegenwärtige, unterstellt die Teilhabe des Dichters am Absoluten und Ganzen. Ähnlich positiv urteilt JEAN PAUL SARTRE. Auf dem Leningrader Symposium vom August 1963, das Joyce, Proust und Kafka gewidmet war, sagte er, daß diejenigen, die diese drei Autoren als dekadente Schriftsteller bezeichnen, deren Werke offenbar nicht gelesen haben.

Wenn Emrich in Kafkas Werk die Enthüllung der vollen Wirklichkeit vollzogen sieht, so ist das ein persönliches Glaubensbekenntnis, zugleich aber eine letzthin unbeweisbare Behauptung. Ein solcher totalitärer Wahrheitsanspruch bleibt fragwürdig, auch wenn sich durch Zitate erhärten läßt, daß Kafka selbst eine absolute Zielsetzung mit seinem Dichten verband.[66] Und die Verehrung, die ihm zuteil wird, steht im Zeichen des Goethewortes: ‚Den lieb ich, der Unmögliches begehrt.‘ Das besagt aber nicht, daß er das Unmögliche möglich gemacht habe. Sicher ist, daß seine Dichtung, indem sie Verborgenes und Verdrängtes, Ungeahntes und Vergessenes vor Augen stellt, den Leser zu neuen Formen des Bewußtseins erweckt und ihn so auf völlig überraschende Weise mit dem eigenen Selbst als einem noch unbekannten Wesen konfrontiert. Ob aber diese Eröffnung neuer Dimensionen des Welt- und Selbstverständnisses als eine Begegnung mit dem Absoluten zu werten ist, bleibt unentscheidbar. Denn was man als eine Möglichkeit allenfalls glauben kann, — und Emrich tut das ohne den geringsten Zweifel —, ist noch keine Sicherheit. LAWRENCE RYAN sieht hier mit Recht „die Grenze der Kafka-Interpretation Wilhelm Emrichs, daß [dieser nämlich] die ‚befreiende Durchbrechung der Weltgesetzlichkeit‘ auch im ‚Leben in der Welt‘[67] für möglich hält".[68] Emrich unterstellte Kafka ein Wissen um das ‚Universelle‘, eine Fähigkeit, im Archimedischen Sinne die Welt zu bewegen, die bei Kafka so nicht gegeben sei. Auch habe der Dichter „jene Kritik am Industriezeitalter, die Emrich ihm zuschreibt, ... nicht geleistet", da er „nur das Individuum" kannte und „keine Theorie der Gesellschaft entwickelte".[69] Noch skeptischer gegenüber der Hochstilisierung Kafkas zu einem transzendenten Seher äußerte sich FREDERICK WYATT: „Was Kafka intuitiv erfaßt und womit er sich sein Leben lang gequält hat, beruht keineswegs auf einer universell gültigen Einsicht.

---

[66] Allerdings glaubte Kafka selbst nicht, das gesetzte absolute Ziel in seinem Werk erreicht zu haben. Im Gegenteil, er war voll destruktiver Skepsis gegenüber seinem dichterischen Schaffen. Sein Selbstverständnis steht in schroffem Kontrast zur bedingungslosen Verehrung seiner Bewunderer. EMRICH (a.a.O. 81) feiert ihn als „Klassiker" von unbezweifelbarer Geltung, als Begründer einer „neuen Epoche der Dichtkunst", der — „vielleicht als einziger ..." — „zur Gestaltung eines universellen wahren Allgemeinen vordrang ..." (a.a.O. 22). Kafkas Dichtung bewege sich nicht mehr innerhalb der normalen menschlichen Vorstellungswelt; deren Gesamtheit sei Gegenstand der Dichtung. Die innere und äußere Wirklichkeit, von der der Mensch immer nur Teilaspekte zu sehen vermag, werde von Kafka entfesselt. Ähnlich, nur noch hymnischer äußert sich MAX BROD (Der Dichter Franz Kafka, in: HANS MAYER, Hrsg.: Deutsche Literaturkritik 359): „Dieses Werk [,Der Prozeß‘] erfüllt den Horizont, den Weltraum, neben ihm ist weder Platz für andere Bücher noch ein Bedürfnis nach ihnen." Man könnte jedoch im Gegensatz dazu sagen, daß Kafkas introvertiertes Dichten gerade durch eine r a d i k a l e E i n s c h r ä n k u n g d e r P e r s p e k t i v e gekennzeichnet sei.

[67] EMRICH a.a.O. 269.

[68] „Zum letztenmal Psychologie!" Zur psychologischen Deutbarkeit der Werke Franz Kafkas. In: Psychologie in der Literaturwissenschaft (Hrsg. Wolfgang Paulsen), Heidelberg 1971, 170 f.

[69] Ebd. 171. „In Anlehnung an ein bekanntes Wort Kafkas" könnte man sagen, „daß er das Ziel sah, aber keinen Weg wußte".

Es setzt eine religiös gestimmte, metaphysische Konstruktion voraus, die wir als subjektives Erlebnis gelten lassen müssen, der wir aber keine objektive Gültigkeit zusprechen können. Seit Kant geht das nicht mehr — diese Art der Metaphysik hat seit der ‚Kritik der reinen Vernunft‘ ... ihren Kredit verloren."[70] Es sei „durchaus denkbar, daß Kafkas Dualismus, sein Verhaftetsein in der Individualität mit der unvermeidlichen Psychologie und seine Negierung dieser ‚Verirrung‘, nicht nur spirituell gedeutet, sondern als ein später Abkömmling alter Konflikte und Kindheitsphantasien erkannt werden könnte. Dafür spräche unter anderem die ‚Erdenschwere‘..., die ja in vielerlei Gestalt wie ein Alpdruck auf Kafkas Werk liegt und Handlung, Entscheidung, Befreiung verhindert".[71] Unverkennbar sei in den Gedankengängen des Dichters „das Unbehagen mit dem eigenen Befinden", das sich „rasch zu dem universellen Mißstand des Menschen" erweitert und „damit zum Kern einer negativistischen Metaphysik und Erlösungslehre" wird. Dahinter aber stehe als primum agens „immer wieder das Unbehagen am eigenen Körper, das uns, was immer es ... über die Tragödie des Menschen aussagen möge, jedenfalls etwas von der Leidensgeschichte des Autors vermittelt".[72]

Auch MONIKA MANN betont diese Subjektivität Kafkas und stellt die universelle Gültigkeit seiner Dichtung in Frage. Es sei abwegig, daß man seine „höchst eigenen Nöten entsprungenen Gesichte und Geschichten ... ins Weltweite, Prophetisch-Allgültige" überträgt. Denn was immer er schreibt, „es bleibt Intimes, Inneres, Subjektives". Ja, es gebe keinen „privateren Schriftsteller als Kafka". Er drehe „sich um die eigene Achse" und erziele „damit ein schwindelerregendes Spiegelbild".[73]

In die gleiche Richtung weist WOLFGANG RUTTKOWSKIS Kritik: „Kafkas Werke, von denen viele wie Parabeln gestaltet sind und deshalb einen Sinn erwarten lassen, wirken stark und eindeutig durch die stimmungtragenden Schichten, unbefriedigend dagegen in der weltanschaulichen Aussage." Denn der Dichter habe „weder eine klare gedankliche Antwort gestaltet, noch auf diese eindeutig verzichtet, sondern uns in der dafür vorgesehenen Schicht Rätsel aufgegeben, für die es wahrscheinlich keine Lösung gibt". Infolgedessen bleibe „Publikum und Kritiker ... nur die Wahl zu resignieren oder ihre eigene Problematik in das Werk zu projizieren". Statt klarer Entschiedenheit bestehe „Offenheit für beliebige, sich häufig widersprechende Deutungen".[74]

---

[70] Nachtrag zu RYAN„ „Zum letztenmal Psychologie!" In: Psychologie in der Literaturwissenschaft a.a.O. 225.

[71] Ebd. 226.

[72] Ebd. 226.

[73] Kafka. In: Der Zeitgeist. Halbmonatsbeilage des „Aufbau" für Unterhaltung und Wissen, 8. Januar 1971.

[74] Nachträglicher Diskussionsbeitrag zum Amherster Kolloquium: Psychologie in der Literaturwissenschaft, Heidelberg 1971, 229. Alle diese Kritiken widersprechen der These EMRICHS, daß Kafka „die unbedingte Sinnfrage der heutigen Menschen gestaltet" und

Zu den Lobeserhebungen der Anhänger und Abwertungen der Kritiker gesellen sich noch die ambivalenten Stellungnahmen derer, die sowohl ein Für als auch ein Wider aussprechen, also die Schwächen des Dichters aufweisen und zugleich rechtfertigen, oder aber — unter Verzicht auf direkte Wertung — sich auf charakteristische Feststellungen beschränken. In solch neutralem Sinne äußert Politzer: „Fast alle Meistererzählungen Kafkas ... brechen ab, zum Schluß oder, wie der ‚Prozeß‘, während ihres Ablaufs, sie sind nach Belieben fortsetzbar, werden in Kommentaren weitergesponnen oder bleiben auf andere Art Bruchstück." „Wer immer seinen vieldeutigen Gebilden einen eindeutigen Sinn abziehen will, erhält eine Frage als Antwort zurück."[75] Oder er bemerkt, daß die 1919 veröffentlichte Geschichtensammlung *Ein Landarzt* „eine Reihe von Stücken (enthalte), die nicht nur ihres letzlich undeutbaren Inhalts, sondern auch ihrer losen Form wegen unverständlich bleiben".[76] In diesen Äußerungen mögen Kritik und Wertung zwar unterschwellig vorhanden sein, doch werden sie nicht artikuliert. An andrer Stelle hingegen hält er nicht damit zurück: „Die Parabeln Kafkas (so urteilt er apodiktisch) sind nicht das Bekenntnis seiner Weisheit, sondern das Eingeständnis seiner Unwissenheit."[77] Kafka habe selber keine ihn voll befriedigenden Antworten auf seine Fragen gewußt. Deshalb seien seine Romane und Großerzählungen Fragment geblieben oder in den Schlußteilen nicht recht geglückt. Dieser Kritik läßt er jedoch eine ebenso entschiedene Laudatio folgen: „Kafkas Meisterschaft (bewähre sich) in seinem Geschick, den undurchsichtig-dunklen Inhalt seiner Parabeln, das Eingeständnis seiner ‚Unwissenheit‘ in Erzählformen zu bannen, die klar sind wie Kristall und ebenso scharf. Sowohl die Parabel *Vor dem Gesetz* wie die Legende *Eine kaiserliche Botschaft* zeichnet sich durch ein Äußerstes an Präzision aus. Beide aber bilden die Mitte längerer Erzählungen, die weder klar noch scharf genannt werden können: die erstere ist das Hauptstück des Romanfragments *Der Prozeß*, die letztere der Kern des Erzählungsbruchstücks *Beim Bau der chinesischen Mauer*."[78]

Hillmann sucht seine Kritik und Wertung des Kafkaschen Werkes durch Feststellungen zu objektivieren. Mit Hinweis auf des Dichters eigene These, daß nur das gelingen könne, was ‚in einem Zuge‘ niedergeschrieben wird, begründet er das Nichtvollenden (oder nicht recht gelingende Abschließen) der Romane und größeren Erzählungen: „das immer erneuerte Ansetzen ..., das Wiederaufnehmen, Über-

---

sein Werk als „unmittelbare ‚Aufzeichnung‘ der Wesensstrukturen menschlichen Seins und Lebens" zu gelten habe. Mit der testamentarischen Verfügung, sein Werk zu vernichten, hat Kafka selbst diese Auffassung entkräftet. Seine Dichtung ist so wenig wie die Trakls, Rilkes, Hofmannsthals „legitimer Ausdruck unserer heutigen menschlichen Wirklichkeit". Doch hat sie gewiß interessante Aspekte des Menschlichen erschlossen.

[75] Heinz Politzer: Franz Kafka, der Künstler, Gütersloh 1965, 28 und 29.
[76] Ebd. 141.
[77] Ebd. 138.
[78] Ebd. 139.

prüfen und Neuordnen der schon gedichteten Ansätze beim Romanschreiben, das notgedrungen zu Distanzierung und Abkühlung der Erregung führt, empfindet Kafka als ‚schändliche Niederlage des Schreibens‘ (T 294). Gerade das trägt also offenbar dazu bei, daß die Romane Fragment bleiben."[79] Zugleich wirft Hillmann die Frage auf, ob es sich dabei um ein Nicht k ö n n e n handle, weil eben eine epische Großform nicht, wie der Dichter es für unerläßlich hielt, ‚im Feuer zusammenhängender Stunden‘, mit einer ‚vollständigen Öffnung des Leibes und der Seele‘ (T 294) gestaltet werden kann, oder aber um ein Nicht w o l l e n. Das impliziert schließlich noch die weitere Frage, ob das Nichtwollen ggf. nur die Folge des Nichtkönnens sei, nämlich die resignierende Einsicht Kafkas, daß er solchen großen Komplex nicht so zu Ende zu gestalten vermöchte, wie er es — nach dem Anspruch, den er an sein Schreiben stellte — für geboten hielt. Hillmann unterstellt ein Nichtwollen, ja ein Desinteresse an einem konsequenten Zu-Ende-Gestalten, und zwar deshalb, weil Kafka „allein ... der Prozeß des Schreibens als Erkenntnisvorgang", hingegen „nicht oder nur in zweiter Linie der Kunstwerkcharakter" wichtig gewesen sei. Am Kunstwerk als solchem, am abgeschlossenen Ganzen und damit an einer ausgesprochen ästhetisch gerichteten Tätigkeit sei Kafka nicht, zumindest nicht primär interessiert gewesen.[80] Hillmann stimmt also expressis verbis der Auffassung RAINER GRUENTERS zu, daß „das Verhältnis Kafkas zu seinen Niederschriften nicht das des ‚ästhetischen‘ Menschen, des Dichters zu seinem Werk" war, sondern „das Qual- und Haßverhältnis, auf Ausrottung und Tilgung des Niedergeschriebenen bedacht, das mit seinem jeweiligen Abschluß seine ‚religiöse‘ Funktion erfüllt" habe.[81] In der Tat war das Spannungsverhältnis zwischen dem Künstler und dem Moralisten in Kafka nicht bewältigt. Doch es geht nicht an, ihm Künstlerehrgeiz überhaupt abzusprechen. Kafka, der ‚nichts anderes war noch sein konnte als Literatur‘, der höchsten Anspruch an die sprachlich-stilistische Qualität seines Schreibens stellte und peinlich wissend vom Laster der ‚Schriftstellereitelkeit‘ sprach, hegte gewiß auch ästhetische Ambitionen. Aber freilich, wenn es die endgültige Entscheidung zu treffen galt, blieb der religiös fundierte Moralist Sieger über den Ästheten. Im Blick auf die letzten Dinge verwarf er alles Künstlertum als ‚Teufelsdienst‘.

Über allem Für und Wider der Literaturkritik bleibt als Wichtigstes die Tatsache, daß Kafkas Werk den heutigen Menschen im Innersten trifft und daß die Beunruhigung, die es auslöst, als geistiger Gewinn, als ein Akt der Selbstbegegnung erfahren wird. Das aber verweist auf die künstlerische Kraft des Dichters, auf die Sicherheit des gestalterischen Griffs, mit der er letztlich Ungreifbares zu wirkender Wirklichkeit bringt. Um so dringlicher stellt sich daher die Frage nach den Bedingungen dieser ungewöhnlichen Wirkung.

---

[79] HILLMANN: Kafka. Dichtungstheorie ... a.a.O. 187.
[80] Ebd.
[81] Beitrag zur Kafka-Deutung, Merkur 4, 1950, 278 f.

Zunächst einmal wirkt Kafka durch die Ungewöhnlichkeit seiner Themen. Deren suggestive Kraft ist um so stärker, als in allen seinen Gestaltungen das Engagement des Dichters, der volle Einsatz der Person spürbar ist. Was den Leser in Bann schlägt, ist also nicht nur das (scheinbar) Abwegige der geschilderten Vorgänge, als vielmehr die sich aufdrängende Erkenntnis, daß hier „ein Wahrheitsmut" am Werke ist, „der vor keinem Ausmaß des Absurden haltmacht".[82] Diese absolute Ehrlichkeit des Erzählers nötigt uns, alles, was er darstellt, auch das widersinnig Anmutende, ernstzunehmen. Infolgedessen verwundert es nicht, daß sich die Kafka-Interpreten mit Vorzug um eine inhaltliche Deutung seines Werkes bemühen und zu diesem Zweck Philosophie und (autobiographisch ausgewertete) Psychoanalyse, jüdische und christliche Theologie und Ehtik, aber auch politisch engagierte Soziologie heranziehen und — überanstrengen. Denn dichterische Visionen lassen sich nicht einfach durch theologische, existenz-philosophische, psychologische oder soziologisch-politische Schlüsselbegriffe auflösen. Kafkas Werk ist Dichtung und nicht Dokumentation bestimmter Geistesrichtungen.

WALSER kritisiert mit Recht, Kafka werde zu sehr von literaturfremden Kommentatoren für alle möglichen Theorien mißbraucht, indem sie „irgendeinen Zug des Kafkaschen Werkes aus dem Zusammenhang herauslösten, ihn direkt in die Zeit und Wirklichkeit hineinbezogen und ihn ausmünzten für einen kleinen kulturkritischen Ausflug".[83] Bündig erklärt TUCHOLSKY: In Kafkas Dichtung „gibt es nichts zu freudianern, und keine gebildeten, geschwollenen Fremdwörter helfen hier weiter".[84] Auch RONALD GRAY fordert, die Selbstauffassung des Dichters zu respektieren und ihn als das zu sehen, was er nach eigenem Bekenntnis ausschließlich war und sein wollte, nämlich als Schriftsteller: „Kafka is primarily a writer of novels and shorts stories. Any fame or notoriety he has as a religions thinker or critic of religion is secondary." „Kafka was not a systematic philosopher or man of religion, he was an artist, a writer, and there is no one body of doctrine to which all his work can be referred."[85] In gleichem Sinn verwirft ELISEO VIVAS „the assumption . . ., that the meaning of Kafka's work is to be found beyond the fables themselves and can therefore be better expressed in other terms than those which Kafka himself used." Es gebe keine „ready-made philosophical conception of the world", die als Schlüssel zu seinem Werk dienen könnte, „as if all the artist had to do was to dress up in a dramatic costume a philosophic skeleton".[86]

Sicher lassen sich in Kafkas Dichtung Ansätze zu vielfältigen und sogar gegensätzlichen Deutungen finden, und man kann jede dieser Auslegungen durch einzelne Belege mehr oder minder plausibel machen. So hat WEINBERG den unglücklichen

---

[82] PONGS a.a.O. 124.
[83] Beschreibung einer Form a.a.O. 129.
[84] *Der Prozeß*. In: Hans Mayer: Deutsche Literaturkritik a.a.O. 399.
[85] Kafka. A collection of critical essays, Englewood Cliffs 1962 (Introduction 1 ff.).
[86] Ebd. 135 (Kafkas Distorted Mask).

Gregor Samsa in der *Verwandlung* mit dem scheiternden Messias, den Vater Samsa mit Gottvater verglichen und bedenkenswerte Parallelen zur Begründung solcher Gleichsetzung aufgewiesen. Auch den Vater in der Erzählung *Das Urteil* sieht er als Jahve-Gestalt, ebenso den alten Kommandanten in der *Strafkolonie*. Und sogar der Verurteilte gilt ihm als eine „Christusfigur".[87] Schon HERBERT TAUBER hatte behauptet: „die Verurteilten erscheinen als Erwählte."[88] Dagegen betonte RICHTER mit Recht: „Die von Kafka gegebene Charakteristik der Delinquenten offenbart die Haltlosigkeit dieser These."[89] In der Tat läßt sich die Vorstellung eines „E r w ä h l - t e n" mit Kafkas Text nicht vereinbaren:

> Besonders der Verurteilte schien von der Ahnung irgendeines großen Umschwungs getroffen zu sein. Was ihm geschehen war, geschah nun dem Offizier... Das war also Rache. Ohne selbst bis zum Ende gelitten zu haben, wurde er doch bis zum Ende gerächt. Ein breites, lautloses Lachen erschien nun auf seinem Gesicht und verschwand nicht mehr.

Oder:

> der Verurteilte, ein stumpfsinniger, breitmäuliger Mensch mit verwahrlostem Haar und Gesicht...

So absurd manche dieser Deutungen auch anmuten, so ist es doch sicher kein Zufall, daß gerade Kafka zu solchen kaum faßbaren Unterstellungen verführt. Hier zeigt sich, wie nötig es ist, des Dichters programmatische Feststellung von der vordringlichen Wichtigkeit seines traumhaften inneren Lebens zu respektieren. Daß sich viele seiner Gestalten letztlich auf religiöse Archetypen zurückführen lassen und daß gerade die Jahve-Figur in den Vätern bzw. die Christus-Gestalt in den Söhnen und Opfern noch spurenhaft erkannt werden können, wird man einräumen dürfen. Aber ebenso sicher ist, daß die Personen, wie sie in Kafkas Dichtung begegnen, die Identität mit diesen archetypischen Ursprüngen verloren haben und Wesen einer durchaus anderen Seinswelt geworden sind. Es gehört zur amalgamierenden Freiheit des Traumes, die Grenzen des Göttlichen und Menschlichen respektlos zu verwischen und das Heiligste mit dem Miserabelsten wertfrei sich mischen zu lassen.[90] Die Gottvaterfigur mit den widerwärtigen Vätergestalten Kafkas in Verbindung zu bringen, ist eine Blasphemie, die in solcher Weise überhaupt nur in der Traum-

---

[87] Kafkas Dichtungen a.a.O. 235 ff., 318 ff., 182.
[88] Franz Kafka. Eine Deutung seiner Werke, Zürich 1941, 65.
[89] Franz Kafka a.a.O. 319.
[90] INGEBORG HENEL (Die Deutbarkeit von Kafkas Werken, ZfdPh. 86, 1967, 260) betont — in Übereinstimmung mit WALTER SOKEL —, daß die durch Vaterfiguren oder große bürokratische Institutionen repräsentierte Gegenwelt des Helden in allen Erzählungen Kafkas vom *Urteil* bis zum *Schloß* ein schockierendes Doppelgesicht zeige, nämlich „eine Mischung von Autorität, Macht und Würde einerseits und Senilität, Schwäche und Lächerlichkeit andrerseits".

sphäre möglich erscheint. Der Blick zurück auf die Archetypen, die in Kafkas Werk gar nicht mehr als solche, sondern nur noch in entwerteten Zerrbildern greifbar sind, verhindert die Sicht auf das Neue, wohin diese Dichtung uns führt. Was hier geleistet wurde, ist gerade nicht museale Bewahrung, sondern fundamentale Verwandlung des Alten, der Versuch einer neuen Sicht und Wertung der Dinge.[91]

Dieses Eigene und Neue des Dichters gilt es zu sehen und ihn so vor seinen beutegierigen Interpreten zu schützen. Gerade weil er — bei fachegoistisch vordergründiger Betrachtung — von allen beansprucht werden könnte, gehört er im Grunde keinem an. Und wir sind es ihm schuldig, ihn als das zu nehmen, was er — nach selbstgewählter Bestimmung — ausschließlich war: ,nichts anderes bin als Literatur'. Schreiben sei ihm ,das Wichtigste auf Erden, wie etwa einem Irrsinnigen sein Wahn ... oder einer Frau ihre Schwangerschaft'.[92] Um des Schreibens willen wollte er daher auch völlig ,unabgelenkt bleiben, unabgelenkt durch die Lebensfreude eines nützlichen und gesunden Mannes'.[93] Das heißt nicht, daß man die Augen vor dem verschließen müßte, was sich in seinem Werk an psychologisch, philosophisch oder theologisch Relevantem findet, wohl aber fordert es, die in der Vielzahl der registrierbaren Elemente herrschende Größenordnung zu beachten, die Dichte des Mischungsverhältnisses zu berücksichtigen und im besonderen das Prinzip der gestalterischen Organisation und Integration zu erkennen. Es gilt, das lediglich Assoziierbare vom Konstitutiven zu unterscheiden, das nur Akzidentelle nicht als Substantielles zu werten und aus bloßen Relikten und Spurenelementen kein totalitäres Prinzip für die Werkdeutung herzuleiten. Es wäre ein kunstfeindlicher Akt, wollte man Kafkas Dichtung rückläufig in ihre einzelnen Bauteile auseinandergliedern. Denn alles ins Werk Aufgenommene hat sich von seinem Ursprung gelöst und kann nur nach seiner neuen Funktion im Ganzen des Kunstwerks gewürdigt werden. Man muß dem Dichter geben, was des Dichters ist.

Ergibt sich aus dieser Übersicht, daß im Für und Wider die Lobredner Kafkas dominieren, so ist damit die literaturkritische Auseinandersetzung selbst noch keineswegs entschieden. Im Gegenteil, sie hat noch kaum begonnen. Man steht sich gegenüber, aber man kämpft nicht. Zwar werden Argumente pro und contra formuliert, aber auf beiden Seiten jeweils großzügig überhört und infolgedessen nicht entkräftet. Die engagierten Anhänger sehen in jeder Kritik des Dichters einen Frevel, den man guten Gewissens unbeachtet lassen kann. Die Skeptiker und Gegner jedoch weigern sich, einen „Psychopathen" als Klassiker zu akzeptieren und Produkte innerer Ungeklärtheit als Emanationen ,jenseitigen Wissens' zu werten.[94]

---

[91] Gewiß baut Kafka zum großen Teil mit altem Material, aber das Haus, das er damit erbaut, ist von eigenwilliger Neuheit. Das Woher und Wohin klaffen weit auseinander.
[92] Gesammelte Schriften, Bd. VI, Prag 1937, 313 (Tagebuch).
[93] Ebd. 105.
[94] In strikter Ablehnung eines künstlerischen Absolutheitsanspruchs für Franz Kafka sieht EDMUND WILSON (A dissenting opinion on Kafka. In: Gray (Hrsg.): Kafka. Critical

3

In der Tat ist die hymnische Sprache der Verehrer verdächtig emotional und dem asketischen Künstlertum Kafkas inadäquat. Die Superlative „klarste Prosa", „reinstes Deutsch", oder „Klassiker der Moderne" klingen gleichermaßen forciert und formelhaft. Sie sind keine kritischen Feststellungen, sondern Zeugnisse rückhaltloser Parteinahme, die den totalen Sieg will.[95] Es entspricht der Psychologie aller Werbung, Vollkommenheit als Vor-Urteil zu setzen und dadurch von vornherein die Möglichkeit einer Entdeckung von Fehlern auszuschließen. Denn das „liebste Kind" — auch das ein fataler Superlativ — soll keiner Gefährdung ausgesetzt noch gar dem rohen Unverstand eines kritischen Tests unterworfen werden. Wer einen Gott entdeckt zu haben glaubt, betet an und weigert sich, ihn wieder entgöttern zu lassen. Und doch ist die Entgötterung Kafkas, die Entmythologisierung dieses literarischen Mythos das Gebot der Stunde. Dabei geht es sicher nicht darum, ,das Strahlende zu schwärzen', wohl aber darum, kritisches Augenmaß für die Relationen zu wahren und das Phänomen Kafka in den gehörigen Proportionen zu sehen. Es gilt, nüchterne Bestandsaufnahme zu machen und gleichermaßen Größe und Grenze, Gelingen und Versagen des Künstlers und des Menschen in den Blick zu nehmen. Das erst wird uns Kafka wirklich nahebringen und in seinen Gestaltungen verständlicher machen. Auch wird der Dichter gewiß nicht verlieren, wenn wir sein Werk als Menschenwerk aufnehmen, das heißt: als eine durch Stärken und Schwächen bestimmte Leistung und nicht als „Heilige Schrift".

An der Tatsache, daß viele anspruchsvolle Leser durch Kafkas Dichtung nicht befriedigt werden, vielmehr mit einem Gefühl des Unbehagens ihr gegenüber bleiben, kann man nicht leichthin vorbeigehen. Im Gegenteil, man wird daraus zu schließen haben, daß der künstlerische Rang der Werke Kafkas weithin erst noch bestimmt werden muß. Und sicher steht nicht alles, was Kafka geschrieben hat, auf der gleichen Höhe. Gerade den Rangunterschieden bei seinen Gestaltungen sollte erhöhte kritische Aufmerksamkeit gelten. Daß seine drei Romane, aber auch viele seiner kleineren Stücke Fragment geblieben sind, die zu Ende geführten Dichtungen jedoch — nach seinem eigenen Eingeständnis — häufig einen schwachen Schluß aufweisen, muß doch wohl als ein Symptom begrenzter bzw. schnell erschöpfter Schaffenskraft gewertet werden. Offenbar gelang es ihm nur in glücklichen Ausnahmefällen, die gestalterische Energie bis zuletzt konzentriert zu halten und so aus dem Vollen schöpfend — ,im Feuer zusammenhängender Stunden' — ein Werk zum gültigen Abschluß zu bringen. Dem entspricht die wiederholte Klage Kafkas über

---

Essays, Englewood Cliffs 1962, 91—98) in allen Werken des Dichters den lebensuntüchtigen, „the denationalized, discouraged, disaffected, disabled Kafka" und versteht daher nicht, „how one can possibly take him either for a great artist or a moral guide".

[95] BROD, MUSCHG, EMRICH u. a. sprechen mehr als Bekenner denn als Literaturkritiker. Ihr Heiligtum ist vorgegeben und bedarf keines Beweises. Interpretation ist daher zu einer Sache des Rühmens geworden. Auch der scheinbar nüchtern registrierende WAGENBACH kann sich — bei seiner abschließenden Würdigung Kafkas — des Superlativs nicht enthalten. Selbst der sonst ironische Tucholsky schwelgt bei Kafka in reiner Lobpreisung.

seine nur schwachen Kräfte, die ihn zwängen, aufs strengste hauszuhalten. Daß er infolgedessen den Enthusiasmus seiner Bewunderer nicht teilte, vielmehr sein Schreiben sehr skeptisch bewertete, ja mit seiner letzten Verfügung sein dichterisches Werk in toto verwarf, — diese radikale Selbstverurteilung des Dichters muß ernst genommen werden. Wir müssen akzeptieren, daß Kafka in dem, was er selber wollte, gescheitert ist.

Um so drängender aber stellt sich die Frage, was es denn sei, das uns an den Dichter bindet, obwohl das Werk, das er hinterließ, zum großen Teil nur Bruchstück ist und auch die Dichtungen, die er zu Ende gestaltet hat, keine zwiespaltfreien Wertungen finden. Woraus resultiert also die Faszination, der sich selbst die Kritiker und Gegner Kafkas nicht zu entziehen vermögen? Rein ästhetische Gründe können es nicht sein; denn die nüchtern spröde Darstellung, der sachlich asketische Stil Kafkas wirken auf viele etwas farblos, und speziell seine Sprache, das „Protokolldeutsch", das er schreibt, erscheint manchen als ein allzu karges Idiom. Ist es mithin die eigentümliche Thematik seiner Dichtung, die die Leser, ob sie wollen oder nicht, in Bann schlägt? Aber auch diese Frage läßt sich nicht mit einem eindeutigen Ja beantworten. Gewiß üben die absurd anmutenden Gegebenheiten und Vorgänge in Kafkas Dichtung eine attraktive Wirkung auf heutige Menschen aus. Doch gibt es andrerseits auch nicht wenige, die, sei es aus Scheu und zum Selbstschutz oder aber aus Gründen des Geschmacks, die als abseitig empfundene Thematik Kafkas ablehnen.

Daß er dennoch keinen gleichgültig läßt, den sein Wort erreicht, daß vielmehr jeder sich persönlich gemeint und getroffen fühlt, der ihn liest, auch wenn ihn Welten von der Welt des Dichters trennen, scheint ein fast unauflösbares Geheimnis zu sein. Ein Geheimnis, das zugleich an die Frage der künstlerischen Wertung führt. Wenn weder das Gestalterisch-Ästhetische noch das Inhaltlich-Thematische die Intensität und Breite dieser Wirkung zu erklären vermögen, so muß ein letztlich moralisches Moment, eine spezifische Qualität der Persönlichkeit des Dichters die bedingende Ursache sein. Darum verwundert es auch nicht, daß gerade Walter Muschg, der Hauptvertreter typologisch orientierter Literaturwissenschaft, das Lob Kafkas mit besonderem Nachdruck verkündet hat. Denn Kafka entspricht in idealer Weise dem für Muschg entscheidenden Kriterium literarischer Wertung. Seine Größe liegt in der Tat darin, daß er mit dem Ganzen seiner Existenz hinter seinem Werke stand.[96]

---

[96] Gewiß gibt es auch andere Arten von Größe und andere Kriterien der Wirkung im Bereiche der Dichtung. Aber für Kafka gilt, daß es wesentlich eine moralische Leistung, eben der restlose Einsatz der Person, die Identität von Leben und Werk gewesen sind, die die suggestive Kraft seiner Dichtung bedingen.

Selbstverständnis des Dichters

Grundsätzliches

„Franz Kafka fragt in seinen Tagebüchern und Briefen immer wieder nach Ursprung, Verlauf und Ziel des Dichtens, nach Gestalt und Inhalt der Dichtung. Er untersucht die Auswirkungen des schöpferischen Prozesses auf das eigene Leben. Er reflektiert die Stellung des Künstlers im kleineren Kreis der Umwelt, die Bedeutung des Werkes im größeren der Gesellschaft, sowie umgekehrt die Wirkung, die Umwelt und Gesellschaft auf Leben und Werk des Künstlers ausüben."[1] Es gibt in der Tat nur wenige Dichter, die so intensiv und vielfältig ihr künstlerisches Selbstverständnis ausgesprochen haben. Heinz Hillmann hat diese Äußerungen unter dem Namen „Dichtungstheorie Franz Kafkas" zusammengefaßt — „nicht ohne Bedenken", wie er sagt, da „eine manifeste systematische Theorie ... keineswegs" vorliege.[2] Doch ist es ihm gelungen, das Grundsätzliche der aphoristischen Bemerkungen herauszuheben und so eine durchlaufende Konstante in der Selbstreflexion des Dichters sichtbar zu machen.

Wie sehr Kafka im Urteil seiner Freunde als eine positiv eingestellte Persönlichkeit erscheint[3], in seinen eigenen Aufzeichnungen, also in den Tagebüchern (und Briefen), begegnet uns ein unglücklicher, pessimistisch selbstkritischer, ja verzweifelter Mensch. Und diese Skepsis betrifft gerade auch sein Dichtertum. Er klagt darüber, daß sein Denken, ja sein Bewußtseinsinhalt ‚ganz nebelhaft' sei und daß es die zu einem menschlichen Gespräch erforderlichen Dinge wie ‚Zuspitzung, Festigung und dauernden Zusammenhang' in ihm nicht gebe.[4] Zugleich ist er sich bewußt, daß ‚Schreiben' höchste Verantwortung auferlegt und zu unbedingter Genauigkeit der Darstellung verpflichtet. Denn ‚endgültig durch Aufschreiben fixiert dürfte eine Selbsterkenntnis nur dann werden, wenn dies in größter Voll-

---

[1] HEINZ HILLMANN: Franz Kafka. Dichtungstheorie und Dichtungsgestalt, Bonn, 1964, 1.

[2] Ebd. 1. Vgl. auch Hillmanns Essay über Franz Kafka in: Deutsche Dichter der Moderne. Herausgegeben von BENNO VON WIESE, Berlin, 1965, 258—279.

[3] JOHANNES URZIDIL: Da geht Kafka, Zürich und Stuttgart 1965, 74 f.: „Wir alle liebten in ihm das welt- und lebenbilligende Genie ... Ein Bekenner, nicht ein Nihilist war Kafka." Noch 1966 hat MAX BROD geäußert: „Das Natürliche, Unverdorbene, Große, Gute, Aufbauende hat er geliebt ... Nicht der Vernichtung, sondern dem Aufblühen war diese zarte und stahlstarke Seele zugewandt."

[4] T 460 f.

ständigkeit und bis in alle nebensächlichen Konsequenzen hinein sowie mit gänzlicher Wahrhaftigkeit geschehen könnte'.[5] Ist doch das ‚Schreiben' für Kafka das eigentliche und einzige Mittel der Welt- und Lebensbewältigung, ein „die äußere und innere Wirklichkeit erhellendes und erfassendes Gestalten".[6] Dem entspricht, daß, wie Kafka klagt, ‚mit Aufgabe des Schreibens ... [eine Schwerfälligkeit] des Denkens' eintrete.[7] Infolgedessen ist ‚Schreiben' als ein verbindliches sprachliches Fixieren Kafkas Lebenselement, die ihm gemäße Möglichkeit des Bewußtmachens und Erfassens, seine Form der Selbstbehauptung gegenüber der als feindlich empfundenen Umwelt, die meist als Gegenwelt fungiert.[8]

Diese Einstellung Kafkas auf Sprache als das klärende und ordnende Moment bedingt sein Mißtrauen gegenüber der Musik als einer Kunst verwirrender Reize. Dichtung hingegen bedeute geistige Durchdringung des Erlebens und damit Reinigung und Vermenschlichung. ‚Musik ist eine Multiplikation des sinnlichen Lebens. Die Dichtung dagegen ist seine Bändigung und Höherführung.'[9]

Hinter der Forderung Kafkas nach umfassender Genauigkeit des Schreibens steht als Letztes der hohe Anspruch an die Dichtung als Erkenntnis der Totalität. Immer wieder betont er, daß eine Darstellung ihren Gegenstand von allen Seiten erfassen müsse, daß sie also sowohl ihm selbst als auch dem Gesamtzusammenhang, in dem er steht, gerecht werden soll. Denn auch ein in sich selbst richtiger Teilaspekt werde falsch, sobald man ihn verabsolutiert und als Gesamtansicht proklamiert. Deshalb fordere die Darstellung einer einzelnen Erscheinung immer zugleich die Darstellung des ganzen Systems, das selbst wieder im Rahmen eines noch größeren Systems, letztlich also der ganzen Weltwirklichkeit, gesehen werden müsse. Emrichs These von der „universellen Thematik" Kafkas läßt sich also authentisch begründen. Aus dieser Forderung nach Erkenntnis der Totalität erklärt sich auch, daß Kafka die bildliche Darstellung des Kapitalismus durch GEORGE GROSZ — ein auf dem Geld der Armen sitzender dicker Mann im Zylinderhut — als falsch — weil einseitig — abgelehnt hat. Zwar sei richtig, daß der dicke Mann den Armen im Nacken sitzt, aber nicht richtig, daß dieser Mann den Kapitalismus darstelle. Wohl beherrsche er ‚den armen Mann im Rahmen eines bestimmten Systems. Er [sei] aber nicht das

---

[5] T 37. Wie HILLMANN (a.a.O. 7) feststellt, zeigt Kafka in seinen Tagebuchaufzeichnungen dieses Bemühen um höchstmögliche Genauigkeit und Vollständigkeit: „Auf die kurze Konstatierung eines Sachverhaltes folgen bis in weit entfernte Einzelheiten führende Gedanken, denen man ihre unmittelbar im Schreiben vollzogene Verfertigung anmerkt."

[6] HILLMANN: Dichtungstheorie, 21.

[7] T 458.

[8] „Wenn ihm das klärende Wort mangelt, fühlt sich Kafka allem, was ihn von innen und außen bestürmt, wehrlos ausgeliefert." (Hillmann a.a.O. 8.)

[9] Kafka zu Janouch (Gespräche mit Kafka, Frankfurt a. M. 1951, 86). Kafkas problematisches Verhältnis zum Sinnlichen, seine Ablehnung des Sexuellen als etwas Gemeinem und Schmutzigem lassen erkennen, daß seine Persönlichkeit durch ein Ungleichgewicht in der Mischung der Elemente bestimmt war.

System selbst. Er ist nicht einmal sein Beherrscher. Im Gegenteil: der dicke Mann trägt auch Fesseln, die in dem Bild nicht dargestellt sind. Das Bild ist [also] unvollständig. Darum ist es nicht gut'.[10] Kafka vermißt in dieser Darstellung die Gesamtheit des Phänomens. Es fehlt ihm der wichtigste Zug, daß es sich nämlich hier um ein System handelt, „in dem alle zu Funktionären, alle zu Rädern im Getriebe werden".[11]

Darin äußert sich zugleich die tiefwurzelnde, ja grundsätzliche Skepsis Kafkas in politicis, eine Skepsis, die ihn vom Optimismus seiner politisch engagierten dichterischen Zeitgenossen trennt. Er erhoffte, „weder von einem Krieg noch von einer Revolution Erneuerung, wie so viele Expressionisten es taten. Hinter allen revolutionären Bewegungen sah er die ‚Sekretäre, Beamten und Berufspolitiker, alle die modernen Sultane' stehen, denen jene nur ‚den Weg bereiten'" (Janouch a.a.O. 80).[12] Kafka erkannte, daß letzthin jede Revolution durch die Bürokratie erledigt wird bzw. an der menschlichen Unzulänglichkeit scheitert und sah voraus, daß auch die ideologisch so anspruchsvolle russische Revolution in einem dem Kapitalismus ähnlichen Zustand enden würde; denn ‚die Fesseln der gequälten Menschheit sind aus Kanzleipapier' (Janouch a.a.O. 71). So fern er der Tagespolitik auch stand, über den Lauf der Welt im ganzen sah er klarer als seine politisch ambitionierten Dichterkollegen, die an die Möglichkeit der Realisierung eines Paradieses auf Erden glaubten.

Aus dem gekennzeichneten Totalanspruch an Genauigkeit und Vollständigkeit der Darstellung ergibt sich andrerseits die kaum lösbare Problematik des ‚Schreibens'. Die Auffassung der Dichtung als ‚Expedition nach der Wahrheit' stellt eine Höchstforderung, ja eine Überforderung an den Dichter dar.[13] In einer sich allseitig bewegenden Welt gibt es „keinen Ort, an den ein Phänomen endgültig verwiesen werden kann ... kein Ordnungsgefüge, das ein für allemal feststeht. Deshalb sind auch die Dinge nicht statisch darstellbar".[14] Aber je dynamischer und universeller die Darstellung sein muß, wenn sie die wechselreiche Vielfalt aller Aspekte einbeziehen will, desto mehr braucht sie andrerseits „einen festen Halt gewährenden Grund".[15]

Die Konsequenz, mit der sich Kafka ausschließlich der Literatur verschrieb, war ihrerseits die Folge des hohen, ja absoluten Anspruchs, den er mit seinem ‚Schreiben' verband. Nur wenn ihm als Dichter das Unmögliche gelang und er — sich selbst

---

[10] JANOUCH: Gespräche, 89 f.
[11] HILLMANN: Franz Kafka. In: Deutsche Dichter der Moderne a.a.O. 276.
[12] Ebd. 276.
[13] ROMAN KARST: Franz Kafka: Word-Space-Time. In: Mosaic. A Journal for the Comparative Study of Literature and Ideas III/4, 1970, 1 f.: „... it is a maximum task, unattainable for a writer. Literature becomes an impossibility."
[14] HILLMANN: Dichtungstheorie a.a.O. 11.
[15] Ebd. 11.

überfliegend — den archimedischen Punkt finden und festhalten konnte, war sein ‚Nicht-Leben' um des ‚Schreibens' willen gerechtfertigt. Nichts Geringeres als allseitige Wahrheit war sein erklärtes Ziel: er wollte ‚die Welt ins Reine, Wahre, Unveränderliche heben', wie er einmal ins Tagebuch schrieb. Das aber heißt: er wollte die Bedingungen menschlicher Existenz überschreiten, aus der Relativität des „normalen" Sehens heraustreten und als Gestaltender Teilhabe am Absoluten gewinnen. Infolgedessen lehnte er bloße Teilerkenntnis ab und verlangte nach Erkenntnis dessen, ‚was die Welt im Innersten zusammenhält'. Worum es ihm ging, war also eine die Details vollgültig integrierende Gesamtschau der Dinge, die das Leben als solches in konkreter Gestalt sichtbar werden läßt.[16] Kafkas Forderung nach Genauigkeit und Vollständigkeit der Beschreibungen von Gegebenheiten und Vorgängen hat also nichts mit „Naturalismus" zu tun. Im Gegenteil, nicht um ein Abbilden des Sichtbaren, sondern um ein Sichtbarmachen des Unsichtbaren ist es ihm zu tun. Solches kann freilich nur in schöpferischem Außer-sich-sein, ‚im Feuer zusammenhängender Stunden', in einem Zustand ‚vollständiger Öffnung des Leibes und der Seele' gelingen. Wie der Dichter selbst berichtet, hat er in der Nacht vom 22. zum 23. September 1912, als er in einem Zuge, von 10 Uhr abends bis 6 Uhr früh, die Erzählung *Das Urteil* niederschrieb, dieses Glück konzentrierter Produktivität erleben dürfen. Hier gelang ihm, etwas der realen Wahrnehmung Entzogenes, etwas Überwirklich-Wirkliches als konkreten Vorgang sinnfällig zu machen. Zugleich ist sich Kafka bewußt, daß ihm nur im Alleinsein die Chance solchen Gelingens zuteil werden kann, weil jede menschliche Bindung „Einengung und Fixierung auf einen bestimmten Standpunkt"[17] bedeuten würde und die zum ‚Schreiben' unerläßliche schöpferische Freiheit aufhöbe.

Natürlich stellt sich hier die „Frage, ob ein so auf das eigene Ich zentrierter Dichter auch anderen Menschen Gültiges über ihr Wesen mitteilen kann".[18] Und auch Kafka selbst hat sich diese Frage gestellt. Daß er sie bejahen zu können glaubte, war ja recht eigentlich die Voraussetzung seines ‚Schreibens'. In den Tagebüchern spricht er von der ‚Gemeinsamkeit gesamt- und einzelmenschlicher Entwicklung', die selbst ‚in den verschlossensten Gefühlen des einzelnen' erkennbar sei und die ‚Einheitlichkeit der Menschheit' beweise.[19] In den *Hochzeitsvorbereitungen auf dem Lande* unterstellt er ‚ein Wachstum' der Menschen, das diese durch ‚alle Schmerzen, ob in dieser oder jener Form' hindurchführe und dadurch erkennen lasse, daß jeder ‚nicht weniger tief mit der ganzen Menschheit verbunden [ist] als mit sich

---

[16] Diese Gesamtschau sollte aber nicht vordergründig enzyklopädisch in einem gleichsam additiven Verfahren, sondern aus einem individuellen Ansatz, also mikroskopisch entwickelt werden — cum grano salis eine Vorwegnahme der These Samuel Becketts: „Die Individualität ist die Konkretisierung der Universalität."

[17] HILLMANN: Dichtungstheorie, 44.

[18] Ebd. 48.

[19] T 337 f.

selbst' und infolgedessen auch alle ‚Leiden dieser Welt' ertragen müsse.[20] Der Anspruch auf (mögliche) Allgemeingültigkeit dichterischer Aussagen gründet sich also auf die Überzeugung, daß „die gesamt- und einzelmenschliche Entwicklung parallel verlaufen, ... daß die Menschen überhaupt ähnlich konstituiert sind [und darum] die gleichen Momente sich in allen finden und verwirklichen".[21]

In solcher Sicht erscheint die Introversion des Dichters nicht als ein Hindernis, Gültiges über den Menschen und die Menschheit auszusagen. Denn jedes ‚Gefühl', das er in sich selbst entdeckt, ‚lebt' auch in den andern. „Steigt er nun in das eigene Ich hinab und macht es schrittweise in allen seinen Schichten transparent, so nimmt er das „‚Menschliche' überhaupt wahr". Sein Ich ist gleichsam die ‚Ewigkeit', in der alles Menschliche „latent enthalten ist", so daß er „von einer ‚gewissen Stufe der Erkenntnis an', auf der er zur ‚Ahnung jener Ewigkeit' vorgedrungen ist, ... alles, was ihm sonst ‚fremd' erschien, als sein ‚eigenes Wesen' erkennen" kann. Vermöge dieser fundamentalen ‚Einheitlichkeit der Menschheit' ist gerade der tief introvertierte Dichter besonders qualifiziert, „gültig über das ‚Menschliche' überhaupt zu sprechen, und damit dem ‚Verlangen' der ‚Menge' nach Erkenntnis des Daseins entgegenzukommen, ja ihr durch seine ‚Kenntnisse', seine ‚Antworten' zu genügen".[22] Zugrunde liegt hier die Vorstellung, daß der Mensch letztlich die volle Summe seiner geschichtlichen Vergangenheit[23], ja die Summe aller seiner Möglichkeiten in sich trägt, die er aber in der Normalform seines von außen regulierten und manipulierten Lebens nicht (oder nur zu einem kleinen Bruchteil) aktualisiert, die vielmehr nur der ganz auf sich selbst konzentrierte, in die Tiefen seines ‚traumhaften inneren Lebens' hinabtauchende Dichter zu entbergen vermag. Der Dichter ist also der Seher, der sieht, was den andern verborgen ist, und in schockhaft enthüllenden Bildern den Menschen mit sich selbst konfrontiert. Er ist Lehrer in jenem Sinne, wie schon in altgriechischer Dichtung der Seher erscheint, nämlich als ein äußerlich Blinder, dessen Blick aber eben deshalb ins Innerste dringt, weil er nicht durch den Augenschein der Dinge verwirrt und abgelenkt wird, sondern allein in sich selbst hineinschaut. Diese Konzentration auf die eigene Innenschau ist es, die Kafka als die Bedingung seines Dichtens gilt, als die einzige Hoffnung, die ‚Beflecktheit des irdischen Auges' zu überwinden. Darum sieht er „im Alleinsein ... die unumgängliche Voraussetzung für seine einzig wahre Berufung: das Schreiben".[24] ‚Ich muß viel allein sein', vermerkt er im Tagebuch, denn was er geleistet habe, sei ‚nur ein Erfolg des Alleinseins'.[25]

---

[20] H 117.

[21] HILLMANN: Dichtungstheorie, 49.

[22] Ebd. 50.

[23] Auch die Goethesche Vorstellung von der Eingereihtheit des Menschen in seines ‚Daseins unendlicher Kette' klingt hier an.

[24] JÜRGEN BORN: Franz Kafka und Felice Bauer. Ihre Beziehung im Spiegel des Briefwechsels 1912—1917, ZfdPh. 86, 1967, 179.

[25] T 311.

Das rührt an den Kern von Kafkas Selbstverständnis, an den Totalanspruch der Literatur an sein Leben. ‚Schreiben' galt ihm als einzige (und vollgültige) Rechtfertigung seines Daseins in der Welt.[26] Sein Verhältnis zum ‚Schreiben' — so formulierte er in einem Brief an Felice Bauer vom 26. Juni 1913 — sei ‚unwandelbar' und in seinem ‚Wesen, nicht in den zeitweiligen Verhältnissen begründet'. An Carl Bauer, den Vater Felices, schrieb er am 28. Juni 1913: ‚Mein ganzes Leben ist auf Literatur gerichtet, diese Richtung habe ich bis zu meinem 30. Jahr genau festgehalten, wenn ich sie einmal verlasse, lebe ich eben nicht mehr.' „Eine Alternative Leben oder Schaffen gab es daher für Kafka nicht. Leben bedeutete für ihn Schreiben."[27] Und sein Leben selbst hat seine zahlreichen Bekenntnisse zur dichterischen Berufung erhärtet. Jederzeit hat er „allen äußeren und inneren Widerständen zum Trotz, dieser Berufung zu entsprechen versucht".[28] In der Tat gibt es „in der Literatur des 20. Jahrhunderts kaum einen zweiten Autor, der so sehr von seiner Bestimmung überzeugt war und der die Erfüllung seines dichterischen Auftrags so rigoros von sich forderte wie Kafka. Und es gibt wohl auch kaum einen zweiten, bei dem Leben und Werk so stark einander durchdrangen, der so sehr aus seinem Schreiben heraus und für sein Schreiben lebte".[29]

Am folgenschwersten für den Ablauf seines Lebens war die Forderung des Alleinseins, der konsequenten Introversion als der Bedingung dichterischer Leistung. Denn ‚innere Wahrheit', die Kafka als das eigentliche Kriterium der Dichtung galt, konnte nach seiner Überzeugung nur aus konzentrierter Innenschau kommen. So hat er die Erzählung *Das Urteil* im Grunde nur deshalb hochgeschätzt, weil sie, wie er sagte, ‚innere Wahrheit' besitze. Denn an sich sei diese Geschichte ‚ein wenig wild und sinnlos und hätte sie nicht innere Wahrheit ..., sie wäre nichts'.[30] In die gleiche Richtung zielt, wenn er über seine Arbeit an dem Roman *Der Prozeß* schrieb: ‚Und wieviel Unrichtiges wird stehen bleiben müssen, weil dafür keine Hilfe aus der Tiefe kommt.'[31] Denn ‚Hilfe aus der Tiefe' meint eben jene ‚innere Wahrheit', die allein aus der Versenkung ins eigene Selbst gewonnen werden kann. Infolgedessen mußte Kafka alles aus seinem Leben ausschalten, was einer konzentrierten Selbstversenkung entgegenstand. Vor allem erklärt sich daraus seine unüberwindbare Angst vor anspruchsvollen intimen Bindungen, die ‚Angst vor der Verbindung, selbst mit dem geliebtesten Menschen, und gerade mit ihm'.[32] Auch das Tagebuch erwähnt die ‚Angst vor der Verbindung, dem Hinüberfließen'[33], wodurch das zum

---

[26] T 418: ‚... schreiben werde ich trotz alledem, unbedingt ... es ist mein Kampf um die Selbsterhaltung.'

[27] JÜRGEN BORN: Vom ‚Urteil' zum ‚Prozeß'. Zu Kafkas Leben und Schaffen in den Jahren 1912—1914, ZfdPh. 86. 1967, 196.

[28] Ebd. 196.

[29] Ebd. 186.

[30] Brief an Felice Bauer vom 4. 12. 1912.

[31] An Felice Bauer (15/16. 1. 1913).

[32] An Felice (10. 7. 1913).

[33] T 311. Kafka fügt noch die Klage hinzu: ‚Dann bin ich nie mehr allein.'

Schreiben unentbehrliche Alleinsein aufgehoben werde. Wiederholt hören wir von der ,Mühsal des Zusammenlebens', von der ,Unerträglichkeit des Zusammenlebens mit irgend jemanden' und von der ,Unmöglichkeit, mit F[elice] zu leben'. Gerade in Auseinandersetzung mit seiner zu normal bürgerlichem Wohlleben tendierenden Verlobten Felice hat Kafka seinen als unverzichtbar empfundenen Künstleregoismus sehr entschieden betont: „Ich lasse nichts nach von meiner Forderung nach einem phantastischen, nur für meine Arbeit berechneten Leben, sie will, stumpf gegen alle stummen Bitten, das Mittelmaß, die behagliche Wohnung, Interesse für die Fabrik, reichliches Essen ...'[34] Unter solchen Voraussetzungen war es fast unvermeidlich, daß es zu einer Lösung des Verlöbnisses kam. Anfang November 1914 schrieb er darüber in rückblickender Rechtfertigung an Felice: ,Ich hatte die Pflicht, über meiner Arbeit zu wachen, die mir allein das Recht zum Leben gibt, und Deine Angst zeigte mir oder ließ mich fürchten, ... daß hier für meine Arbeit die größte Gefahr bestand.' Die gleiche Begründung gab er im Tagebuch: ,Ich konnte damals nicht heiraten ... alles in mir hat dagegen revoltiert, so sehr ich Felice immer liebte. Es war hauptsächlich die Rücksicht auf meine schriftstellerische Arbeit, die mich abhielt, denn ich glaubte diese Arbeit durch die Ehe gefährdet.'[35] Kafka hat also seine literarische Bestimmung bis zur letzten Konsequenz ernstgenommen, hat ihr alles, eigenes und fremdes Leben, untergeordnet, ja geopfert, hat um seines Schreibens willen selber gelitten und leiden lassen. ERNST WEISS hat diesen Egoismus des Dichters als hypochondrisch gewertet und moralisch verurteilt: „Er hat sich niemals ganz hingegeben, weder dem herrlichen Freunde, noch einer schönen, guten und reinen Braut, der er das Leben zur Hölle gemacht hat."[36]

Kafka selbst wußte um das menschlich Fragwürdige seiner Selbstbezogenheit um des Schreibens willen. Er litt unter dieser lieblosen Selbstisolation, die er „vom Ethos her verwerfen" mußte, aber „als Dichter nicht entbehren" konnte.[37] Ähnlich hat Ludwig Marcuse in seinem letzten Werk *Nachruf auf Ludwig Marcuse* die lebenslange Not und Notwendigkeit des schreibenden Menschen, sein persönliches Entsagen und mitmenschliches Versagen gekennzeichnet: ,Was hat er nie gesehen, nie gehört, nie gerochen, nie geschmeckt; weil in vielen Stunden, Jahren, Jahrzehnten seine Sinne und sein Mitgefühl nur indirekt lebten — in seiner Konzentration auf ein weißes Blatt Papier. Er hat sich nicht als Genießer und nicht als M i tmensch bewährt, auf den er angelegt war. Wenn er sich an seiner lautesten Sehnsucht mißt, so kommt er zu dem trüben Schluß: die e i n e Freude, zu reflektieren und aufzuschreiben, hat es zu v i e l e n Freuden nicht kommen lassen: vor allem nicht zur Seligkeit, Freude zu bereiten'

---

[34] T 459.
[35] T 365.
[36] Franz Kafka, die Tragödie eines Lebens. Zu Max Brods Biographie des Dichters. In: Pariser Tageszeitung vom 29. 10. 1937.
[37] PONGS a.a.O. 45.

Kafka hat diese Tragik einer allein dem Werk verpflichteten künstlerischen Existenz in extremer Form durchlitten. So sehr er auf der ihm notwendigen Künstlereinsamkeit bestand, hat er doch das Schuldgefühl eines fundamentalen Versagens gegenüber den Mitmenschen und der Umwelt niemals auslöschen können. Das Hin und Her in seiner Beziehung zu Felice, das Verloben, Entloben, Wiederverloben und Wiederentloben spiegeln die leidvolle Ambivalenz seines Lebens. „Die Briefe an Felice Bauer geben Zeugnis von ... [seinem] jahrelangen erbitterten Kampf mit einem gnadenlosen Gegner: sich selbst."[38] Sie dokumentieren „the ambivalence of Kafka's existence to an extent hitherto unknown. Ambiguity is not only the guiding principle for a proper understanding of his works, his life was permeated by sets of ambiguities. Among them were the love and hate complex which signified his relations to his family, the passion and the disgust that marked his sexuality, the warmth of his friendship and his detached loneliness ... the incompatibility of the writer-outsider-existence and bourgeois life".[39] Gerade die hypochondrisch anmutenden Formen seiner Selbstisolation lassen erkennen, daß er unter der Lieblosigkeit seiner strikten Abkehr von der Mitwelt litt. Ja er bekannte, daß er sich mehr im ‚Grenzland zwischen Einsamkeit und Gemeinschaft ... angesiedelt [habe] als in der Einsamkeit selbst'.[40] Und er habe ‚dieses Grenzland ... nur äußerst selten überschritten'.[41] Die 1916 in Marienbad vorübergehend geglückte Überwindung seines Widerstandes gegenüber einem Zusammenleben mit Felice nannte er folgerichtig eine ‚schmerzvolle Grenzdurchbrechung'.[42] In Wahrheit war ihm nicht zu helfen, wie er selber erkannte und als Fazit seines Lebens formulierte.

Das verweist auf den kritischen Punkt in Kafkas Persönlichkeit, auf sein Unvermögen, mit den realen Gegebenheiten fertig zu werden, die Ambivalenzen des Daseins in sich zu überwinden und die Forderungen des Lebens zu meistern. Und er selber empfand es als negativ, daß er gegenüber dem konkreten Leben versagte, daß „Schwäche in allen Bereichen außerhalb der Literatur" das Opfer war, „das ein unerbittliches Gesetz in ... [ihm] selbst verlangte".[43] Im Tagebuch hat er die schmerzliche Notwendigkeit dieses Opfers beschrieben: ‚Als es in meinem Organismus klar geworden war, daß das Schreiben die ergiebigste Richtung meines Wesens sei, drängte sich alles hin und ließ alle Fähigkeiten leer stehn, die sich auf die Freuden des Geschlechtes, des Essens, des Trinkens, des philosophischen Nachdenkens, der Musik zuallererst, richteten. Ich magerte nach allen diesen Richtungen ab. Das war notwendig, weil meine Kräfte in ihrer Gesamtheit so gering waren, daß

---

[38] BORN: Kafka und Felice a.a.O. 186.
[39] HERBERT LEHNERT (Rezension über): Franz Kafka, Briefe an Felice, edited by ERICH HELLER and JÜRGEN BORN, Frankfurt a. M. 1967, in MLN 85, 1970, 407—411.
[40] T 548.
[41] T 548.
[42] T 567.
[43] HILLMANN: Dichtungstheorie, 39.

sie nur gesammelt dem Zweck des Schreibens halbwegs dienen konnten. Ich habe diesen Zweck natürlich nicht selbständig und bewußt gefunden, er fand sich selbst ...'[44] So sehr hier Kafka die Notwendigkeit, ja Schicksalhaftigkeit des von ihm befolgten Weges betont, ist doch nicht zu überhören, daß er diese reduzierte Form als unzulänglich erachtet. Die völlige „Herauslösung des Künstlers aus der menschlichen Gemeinschaft" gilt ihm als „Schwäche"[45], als gesamtmenschliches Versagen, zumal er sich bewußt ist, „daß die Gesellschaft durchaus ein Anrecht auf seine Arbeitsleistung hat".[46] Er hegt schwere Skrupel wegen seiner Nichteinordnung in die menschliche Gemeinschaft und ihre Arbeitswelt. Entsprechend findet er die staatspolitischen Bedenken Platons gegen die Dichter durchaus verständlich. Denn tatsächlich seien die Dichter ‚staatsgefährliche Elemente', insofern als sie ‚versuchen ..., dem Menschen andere Augen einzusetzen, um dadurch die Wirklichkeit zu verändern'.[47]

Es gehört zur Ambivalenz der Weltsicht Kafkas, daß er auch die Kunst in seine pessimistische Wertung einschließt: ‚Das Dasein des Schriftstellers [sei] ein Argument gegen die Seele, denn die Seele hat doch offenbar das wirkliche Ich verlassen, ist aber nur Schriftsteller geworden, hat es nicht weiter gebracht; sollte die Trennung vom Ich die Seele so sehr schwächen können?' (Zitiert nach Hillmann, a. a. O. 31).[48] Gerechtfertigt wäre daher das Schreiben nur, wenn das vollkommene Werk gelänge und dadurch die lebenslang durchgehaltene Arbeitsklausur sinnvoll würde. So aber schmerzt ihn die Diskrepanz zwischen seinem Sich-dem-Leben-Versagen und der nicht befriedigenden Leistung seiner Einsamkeit. In solcher Sicht erscheint ihm das konsequente Schriftstellerleben als eine Verirrung, ja als etwas Teufliches. Auch das Fragmentarischbleiben seiner großen Erzählwerke kann als ein Symptom solcher tiefgehenden selbstkritischen Zweifel gewertet werden. Im Gegensatz zu Max Brod, Wilhelm Emrich[49], W. H. Auden[50] und Walter Muschg[51], die daran

---

[44] T 229.

[45] HILLMANN: Dichtungstheorie, 39.

[46] Ebd. 42. Er räumt ein, daß das ‚Büro' die ‚klarsten und berechtigsten Forderungen' gegen ihn habe.

[47] JANOUCH: Gespräche mit Kafka, 87.

[48] Auch die Liebe zum Schreiben stand also im Zeichen leidvoller Ambivalenz. So klagt er: Wenn er sich an den Schreibtisch setze, sei ihm nicht wohler als einem, der mitten im Verkehr der Place de l'Opéra hinfällt und beide Beine bricht. Dieses Bild verdeutlicht das Angstvolle seiner Situation, wie seine Dichtersprache ihm nicht vom Platz zu helfen vermag und er, von der Qual des Nichtweiterkommens gelähmt, mitten im Verkehr liegen bleibt.

[49] In seinem Heidelberger Vortrag (1971) über „Franz Kafkas Bruch mit der Tradition und sein Neues Gesetz" sagte EMRICH, Kafkas Dichtung bewege sich nicht mehr innerhalb der normalen menschlichen Vorstellungswelt; deren Gesamtheit sei deren Gegenstand. Ob jedoch, wie Emrich unterstellt, diese dichterische Intention von Kafka verwirklicht, ja, ob sie überhaupt menschenmöglich ist, bleibt zu bezweifeln, zumindest eine offene Frage.

[50] „Had one to name the author who comes nearest to bearing the same kind of relation to our age as Dante, Shakespeare, and Goethe bore to theirs, Kafka is the first

glauben, daß Kafka das Unmögliche, das er als Schriftsteller begehrte, erreicht hat, und diesem Glauben hymnischen Ausdruck gegeben haben, hielt Kafka selbst sein dichterisches Bemühen um das Absolute für gescheitert. Die zum Teil sakral getönte Hymnik der Kafka-Verehrer kontrastiert auf stärkste zum kritischen Selbstverständnis des Dichters. Zwar hat er an seiner literarischen Bestimmung nie gezweifelt, aber seine dichterische Leistung selbst erschien ihm — gerade in späteren Jahren — als fragwürdig.[52] Obwohl er sich seiner Hypochondrie nicht erwehren konnte, war er sich ihrer doch als eines Mangels bewußt. In seiner Bewunderung für das Natürliche, Vitale und Starke empfand er um so schmerzlicher die eigene Schwäche und Lebensuntüchtigkeit. Wenn Goethe, um ein großes Lob auszusprechen, das Nibelungenlied ‚so gesund und tüchtig wie den Homer‘ nannte und damit künstlerische Qualität als Ausdruck und Auswirkung von Kraft und Gesundheit kennzeichnete, so zielte er damit auf ein vom Kafkaschen Dichtertypus ganz verschiedenes Künstlertum. Mag sein, daß auch Kafka, wie Max Brod versichert, letztlich das ‚Gesunde und Tüchtige‘ wollte, aber nach allen Merkmalen seiner Konstitution ist er nicht unter die Vitalen und Starken, sondern unter jene verletzlichen, zwiespältigen, selbstkritischen, aber auch beharrlich zielstrebigen Naturen einzureihen, deren Künstlertum sich in der Spannung zwischen Genie und Krankheit entfaltet. Ein Dichter wie Kafka muß beim Gestalten immer erst über die eigenen inneren Widerstände hinweg. Er ist weit entfernt von der nüchternen Konzeption des Direktors im *Vorspiel auf dem Theater*, die doch wohl — cum grano salis — auch Goethes eigene Zustimmung besaß:

> Was hilft es viel von Stimmung reden?
> Dem Zaudernden erscheint sie nie.
> Gebt ihr euch einmal für Poeten,
> So kommandiert die Poesie.

Solche naive Sicherheit der Setzung bezeichnet den Gegenpol zum allseitig reflektierten, durch permanente Zweifel angefochtenen dichterischen Selbstverständnis Kafkas.

Wer wie Kafka Vollkommenheit von seinem Werk fordert, kann freilich auch niemals ganz ans Ziel gelangen. Sich in seinen Forderungen zu bescheiden, war ihm aber nicht gegeben. Daß er sein Leben, das ausschließlich dem ‚Schreiben‘ gegolten

---

one would think of." (W. H. AUDEN in: ANGEL FLORES (Hrsg.): The Kafka Problem, New York, 1946 6).

[51] HANS SIEGBERT REIS (Recent Kafka Criticism 1944—1955 — A Survey — in: RONALD GRAY. Editor: Kafka. A collection of critical essays, Englewood Cliffs 1962, 163—178) zitiert „the thesis of WALTER MUSCHG (Tragische Literaturgeschichte, Bern 1948, 103) who had called Kafka t h e   o n l y   c o n s e c r a t e d   p o e t   o f   t h e   a g e".

[52] BORN: Vom ‚Urteil‘ zum ‚Prozeß‘ a.a.O. 196.

hatte, mit einer gnadenlosen Verurteilung seines Schaffens beschloß, entsprach ‚dem Gesetz, wonach [er] angetreten'.⁵³

Nun sind aber die Höhe seines künstlerischen Anspruchs und die Unbedingtheit des Einsatzes, den er geleistet hat, zugleich konstitutive Elemente von Kafkas Dichtertum, die seinem Werk — auch unabhängig vom Grad des Gelingens — Gewicht geben und die Größe der zugrunde liegenden Konzeption bezeugen. Dies um so mehr, als der gestalterische Einsatz des Dichters in selbstkritischer Schlichtheit, ohne genialisch sich gebärdende Prätention und Kraftmeierei erfolgte. Kafka ging den Weg der unbedingten Ehrlichkeit, der beharrlichen Wahrheitssuche, der unverdrossen folgerichtigen Genauigkeit und Vollständigkeit der Darstellung. Er zeigte unerschöpfliche Geduld im Berichtigen und Neukonzipieren des noch nicht ganz Gelungenen. Auch die kleinen, scheinbar unwichtigen Züge hat er beflissen festgehalten und konsequent zu Ende verfolgt. In diesem Fanatismus der Gründlichkeit, der behutsam ausbreitet und alle billigen Effekte verschmäht, in dieser fast nüchtern wirkenden Sachlichkeit der Darbietung erweist sich Kafka als ein entschiedener Moralist — gerade auch im ästhetischen Bereich des Gestaltens.

Es bleiben jedoch — zur Wertung von Kafkas Werk — nicht nur die Größe des immanenten dichterischen Anspruchs und die Intensität des künstlerischen Wollens, es bleibt darüber hinaus auch die Stärke seiner literarischen Wirkung. Sie hebt die schroffe Selbstverurteilung des Dichters auf. Kafka steht in der ersten Reihe jener Dichter der Moderne, die den Beginn einer neuen Epoche der Literatur bezeichnen. Sein Werk, das insgesamt um das Thema der „Verwandlung" kreist, bewirkte seinerseits Verwandlung der literarischen Situation der Welt. Nach Kafka — oder besser durch Kafka — ist es unmöglich geworden, noch weiterhin so zu erzählen, wie die Romanciers und Novellisten des 19. und beginnenden 20. Jahrhunderts erzählt haben. Die Forderungen an die Literatur sind — nicht zuletzt als Folgewirkung seines Werkes — wesentlich andere geworden, höher und umfassender, ernsthafter und kritischer. Kafkas Moral des Ästhetischen hat neue Maßstäbe gesetzt: Enthüllung, nicht Bestätigung und Beschönigung oder — nüchterner formuliert — Information, nicht Unterhaltung lautet jetzt die Zielsetzung für die Schreibenden.⁵⁴

---

⁵³ Auch sollte nicht übersehen werden, daß Kafka sein Schreiben mitunter auch moralisch verurteilt, als ‚Verschuldung gegen das Leben', ja als etwas ‚Teuflisches' bezeichnet hat, das der Eitelkeit und Genußsucht entspringe.

⁵⁴ Unter diesem Aspekt scheint die Dichtung Kafkas in die gleiche Richtung zu tendieren wie das Werk Bertolt Brechts. Ebenso offenkundig ist jedoch, was diese beiden Neuerer in der modernen deutschen Literatur voneinander trennt. Im Gegensatz zu Brecht, der — mit seiner Entscheidung gegen die Metaphysik und für den (als einzige Realität respektierten) Materialismus — den Utopien ideologischen Wunschdenkens verfiel und — trotz sich regender fundamentaler Zweifel — von der messerscharfen Kurzschlüssigkeit seiner missionarischen Konzeptionen nie frei werden konnte, hat es für Kafka eine parteipolitische Indoktrination grundsätzlich nicht geben können. In der Konsequenz seiner kritisch wachen Selbstversenkung war er dem Absoluten offen und wußte um die unaufhebbare Unzulänglichkeit des Menschlichen. Weder alte noch neue Heilslehren konn-

Sicher ist die Stärke von Kafkas literarischer Wirkung kein bloßes Zufallsergebnis, sondern im Werke selbst, in der künsterischen Qualität seiner Leistung begründet. Diese Dichtung überraschte und überzeugte, schockierte und faszinierte die Leser. Ihr Erfolg war darum auch kein nur kurzfristiger, sondern ein nachhaltiger, gleichmäßig fortwirkender und sich stetig vertiefender. Und so sehr die Größe der Zielsetzung und die Stärke des gestalterischen Wollens den künstlerischen Anspruch von Kafkas Werk begründen, letzthin hat dieses Werk doch vor allem durch sich selbst zu überzeugen vermocht. Wer jedoch — wie Kafka — sein ‚Schreiben‘ am Absoluten mißt und daher mit Vorzug auf jenen ‚Erdenrest peinlich‘ blickt, der seiner auf Vollkommenheit angelegten Dichtung noch anhaftet, kann sich nicht damit zufrieden geben, verborgene Türen geöffnet und neue Ausblicke erschlossen zu haben. Wer über sich selbst hinaus begehrt, wird auch im Erreichen des Höchstmöglichen noch ein Scheitern sehen.

Indessen wird sich ein kritischer Interpret nicht allen Argumenten der Selbstkritik Kafkas verschließen können.[55] Die Bewunderung für das Außerordentliche in Kafkas Dichtung sollte die Deuter nicht übersehen lassen, daß es auch Nichtgelungenes in seinem Werk gibt, Stellen, wo sich ihm — trotz stärkster Bemühung — die ‚Hilfe aus der Tiefe‘ versagte. Daß er als Mensch unternahm, was nur ein Gott zu vollbringen vermöchte, darin liegt nicht nur die Größe, sondern auch die unüberschreitbare Grenze seiner Leistung. Und in der Tat war die Besonderheit seines Menschseins nicht nur ein Stimulans, sondern auch eine Gefährdung seines künstlerischen Schaffens. Stand doch gerade der Mensch Kafka unter vielfältigen fatalen Belastungen. Sein Künstlerwunsch nach dem absoluten Alleinsein lag im Widerstreit mit dem menschlichen Bedürfnis nach Kommunikation und persönlicher Verbundenheit, so daß er weder im einen noch im andern geborgen sein konnte, sondern — unerlöst und unerlösbar — im ‚Grenzland zwischen Einsamkeit und Gemeinschaft‘ siedeln mußte.[56] Wenn er ferner sein „Schreiben psychologisch zu erklären versuchte, [näm-

---

ten seinen **n a c h   a l l e n   S e i t e n** gerichteten, kritischen Wahrheitsmut beirren. Prinzipielle Skepsis schloß jede Art parteigebundenen Engagements aus. Seine Suche galt expressis verbis dem ‚archimedischen Punkt‘, einer Stellung außer- und oberhalb des Tageslaufs der Dinge.

[55] Vgl. die oben S. 36 f. zitierten selbstkritischen Äußerungen Kafkas über sein Dichtertum, seine Klagen über die ‚Schwerfälligkeit des Denkens‘, ja auch über die Unklarheit des ‚Bewußtseinsinhaltes‘ und das dadurch bedingte Unvermögen, seinen Darstellungen die erforderliche ‚Zuspitzung, Festigung und dauernden Zusammenhang‘ zu geben. ‚In Wahrheit‘ — so klagt er — sei er ‚ein enterbter Sohn‘, ‚keines Dinges sicher [und] von jedem Augenblick eine neue Bestätigung [seines] Daseins‘ brauchend. ERICH HELLER hat dieses Selbsturteil des Dichters seinem Buch ‚Enterbter Geist‘ (Frankfurt a. M. 1954) als Motto vorausgestellt. Tatsache ist, daß bohrende Selbstkritik die Hauptwurzel von Kafkas tragischem Pessimismus war.

[56] Andererseits schrieb er an den Vater: „Heiraten, eine Familie gründen, alle Kinder, welche kommen, hinnehmen, in dieser unsicheren Welt erhalten oder gar noch ein wenig führen, ist meiner Überzeugung nach das Äußerste, das einem Menschen überhaupt gelingen kann." (H 209 f.)

lich] ... als Befreiung, als ‚Flucht vor dem Vater', als Selbständigkeitsversuch"[57], so beleuchtet auch dies die individuell menschliche Problematik, die seinen Weg als Schriftsteller mitbestimmte. Die hypochondrische Überempfindlichkeit seines Wesens brachte weitere Schwierigkeiten eigener Art hinzu.

In seinem „Beitrag zur Typologie und Ästhetik" Kafkas[58] verweist Hartmut Binder auf Eigenheiten des dichterischen Typus, die das künstlerische Gelingen gefährden konnten. Eine solche Gefahr sieht er vor allem in der extremen Subjektivität der Darstellung, in der Tatsache, daß der Welt- und Dingbezug des Dichters ganz durch Introversion bestimmt sei. Seine Wahrnehmungen — so stellt Binder fest — fangen „ganz am Rande liegende Einzelheiten ein..., die dazuhin häufig nur augenblicksweise bestehen".[59] Ja, seine Beschreibungen lebten überhaupt von Augenblicksbeobachtungen. Entsprechend seien „Kafkas Wahrnehmungen ungeordnet, wechseln dauernd, [seien] untereinander ohne Zusammenhang und oft unsinnlich erfaßt. Sie erscheinen ganz selbständig als fertige Ganzheit".[60] Binder kommt daher zu dem Schluß, daß „folgerichtig sich aufbauende Texte, in denen Probleme in allgemeiner Form abgehandelt werden,... außerhalb der Möglichkeit dieses Typs" liegen.[61]

Das ist — isoliert betrachtet — sicher richtig gesehen. In der Tat kann man der sporadisch anmutenden Schilderungsweise Kafkas ankreiden, daß sie „eine gewisse Entwertung des Äußeren" bedeutet, ja daß sie den „Sinneneindruck" durch den „Wahrnehmungsvorgang" als solchen, durch das im Wahrnehmenden entstehende „innere Bild" ersetzt.[62] Eine solche Kritik impliziert aber zugleich ein Mißverständnis dessen, was Kafka darstellerisch wollte. Gegen den Vorwurf einer zusammenhanglosen Reihung von Beobachtungen ist zu betonen, daß es dem Dichter grundsätzlich nicht um realistisch exakte oder gar naturalistisch abbildende Darstellung ging, sondern um eine Sicht von außer- und oberhalb, um eine Gesamtschau aus weiter Distanz, in der beliebige Details scheinbar „ungeordnet" und „dauernd wechselnd" auftauchen, da letzthin alles mit allem im Zusammenhang steht. Was hier zugrunde liegt, ist also ein Aspekt der Unendlichkeit, in der sogar die Parallelen sich schneiden. Infolgedessen könnte man den Vorwurf, daß Kafkas Beschreibungen an beiläufigen Einzelheiten, an bloßen Randerscheinungen festhaften, durch die Gegenfrage entkräften, ob es denn in einer auf das Absolute gerichteten Sicht überhaupt einen Gegensatz von Haupt- und Nebensächlichem gibt. Gehört es nicht vielmehr zur Weltsicht dieses Dichters, daß die Unterscheidung zwischen Haupt- und Nebensache aufgehoben ist, daß sie als eine nur menschliche Setzung, als eine bloße Unterstellung ad hoc und damit als eine Verfälschung der Wahrheit gilt? Ist nicht,

---

[57] BORN: Vom ‚Urteil' zum ‚Prozeß', 196.
[58] Kafkas literarische Urteile, ZfdPh. 86, 1967, 211—240.
[59] Ebd. 213.
[60] Ebd. 219.
[61] Ebd. 222.
[62] Ebd. 215.

um hier ein Wort Leopold von Rankes abzuwandeln, in dem absoluten Aspekt Kafkas jedes Ding, das kleinste gleichermaßen wie das größte, „unmittelbar zu Gott"?

Offen bleibt freilich auch die Frage, ob eine solche Stellung außerhalb der Bedingungen von Raum und Zeit für Menschen überhaupt erreichbar ist und ob Kafka ein zu solcher absoluten Sicht des Seins erwählter Seher war. Das ist letzthin eine Sache des Glaubens, nicht des Wissens. Daß aber Kafka bei nicht wenigen diesen Glauben gefunden hat, ist ein vielsagendes Symptom. Und auch die Nichtgläubigen gestehen ihm die Intensität und Integrität eines auf das Letztgültige gerichteten Wollens zu. Er selbst jedoch, der sein Werk nicht am Gewollten, sondern am Erreichten maß, sah sich — ähnlich wie die Helden seiner Romane und Erzählungen — in seinen Bemühungen gescheitert. Aber eben dies, daß er das eigene Schaffen strenger wertete als seine Kritiker, dieses moralische Fundament seines Dichtertums ist ein Positivum seiner Kunst.

Nicht zuletzt stieß Kafka mit seinem Anspruch an den Entstehungsvorgang dichterischer Werke an eine der menschlichen Schaffenskraft gezogene Grenze. Wenn er fordert, ‚eine Geschichte müßte man höchstens mit einer Unterbrechung in zweimal 10 Stunden niederschreiben, dann [nur] hätte sie ihren natürlichen Zug und Sturm...‘[63], oder ins Tagebuch notiert, daß eine ‚Arbeit immer nur im ganzen Zug gelingen kann‘[64], so mag das zwar in glücklich gelagerten Fällen mitunter möglich sein, grundsätzlich aber liegt darin eine Überforderung. Andrerseits hatte Kafka für seine eigene Person sicher recht, daß ihm nur ‚im Feuer zusammenhängender Stunden‘ der dichterische Wurf gelang, denn ‚kann ich die Geschichten nicht durch die Nächte jagen, brechen sie aus und verlaufen sich‘.[65] Entsprechend „beurteilte [er] den Wert seiner Dichtungen... weitgehend nach der Art und Weise ihres Entstehens... und empfand Zufriedenheit... fast nur jenen Arbeiten gegenüber, die auf die ihm gemäße Art des Schaffens... [nämlich in einem ‚Zug und Sturm‘] entstanden waren wie z. B. die Erzählung *Das Urteil* und die Stücke *Vor dem Gesetz, Ein Traum, Ein altes Blatt, Eine kaiserliche Botschaft*.[66] Auch diese im gestalterischem Temperament des Dichters liegenden Probleme sollten nicht übersehen werden. Kafka selbst fühlte, daß die Diskrepanz zwischen angestrebter Vollkommenheit und menschlicher Möglichkeit im letzten unüberwindbar war.[67] Gleichwohl gab er nicht auf. Und an seiner „literarischen Bestimmung... hat er, der sonst wie kein

---

[63] An Felice (24./25. 11. 1912).
[64] T 267.
[65] T 454.
[66] BORN: Vom ‚Urteil‘ zum ‚Prozeß‘, 188, Anmerkung 3.
[67] Vgl. die oben schon zitierte Bemerkung des Dichters über seine Arbeit am *Prozeß*-Roman: ‚Und wie viel Unrichtiges wird stehen bleiben müssen, weil dafür keine Hilfe aus der Tiefe kommt.‘ (An Felice, am 15./16. 1. 1913.)

anderer dem Zweifel anheimgegeben war, nicht gezweifelt".[68] Dieses Festhalten am Ziel gegen seine stets wache unerbittliche Selbstkritik stimulierte den Leistungswillen und steigerte den Grad des Gelingens. Sein Selbstverständnis begründet und rechtfertigt seinen unermüdeten ‚Ansturm gegen die Grenze' im Sinne des Goethewortes:

Daß du nicht enden kannst, das macht dich groß.

---

[68] BORN a.a.O. 196.

Persönliche Problematik

Kafkas negative Selbst- und Weltauffassung hat ihre tiefsten Wurzeln in seiner vielfältig vorbelasteten eigenen Persönlichkeit. Da ist das von Anbeginn gestörte und nie bereinigte Verhältnis zum Vater, das sein ganzes Leben überschattete. Doch war der ‚Vaterkomplex‘ letzthin nur ein Symptom der allgemeinen Lebensschwäche des Dichters, seiner hypochondrisch anmutenden Kontaktschwierigkeiten, seines nie ganz gemeisterten Inferioritätskomplexes, seines problematischen Verhältnisses zur Sexualität, kurz: seines fundamentalen Mangels an Vitalität und Gesundheit. Diesem Mangel korrespondieren der monomanische Hang zur Selbstbespiegelung, der rigorose Rückzug ins eigene Innere, die zur Autarkie abdrängende Egozentrik des ‚traumhaften inneren Lebens‘ bei gleichzeitiger strenger Selbstkritik und unbedingtem Wahrheitswillen.

Daß der ‚Vaterkomplex‘ im Leben Kafkas eine verhängnisvolle Rolle spielte und für sein Werk sogar thematische Bedeutung besaß, ist unbestreitbar. Dennoch bemerkt Wagenbach mit Recht, daß dieser „tatsächlich existierende" Vaterkomplex „doch wohl besser als ‚Weltkomplex‘ zu bezeichnen" wäre.[1] Denn in dem Konflikt mit dem Vater geht es letztlich um die Auseinandersetzung mit der Welt als solcher, in die sich einzufügen Kafka nicht imstande war. Der Vater war gleichsam nur der Hauptrepräsentant der das eigene Selbst bedrohenden, ja vernichtenden Welt der andern, der Welt, die grundsätzlich als ‚Gegenwelt‘ erlebt und erlitten wurde. Kafkas Verhältnis zur Welt war so heillos kontrovers, daß er auch geliebte Menschen und Freunde als Repräsentanten dieser zu fliehenden Gegenwelt empfand.[2] Bezeichnend hierfür ist sein Eintrag ins Oktoberheft vom August 1917, in dem er (= Felice Bauer), also seine Verlobte, als Repräsentanten der ihm feindlichen Welt bezeichnete: ‚Falls ich in nächster Zeit sterben oder gänzlich lebensuntüchtig werden sollte . . ., so darf ich sagen, daß ich mich selbst zerrissen habe . . . Die Welt — F. ist ihr Repräsentant — und mein Ich zerreißen in unlösbarem Widerstreit meinen Körper.‘[3] Statt F. könnte — je nach dem biographischen Zusammenhang — auch der Vater oder ein sympathisierender Freund, ja überhaupt j e d e r A n d e r e stehen, der als Vertreter der Welt das ungestörte Selbstsein des Dichters gefährdet. Das sprechendste Zeugnis dieses nicht zu bereinigenden Verhältnisses zur Welt ist sein Brief an Max Brod vom 5. Juli 1922, in dem er begründet, warum er die „Ein-

---

[1] Franz Kafka. In Selbstzeugnissen und Bilddokumenten, Reinbek 1964, 120.

[2] Aber natürlich wirkte die als Bedrohung empfundene Macht des Vaters um so stärker und folgenschwerer, als sie schon von Kind an und permanent ihre gleichsam selbstverständlichen Forderungen an das Leben Kafkas geltend machte. WAGENBACH a.a.O. 109 f. stellt fest: „Der Hauptgrund dieser ‚Unsicherheit‘ Kafkas bildete das von Herrmann Kafka dem Sohn aufgepreßte unglückliche ‚Ideal‘ eines vitalen Lebens, für das dieser überhaupt keine Anlage besaß."

[3] H 131 f.

ladung seines Freundes Oskar Baum, die Ferien mit ihm gemeinsam zu verbringen", ablehnen mußte.[4] Als Hauptgrund nennt er die ‚Angst vor der Veränderung', also die Angst vor dem Selbstverlust durch ein Heraustreten aus dem innersten Kreis des eigenen Seins:

> ‚Als ich heute in der schlaflosen Nacht alles immer wieder hin- und hergehn ließ zwischen den schmerzenden Schläfen, wurde mir wieder ... bewußt, auf was für einem schwachen oder gar nicht vorhandenen Boden ich lebe, über einem Dunkel, aus dem die dunkle Gewalt nach ihrem Willen herkommt und, ohne sich an mein Stottern zu kehren, mein Leben zerstört.'. Was ihn ängstigt und lähmt, ist also das Bewußtsein, für die Welt, der er ausgeliefert ist, nicht gerüstet zu sein. Diese Lebensuntauglichkeit zwingt ihn, sich ganz in sich selbst zurückzuziehn: ‚Das Schreiben erhält mich, aber ist es nicht richtiger zu sagen, daß es diese Art Leben erhält? Damit meine ich natürlich nicht, daß mein Leben besser ist, wenn ich nicht schreibe. Vielmehr ist es dann viel schlimmer und ganz unerträglich und muß mit dem Irrsinn enden. Aber das freilich nur unter der Bedingung, daß ich, wie es tatsächlich der Fall ist, auch wenn ich nicht schreibe, Schriftsteller bin, und ein nicht schreibender Schriftsteller ist allerdings ein den Irrsinn herausforderndes Unding. Aber wie ist es mit dem Schriftstellersein selbst? Das Schreiben ist ein süßer wunderbarer Lohn, aber wofür? In der Nacht war es mir mit der Deutlichkeit kindlichen Anschauungsunterrichtes klar, daß es der Lohn für Teufelsdienst ist. Dieses Hinabgehen zu den dunklen Mächten, diese Entfesselung von Natur aus gebundener Geister, fragwürdige Umarmungen und was alles noch unten vor sich gehen mag, von dem man oben nichts mehr weiß, wenn man im Sonnenlicht Geschichten schreibt. Vielleicht gibt es auch anderes Schreiben, ich kenne nur dieses; in der Nacht, wenn mich die Angst nicht schlafen läßt, kenne ich nur dieses. Und das Teuflische daran scheint mir sehr klar. Es ist die Eitelkeit und die Genußsucht, die immerfort um die eigene oder auch um eine fremde Gestalt — die Bewegung vervielfältigt sich dann, es wird ein Sonnensystem der Eitelkeit — schwirrt und sie genießt. Was der naive Mensch sich manchmal wünscht: „Ich wollte sterben und sehn, wie man mich beweint", das verwirklicht ein solcher Schriftsteller fortwährend, er stirbt (oder er lebt nicht) und beweint sich fortwährend. Daher kommt eine schreckliche Todesangst, die sich nicht als Todesangst äußern muß, sondern auch auftreten kann als Angst vor Veränderung ... Die Gründe für die Todesangst lassen sich in zwei Hauptgruppen teilen. Erstens hat er schreckliche Angst zu sterben, weil er noch nicht gelebt hat. Damit meine ich nicht, daß zum Leben Weib und Kind und Feld und Vieh nötig ist. Nötig zum Leben ist nur, auf Selbstgenuß zu verzichten; einziehn in das Haus, statt es zu bewundern und zu bekränzen. Dagegen könnte man sagen, daß das Schicksal ist und in niemandes Hand gegeben. Aber warum hat man dann Reue, warum hört die Reue nicht auf? Um sich schöner und schmackhafter zu machen? Auch das. Aber warum bleibt darüber hinaus das Schlußwort in solchen Nächten immer: Ich könnte

---

[4] Zitate nach WAGENBACH: Franz Kafka. In Selbstzeugnissen a.a.O. 78 ff.

leben und ich lebe nicht. Der zweite Hauptgrund — vielleicht ist es auch nur einer, jetzt wollen sich mir die zwei nicht recht sondern — ist die Überlegung: „Was ich gespielt habe, wird wirklich geschehen. Ich habe mich durch das Schreiben nicht losgekauft ..."

Um diese ganze Geschichte schriftstellerisch zu pointieren ... muß ich hinzufügen, daß in meiner Angst vor der Reise sogar die Überlegung eine Rolle spielt, ich würde zumindest durch einige Tage vom Schreibtisch abgehalten sein. Und diese lächerliche Überlegung... ist in Wirklichkeit die einzige berechtigte, denn das Dasein des Schriftstellers ist wirklich vom Schreibtisch abhängig, er darf sich eigentlich, wenn er dem Irrsinn entgehen will, niemals vom Schreibtisch entfernen, mit den Zähnen muß er sich festhalten.

Ich habe Oskar abtelefoniert, es ging nicht anders, der Aufregung war nicht anders beizukommen ...'

Dieser späte Brief (1922) verdeutlicht, daß sich Kafka — trotz (oder gerade wegen) seines rigorosen Wahrheitsfanatismus — weder als Mensch noch als Dichter aus dem Teufelskreis der Ambivalenz befreien konnte. Wenn er gegenüber der Sehnsucht nach Erfüllung in einem natürlichen Leben, das seinen Sinn und sein Recht in sich selber trägt, gleichwohl immer den Vorrang eines ausschließlich der Literatur gewidmeten Lebens behauptete, so erkannte er doch in der kritischen Hellsicht seiner krisenhaften Stunden, daß das Schreiben ‚ein süßer wunderbarer Lohn für Teufelsdienst ist', ein eitler ‚Selbstgenuß', der sich an den Forderungen des Lebens vorbeimogelt, indem er es in ein Spiel verwandelt und es in solcher künstlerischen Transposition auch zu bewältigen glaubt, während er sich in Wahrheit doch nicht loskaufen kann, vielmehr infolge seines Nicht-Lebens doppelter Reue und Todesangst ausgeliefert ist. Die exklusive Entscheidung für das Schreiben war also für Kafka zwar eine persönliche Notwendigkeit, aber keine Aufhebung seiner Problematik. Auch in diesem innersten Kreis seiner Existenz blieb er von Zweifeln angefochten, und die zahlreichen Versuche, aus der Isolation auszubrechen[5], zeigen, daß es keine Kompensation für das schmerzlich empfundene Lebensversagen gab.

---

[5] Die letzten zwölf Lebensjahre Kafkas 1912—1924 sind durch wiederholte Bemühungen um eine dauerhafte Bindung gekennzeichnet: 1912 lernte er Felice Bauer kennen, pflegte diesen Kontakt durch eifrige Korrespondenz und Besuch, verlobte und entlobte sich im Juni bzw. Juli 1914, ging im gleichen Jahr ein freundschaftliches Vertrauensverhältnis mit Grete Bloch ein, welcher Verbindung — ohne Wissen Kafkas — ein Kind entsprang, nahm 1915 wieder die Beziehung zu Felice auf, weilte 1916 mit ihr in Marienbad und verlobte sich 1917 zum zweiten Mal mit ihr, worauf im Dezember 1917 die zweite Entlobung erfolgte. 1918 trat er zu Julie Wohryzek in nähere Beziehung und verlobte sich 1919 mit ihr. 1920 kam es zu Kontakt und regem Briefwechsel mit Milena Jesenska und der Lösung seines Verlöbnisses mit Julie. 1923/24: Kafkas letzte mit Hoffnungen verknüpfte Liebesbindung an Dora Dymant. Nicht so sehr die Zahl als vielmehr das fatale Hin und Her dieser Beziehungen zeigen, daß das Verhältnis des Dichters zu den Frauen und zu den Menschen überhaupt nicht intakt war und er sich nicht ohne Grund des mit-

Dieses unüberwindliche Ungenügen an sich selbst ließ keine Erfüllung zu und erklärt, warum Kafka — nach seinen eigenen Worten im Tagebucheintrag vom 20. Oktober 1913 — die Märchen haßte, die an das Gute glauben und immer einen glücklichen Ausgang haben. Er aber wollte keine Beschönigung und zog die Finsternis des Grauens dem lichten Blau eines Märchenhimmels vor. Auch seine Romane — *Der Verschollene, Der Prozeß* und *Das Schloß* — führen nirgends aus dem Zwielichtdunkel seiner Lebenslandschaft heraus. Sie bilden zusammen eine Trilogie der Einsamkeit: die heillose Situation eines Angeklagten, der sich nicht wehren kann, im *Prozeß*, die nicht zu durchbrechende Vereinzelung eines Ungeladenen und Fremden im Herrschaftsbereich des *Schlosses*, die Hilflosigkeit eines unerfahrenen Kindes in der Weite Amerikas.

Die Tatsache, daß dieses „unerfahrene Kind" Karl Roßmann immerhin sechzehn Jahre alt ist und sich in seinen wohlmeinenden Bemühungen um den beruflich fallierenden Heizer des Schiffes z. T. als ein geradezu gewitzter Jurist erweist, läßt die Misere des Helden noch um so heilloser erscheinen. Sie erweist ihn als einen jener Unglücklichen, die allenfalls anderen, nicht aber sich selbst helfen können. ALBERT BETTEX (Die moderne Literatur. In: Deutsche Literaturgeschichte in Grundzügen. Hrsg. von BRUNO BOESCH, Bern ²1961, 416) spricht von der „tiefen Verlorenheit", aus der Kafkas Werk herkomme, und bezeichnet es „als eine mit monomanischer Besessenheit gestaltete Variationsfolge über das Thema: Ausweglosigkeit". Er treibe „seine Menschen mit einer eigenmächtigen, quälenden Logik in Situationen, wo ihnen alle Wege verlegt sind". Er zwinge „sie mitunter in den Leib eines verfolgten Tieres, damit man wisse, was erbarmungsloses Umstelltsein heißt". „Alle Ängste des bezeichnungslos im Leeren lebenden Menschen" seien in seinem Werk versammelt und „in äußerst scharf gesehene surrealistische Bilder gebannt." Kafka selbst klagte, daß er von den Erfordernissen des Lebens gar nichts mitgebracht habe, sondern nur die allgemeine menschliche Schwäche. Immer wieder betonte er seine Untauglichkeit gegenüber der Welt, im besonderen seine Unfähigkeit, im menschlichen Miteinander zu bestehen und ein vollgültiges Leben zu leben. Weder zu Frauen noch zu den Freunden, aber auch nicht im Kreis der Familie war für ihn ein unbelastetes, natürliches gesundes Verhältnis möglich. Was er 1907 an eine Freundin schrieb: „... wenn Du mich ein wenig lieb hast, so ist es Erbarmen, mein Anteil ist die Furcht"[6], betonte er 1912 in einem Brief an Max Brod im Blick auf die Menschen überhaupt: ,Wie lebe ich denn in Prag! Dieses Verlangen nach Menschen, das ich habe und das sich in Angst verwandelt, wenn es

---

menschlichen Versagens beschuldigte. Auch das gehört zu den Ungerechtigkeiten der Welt, daß solche Katastrophen immer nur im Blick auf die „kostbare Künstlerseele" gedeutet werden und die Leiden der enttäuschten Opfer wie selbstverständlich außer Betracht bleiben.

[6] Br. 137.

erfüllt wird ...'[7] Seinem Kontaktverlangen kontrastierte ‚der Wunsch nach besinnungsloser Einsamkeit. Nur mir gegenübergestellt sein'.[8] Am 15. August 1913 schrieb er ins Tagebuch: ‚Ich werde mich bis zur Besinnungslosigkeit von allem absperren. Mit allen mich verfeinden, mit niemandem reden.'[9] In einem Brief vom August 1913, an den Vater seiner Verlobten in spe Felice Bauer, den er nicht abschickte, aber im Tagebuch entwarf, kennzeichnet er drastisch sein Ungenügen nach allen Seiten:

‚Mein Posten ist mir unerträglich, weil er meinem einzigen Verlangen und meinem einzigen Beruf, das ist der Literatur, widerspricht. Da ich nichts anderes bin als Literatur und nichts anderes sein kann und will, so kann mich mein Posten niemals zu sich reißen, wohl aber kann er mich gänzlich zerrütten.' ‚Sie könnten fragen, warum ich diesen Posten nicht aufgebe ... Darauf kann ich nur die erbärmliche Antwort geben, daß ich nicht die Kraft dazu habe ...' ‚Ich bin nicht nur durch meine äußerlichen Verhältnisse, sondern noch viel mehr durch mein eigentliches Wesen ein verschlossener, schweigsamer, ungeselliger, unzufriedener Mensch, ohne dies aber als ein Unglück für mich bezeichnen zu können.' ‚Alles, was nicht Literatur ist, langweilt mich und ich hasse es, denn es stört mich oder hält mich auf, wenn auch nur vermeintlich. Für Familienleben fehlt mir dabei jeder Sinn außer dem des Beobachters im besten Fall. Verwandtengefühl habe ich keines, in Besuchen sehe ich förmlich gegen mich gerichtete Bosheit.'

So eindeutig sich Kafka in solchen programmatischen Äußerungen für die Literatur (und damit gegen das Leben) entschieden hat, so eindeutig ist doch auch, daß er sich gleichwohl n i c h t gegen das Leben entscheiden wollte, daß es ihn vielmehr zugleich faszinierte.[10] Infolgedessen ergab sich für ihn auch immer wieder dieselbe problematische Konstellation.[11] Und zweifellos war er sich auch bewußt, daß sein Versagen dem Leben gegenüber — als ein fataler Defekt — zugleich sein Künstlertum belastete. In solcher Sicht wertete er pessimistisch kritisch seine schriftstellerischen Arbeiten insgesamt als ‚persönliche Belege der menschlichen Schwäche'.[12] Daß er keine Geliebte und überhaupt keine persönliche Bindung ertragen konnte, weil er sich dann hilflos ausgeliefert fühlen würde, empfand er als eine menschliche Katastrophe[13], die durch nichts zu kompensieren war. „Die Produktion ist kein Äquivalent für die vorenthaltene Wirklichkeit, sie ist nur das Einzige, was dem Dichter

---

[7] Br. 101.
[8] T 306.
[9] T 310 f.
[10] Vgl. die Schlußsätze des *Hungerkünstlers* und der *Verwandlung*.
[11] WAGENBACH: Kafka. In Selbstzeugnissen a.a.O. 92.
[12] J 22.
[13] J 18: ‚Der Dichter ist immer viel kleiner und schwächer als der gesellschaftliche Durchschnitt. Er empfindet darum die Schwere des Erdendaseins viel intensiver und stärker als die anderen Menschen.' Diese ‚Schwäche macht ihn feinfühlig für die Qualen und Schwierigkeiten einer Verbindung'. (HILLMANN a.a.O. 36.) Am stärksten äußerte sich die-

übrig bleibt, und er klammert sich deshalb an sie wie ein ,Irrsinniger an seinen Wahn'."[14] Gleichwohl sieht er auch ein kleines Positivum in der ihm durch die Natur aufgenötigten Isolation: ,In mir selbst gibt es ohne menschliche Beziehungen keine sichtbaren Lügen. Der begrenzte Kreis ist rein.'[15]

Wie destruktiv, ja erdrückend die vitale Übermacht des Vaters auf Kafka wirkte, erhellt aus seinem *Brief an den Vater,* einer Lebensbeichte, die die vorgegebene Hoffnungslosigkeit dieses Lebens vergegenwärtigt und das negative Selbstverständnis des Menschen und des Dichters begründet.[16] Im Gegenüber zu dem kraftstrotzenden, lebenstüchtigen Vater war die eigene Schwäche, die mangelhafte Rüstung für den Daseinskampf doppelt fühlbar. Ihm fehlte der ,Kafkasche Lebens-, Geschäfts- und Eroberungswille', und so viel er auch von dem Vater geerbt haben mochte, so besaß er doch nicht ,die nötigen Gegengewichte in [seinem] Wesen' wie dieser, zu dem er angstvoll blickte wie zu einem Riesen: ,man hätte annehmen können, daß Du mich einfach niederstampfen wirst, daß nichts von mir übrigbleibt.' ,Noch nach Jahren litt ich unter der quälenden Vorstellung..., daß ich... ein solches Nichts für Dich war.'[17] ,Ich stand ja in allem meinem Denken unter Deinem schweren Druck, auch in dem Denken, das nicht mit dem Deinem übereinstimmte und besonders mit diesem.' Vor diesem Vater gab es also für Kafka kein Ausweichen. Er war sein allgegenwärtiges Schicksal.[18] Und selbst dort, wo seine Wirkung einmal wohltuender zu sein schien, haben ,solche freundlichen Eindrücke auf die Dauer nichts anderes erzielt, als mein Schuldbewußtsein vergrößert und die Welt mir noch un-

---

ses Mangelgefühl Kafkas in seiner Lobpreisung der Heirat bzw. der Familie als des ,Höchsten, was man meiner Meinung nach erreichen kann'; ,Heiraten ist das Größte und gibt die ehrenvollste Selbständigkeit'. (Brief an den Vater.) Ihm selbst aber war dieses Höchste und Größte versagt.

[14] HILLMANN a.a.O. 37 und B 431.

[15] T 320.

[16] POLITZER a.a.O. 405: „Oberflächlich betrachtet, ist der Brief ein Versuch des Sohnes, den Grundkonflikt seines Lebens zu meistern, der ihn noch im Alter von 36 Jahren ebenso beschäftigte wie in seiner Kindheit." Gleichzeitig „reduziert der Brief Kafkas metaphysisches Dilemma auf einen Familienkonflikt" (Ebd. 406).

[17] Ebd. 407: „Der Brief erschließt die Welt eines zutiefst erschreckten Kindes, weitet diese Welt jedoch mit dem psychologischen Verständnis eines Erwachsenen."

[18] Ebd. 408: „Bei der Lektüre des Briefes fällt es schwer, sich dem Eindruck zu entziehen, Kafka wäre nicht wie sein Georg Bendemann von der Brücke gesprungen, wenn ihm der Vater dies befohlen hätte." Wie sollte unter der erdrückenden Autorität eines so vitalen Vaters der sensitive Dichter das Gefühl der eigenen Nichtigkeit überwinden und ein positives Selbstverständnis entwickeln können? Hier blieb einzig die resignierende Einsicht, daß im Leben immer nur die Starken recht haben und recht bekommen. Und Kafka wußte nur zu gut, daß er selber nicht zu den Starken gehörte. Vgl. auch RONALD GRAY (Kafka the writer. In: Kafka. A collection of critical essays a.a.O. 63), der ebenfalls die ambivalente Vaterbeziehung Kafkas betont: „His father was at one and the same time an almost godlike authority and an object of contempt", eine Art Jahwegestalt und zugleich ein fragwürdiger Mensch.

verständlicher gemacht'. Als Ergebnis seiner Beziehung zum Vater stellte er fest: ‚Ich hatte vor Dir das Selbstvertrauen verloren, dafür ein grenzenloses Schuldbewußtsein eingetauscht' und dies, obwohl er erkannte, daß in ‚diesem Prozeß, in dem Du immerfort Richter zu sein behauptest', der Vater ‚ebenso schwache und verblendete Partei' war wie der Sohn.[19]

Aber auch im Eigensten Kafkas, in der Welt seines Schreibens, hat der Vater — nach dem Zeugnis dieses Briefes — fatale Wirkung geübt. Denn auch als Dichter wurde er von dem Vater nicht frei: ‚Mein Schreiben handelte von Dir, ich klagte dort ja nur, was ich an Deiner Brust nicht klagen konnte. Es war ein absichtlich in die Länge gezogener Abschied von Dir...' Zwar sei er durch das Schreiben ‚tatsächlich ein Stück selbständig [von dem Vater] weggekommen', aber dieses Freiwerden erinnerte doch allzu sehr ‚an den Wurm..., der, hinten von einem Fuß niedergetreten, sich mit dem Vorderteil losreißt und zur Seite schleppt'. So kommt er auch hier zu einem negativen Schluß: ‚Ich habe schon angedeutet, daß ich im Schreiben und in dem, was damit zusammenhängt, kleine Selbständigkeitsversuche, Fluchtversuche mit allerkleinstem Erfolg gemacht, sie werden kaum weiterführen, vieles bestätigt mir das.'

Zwei der charakteristischsten Erzählungen des Dichters *Das Urteil* und *Die Verwandlung* verdeutlichen die thematische Auswirkung des Vaterkomplexes in Kafkas Dichtung.[20] Auch in der ins Riesenhafte sich auswachsenden Türhüterfigur der Legende *Vor dem Gesetz* ist dieser Einfluß sichtbar. Aber diese „Versuche, das Bild seines Vaters in die Literatur zu übertragen, um es dort in den Bereich des Glaubens weiterzuheben, kommen... Blasphemien gleich und beweisen nichts anderes, als daß eine Gottheit, die nach dem Ebenbild des alten Kafka geschaffen worden war, alles andere denn Göttlichkeit besaß". Hat doch der Dichter seinen Vaterfiguren „genug Erdenreste von der Gestalt des alten Kafka mitgegeben, um sie davor zu bewahren, ja auch nur einen Anflug von Gottähnlichkeit zu erreichen".[21] Diese z. T. grotesk ambivalenten Zeichnungen der Vaterfigur dokumentieren, was Kafka 1918 in einem Brief an Max Brod geschrieben hat, daß nämlich ‚die Wurzel dieser Feindschaft [zwischen ihm und dem Vater] unausreißbar seien'.

---

[19] Diese Äußerung aus dem *Brief an den Vater* ist der zugleich knappste und treffendste Kommentar zu der Erzählung *Das Urteil* und läßt die Stilisierung des ‚ebenso schwachen und verblendeten' Vaters zu einer Jahwe-Gestalt als Blasphemie oder Parodie erscheinen. Gleichwohl blieb in Kafkas (Schuld-)Bewußtsein der Vater der Stärkere in dieser harten Auseinandersetzung, die ja bezeichnenderweise auch nicht wirklich ausgetragen wurde, da Kafka den Brief nur geschrieben, nicht aber übermittelt hat. POLITZER (a.a.O. 415) nennt diesen ‚Brief an den Vater' „die Fassung, die das zwanzigste Jahrhundert der Parabel vom verlorenen Sohn gegeben hat".

[20] Doch muß immer wieder von einer direkt autobiographischen Interpretation gewarnt werden. Der Dichter selbst äußerte im Gespräch: ‚Samsa ist nicht restlos Kafka. Die Verwandlung ist kein Bekenntnis' (J 26).

[21] POLITZER a.a.O. 413.

Sexualität

Wie der ‚Vaterkomplex' Kafkas war auch sein problematisches Verhältnis zum Geschlechtlichen eine spezifische und lebenslang akute Erscheinungsform seines allgemeinen Weltkomplexes, demzufolge ihm die Welt immer in bedrohlicher Gestalt erschien. Auch hier bestimmen Ambivalenz und Widersprüchlichkeit seine Haltung. Es ist ein tragisches Paradox, daß für den unerlösbaren Junggesellen Kafka „die Ehe als Idee ... zum Wunschtraum, zum kategorischen Imperativ und beinahe zur Manie geworden war". „Als Symbol war der Ehestand der Prüfstein von Kafkas ganzem Dasein."[22] Er selbst bekannte: die ‚Ehe ist der Repräsentant des Lebens'. (H 118) Wenn er sich gleichwohl außerstande sah, eine eheliche Verbindung einzugehen, wenn er immer wieder vor dieser so hoch gewerteten Aufgabe kapitulierte, so handelte er im Widerspruch zu seinem eindeutig erklärten Lebensideal und enthüllte, wie uneins er in sich selber war. Mehr noch, dieses widersprüchliche Verhalten zeigt, daß er den Forderungen des Lebens nicht gewachsen war. Und es muß als Versagen gewertet werden, daß er sich nicht zu entscheiden vermochte, weder zum klaren Verzicht auf geschlechtliches Miteinander noch zur verantwortungsvollen Übernahme der darin implizierten Pflichten. Die Entschiedenheit, mit der er sich vor den Ansprüchen einer mitmenschlichen Bindung immer wieder in die Introversion seines Dichtertums flüchtete, ist in gewisser Weise mit der narzistischen Selbstisolierung Rilkes vergleichbar.

Daß er keine einzige Frauengestalt geschaffen hat, die als vollmenschliche Persönlichkeit angesprochen werden könnte, kennzeichnet auf schockierende Weise sein negatives Weltverhältnis. Sein Frauenbild ist befremdlich einseitig und verrät eine Enge der Sicht, die der von Emrich behaupteten Totalität der Kafkaschen Weltschau entschieden widerspricht und einen empfindlichen Mangel seiner schriftstellerischen Leistung enthüllt. Die Frau erscheint in Kafkas Dichtung unter rein sexuellem Aspekt, als „Geschlechtstier mit bloßen Gattungsinstinkten". Martin Walser hat auf diese Rollenhaftigkeit der Kafkaschen Frauengestalten besonders hingewiesen: „Nicht auf das Innere, sondern auf das, was anhaftet, auf die Funktion" komme es an.[23] So erschöpft sich das Sein der weiblichen Wesen restlos in der ihnen von außen zugeordneten Rolle. Nach Politzer ist vor allem „Leni ... im *Prozeß* danach angetan, Kafkas Anschauungen vom Geschlecht zu verkörpern: ... nie allein ... immer damit beschäftigt, sich um den Advokaten oder einen seiner Klienten zu kümmern ... das einzige Gefühl, dessen sie fähig zu sein scheint, ihr ...

---

[22] POLITZER a.a.O. 411.
[23] A.a.O. 58 ff. Zu diesem rein funktionalen, negativen Frauenbild Kafkas gehört wie selbstverständlich, daß der sechzehnjährige Karl Roßmann, den die Eltern nach Amerika abschieben, von einem Dienstmädchen ‚verführt' worden war und nicht umgekehrt der — nach Wilhelm Busch — so übliche und natürliche ‚Hang' des Jünglings ‚zum Küchenpersonal' den Anstoß zu der bürgerlichen Skandalgeschichte gegeben hatte.

Männerhunger".[24] Als bloßes Weibchen erscheint sie seelenlos, ja als „eine Sache, die von einem Angeklagten zum andern gleitet".[25] Selbst ihre Erscheinung mache sie zu einem Ding. Hat sie doch ein „puppenförmig gerundetes Gesicht, nicht nur die bleichen Wangen und das Kinn verliefen rund, auch die Schläfen und die Stirnränder". Und „ihre Bewegungen zeigen die morbide Leblosigkeit einer an Drähten hängenden Marionette". „Sie scheint sich selbst für ein austauschbares Wertobjekt zu halten: als sie sicher ist, daß sie K. der Kabarettänzerin abspenstig gemacht hat, ruft sie triumphierend: ‚Sie haben mich eingetauscht, ... sehen Sie, nun haben Sie mich eingetauscht!' Da sie die eigene Persönlichkeit nicht kennt, bedeuten ihr auch die Persönlichkeiten der Angeklagten nichts ... [sie] sammelt die Angeklagten; von wahrer Sammelleidenschaft besessen, scheut sie kein Mittel, um ihre Kollektion zu vergrößern. Dem Ding wird der Mensch zum Dinge."[26]

Aber auch Fräulein Bürstner (von der Waschfrau ganz zu schweigen) ist — trotz ihrer etwas „spröderen und kühleren Fassade" — ähnlich weibchenhaft und seelenlos gezeichnet. „Während des Zwiegesprächs [mit Josef K.] zeigt sie eine sonderbare Mischung von Koketterie und Frigidität. Wenn sie vor K. sitzt, ‚das Gesicht auf eine Hand stützte ..., während die andere Hand langsam die Hüfte strich', sieht sie wie eine Demimondaine aus, die eine Weltdame imitiert." „Schließlich überläßt sie sich wortlos seiner Umarmung; sie leistet weder Widerstand, noch gibt sie ihm einen Wink der Erwiderung ... bleibt ... passiv bis zur Herzlosigkeit ..."[27] Ihr ganzes Frauensein erscheint zu reiner Funktion reduziert. Dazu paßt, daß man ‚sie in diesem Monat schon zweimal in entlegenen Straßen und immer mit einem anderen Herrn gesehen' hat. Und entsprechend glaubte K., ‚daß Fräulein Bürstner ein kleines Schreibmaschinenfräulein war, das ihm nicht lange Widerstand leisten sollte'. Der Zynismus dieser Unterstellung zeigt, wie selbstverständlich hier das Weib als leicht erwerbbare Ware gewertet wird.

Die für Kafka charakteristische „Verwerfung des Weiblichen durch das Männliche" deckt sich, wie Politzer gezeigt hat, gewiß nicht zufällig mit der Haltung des Philosophen OTTO WEININGER, der die gleichen negativen Auffassungen in seiner Wiener Dissertation von 1917 „Geschlecht und Charakter" formuliert und damit die Generation Kafkas und gerade auch diesen selbst offenbar stark beeindruckt hatte.[28] „So entspricht etwa die Mischung von Mutterschaft und Promiscuität, die

---

[24] POLITZER a.a.O. 282.

[25] Ebd. 283.

[26] Ebd. 283. POLITZER fügt hinzu, daß ihr infolgedessen auch „die Barmherzigkeit [fehle], zu der sie ihre Rolle als Krankenschwester verpflichtet".

[27] Ebd. 286.

[28] Ebd. 289: „Ein ähnliches Mißtrauen gegenüber seiner eigenen Männlichkeit, ein ähnlicher Schrecken vor den dunkleren Seiten des Seins, besonders vor den Geheimnissen des Geschlechts, eine ähnliche Veranlagung und demgemäß ähnliche Erfahrungen brachten Weininger dazu, philosophische Formeln über die Beziehungen der Geschlechter zueinander zu prägen, die gelegentlich wie die Modelle wirken, nach denen Kafka die weiblichen Figuren im *Prozeß* zeichnete."

Kafka seiner Waschfrau zuschreibt, aufs erstaunlichste Weiningers Darlegungen über den Charakter des Weibes. Nachdem der Philosoph die Kategorien der ‚absoluten Mutter‘, (deren Vorkommen er in Zweifel zog) und der ‚absoluten Dirne‘ (an deren Existenz er nicht im geringsten zweifelte) aufgestellt hatte, verfolgte er die formale Ähnlichkeit zwischen beiden Typen: ‚B e i d e sind in bezug auf die I n d i v i d u a l i t ä t des sexuellen Komplementes a n s p r u c h s l o s. Die eine nimmt jeden beliebigen Mann, der ihr zum Kinde dienlich ist, und bedarf keines weiteren Mannes, sobald sie das Kind hat: n u r a u s d i e s e m G r u n d e i s t s i e „m o n o g a m“ z u n e n n e n. Die andere gibt sich jedem beliebigen Mann, der ihr zum erotischen Genuß verhilft: dieser ist für sie Selbstzweck.‘“[29]

Daß Kafka diese Vorstellungen teilte, verweist auf sein fragwürdiges Verhältnis zur Sexualität und zur Mitwelt überhaupt. Es erklärt zugleich, warum bei der Zeichnung seiner Frauengestalten „der Funktionalismus als Grundlage der Charakterisierung“ erscheint.[30] So ist im *Schloß* das „Werben [K. s.] für Frieda ... von der ersten Sekunde an planmäßig darauf angelegt, sich in ihr eine Waffe, ein Pfand zu verschaffen ... Frieda erkennt dies ganz klar: ‚Mein einziger Wert für dich ist, daß ich Klamms Geliebte war.‘ ... In dem Augenblick [aber], in dem Frieda Klamm verläßt, in dem sie aus der Stufe einer Beamten-Geliebten heraustritt, verändert sich auch ihr Aussehen, verändert sie sich selbst“.[31] Die Folge ist, daß sie die ‚Frische und Entschlossenheit, welche ihren nichtigen Körper verschönt‘ hatte, jetzt verliert und die Sieghaftigkeit des Blicks völlig aus ihren Augen verschwindet: „sie wird wieder, was sie war, ehe sie Klamms Geliebte wurde: ein ‚unscheinbares, kleines blondes Mädchen mit traurigen Augen und mageren Wangen‘ und einem ‚armen Körper‘.“[32] Die Frauen in Kafkas Dichtung haben also keine „Eigenschaften“, sondern nur Funktionen, die u. U. sogar vertauschbar sind. Infolgedessen gibt es bei ihnen auch keine „seelischen“ Verwandlungen, sondern nur Veränderungen, und zwar „Veränderungen des jeweiligen Ranges und damit Veränderungen des Ausdrucks, mit dem die Figur im Werk erscheint“. Entsprechend erfahren wir „von diesen Frauen nichts, was nicht im funktionalen Zusammenhang von Bedeutung ist“, und die K.s in den Romanen „benützen“ sie in solchem Sinn.[33]

---

[29] Ebd. 289 f. Den „Treffpunkt von Weiningers Extremen“ sieht POLITZER in der Geschlechtlichkeit von Kafkas Waschfrau, deren Hilfeleistung gegenüber Josef K. „eine exemplarische Mischung des Mütterlichen mit dem Dirnenhaften“ darstelle.

[30] WALSER a.a.O. 59. Wenn Kafka andrerseits Ehe und Vaterschaft als das Höchste rühmte, das im Leben zu erreichen sei, so steht das im schroffsten Gegensatz zu dem negativ gezeichneten Frauenbild seiner Dichtung und zu seiner radikalen Verwerfung des Geschlechtlichen. Aber eben dieser unbewältigte innere Widerspruch enthüllt die Problematik des Menschen Kafka, die tragische Ambivalenz seines Existierens.

[31] Ebd. 59.

[32] Ebd. 60.

[33] Ebd. 60: „Die instrumentale Verwendung dieser Frauen [und damit ihre instrumentale Verwendbarkeit] ist im Werk ausgesprochen und praktisch verwirklicht.“

Walser trifft diese Feststellung im Zusammenhang seiner „Beschreibung einer Form". Was er kennzeichnen will, sind also Eigentümlichkeiten der darstellerischen Technik des Dichters. Hier aber geht es darum, diese Form der Personencharakteristik aus den Bedingungen seiner Individualität, aus der Problematik seines Weltbezuges und Selbstverständnisses begreiflich zu machen. Es entspricht der chronischen Kontaktschwäche Kafkas, daß seine Figuren insgesamt wesentlich nur funktional gekennzeichnet sind, Doch tritt speziell bei den Frauengestalten der funktionale Zug der Charakterisierung am krassesten zutage. Das verweist auf das grundsätzlich negative Verhältnis des Dichters zum Geschlechtlichen. Wie er an Milena schrieb, hing für ihn das ‚Abscheuliche und Schmutzige' ‚innerlich notwendig' mit dem Sexualakt zusammen. Ja, er erklärte sogar, ‚daß der Geschlechtsverkehr mit einem geliebten Menschen das Verlieren der Liebe bedeuten müsse'.[34]

Insofern er in einer Art von Zwangsvorstellung das Sexuelle als etwas Gemeines und Niedriges ansah, andrerseits sich aber auch nicht davon frei machen konnte, standen seine Geschlechtsbeziehungen im Zeichen unbewältigter Ambivalenz. Und er selber hat diesen qualvollen Notstand beschrieben: ‚Mein Körper, oft jahrelang still, wurde dann wieder geschüttelt bis zum Nichtertragen-können von dieser Sehnsucht nach einer kleinen, nach einer ganz bestimmten Abscheulichkeit, nach etwas leicht Widerlichem, Peinlichen, Schmutzigen; noch in dem Besten, was es hier für mich gab, war etwas davon, irgendein kleiner, schlechter Geruch, etwas Schwefel, etwas Hölle. Dieser Trieb hatte etwas vom ewigen Juden, sinnlos gezogen, sinnlos wandernd durch eine sinnlos schmutzige Welt.'[35] Ähnliches äußerte er im Gespräch: ‚Der Weg zur Liebe führt immer durch Schmutz und Elend.'[36] Und auch Max Brod spricht von den — in Kafkas Sinn — „unreinen Frauenangelegenheiten", die „in seinen drei großen Romanen und anderwärts in seinem Werk viele Spuren" hinterlassen hätten.[37] — Die Frauen — so bemerkte Kafka zu Janouch — seien Fallen, die den Menschen von allen Seiten belauern, um ihn in das Nur-Endliche zu reißen. ‚Sie verlieren ihre Gefährlichkeit, wenn man in eine Falle freiwillig hineinspringt. Überwindet man aber diese durch Gewöhnung, so öffnen sich wieder alle weiblichen Fangeisen.'[38] Endlich in seinen Tagebüchern verwies der Dichter auf jenen dunklen Untergrund, aus dem sich sein radikaler Pessimismus der Menschenauffassung herleitet: ‚Bei einem gewissen Stande der Selbsterkenntnis und bei sonstigen für die Beobachtung günstigen Begleitumständen wird es regelmäßig geschehen müssen, daß man sich abscheulich findet ... Man wird einsehn, daß man nichts anderes ist als ein Rattenloch elender Hintergedanken ... Der Schmutz der

---

[34] BM 181—182 und 149. Vgl. Walter Sokel (ZfdPh. 86, 1967, 293, Anmerkung 35).

[35] BM 182. Vgl. Hildegard Patzer: Sex, Marriage and Guilt: The Dilemma of Mating in Kafka. In: Mosaic. Journal for the Comparative Study of Literature and Ideas, III/4, 1970, 124.

[36] J 112. Vgl. Patzer a.a.O. 124.

[37] Franz Kafka. Eine Biographie, Berlin—Frankfurt a. M. ³1954, 143. Patzer a.a.O 121.

[38] J 109. Vgl. Patzer a.a.O. 126.

Hintergedanken, den man finden wird, wird um seiner selbst willen da sein, man wird erkennen, daß man triefend von dieser Belastung auf die Welt gekommen ist ... Dieser Schmutz wird der unterste Boden sein, den man finden wird, der unterste Boden wird nicht etwa Lava enthalten, sondern Schmutz. Er wird das Unterste und das Oberste sein und selbst die Zweifel der Selbstbeobachtung werden bald so schwach und selbstgefällig werden wie das Schaukeln eines Schweines in der Jauche.'[39]

So negativ sich Kafkas Menschen- und Selbstverständnis darstellt und so gestört insbesondere sein Verhältnis zum Geschlechtlichen erscheint, läßt sich sein Pessimismus doch nicht nur aus abwegiger persönlicher Veranlagung herleiten. Vielmehr gründet er zugleich in weit zurückreichenden (moraltheologischen und philosophischen) Traditionen und reflektiert so in gewisser Weise die problematische Entwicklung, die das Phänomen Sexualität in der abendländischen Geschichte genommen hat. Neuerdings hat DEMOSTHENES SAVRAMIS in seinem Buch über „Religion und Sexualität" (1972 bei Paul List in München erschienen) die folgenschweren Fatalitäten dieses Ablaufs aufgezeigt. Danach läßt sich Kafkas ambivalent pessimistische Haltung in der Tat als extreme Konsequenz der weithin widernatürlich verlaufenen Kulturentwicklung begreifen. Nach Savramis sind auch die emanzipierten modernen Europäer noch immer „gehorsam und neurotisch", weil sie bis heute an unbewältigten „ekklesiogenen Neurosen" leiden. Zwei Jahrtausende kirchlich-christlicher Erziehung (und dazu das philosophische Erbe der Pythagoräer, Stoiker und Neuplatoniker) haben das Selbstverständnis der Menschen entscheidend geprägt und sind nicht in wenigen Generationen zu überspringen. Die von der Kirche gelehrte und geforderte natur- und sexualfeindliche Einstellung, die den Leib als Kerker der Seele wertet, ist zu tief ins Bewußtsein eingedrungen, als daß sie durch einen bloßen Willensakt überwunden werden könnte. Der Geist-Körper-Dualismus als das philosophische Fundament gesellschaftlich-moralischen Handelns wirkt insgeheim im Sinne der Tabuisierung und Diffamierung des Geschlechtlichen weiter.

Im Blick auf Kafka ist wichtig, daß auch das Judentum, das ursprünglich die Sexualität bejahte und als ein reichlich zu nützendes Geschenk Gottes wertete (‚Seid fruchtbar und mehret euch!'), durch das Gesetz, den Talmudismus, seine anfänglich positive Einstellung aufgab und so die Freiheit der Lebensgestaltung verlor. Das Gesetz tötete die Freude am Trieb, ja es verteufelte ihn zu etwas Unreinem, Sündhaftem. Beide Züge, der ursprünglich positive, dem Ehe, Familie, Vaterschaft als etwas Hohes galten, und der negative der moralischen Verwerfung alles Geschlechtlichen, treffen in Kafka zu unentscheidbarem Kampf zusammen. Kafka ist also nicht nur ein Individuum absonderlicher Art, sondern auch der Erbe einer alten und kontroversen Mitgift. In schicksalschwerem Sinn gilt für ihn das

---

[39] T 462.

Wort von Karl Jaspers: „Die Geschichte ist die Lebensluft des Geistes." Stärker, als er selbst ahnte, war sein Denken durch die jüdisch-christliche Tradition bestimmt — und belastet. Auch sein negatives Frauenbild gehört in diesen Zusammenhang. Waren doch sowohl die griechisch-römische als auch die jüdisch-christliche Kultur männlich bestimmte Kulturen, für die es selbstverständlich war, daß sich die Ablehnung der Sexualität primär in der Verachtung alles Weiblichen oder gar in prinzipieller Frauenfeindschaft äußerte. Negative Sexualethik solcher Art ist stets das Produkt einer Männerwelt, die, wie Savramis unterstellt, besessen ist von der „Angst vor der Frau". Schon Eva erscheint als die verderbenbringende Verführerin des Mannes. Die Frauenfeindschaft der Kirche, die das Weib als „Pforte der Hölle" (Tertullian) oder „Lockspeise des Satans" (Johannes Demascenus) beschimpfte, gipfelte in dem Vernichtungsurteil: ‚omnium malorum origo mulier.' Auch der Satz des Paulus, daß Nichtheiraten besser sei als Heiraten, bringt eine grundsätzliche Abwertung des Weiblichen und Geschlechtlichen zum Ausdruck. Die Sexualfeindschaft der Kirche und die geschlechtliche Problematik Kafkas koinzidieren in der fatalen Feststellung: „Der Mensch ist v e r d a m m t zu koitieren." Sinnliche Liebeserfüllung ist in dieser durch Sündenbewußtsein getrübten Sicht nichts Beglückendes, sondern nur eine gemeine Not. Das Ergebnis einer solchen Sexualethik kann nur Selbstverachtung sein. Sie ist es auch, die den Dichter auf die Bahn der Selbsterniedrigung weitergetrieben hat.

Selbsterniedrigung

Kafkas Wunsch nach absoluter Reinheit war mit den natürlichen Bedingungen des Menschseins nicht in Einklang zu bringen. Hieraus entsprang sein oft masochistisch anmutender Zug zur Selbsterniedrigung, wie er im Gebrauch schockierender Tiermetaphern krassen Ausdruck fand. Man mag einräumen, daß Tiermetaphern bei Kafka nicht in jedem Fall Degradation bedeuten müssen. Doch ist — zumindest für den Leser — die Vorstellung einer Verfremdung in peius von einer solchen Parabolik nicht zu trennen. Und es bleibt schockierend, Ideelles oder gar Ideales durch Bilder aus der Notdurftsphäre des Animalischen zu verdinglichen. Nicht nur als Schakale (*Schakale und Araber*) und Mäuse (*Josefine, die Sängerin oder das Volk der Mäuse*), als Affen (*Bericht für eine Akademie*), Hunde oder Lufthunde (*Forschungen eines Hundes*), Dachse (*Der Bau*), sondern auch als Kriechtiere wie Käfer (*Die Verwandlung*) und Wurm (*Brief an den Vater*) werden die Vertreter des ‚homo sapiens' vorgeführt. Und Künstler und Geistesmenschen erscheinen unter dem Bild von Zirkusartisten wie Trapezkünstler, Kunstreiterin, Hungerkünstler. Auch Kafkas Affinität zur chassidischen Askese gehört hierher:[40] „Sein Vegetarier-

---

[40] Vgl. Martin Bubers 1922 veröffentlichte Sammlung chassidischer Parabeln und Anekdoten.

tum, sein Ekel vor allem Schmutz, die eiskalten Waschungen, denen er sich seiner gefährdeten Gesundheit zum Trotz auch im Winter unterzog, waren nicht nur ... Selbstzüchtigungen, sondern auch geistliche Exercitien."[41] Alle diese Verhaltensweisen zeigen, daß es Kafka auf Grund seiner überempfindlich zarten Natur nicht möglich war, in der Welt, wie sie ist, wirklich Fuß zu fassen, daß er ihr vielmehr erschreckt und angstvoll gegenüber blieb. Da er in seiner Eigenart bei der Mitwelt weder Rückhalt noch Bestätigung finden konnte, „mußte er sich notwendig erbärmlich, ja nutzlos vorkommen".[42] Zugleich aber kennzeichnet es seine Haltung, daß er „für eigene Schwächen bis zur selbstquälerischen Skrupelhaftigkeit hellhörig" war[43] und sein Versagen (oder auch nur vermeintliches Versagen) schonungslos bloßstellte. Einen Zug „bitter masochistischer Ironie", sieht Politzer darin, daß er — wie z. B. im *Brief an den Vater* — „das Beweismaterial seines Falles [bildlich gesprochen] dem Staatsanwalt in die Hände spielte, statt es seinen Verteidigern anzuvertrauen".[44] Ja, Kafka war stets sein schärfster eigener Ankläger.

Wie betont, ist der häufige Gebrauch von Tiermetaphern — als ein Ausdruck masochistischer Selbsterniedrigung — ein ins Groteske hinüberspielendes Zeugnis von Kafkas negativem Menschen- und Selbstverständnis. Hierher gehört die Äußerung Robinsons aus dem siebenten Kapitel des Amerika-Romans: ‚... wenn man immerfort als Hund behandelt wird, denkt man schließlich, man ist's wirklich.' Im ersten Kapitel begegnet sogar eine Art Gregor Samsa-Situation: ‚Ohne weitere Besinnung machte sich Karl los, lief quer durchs Zimmer, daß er sogar leicht an den Sessel des Offiziers streifte, der Diener lief gebeugt mit zum Umfangen bereiten Armen, als jage er ein Ungeziefer, aber Karl war der erste beim Tisch des Oberkassierers, wo er sich festhielt für den Fall, daß der Diener versuchen sollte, ihn fortzuziehen.'[45] Blickt man auf die Erzählungen *Die Verwandlung, Der neue Advokat, Schakale und Araber, Ein altes Blatt, Ein Bericht für eine Akademie, Forschungen eines Hundes, Josefine, die Sängerin, Der Bau* u. a., so ist „die besondere Bedeutung des Tierischen ... in Kafkas Erzählwelt nicht zu übersehen".[46] Hier erscheint der Pessimismus der Menschendarstellung ins Groteske verzerrt. Eine Groteske liegt vor, wenn — wie in der *Verwandlung* — die Tiermetapher „als inadäquater Ausdruck des Geistigen eine Degradation desselben darstellt".[47] Bleibt

---

[41] POLITZER a.a.O. 401.

[42] Vgl. HEINZ HILLMANN: Franz Kafka. In: Deutsche Dichtung der Moderne. Hrsg. von BENNO VON WIESE, Berlin 1965, 260.

[43] Ebd. 262. „Seine Hypochondrie entsprang nicht irgendeiner Mißlaunigkeit", sondern dem letzthin übermenschlichen, absoluten Anspruch, den er an sich stellte.

[44] POLITZER a.a.O. 408.

[45] Man beachte dabei auch Kafkas krankhafte Mäusefurcht.

[46] NORBERT KASSEL: Das Groteske bei Franz Kafka, München 1969, 109.

[47] Ebd. 110. Solche grotesken Tiermetaphern können Angst, Zweifel oder Unglück bezeichnen. Oder sie können dazu dienen, die jahrhundertealte Angst der Juden zu verbildlichen.

doch im Gegensatz zur Verwandlung Gregors in ein Tier „die ‚innere‘ Welt menschlicher Empfindungen" bei dem Verwandelten bestehen.[48] Vor allem aber fehlt dieser scheinbar märchenhaften Geschichte die „naive Moral" des Märchens.[49] In *Ein Bericht für eine Akademie*, in dem ein ehemaliger Affe den Weg seiner ‚vorwärts gepeitschten Entwicklung‘ vom tierischen Vorleben zur menschlichen Existenzform beschreibt, erhält die Groteske eine satirische Tönung. Durch die erzählerisch-fiktive Verbindung des Affentums mit dem Menschentum wird hier nämlich „ein groteskes Zwitterwesen geschaffen, das ... zwischen beiden Bereichen steht" und aus der Sicht „metaphorischen Affentums die Probleme des Menschlichen ins Lächerlich-Banale" herabzieht.[50]

Es geht also in aller Form um satirische „Verächtlichmachung des Menschlichen aus der grotesken Perspektive des Tierischen", wobei u. a. vom ‚Gelächter des Affentums‘ über die ‚Menschenfreiheit‘ in ihrer ‚selbstherrlichen Bewegung‘ die Rede ist.[51]

Man versteht, daß Groteske und Satire für Kafka lebensnotwendig waren, sozusagen seine einzigen Möglichkeiten, die Misere der menschlichen Existenz durchzustehen. Wie anders sollte er das Leben ertragen, wo er doch — nach seinen eigenen Worten — schon in seiner Kindheit ‚auf dem Wege war, [sich] geringzuschätzen‘.[52] Seine groteske Bildersprache war „der Ausdruck einer immer wieder empfundenen hilflosen Unsicherheit, die [er] mit aller Kraft zu entrinnen sucht".[53] Es war der Wunsch, sich von den ihn bedrückenden gräßlichen Zuständen zu befreien, der ihn „zu ‚unmöglichen‘ Bildern jenes geistigen Zustandes [trieb], die in ihrer grausig- oder lächerlich-grotesken Unglaubwürdigkeit von der Vernunft nicht mehr ernst genommen werden und sogar bisweilen das ‚Spielerische, Schwebende, Schillernde‘ des Ironischen hervorrufen".[54] Was sich hier entfaltet, ist aber nie ein wirklich befreiendes Spiel, keine Versöhnung mit dem Leben, es bleibt stets

---

[48] Ebd. 162: „Beschreibende Termini wie ‚kriechen‘, ‚klebte‘ und ‚klatschte‘ veranschaulichen drastisch die grotesk-reale Tiersituation des noch ganz wie ein Mensch denkenden Gregor."

[49] ANDRÉ JOLLES: Einfache Formen, Darmstadt ²1958, 240.

[50] KASSEL a.a.O. 145 und 149.

[51] Ebd. 150. Kafkas Tiermetaphern sind Degradationsmetaphern und haben nichts mit Nietzsches aus Ungenügen am Menschlichen vollzogener Aufwertung des Tieres zu tun. Allenfalls könnte in der Darstellung des Panthers im *Hungerkünstler* etwas von Nietzsches Faszination durch die noch ungebrochene Vitalität des Tieres schwingen. Vgl. KARL-HEINZ FINGERHUT: Die Funktion der Tierfiguren im Werke Franz Kafkas, Bonn 1969.

[52] T 223.

[53] KASSEL a.a.O. 129.

[54] Ebd. 129. Als ein Beispiel solcher makabren Selbstironie zitiert Kassel Kafkas Tagebucheintrag aus dem Jahre 1911: „Sollte ich das vierzigste Lebensjahr erreichen, so werde ich wahrscheinlich ein altes Mädchen mit vorstehenden, etwas von der Oberlippe entblößten Oberzähnen heiraten." (T 89)

eine Art von schwarzem Humor.[55] Immer geht es um bitter ernste Selbstverurteilung: ‚Im Grunde bin ich ein unfähiger ... Mensch der, wenn er nicht gezwungen, ... in die Schule gegangen wäre, gerade imstande wäre, in einer Hundehütte zu hocken, hinauszuspringen, wenn ihm Fraß gereicht wird, und zurückzuspringen, wenn er es verschlungen hat‘ (T 329). Auch der Enthusiasmus des Herzens wird nicht als groß und erhebend, sondern als fragwürdig und lächerlich gewertet: ‚Der Mensch ist eine ungeheure Sumpffläche. Ergreift ihn Begeisterung, so ist es im Gesamtbild so, wie wenn irgendwo in einem Winkel dieses Sumpfes ein kleiner Frosch in das grüne Wasser plumpst‘ (H 359).

Im Denken und Fühlen dieses Dichters ist kein Raum für Illusionen. Im Gegenteil: ‚Vorstellungen wie z. B. die, daß ich ausgestreckt auf dem Boden liege, wie ein Braten zerschnitten bin und ein solches Fleischstück langsam mit der Hand einem Hund in die Ecke zuschiebe —, solche Vorstellungen sind die tägliche Nahrung meines Kopfes.‘ (Br 114 f.) Die Selbstentwürdigung des Dichters bleibt bei der Tiermetapher nicht stehen. Wie Gregor Samsa in der *Verwandlung* über die Degradierung zum Tier hinaus schließlich zum Zeug, ja Kehricht wird, den die Bedienerin mit einer Schaufel aus dem Zimmer hinausfegt, stellt sich auch Kafka selbst seinem kritischen Blick als ‚nutzloses‘ Ding dar: ‚Ein Bild meiner Existenz ... gibt eine nutzlose, mit Schnee und Reif überdeckte, schief in den Erdboden leicht eingebohrte Stange auf einem bis in die Tiefe aufgewühlten Feld am Rande einer großen Ebene in einer dunklen Winternacht.‘ (T 446).

Grotesker Galgenhumor ähnlicher Art begegnet in folgender Briefstelle: ‚Heute nachmittag habe ich Ziegen gefüttert ... Diese Ziegen sind äußerlich vollkommen jüdische Typen, meistens Ärzte, doch gibt es auch Annäherungen an Advokaten, polnische Juden und vereinzelt auch junge Mädchen. Besonders Dr. W., der Arzt, der mich behandelt, ist stark unter ihnen vertreten. Das aus drei jüdischen Ärzten bestehende Konsilium, das ich heute gefüttert habe, war so mit mir zufrieden, daß es sich abends kaum forttreiben lassen wollte, um gemolken zu werden ...‘ (Br 176) Diese Äußerung ist insofern aufschlußreich, als sie erkennen läßt, daß das negative Selbstverständnis Kafkas auch durch sein Judentum bestimmt wird. Zu den „verschiedenen Perspektiven, unter denen groteske Konstellationen bei Kafka entstehen können", gehört „als eine interessante Perspektive ... das Element jüdischer Geistigkeit ... eine wichtige Quelle für die besondere Sehweise der Verzerrungen ...

---

[55] Typisch schwarzen Humor enthält die folgende Tagebuchnotiz: ‚Die Hand auf dem Herzen sagte er: „Ich will ein Hundsfott sein, wenn ich das zulasse." Aber dann nahm er das wörtlich und begann auf allen Vieren herumzulaufen.‘ Aber im Blick auf die eigene Person kannte Kafka keinen Humor, nur Selbsterniedrigung. An Milena schrieb er: „Schmutzig bin ich, Milena, endlos schmutzig, darum mache ich ein solches Geschrei mit der Reinheit." Vgl. Sokels Deutung der Erzählung *Schakale und Araber* (ZfdPh. 1967, 267 ff.). All dem entspricht der Zug zum grausamen Selbstgericht, das die schamvoll empfundene eigene Unwürde sühnen soll. (Vgl. PONGS a.a.O. 205.)

[War doch] die existentielle Situation sogar eines modernen assimilierten Juden in Prag psychologisch und soziologisch geprägt ... von der jahrhundertelangen äußeren und inneren Bedrohung".[56] Daß die jüdische Geschichte durch fast drei- tausend Jahre eine Leidensgeschichte gewesen ist und etwas wie ein Schuldbewußt- sein und ein Minderwertigkeitsgefühl hervorgerufen hat, erklärt die häufig ambivalente Haltung der Juden zu sich selbst, die sich sogar zum Selbsthaß steigern kann. Selbst der ‚Jud Süß‘ Lion Feuchtwangers ist von solchem jüdischen Selbst- haß nicht frei. Auch Kafkas Haltung zum Judentum war ambivalent. Er betonte, daß die Juden von den Nachwirkungen ihrer vielhundertjährigen Getto-Existenz nicht frei werden könnten: „In uns leben noch immer die geheimnisvollen Gänge, blinden Fenster, schmutzigen Höfe, lärmenden Kneipen und verschlossenen Gast- häuser. Wir gehen durch die breiten Straßen der neuerbauten Stadt. Doch unsere Schritte und Blicke sind unsicher. Innerlich zittern wir noch so wie in den alten Gassen des Elends. Unser Herz weiß noch nichts von der durchgeführten Assana- tion. Die ungesunde alte Judenstadt in uns ist viel wirklicher als die hygienische Stadt um uns. Wachend gehen wir durch einen Traum: selbst nur ein Spuk vergan- gener Zeiten." (J 42) Die Angst und Unsicherheit des immer und überall Verfolg- ten, des Isolierten und nicht wirklich Zugehörigen und damit das Erlebnis der Um- welt als einer feindlichen Gegenwelt — diese Grundsituation Kafkas und seiner Helden ist ererbtes jüdisches Schicksal. Das Bild Ahasvers, des ruhelos wandernden ewigen Juden, das Kafka in einem Brief an Milena (BM 182) beschwört, vergegen- wärtigt eben dieses „gestörte und entstellte Verhältnis zur Welt".[57] Wenn aber „jüdische Selbstdarstellungen ... sich so häufig ins Groteske" wenden, so äußert sich darin ein emanzipatorischer Wille, nämlich der Wunsch aus der altüberkommenen Fatalität des Judentums auszubrechen und eine neue Identität zu finden. Kafka selbst wußte sehr wohl um diese spezifisch jüdische Problematik. So nannte er Heinrich Heine einen Deutschen, ‚der mit dem Judentum in Konflikt steht‘, und fügt hinzu, daß ‚das ... gerade das typisch Jüdische an ihm‘ sei. (J 55) Ohne Zwei- fel steckte in der strengen Selbstverurteilung Kafkas eine starke jüdische Kompo- nente.[58]

---

[56] KASSEL a.a.O. 34. Vgl. THEODOR LESSING: Jüdischer Selbsthaß, Berlin 1930, 17: „Welcher Seelenforscher aber weiß, ob jahrhundertelanges Herabmindern von Seelen nicht auch wirklich das Wesen des Geminderten verwandelt ..."
[57] Ebd. 35.
[58] Wie MAX BROD mitteilte, hat Kafka vorübergehend mit dem Zionismus sympathi- siert und die Juden einmal als das auserwählte Volk gerühmt. Aber andrerseits hatte er sich — nach eigenem Zeugnis — von seiner religiösen Glaubenstradition gelöst und fand sich daher in der problematischen Situation des Heimatlosen, der jedoch noch schwer an der Bürde seiner Vergangenheit tragen mußte.

Kafka und Goethe

Der auf Selbsterniedrigung, ja Selbstzerstörung gerichtete Pessimismus Kafkas ist nicht nur altes Erbe, sondern kennzeichnet zugleich seinen Standort innerhalb der dem Nichts anheimgefallenen Welt der Moderne. Zwischen Kafka und Goethe liegt — vielleicht irreparabel — der Zusammenbruch des deutschen Idealismus. Nur noch insofern hatte Kafka an dem Idealismus der Klassik teil, als er unter dessen Zusammenbruch litt und die im zwanzigsten Jahrhundert ereignete Tragödie des Menschen und der Menschlichkeit als seine ganz eigene Tragödie durchlebte. Im Blick auf Goethe wird der hier vollzogene Wandel der Perspektiven besonders deutlich. Der Kontrast ist um so entschiedener, als auch Goethe in seinem Menschen- und Selbstverständnis tragisch gestimmt war und den Gang des Lebens durchaus nicht als ein stolzes Gelingen, sondern als ‚labyrinthisch-irren Lauf‘, als unausweichliches ‚Schuldigwerden‘ begriff. Das Wort des Herrn im *Prolog im Himmel*: ‚Es irrt der Mensch, solang er strebt‘ trifft den Kern der Kafkaschen Dichtung. In der faktischen Beurteilung der „Grundbefindlichkeiten“ des menschlichen Daseins besteht also kaum ein Unterschied zwischen den beiden Dichtern. Goethes Faust demonstriert, daß jeder Versuch der Lebensgestaltung letztlich fehlschlägt, daß Scheitern das Los des Menschen in der Welt ist. Und die Tragik des sterbenden Faust, der — von Blindheit geschlagen — angesichts des Todes noch einmal einer letzten Täuschung erliegt, steht in ihrer grausamen Ironie der Tragik Josef K.s im *Prozeß* nicht nach.

Dennoch sind die beiden Dichter durch eine unüberbrückbare Kluft voneinander getrennt. Für Goethe gilt, daß er die Welt, wie sie ist, akzeptiert, obwohl er sie illusionslos nüchtern durchschaut[59]; er fühlt sich eingeordnet ins Ganze der Schöpfung, ihr zugehörig im Positiven wie im Negativen; er besitzt die Ehrfurcht des kreatürlichen Menschen. Kafka hingegen fühlt sich als existentieller Mensch im problematischen Gegenüber zur Welt, als ein Nichtzugehöriger, Geworfener; er kann die Welt nicht akzeptieren, da sie ihm als Gegenwelt erscheint, vor der er sich schützen muß, um nicht verloren zu gehen. Er kennt keine Geborgenheit, es sei denn die Geborgenheit in permanenter Flucht.

Um es noch einmal zu betonen, Goethes Weltgeborgenheit gründete nicht in einem problemlosen Optimismus; sie beruhte nicht auf dem Glauben, daß das menschliche Dasein in perfekter Ordnung sei und man nur die geltenden Spiel-

---

[59] Vgl. die Verse:

Übers Niederträchtige,
Niemand sich beklage.
Denn es ist das Mächtige,
Was man dir auch sage.

(West-östlicher Divan: Buch des Unmuts)

regeln beachten müsse, um als Sieger durchs Ziel zu gehen.[60] Er war sich vielmehr der Unzulänglichkeit des Menschen, seiner Verführbarkeit und schuldhaften Irrungen schmerzlich bewußt.[61] Was ihm dennoch Weltgeborgenheit gab, war die ihm eingeborene Weltfrömmigkeit, seine Einverwobenheit in den Kosmos, die intuitive Gewißheit, daß wir ‚nach ewigen, ehrnen, großen Gesetzen ... unseres Daseins Kreise vollenden‘. Da er sich solchermaßen als Teil der Welt empfand, konnte sich ihm das Problem gar nicht stellen, ob und wie er sich mit der Welt abfinden sollte. Kafka hingegen war allein auf sich selbst verwiesen, nicht mitgetragen vom Ganzen der Welt, sondern außerstande, sich in sie zu schicken.

Unter Goethes Werken steht Torquato Tasso nach Thematik und Problematik der Dichtung Kafkas vielleicht am nächsten. Auch Tasso ist den Leiden der Frustration ausgeliefert; auch für ihn müßte die Welt erst umgebaut werden, damit er in ihr heimisch werden könnte. Und wie Kafka verfügt er zu seiner Erhaltung über nichts als die Gabe zu schreiben. Das aber heißt: Dichten bedeutet für ihn ‚zu sagen, wie ich leide‘. Gleichwohl begegnet in dieser tragisch getönten Dichtung der glaubensstarke Satz: ‚Die Stätte, die ein guter Mensch betrat, Ist eingeweiht ...‘ (I, 1, 80—81) Niemals hätte Kafka solches niederschreiben können. Sein pessimistisches Welt- und Menschenverständnis schloß solche idealistische Zuversicht aus.[62] Sein Blick war zu einseitig auf die Schattenseiten gerichtet, als daß er Positives überhaupt hätte wahrnehmen können. In seinem Vorstellungsleben war kein Raum für die Idee eines Ausgleichs oder Gleichgewichtes im Haushalt der Welt, keine Möglichkeit, sich aus seiner tragischen Fixierung zu befreien und zu erkennen, daß — aufs Ganze gesehen — Licht und Schatten sich die Waage halten. Das ‚Stirb und werde‘ Goethes war Kafka versagt. Der Glaube an eine stetig fortschreitende Entwicklung, derzufolge ‚das letzte Produkt der sich immer steigernden Natur ...

---

[60] Bei Goethes positiv klingenden Bekenntnissen zur Schönheit und Güte der Welt:
  Es sei, wie es wolle,
  Es war doch so schön. (Faust II, 4 Lied des Türmers.)
  Und doch sang ich gläubgerweise,
  Daß mir die Geliebte treu,
  Daß die Welt, wie sie auch kreise,
  Liebevoll und dankbar sei. (West-östlicher Divan.)
  Wie es auch sei, das Leben, es ist gut. (Der Bräutigam.)
sind die jeweils klar artikulierten Einschränkungen (‚wie es auch sei‘, ‚es sei, wie es wolle‘ usw.) nicht zu überhören.

[61] Gerade auch die Gefährdungen des Geistesmenschen hat Goethe hellsichtig durchschaut:
  Er nennt's Vernunft und braucht's allein,
  Nur tierischer als jedes Tier zu sein.

[62] POLITZER a.a.O. 254: „Am 18. Februar 1920 schrieb Max Brod ein Gespräch auf, in dem Kafka die Welt des Menschen als eine von Gottes schlechten Launen, einen schlechten Tag des Schöpfers bezeichnete. Brod fragte darauf, ob es außerhalb unserer Welt Hoffnung gäbe. Kafka lächelte: ‚Viel Hoffnung — für Gott — unendlich viel Hoffnung —, nur nicht für uns.‘"

der schöne Mensch' ist, lag außerhalb seiner Denkmöglichkeiten. Für ihn war der Mensch nichts weiter als ‚eine ungeheure Sumpffläche' oder ein ‚Rattenloch elender Hintergedanken', nicht aber ein ‚Wurf nach einem höheren Ziel'. Wenn einer ‚Unmögliches begehrt', findet er daher nicht — wie bei Goethe — von oben teilnehmende Liebe und Hilfe, sondern gnadenloses Gericht, weil er das Unmögliche nicht zu vollbringen vermag.

Der vergleichende Blick auf Goethe verdeutlicht nicht nur den geschichtlichen Abstand, der Kafka von dem Weimarer Klassiker trennt, er erhellt auch den typologischen Unterschied zwischen beiden Dichtern. Obwohl selber nicht ungefährdet in der kontroversen Mitgift seiner Anlagen, war Goethe auf das ‚Gesunde und Tüchtige' gerichtet, allem Dunklen und Zwielichtigen abgeneigt. Daß die Natur, die er als ‚Gottnatur' begriff, immer recht habe und jeden Exzeß bestrafe, war seine Grundüberzeugung. So hat er das Klassische als das Gesunde gegen das Romantische als das Kranke abgegrenzt und weder zu Kleist noch zu Hölderlin ein positives Verhältnis finden können. Das zeigt, daß er — bei aller Spannweite seines künstlerischen Ingeniums — nicht in den Grenzzonen menschlicher Existenz angesiedelt war, sondern breit und tief in der Mitte gründete. So weit er auch ausgriff, verlor er sich doch nie ins Bodenlose oder in die „hermetische Transzendentalität" eines ‚traumhaften inneren Lebens', sondern hielt fest an den ‚starken Wurzeln seiner Kraft'. Nicht Flucht vor dem Leben als Bedingung künstlerischer Leistung, sondern Meisterung des Lebens war die Forderung, die er täglich neu an sich stellte.

Ganz anders Kafka. Er war unzureichend gerüstet zur Welt gekommen und fühlte sich dem Leben nicht gewachsen. Die Elemente seiner Persönlichkeit waren so unglücklich gemischt, daß er auch in sich selbst kein Zuhause finden konnte. Dem entsprachen sein „Versagen in den praktischen Angelegenheiten des äußeren Lebens", seine „oft bezeugte Unpünktlichkeit, Zurückhaltung und Menschenscheu", ja seine „völlige Beziehungslosigkeit zu Menschen" und die — nach seinen eigenen Worten — „grenzenlose Unkenntnis der Dinge, von denen er sich durch einen hohlen Raum getrennt fühlte". (T 195) Hinzu kamen „Hypochondrie und krankhafte Empfindlichkeit, die sich als leichte Erschöpfbarkeit und Ermüdung, als seelische Übererregbarkeit und als Überempfindlichkeit der Sinnesorgane (Lärmempfindlichkeit) äußerten, schließlich seine Zwangsbindungen (Mäuse- und Regenfurcht).[63] Aus der „Vorherrschaft der nach innen gewendeten Intuition" ergab sich eine „Abwertung des Äußeren", die ihrerseits „zu einer erhöhten, in extremen Fällen krankhaften Abhängigkeit von der Außenwelt" führte, „in der sich die verdrängte Empfindung gewissermaßen für ihre Unterdrückung rächt".[64]

---

[63] HARTMUT BINDER: Kafkas literarische Urteile a.a.O. 220.
[64] Ebd. 221.

Not und Notwendigkeit der Vereinzelung

Obwohl — wie Ingeborg Henel etwas emphatisch formuliert — „Not und Veranlagung ... ihn zu einem Bürger des Himmels [machten], ... wünschte sich [Kafka]
nichts mehr, als ein Bürger der Erde zu werden". Infolgedessen hat er „es niemals
über sich gebracht, sich äußerlich von der Familie zu lösen, aber innerlich lebte er
einsam in der Verbannung ... An diesen Spannungen zerrieb er sich".[65] Daß er —
wie Max Brod mitteilte — die Prager Dekadenzliteratur (Gustav Meyrink, Paul
Leppin, Egon Erwin Kisch, Oskar Wiener u. a.) mit ihrem „romantischen Mystizismus, parfümierten Schwulst und ... ihrer schwülen Sexualität" ablehnte, läßt erkennen, wie sehr er sich nach dem (ihm unzugänglichen) Normalen und Natürlichen
sehnte, wie überhaupt „die Sehnsucht nach ‚Rückkehr zu den Menschen' (T 571) ...
das geheime Grundgefühl" seines Lebens war.[66] Sein ungeheures Einsamkeitsgefühl
entsprang dem Bewußtsein, daß sein eigenes Leben ‚ohne den geringsten Zusammenhang mit Menschen' (T 572) verlief, wobei diese Einsamkeit „teils gewollt, teils
erzwungen" war.[67] Wie sehr er unter der (ihm an sich notwendigen) Vereinzelung
litt, bezeugen zahlreiche Äußerungen. So schrieb er an Milena von ‚Studien im
eigenen Irrenhaus' (BM 163) oder in einem anderen Brief vom Schlagen mit der
Stirn ‚an die doch immer nur angelehnte Tür des Wahnsinns', zu dessen Zustand
nur ‚eine Kleinigkeit' genüge. (Br. 330) In den Tagebüchern finden sich schon 1910
„schmerzliche Überlegungen und Dialoge zur eigenen trostlosen Situation des ein-
samen Junggesellen: ‚immerfort ... ausgehungert, ihm gehört nur der Augenblick
der immer fortgesetzte Augenblick der Plage, dem kein Funken eines Augenblicks
der Erholung folgt ...' [T 21]" Wie sehr sich Kafka selbst in solch pessimistischem
Sinn als Sonderfall gesehen hat, zeigt folgende Äußerung, die sein Leben als Ausnahme vom ‚Gesetz der Quadrille' charakterisiert: ‚Das Gesetz der Quadrille ist
klar, alle Tänzer kennen es, es gilt für alle Zeiten. Aber irgendeine der Zufälligkei-
ten des Lebens, die nie geschehen durften, aber immer wieder geschehen, bringt dich
allein zwischen die Reihen. Vielleicht verwirren sich dadurch auch die Reihen selbst,
aber das weißt du nicht, du weißt nur von deinem Unglück.' (H. S. 100)[68]

Entsprechend erscheint der Kafkasche Held jeweils als ein „Fremdling von der
Welt, in der er angetroffen wird, getrennt". „Er hat nicht teil an ihrer Zeit, ist nicht
gleichzeitig mit ihr." Zum Beispiel gehört der Jäger Gracchus zur Welt vor fünf-
zehnhundert Jahren und „der *neue Advokat* [aus der Eingangserzählung der
Landarzt-Sammlung] hat sich aus den Zeiten Alexanders, in denen er dessen
Streitroß war, in die Gegenwart verirrt".[69] Ebenso wird vom Hungerkünstler schon

---

[65] Ein Hungerkünstler, DVjs. 38, 1964, 231.
[66] NORBERT KASSEL: Das Groteske bei Franz Kafka, München 1969, 28.
[67] Ebd. 28.
[68] JOST SCHILLEMEIT: Welt im Werk Franz Kafkas, DVjs. 38, 1964, 170 f.
[69] Ebd. 171.

im ersten Satz betont, daß er einer anderen Zeit als der gegenwärtigen angehört. Die extremste Form solcher Verfremdung und Vereinzelung des Helden stellt die Tiermetapher dar: Der völlig isolierte Held erscheint in Tiergestalt oder gar — wie in der ‚Sorge des Hausvaters' — „als ein Wesen, das weder Mensch noch Tier noch Ding" ist.[70]

Aus dieser völligen Entfremdung des Helden ergibt sich als Thema die Frage, die Kafkas eigene Frage war, die Frage nämlich nach der Lebensmöglichkeit in einer Welt, aus der man sich ausgeschlossen sieht. In der späten Erzählung *Der Bau* wird diese grundliegende Thematik der Entfremdung, ja Entfernung von der Welt bis zur letzten Konsequenz entwickelt: „In seinem Bau schließt sich das Waldtier, das diese Geschichte in der Form eines ‚monologue intérieur' erzählt, nicht bloß gegen bestimmte Gegner, sondern gegen die ganze Welt ab."[71]

Wilhelm Emrich hat Sätze aus Rilkes zwischen 1904 und 1910 geschriebenen *Aufzeichnungen des Malte Laurids Brigge* und Sätze aus Kafkas (in den gleichen Jahren entstandenem) Frühwerk *Beschreibung eines Kampfes* nebeneinandergestellt, die den hier erörterten Prozeß der aus Weltfurcht resultierenden Vereinzelung des Individuums bis in Einzelheiten hinein übereinstimmend kennzeichnen.[72]

Malte: ‚Ja, er wußte, daß er sich jetzt von allem entfernte: nicht nur von den Menschen. Ein Augenblick noch, und alles wird seinen Sinn verloren haben, und dieser Tisch und die Tasse und der Stuhl, an den er sich klammert, alles Tägliche und Nächste wird unverständlich geworden sein, fremd und schwer ... Wenn meine F u r c h t nicht so groß wäre, so würde ich mich damit trösten, daß es nicht möglich ist, alles anders zu sehen und doch zu leben. Aber ich f ü r c h t e mich, ich f ü r c h t e m i c h namenlos vor dieser Veränderung ... und wenn schon etwas sich verändern muß, so möchte ich doch wenigstens u n t e r d e n H u n d e n l e b e n dürfen, die eine verwandte Welt haben und dieselben Dinge. Noch eine Weile kann ich das alles aufschreiben und sagen. Aber es wird ein Tag kommen, da meine Hand weit von mir sein wird, und wenn ich sie schreiben heißen werde, wird sie Worte schreiben, die ich nicht meine. Die Zeit der anderen Auslegung wird anbrechen, und es wird kein Wort auf dem andern bleiben, und jeder Sinn wird wie Wolken sich auflösen und wie Wasser niedergehen ... Ich wußte, daß das Entsetzen ihn gelähmt hatte, Entsetzen über etwas, was in ihm geschah. Vielleicht brach ein Gefäß in ihm, vielleicht trat ein Gift, das er lange gefürchtet hatte, gerade jetzt in seine Herzkammer ein, vielleicht ging ein großes Geschwür auf in seinem Gehirn wie eine Sonne, die ihm die Welt verwandelte.' (Sperrungen vom Vf.)

Was in diesen Worten anvisiert wird, ist das Erlebnis der Verwandlung, ja Überrumpelung, das die Helden Kafkas erfahren, das Unverständlich- und Aggressiv-

---

[70] Ebd. 172.
[71] Ebd. 174.
[72] Die Literaturrevolution und die moderne Gesellschaft. In: Protest und Verheißung, Frankfurt a. M. ²1963, 135 ff.

werden des Gewohnten, Alltäglichen, die Konfrontation mit dem Chaos der Welt und — als Konsequenz aus dieser Aufhebung aller Sicherheit — das Sich-Fürchten des in heillose Isolation Geratenen.

Beschreibung eines Kampfes: ‚Was soll dann mit mir geschehen, soll ich dann aus der Welt herausgeworfen werden? ... Man f ü r c h t e t manches. Daß vielleicht die Körperlichkeit entschwindet ... daß es vielleicht gut wäre, in die Kirche zu gehen und schreiend zu beten, um angeschaut zu werden und Körper zu bekommen ... Ist es nicht dieses Fieber, diese Seekrankheit auf festem Land, eine Art Aussatz? ... Ich hoffe von Ihnen zu erfahren, wie es sich mit den Dingen eigentlich verhält, die um mich wie ein Schneefall versinken, während vor anderen schon ein kleines Schnapsglas auf dem Tisch fest wie ein Denkmal steht.‘ (Sperrung vom Vf.)

Die Ähnlichkeit der in den beiden Texten geschilderten Situationen ist unübersehbar. Hier wie dort begegnen Bilder totaler Verunsicherung. Alles, was fest zu sein schien, versinkt ‚wie ein Schneefall‘. Und wie im *Malte* ist auch in der *Beschreibung eines Kampfes* davon die Rede, ‚wie man plötzlich an seinem Leib ein Geschwür bemerkt, das bisher ... noch nicht zu existieren schien und jetzt mehr als alles ist, was wir seit unserer Geburt leiblich besaßen ... dieser Kreis gehört uns ... nur so lange, als wir ihn halten, rücken wir nur einmal zur Seite, in irgendeiner Selbstvergessenheit, ... schon haben wir ihn in den Raum hinein verloren, wir hatten bisher unsere Nase im Strom der Zeiten stecken, jetzt treten wir zurück, gewesene Schwimmer, gegenwärtige Spaziergänger, und sind verloren. Wir sind außerhalb des Gesetzes, keiner weiß es, und doch behandelt uns jeder danach‘.

In alledem spiegelt sich ein unlösbar problematisches Verhältnis zwischen Ich und Welt[73], das existentialistische Angsterlebnis der Geworfenheit. Dem pessimistischen Selbstverständnis Kafkas entspricht ein negatives Weltverständnis. In seiner Sicht erscheint die Welt durchgängig als ‚verkehrte Welt‘ (BM 36), im besonderen als eine chaotische Unfallwelt. Hier ist ‚alles ... unaufhörlich verkehrt‘, so daß „das Groteske [offenbar] eine Perspektive der Welterfahrung in Kafkas Leben war".[74] Zu seiner eigenen Qual mußte der Dichter sich selbst und seine Helden immer wieder mit der Sinnlosigkeit der Existenz (und der dadurch bedingten Vergeblichkeit alles Bemühens) konfrontieren, ohne daß er die Sehnsucht nach einem transzendenten Sinn, nach einer Antwort auf seine Fragen aufgeben konnte. Deshalb gab es keinen Trost für Kafka in dieser Welt, die ihm als „Gefängnis ohne Gitter"[75] erschien. Ein Tagebucheintrag vom 21. Januar 1922 kennzeichnet diese Heillosigkeit seiner (selbstgewählten) Junggesellensituation: ‚Ohne Vorfahren, ohne Ehe, ohne Nachkommen, mit wilder Vorfahrens- Ehe- und Nachkommenslust. Alle reichen

---

[73] Vgl. Friedrich Middelhauve: Ich und Welt im Frühwerk Franz Kafkas. Diss. Freiburg i. Br. 1957.

[74] Kassel a.a.O. 29.

[75] Politzer a.a.O. 471.

mir die Hand: Vorfahren, Ehe und Nachkommen, aber zu fern für mich.' (T 558) „Er war allein und ist allein geblieben."[76]

Gewiß war ihm dieses Alleinsein lebensnotwendig und das Ergebnis seiner eigenen Wahl. Zugleich aber war es die Quelle seiner Leiden. Denn obwohl er menschliches Miteinander nicht ertragen konnte, sehnte er sich danach. Er begehrte, was er verwarf. Dieser Widerspruch, der ihn zu zerreißen drohte, wurde ihm aber nicht von außen aufgenötigt, sondern hauste mitten in seiner eigenen Seele. Darum hat ihm auch der Rückzug in sein ,traumhaftes inneres Leben' keine Geborgenheit bringen können. Und wie er selbst bekannte, hat er mehr im ,Grenzland zwischen Einsamkeit und Gemeinschaft' gelebt als in der Einsamkeit. Eben hier liegt die tragische Paradoxie seines Lebens: Er war uneins in sich selbst. Ehe und Vaterschaft galten ihm als höchster Lebenswert[77], aber dennoch entschied er sich für ein konsequentes Junggesellentum. Obwohl Liebe wiederholt das Ziel seiner innigsten Sehnsucht war, vermochte er nie mit ihr ins Reine zu kommen. Die Zwangsvorstellung, daß alles Geschlechtliche etwas Gemeines, Schmutziges sei, ließ sich nicht ausräumen. Wie Max Brod bezeugt, war er „in F[elice Bauer] ganz verliebt und glücklich", wich aber schon bald vor einer näheren Bindung zurück.[78] Er selbst schrieb später an Milena, daß er Felice Bauer ,immer wieder höchst freiwillig' die Heirat zugesichert und sie auch ,manchmal verzweifelt lieb gehabt' habe, aber trotzdem durch sie ,nicht habe heiratsfähig werden' können. Im gleichen Atemzug betonte er jedoch, daß er ,nichts erstrebenswerteres kannte als die Ehe an sich'. (BM 50) Es war in der Tat die Tragik der Ambivalenz, die Kafka scheitern ließ. Das Junggesellentum, für das er sich als die ihm einzig gemäße Lebensform entschied, brachte ihm gleichwohl nicht die Erfüllung. Er war dazu verdammt. „Während er ein Junggesellentum von unerreichbarer Reinheit erträumte[79], war er

---

[76] Ebd. 471.

[77] T 555 (19. Januar 1922): ,Das unendliche, tiefe, warme, erlösende Glück, neben dem Korb seines Kindes zu sitzen, der Mutter gegenüber. Es ist auch etwas darin von dem Gefühl: es kommt nicht mehr auf dich an, es sei denn, daß du es willst. Dagegen das Gefühl des Kinderlosen: immerfort kommt es auf dich an, ob du willst oder nicht, jeden Augenblick bis zum Ende, jeden nervenzerrenden Augenblick, immerfort kommt es auf dich an und ohne Ergebnis. Sisyphus war ein Junggeselle.' Das Nichteingeordnetsein in den natürlichen Fortgang des Lebens, das Ausgeschlossensein aus der weiterführenden Geschlechterfolge, das Reduziertsein auf das endliche Ich, die ins Nichts auslaufende Isolation des Entwurzelten werden hier als fundamentale Negativa beklagt.

[78] Der Tenor seiner Absage ist eindeutig und endgültig: ,Sie dürfen mir nicht mehr schreiben, auch ich werde Ihnen nicht mehr schreiben. Ich müßte Sie durch mein Schreiben unglücklich machen, und mir ist doch nicht zu helfen.' Auch in dem Junggesellen Georg Bendemann (*Das Urteil*) zeigt sich diese Kafkasche Problematik. Er hat ein Unbehagen, dem Freund seinen Heiratsplan mitzuteilen, und „der Wortlaut des Briefes" spiegelt die Verlegenheit des Schreibers. Seine Versicherung, über die getroffene Entscheidung ,recht glücklich' zu sein, klingt hohl und läßt Zweifel aufkommen, ob der Übergang dieses Junggesellen in den Stand der Ehe gelingen wird. Vgl. Politzer a.a.O. 89.

[79] Dieses absolute Reinheitsideal korrespondierte einem Tolstoischen Schuldkomplex,

zur gleichen Zeit auch von dem Verdachte besessen, daß das Junggesellentum ein abgründiger Lebensfehler sei. Er verlangte sich eine Askese ab, welche die Ehe ausschloß; er begehrte aber auch nach der Wahrheit des Guten Lebens, die seiner Meinung nach nur in der Erfüllung von Ehe und glücklicher Vaterschaft zu finden war."[80] Daß er, der so innig von glücklicher Vaterschaft träumte, tatsächlich einen (unehelichen) Sohn hatte, ohne es auch nur zu ahnen, zeigt auf drastische Weise, wie verkehrt schlechthin alles in diesem Leben war.

Aber auch sein Schriftstellertum stand im Zeichen tragischer Ambivalenz. Daß er, wie er selbst sagte, nur Literatur sein wollte und auch nichts anderes sein konnte, war einerseits sein erklärtes Positivum, die ,einzige Rechtfertigung' seines Daseins, wie er sagte, andrerseits aber auch ein fatales Negativum, insofern gerade daraus sein fundamentales Lebensversagen resultierte. Was ihn rechtfertigt und (vielleicht) auszeichnet, spricht ihn also zugleich schuldig. Infolgedessen gab es keinen Ausweg aus seinem Konflikt.

Hinzu kommt, daß sich Kafkas künstlerische Selbstauffassung fast nur im Ton destruktiver Kritik äußerte. Zu Janouch bemerkte er: ,Die Veröffentlichung eines Gekritzels von mir beunruhigt mich immer.' (J 22 f.) Durch die Bemühungen der Freunde komme es ,zur Herausgabe von Dingen, die eigentlich nur ganz private Aufzeichnungen oder Spielereien sind. Persönliche Belege meiner menschlichen Schwäche werden gedruckt . . ., weil meine Freunde es sich in den Kopf gesetzt haben, und ich nicht die Kraft besitze, diese Zeugnisse der Einsamkeit zu vernichten'.[81] Indessen fügt Kafka hinzu, daß diese Äußerungen etwas übertrieben seien. In den Tagebucheintragungen vom 21., 29. und 30. August, dem 1. und 13. September und 7. Oktober 1914 (T 435 ff.) klagt er über gestalterische Schwäche im Blick auf den Roman *Der Prozeß*, der, nachdem er ihn mit erfreulich produktiver Kraft begonnen hatte, nun zu stocken beginne. „Es entstand [also] eine jener Krisen, die Kafka immer beim Schreiben längerer Werke erleben mußte und die dazu führten, daß seine Romane Fragmente blieben."[82] Sein negatives dichterisches Selbstverständnis beruhte nicht zuletzt auf dem Bewußtsein eben dieses Mangels. Bei Geschichten größeren Umfangs empfand er, daß es ihm schwer fiel, den Erzählzusammenhang bis zum Ende auf der geforderten Höhe zu halten. So schrieb er über den Schluß der *Strafkolonie*, die er an sich als Erzählung schätzte, an seinen Verleger Kurt Wolff: ,Zwei oder drei Seiten kurz vor ihrem Ende sind Machwerk, ihr Vorhandensein deutet auf einen tieferen Mangel, es ist da irgendwo ein Wurm, der selbst das Volle der Geschichte hohl macht.'[83]

---

demzufolge Fleischeslust als etwas Tierisches zu verdammen sei.
[80]   POLITZER a.a.O. 83 f.
[81]   J 22.
[82]   SOKEL a.a.O. 268.
[83]   Brief vom 4. September 1917.

Kafkas skeptische Selbstbeurteilung als Dichter bezog sich in der Tat auf eine ihm eigene gestalterische Problematik, die Hillmann zutreffend gekennzeichnet hat.[84] Nirgends finde sich „ein Plan für das Ganze eines Romans, der einzelne Ereignisse, Handlungsräume oder Gestalten vorausentwirft".[85] Alles wird vielmehr spontan konzipiert, und folglich kann auch nichts gelingen, was nicht aus der Spontaneität des schöpferischen Augenblicks entspringt. „Überspitzt gesprochen, bedeutet das: Der Erzähler weiß nicht viel mehr, als das, was er gerade schreibt."[86] In gleicher Weise kennzeichnete Kafka selbst den epischen Gestaltungsvorgang als ein Schreiben ‚ins Dunkle hinein', ohne daß man weiß, wie sich alles entwickeln wird.[87] Selbst hier, wo der Dichter auf den schöpferischen Kern seines Tuns anspielt, lastet das Dunkel der Ungewißheit über der Frage nach dem künstlerischen Gelingen. Noch in seinen positivsten Äußerungen verharrt das literarische Selbstverständnis Kafkas im Zwielicht des Zweifels. Von einer idealistischen Wertung des Künstlers als eines Auserwählten, der ‚auf der Menschheit Höhen' wohnt, ist bei Kafka keine Rede. Im Gegenteil, mit seinen Tiermetaphern siedelt er auch das Musische in der Notdurftssphäre des Gemeinen an. Und die mit Vorzug gewählten Exempel der Zirkusartistik (Schauhungern, Kunstreiten, Trapezkunst) betonen das Prostituierende künstlerischen Tuns.

Gewiß verbindet sich mit dem Bild des Zirkusartisten auch die Vorstellung der Perfektion der Leistung, des hundertprozentigen Einsatzes der Kräfte, der höchstmöglichen Lebensdisziplin, ja der konsequenten Askese um des zu erreichenden Zieles willen. „Die Forderung der ungeteilten, denkerischen und gestalterischen Arbeit, die Kafka auf Grund seiner Berufung und der ihm aufgetragenen Bewältigung an sich stellen muß, ist auch für den Trapezkünstler oberstes Gesetz seines Lebens. Demgegenüber hat jeder private oder gesellschaftliche Anspruch zu verstummen. Des Trapezkünstlers ‚menschlicher Verkehr war eingeschränkt'. Er hat weder die Umwelt in seine Daseinsweise wirklich einbezogen, noch sein eigenes Ich in allen seinen menschlichen Möglichkeiten sich entfalten lassen. Er hat sich noch nicht entwickelt, ist ein erwachsenes Kind mit einer ‚Kinderstirn', das sich in zäher und beinahe erschreckender Ausschließlichkeit seinem hoch entwickelten Spiel hingibt."[88]

Dieser Vergleich mit der Perfektion des Artisten ist vielsagend. Er betont einerseits den hohen Anspruch an den Künstler und meint — unter diesem Aspekt — ge-

---

[84] Franz Kafka. Dichtungstheorie und Dichtungsgestalt, Bonn 1964, 153.

[85] Ebd. 155 und 159. Kafka denke also „nur mit der Feder in der Hand...‚ [er setze] ... experimentierend Fragment an Fragment an..., bis er einen idealen Anfang gefunden hat, der einen glatten Erzählverlauf verspricht, weil er alle Vorstellungen in der günstigsten Konstellation kombiniert".

[86] Ebd. 159.

[87] Mitteilung Max Brods.

[88] HILLMANN : Dichtungstheorie, 70.

wiß etwas Positives.[89] Andererseits verweist er aber auch auf die dadurch bedingte Einseitigkeit des menschlichen Existierens und damit auf das Negativum des dafür zu zahlenden Überpreises. Vollends die Tiermetaphern bleiben mit makabren Assoziationen belastet und spiegeln das Unvermögen des Dichters, das in der Kunst Erreichbare froh und frei zu bejahen. Sie enthüllen ein gebrochenes Verhältnis zur Kunst.

Entsprechend erleben wir in den Äußerungen Kafkas über das eigene Schreiben einen schonungslosen Kritiker. Selbst diejenigen Erzählungen, die er gelegentlich einmal als geglückt bezeichnete, hat er bei anderer Gelegenheit wieder hart getadelt und in ihren Schwächen bloßgestellt.[90] Mit keinem seiner Werke war er wirklich zufrieden. Sein *Brief an den Vater* enthüllt die ganze Hoffnungslosigkeit des Dichters; er ist „die Geschichte einer sich fortzeugenden Unsicherheit", die er zwar „von verschiedenen Seiten her" aufhellen, aber nicht aufheben kann.[91] Die Erklärung, die Kafka gleich zu Beginn seines *Vater-Briefes* abgibt, bezeichnet die tieflotenden Zweifel, die sein Leben und Dichten belasten: ‚Und wenn ich hier versuche, Dir schriftlich zu antworten, so wird es doch nur sehr unvollständig sein, weil auch im Schreiben die Furcht und ihre Folgen mich Dir gegenüber behindern und weil die Größe des Stoffes über mein Gedächtnis und meinen Verstand weit hinausgeht'. Die Einsicht, daß er den gestellten Forderungen nie genügen kann, erscheint unabweislich. Das Werk des Schriftstellers muß daher Torso bleiben. Er kommt nie damit zu Ende oder findet nur einen unbefriedigenden Schluß.

Mit dem Stichwort ‚Flickarbeit', das er der chassidischen Legende *Entschlossenheit* entnahm, faßte Kafka das Urteil über seine literarische Leistung zusammen (T 582. 5. Juni 1922). Er mußte zu einem solchen Verdammungsurteil kommen, weil er sein Werk „an einer Vollendung maß, von der er wußte, daß sie unerreichbar war".[92] Infolgedessen kann wohl auch kein Zweifel darüber bestehen, daß er „sein Werk tatsächlich vernichtet sehen wollte". „Sein hochentwickelter Sinn für das Vollkommene macht es mehr als wahrscheinlich, daß er der Nachwelt das widerspruchsvolle Bruchstück seines Nachlasses vorzuenthalten wünschte".[93] Auch sein Schriftstellerleben beschloß Kafka mit einer Kapitulation.

Wohin wir auch blicken, im Leben oder im Werk Kafkas, überall entdecken wir das rivalisierende Nebeneinander von höchstem Anspruch an die zu vollbringende Leistung und tiefstem Zweifel an der eigenen Kraft. Zu dieser der eigenen Natur eingewurzelten Problematik gesellen sich Fatalitäten von außen: berufliche

---

[89] Gerade das Bild des Hungerkünstlers ist ambivalent. Präsentiert er sich durch sein ehrgeiziges Schauhungern als eine Art Jahrmarktsfigur, so hat sein Hungern zugleich eine transzendierend geistige Bedeutung und erweist ihn in solcher Sicht als einen ‚Hungerleider nach dem Unerreichlichen'.

[90] Das gilt u. a. von der *Verwandlung,* der *Strafkolonie* und auch vom *Urteil.*

[91] HILLMANN: Dichtungstheorie, a.a.O. 14.

[92] POLITZER a.a.O. 424.

[93] Ebd. 421. POLITZER betont, daß die Tagebücher Beweismaterial in Fülle enthielten, um die Eindeutigkeit von Kafkas letztwilliger Verfügung zu erhärten.

Fehlschläge, menschliche Enttäuschungen, familiäre Spannungen, das Leiden unter dem Terror der wachsenden Bürokratisierung des gesamten Lebens und endlich die schwere Erkrankung an Tuberkulose, die 1924 zum Tod des erst vierzigjährigen Dichters führte. Wie sollte bei so gehäufter Problematik des inneren und äußeren Daseins, bei solchem Zwiespalt zwischen religiösem Bedürfnis und intellektueller Skepsis das Licht der Hoffnung in die Welt Kafkas gelangen?

Und doch durchwärmt dieses Licht als stiller Glaube auch sein Werk. Es lebt gleichsam unter der Oberfläche und bezeugt sich an ganz unauffälligen Stellen, in fast versteckten Äußerungen, in Wendungen „von bedeutungsvoller Beiläufigkeit". (Thomas Mann) Hartmut Binder zitiert einige Äußerungen Kafkas, die auf dieses untergründige ‚Prinzip Hoffnung' in seinem Denken verweisen.[94] So heißt es in einem Brief: ‚Das Spiel wird ja fortwährend wiederholt, durch den augenblicklichen Fehltritt ist nur der Augenblick verloren, nicht alles.' Oder in den *Hochzeitsvorbereitungen auf dem Lande* stehn die Sätze: ‚Verstecke sind unzählige, Rettung nur eine, aber Möglichkeiten der Rettung wieder so viele wie Verstecke.' ‚Wir wurden aus dem Paradies vertrieben, aber zerstört wurde es nicht'.[95] Der Gedanke, daß in jedem einzelnen Zeitmoment die Rettungsmöglichkeit gegeben sei, findet sich in zahlreichen Varianten in Kafkas Dichtung. Zugrunde liegt die Überzeugung, daß nicht jeder Fehltritt ins schlechthinnige Verderben stürzt, daß er vielmehr nur den Augenblick zerstört: ‚Der Stolpernde kann sich ... jedenfalls in jedem Augenblick wieder hochraffen und den Weg erneut betreten.'[96]

An diese Gedankengänge anknüpfend kommt Camus zu einer positiven Interpretation Kafkas und kennzeichnet ihn geradezu als einen Dichter der Hoffnung. Je tragischer die von ihm dargestellte Situation sei, desto fester und entschiedener werde die Hoffnung.[97] Die insistierende Beharrungskraft, mit der die Helden des Dichters unermüdlich ihre Lebensreisewege wiederholen, sei ein eindringliches Zeugnis für die positiv antreibende Kraft jener inneren Gewißheit. Zugleich verweist Camus auf das existentialistisch paradoxe Denken Kierkegaards als den Ursprung dieser Hoffnung, wonach erst alle irdische Hoffnung getötet werden müsse, ehe Rettung durch die wahre Hoffnung erfolgen könne.[98] Infolgedessen sieht Camus die Dichtung Kafkas auch nicht „as a desperate cry with no recourse left to man", sondern betont: „There is hope and hope".[99] Dagegen steht freilich Kafkas eigener Ausspruch, daß es zwar Hoffnung gäbe, sogar ‚unendlich viel Hoffnung für Gott, aber nicht für uns'. Auch die für Kafka paradigmatische Parabel *Vor dem Gesetz* läßt eine solche positive Auslegung nicht zu.

---

[94] Motiv und Gestaltung a.a.O. 67 ff.
[95] Ebd. 68 und 74.
[96] Ebd. 70.
[97] Hope and the Absurd in the Work of Franz Kafka. In: Gray (Hrsg.), Kafka, a.a.O. 152.
[98] Ebd. 152 f.
[99] Ebd. 153.

Andrerseits hat aber auch Kafka selbst in verschiedenen Lebensphasen immer wieder seinen nie ganz verlorenen Glauben an ein Unzerstörbar-Positives ausgesprochen und als einen an sich selbst gerichteten moralischen Imperativ formuliert: ‚Das Tagebuch von heute an festhalten! Regelmäßig schreiben! Sich nicht aufgeben! Wenn auch keine Erlösung kommt, so will ich doch jeden Augenblick ihrer würdig sein.‘ (T 249). ‚Das Negative allein kann, wenn es auch noch so stark ist, nicht genügen, wie ich in meinen unglücklichsten Zeiten glaubte‘ (T 568). Vielleicht am stärksten spricht der Glaube des Dichters aus einem Satz seiner Erzählung *Elf Söhne*:[100] ‚Unschuld dringt vielleicht doch noch am leichtesten durch das Toben der Elemente in dieser Welt.‘

Der Schluß, der aus alledem gezogen werden muß, ist eindeutig: Ohne einen solchen letzten Rückhalt des Glaubens hätte dieses Leben nicht gelebt und dieses Werk nicht geschrieben werden können.[101] Daß Kafka bis zuletzt — über die eigene Skepsis hinweg — das Wagnis des Schreibens auf sich genommen und um die ersehnte künstlerische Vollendung gerungen hat, verweist auf ein unzerstörbares Ethos, auf in der Stille wirkende positive Kräfte zielstrebigen Beharrens, die seinem resignierenden Pessimismus widerstanden und den gewaltigen Torso seines Werkes gelingen ließen. Dieses Nichtendenkönnen trotz schwerer Anfechtungen läßt erkennen, daß das ihn lähmende Leid des Zweifelns und Verzagens zugleich das Stimulans seiner Leistung und das Märtyrerzeichen seiner Erwähltheit war. ‚Das Leiden‘ — so hat Kafka selbst gesagt — ‚ist das positive Element in der Welt, ja es ist die einzige Verbindung zwischen dieser Welt und dem Positiven.‘[102]

Daß Kafka im Leben wie im Dichten das Vollkommene anstreben mußte, obwohl er dessen Unerreichbarkeit erkannte, macht seine Tragik aus und bestimmte sein künstlerisches Selbstverständnis. Infolgedessen sah er auch sein gesamtes Werk im Zwielicht der Ambivalenz: als etwas groß Gewolltes, aber nie zu Vollendendes, als ein durch die Höhe der Zielsetzung zugleich stimuliertes und in Frage gestelltes Unternehmen, als ein Gelingen in Bruchstücken.

---

[100] MALCOLM PASLEY (Two Kafka Enigmas. Modern Language Review 1, 1964) hat diese Geschichte als ein Beispiel von Metapoesie gekennzeichnet und die elf Söhne als elf geistige Kinder Kafkas, nämlich elf Werke des Dichters „nachgewiesen". Indessen ist *Elf Söhne* mehr als nur eine literarische Mystifikation. Wichtiger als diese Woher, das Pasleys Hinweis erhellt, ist das Wohin, die Tatsache also, daß hier etwas Neues entstanden ist, eine durch sich selbst interessierende Dichtung, die den Anlaß ihrer Entstehung weit hinter sich gelassen hat.

[101] ‚Dichtung‘ — so erklärte Kafka — sei ‚immer nur eine Expedition nach der Wahrheit ... Die Wahrheit ist das, was jeder Mensch zum Leben braucht ... Jeder Mensch muß sie aus dem eigenen Innern immer wieder produzieren, sonst vergeht er. Leben ohne Wahrheit ist unmöglich. Die Wahrheit ist vielleicht das Leben selbst‘. Auch wenn ‚alle konkreten Versuche, zum Vollkommenen zu gelangen, scheitern‘, sei es ‚dennoch ... nicht sinnlos, zum Vollkommenen zu streben‘. Er bekannte sich also zur Lehre des Rabbi Tarfon: „Es ist dir nicht gegeben, das Werk zu vollenden, dennoch darfst du dich nicht entziehen."

[102] H 108.

Thematik und Sprache

Kafkas Grundthematik

Bei aller Verschiedenheit der Themen Kafkas im einzelnen gibt es doch eine durchlaufende allgemeine Thematik und Problematik, die seine Dichtung als Ganzes bestimmen. Dieser inneren Einheitlichkeit des Werkes entspricht die Konstanz der
stilistischen Gestaltung. Gewiß präsentiert sich der Stil des Dichters nicht als schlechthin gleichförmig, aber sein Verhältnis zur Sprache als dem Medium der Darstellung,
sein stilistisches Wollen sind von zielstrebiger Eindeutigkeit. Unter diesem Gesamtaspekt soll hier versucht werden, Thematik und Sprache Kafkas zu erörtern. Wie
eng beide miteinander zusammenhängen, ja überhaupt erst im Miteinander sich entfalten, ist bereits in eindringlichen Untersuchungen festgestellt worden.[1] „Offensichtlich denkt Kafka, um es forciert zu formulieren, nicht, bevor er schreibt, sondern
indem er schreibt. Erst im Prozeß der Niederschrift wird klar, was, mehr oder weniger dunkel, intendiert wurde. Ein ‚nebelhafter Bewußtseinsinhalt‘ erfährt erst beim
Schreiben ‚Zuspitzung, Festigung und Zusammenhang‘, so können wir es mit Kafkas
eigener Therminologie ausdrücken.“[2] Bezeichnend ist also, „wie wenig [Kafka] vorher plant, wie stark er sich dem Vorgang des Erzählens in den jeweiligen Phasen
des sich entwickelnden Geschehens überläßt.“[3] Er selbst äußerte zu Max Brod: ‚Man
muß wie in einem dunklen Tunnel schreiben, ins Dunkle hinein, ohne daß man weiß,
wie sich die Figuren entwickeln werden.‘[4]

Welcher Art ist nun der jeweils erst im Schreiben sich konkretisierende ‚nebelhafte
Bewußtseinsinhalt‘ des Dichters? Worauf läuft sein Schreiben ‚in einem dunklen
Tunnel‘ hinaus? Worin besteht die zugrundeliegende allgemeine Thematik?

Durchgängig gilt, daß die Helden Kafkas scheitern, daß sie das Ziel, das sie anstreben, nicht erreichen und schließlich resignieren. Sie werden aber nicht nur besiegt,

---

[1] HEINZ HILLMANN: Franz Kafka. Dichtungstheorie und Dichtungsgestalt, Bonn 1964.
Ferner: MARTIN WALSER: Beschreibung einer Form, München 1961. Vgl. auch FRIEDRICH
BEISSNER: Der Erzähler Franz Kafka, Stuttgart [4]1961; ders.: Kafka der Dichter, Stuttgart [2]1961.
[2] HILLMANN a.a.O. 153. (T 460 f.)
[3] Ebd. 155.
[4] Vgl. auch J 25: ‚Ich zeichnete keine Menschen. Ich erzählte eine Geschichte.‘ In die
gleiche Richtung weist, wenn Walser (a.a.O. 47) von der „Funktionalität der Figuren als
ihrer Charakteristik“ spricht.

sondern nehmen ihre Niederlage zuletzt auch willig an. Ihr Ende erscheint somit als ein Widerruf ihres lebenslangen Bemühens. Der Versuch der Selbstbehauptung wird in letzter Stunde freiwillig aufgegeben. Aus Selbstrechtfertigung wird Selbstgericht.

Die neutrale Bezeichnung „Mißlingende" oder „Mißlungene Ankunft" trifft somit zwar in den Kern der Kafkaschen Thematik, läßt aber den implizierten moralischen Aspekt — und damit Wesentliches — unberücksichtigt. Wohl erfolgt die Katastrophe der Helden oft ganz unerwartet[5] — in einem Akt der Überrumpelung —, aber nie unbegründet. Am Ende zeigt sich vielmehr, daß sie Folge eines (nicht erkannten) Versagens ist, Auswirkung einer (verborgenen) Schuld, Strafgericht also, das die ahnungslosen Delinquenten ereilt und zur Strecke bringt. Was für eine Schuld vorliegt, wird nicht gesagt. Da es vorgegebene Fundamentalschuld ist, erübrigt es sich auch, sie eigens zu benennen oder zu spezifizieren. Ohnehin ließe sich diese Schuld nicht durch einen Gesetzesparagraphen festlegen. Geht es doch in Kafkas Dichtung um Erhellung der Schuldsituation als solcher, um jenes Schuldigsein, das der Mensch lebenslang vor sich selbst verhehlt, um Nichtwissen der Schuld als moralisches Versagen. Das heißt: auch existentielle Schuld gilt Kafka als moralisch zu verantwortende Schuld.

Die Erörterung dieser Frage führt über Kafka hinaus in ein weites Feld. Sie assoziiert den Begriff des tragischen Nichtwissens, den wir vor allem mit der Gestalt des Königs Ödipus verbinden. Dessen Nichtwissen erscheint zwar als Verhängnis, kann aber doch von Schuld nicht ganz getrennt werden, da er selber — durch nachträgliche Reue — sein Schuldigsein expressis verbis bezeugt. In den gleichen Zusammenhang gehört auch Faust. Denn sein Leben vollzieht sich nach der fatalen Formel: ‚Es irrt der Mensch, solang er strebt‘, und sein in Schuld und Irrtum verstricktes Ende enthüllt ein Höchstmaß tragischer Ironie. Durch den Anhauch der Sorge erblindet, ist der alte Faust zugleich verblendet. Er treibt die Werkleute, die er arbeiten hört, zur höchstmöglichen Tätigkeit an in dem irrigen Glauben, dadurch sein kühn entworfnes, großes Lebenswerk rasch zu vollenden, auf daß ‚die Spur von seinen Erdentagen nicht in Äonen untergehe‘, während er in Wirklichkeit die bereits erschienenen Totengräber antreibt, sein eigenes Grab zu schaufeln.

Aber auch in mittelalterlicher Dichtung findet sich Vergleichbares, so die (zunächst) unwissentliche Schuld des armen Heinrich und die (ebenfalls unwissentlichen) Irrungen des tumben Parzival, der im festen Glauben und mit dem besten Willen, das

---

[5] Vgl. u. a. den Beginn der *Verwandlung* und des *Prozeß*, aber auch die Erzählung *Das Urteil*. Bezeichnenderweise bricht „die das bisher normale … Leben gefährdende Macht [meist] in der Nacht ein". (Hillmann a.a.O. 78.) Ist doch der nächtliche Zustand der Schlaflosigkeit in Verbindung mit höchster Bewußtheit nach Kafka nichts anderes als das ‚allzu wache Bewußtsein der Sünde‘, die sich vor der ‚Möglichkeit eines raschen Gerichtes fürchtet‘. (J 88) In der hellwachen Schlaflosigkeit der Nacht wird einsichtig, daß alles ganz anders ist, als im Schein des Tages sich darstellt.

jeweils Richtige zu tun, gleichwohl immer das Falsche tut und der gerade dadurch in schwere Schuld gerät, daß er sich genau an die guten Lehren hält, die ihm lebenserfahrene, wohlmeinende Menschen gegeben haben. Infolgedessen sieht er sich von Gott selbst in die Irre geführt, genarrt und um den Lohn seiner Mühen betrogen. Beide, Parzival und armer Heinrich, können nicht sehen — zumindest noch nicht sehen, was sie falsch gemacht haben. Deshalb müssen sie erkennen lernen, daß Nichtwissen kein Alibi der Schuldlosigkeit ist, ja daß Nichtwissen und Schuld letztlich identisch sind. Damit stehen wir aber fast schon in der alptraumschweren Welt der Helden Kafkas, deren Schuld — wie der Dichter selbst erklärt — von vornherein und grundsätzlich feststeht und deren Leben daher nichts anderes sein kann als eben ein Test ihrer Schuld. Infolgedessen läuft ihr Leben in der Form eines geheimen Gerichtsprozesses ab und endet folgerichtig mit der Verurteilung der Angeklagten.

Wer so weit Auseinanderliegendes zu vergleichen wagt, muß freilich auch das unüberbrückbar Trennende aufzeigen und so der Geschichte geben, was der Geschichte ist. Anders als die ungeborgenen Gestalten Kafkas lebten die Helden der Staufischen Klassik[6] — als mittelalterliche Menschen — noch in einer heilen Welt, in einem von Gott selbst eingerichteten, sinnvoll geordneten Kosmos. Wer sich an die Spielregeln dieser göttlichen Weltordnung hält, kann hier nicht scheitern. Wohl ist der Mensch in der Sicht des Mittelalters nichtige Kreatur und als solche auf Gnade angewiesen. Er kann nicht ans Ziel kommen, es sei denn, daß Gott ihn führt, d. h. daß er sich willig der Führung Gottes überläßt. Seine eigentliche Sünde ist mithin die Gottferne, das Vergessen seiner kreatürlichen Abhängigkeit, das Bauen auf die eigene Kraft. Aus solcher Hybris erwächst sein Scheitern, und der arme Heinrich und Parzival sind Beispiele, in welche Abgründe der zweifelnd verzweifelnde Mensch fallen kann. Aber gleichwohl kommen die Helden am Ende ans Ziel, weil sie im Zeichen der Gnade stehen und durch Gott erlöst werden. Denn über allem steht hier der Glaubenssatz: Keine Schuld ist so groß, als daß sie nicht durch Gottes Gnade getilgt werden könnte. So werden auch Heinrich und Parzival aus ihrer Lebenskrise wieder erhoben und in einem geradezu märchenhaft anmutenden Gelingen noch über die frühere Herrlichkeit hinaus restauriert.

Aber auch der (noch stark mittelalterlich geprägte) Faust Goethes ist eine Dichtung der Gnade. Denn der Held ist hier nicht Selbsterlöser, sondern wird erlöst durch die ‚von oben‘ an ihm teilnehmende Liebe. Jedoch im Gegensatz zu Parzival und Heinrich, die schon im Diesseits die Gnade Gottes sichtbar genießen dürfen, vollzieht sich die Erlösung Fausts erst im Jenseits als ein transzendentes Geschehen. Sein irdisches Ende hingegen ist von tragischer Kraßheit: ‚Der Greis liegt hier im Sand‘ lautet die nüchtern knappe Feststellung. Der Tod des Helden ist also eine augenfällig drastische Demonstration menschlichen Scheiterns und damit eine triftige Begründung dafür, daß Goethe auch den zweiten Teil des Faust — trotz des Erlösungsnachspiels im Himmel — mit Recht eine Tragödie genannt hat. Aber es gibt einen Raum ober-

---

6 BERT NAGEL: Staufische Klassik. Deutsche Dichtung um 1200, Heidelberg 1974.

halb der irdischen Nichtigkeit, wo das Unzulängliche Ereignis wird. Bei Kafka hingegen gibt es nur Gericht und Strafe, keinen Erlösungsakt transzendenter Gnade. Seine Helden sind ins Nichts hineingestellt, nicht Erwählte wie die vorbildlichen Rittergestalten hochmittelalterlicher Epik, sondern Verlorene, Verurteilte.

Diese Gnadelosigkeit der Kafkaschen Lösungen zieht eine weitere literarische Assoziation herbei, nämlich die in Grauen und Grausamkeit schwelgende Memento mori-Dichtung des späten Mittelalters. Obwohl es sich hier um verschiedene Glaubensvoraussetzungen und somit um eine geschichtlich und existentiell unvergleichbare Situation handelt, begegnen doch bemerkenswerte Ähnlichkeiten. Auch die geistlichen Eiferer, die die Sünder an die Schrecken des Todes mahnen, können sich an Bildern kommenden Grauens nicht genugtun, so daß Gericht und Strafe als permanent erscheinen und die Erlösung in unabsehbare Ferne entrückt ist. Indem sie den Blick ganz in den Widerwärtigkeiten der Verwesungsvorgänge festhaften lassen, perpetuieren sie den Akt der Vernichtung ad infinitum. Sie unterschlagen also die Tatsache, daß das Verfaulen des toten Körpers nichts Endgültiges, sondern nur ein Prozeß des Übergangs ist. Sie verschweigen den tröstlichen Kreislauf der Dinge, daß nämlich — wie Huizinga formuliert hat — auch die ekelerregende Fäulnis der Verwesung wieder zu Erde und Blumen wird. In dieser Ausbreitung eines Schreckens ohne Ende äußert sich eine ähnliche Hoffnungslosigkeit wie in Kafkas labyrinthischem Dunkel.

Die Assoziation liegt aber auch insofern nahe, als hier wie dort der religiöse Aspekt eine entscheidende Rolle spielt.[7] Die Vorstellung von Sünde und Sündenstrafe ist ja in Kafkas Dichtung schlechthin fundamental. Dieses Erbe der jüdischen (und christlichen) Theologie prägt das Welt- und Menschenbild des Dichters von Grund auf. Er sieht den Menschen als ein sündenanfälliges schwaches Wesen, als ‚hinfälligen Stoff‘.[8] Unzulänglichkeit gilt ihm als das Kennzeichen der menschlichen Natur. Dem entspricht die zentrale Bedeutung, die dem Motiv des Gerichts in seiner Dichtung zukommt.[9] Nicht nur in den Erzählungen *Das Urteil* und *In der Strafkolonie* und im Roman *Der Prozeß,* sondern im Gesamtwerk Kafkas geht es um Gericht und Strafe. „Das Phänomen des tragischen Schuldkomplexes als imma-

---

[7] R. O. C. Winkler: The Novels. In: Gray: Kafka a.a.O. 46: „The ultimate concern is religious. In Kafka's view there is a way of life for any individual that is the right one, and which is divinely sanctioned." Daß es jedoch dem Menschen nicht möglich ist, dem für ihn einzig wahren Weg zu folgen, darin liege „the fundamental dilemma at the basis of all human effort". Ähnliches meint Camus, wenn er die Handlung des *Schloß*-Romans als die abenteuerliche Suche einer Seele nach ihrer Begnadung deutet, womit er freilich nur e i n e n Aspekt dieses überaus komplexen (und auch kontroversen) Geschehens bezeichnet hat.

[8] Vgl. das (protestantische) Kirchenlied: ‚Grundbös ist der Mensch geboren, er will keine Seligkeit.‘

[9] Werner Rehfeld: Das Motiv des Gerichts im Werke Franz Kafkas, Diss. Frankfurt 1959. Ferner: Peter Dow Webster: ‚Dies irae‘ in the unconscious or the significance of Franz Kafka. In: College English 12, Chicago 1950, H. 1, 9—15.

nente psychische Realität"[10] erscheint als zentrales Thema. Das erhellt auch aus seinem bekannten Aphorismus: ‚Nur unser Zeitbegriff läßt uns das Jüngste Gericht so nennen, eigentlich ist es ein Standrecht.' Denn im Grunde würden wir ‚in jedem einzelnen Augenblick verurteilt'; ‚... die persönliche Betroffenheit [könne] man nur in jedem Augenblick erfahren, weil die Augenblicksmomente nicht erlebnismäßig miteinander verbunden sind.'[11]

Eng verknüpft mit der Thematik von Sünde und Sündenstrafe ist die Vorstellung der Verborgenheit der menschlichen Schuld und damit der hintergründigen Doppeldeutigkeit, ja auch Widersprüchlichkeit des Daseins. Göttliches und menschliches Gesetz erweisen sich als inkommensurabel. Infolge dieser prinzipiellen Verschiedenheit vermag der Mensch das göttliche Gesetz nicht zu erfahren, so daß göttlicher Wille in seinen Augen durchaus als widersinnig und sogar als unmoralisch erscheinen kann.[12] Daraus entspringt die letzthin unlösbare Problematik der Kafkaschen Helden, daß sie nämlich nach einem Gesetz hier angetreten sind, das mit dem für sie verbindlichen höheren Gesetz nicht zusammenstimmt.[13] Auch Camus sieht in dieser Doppelsinnigkeit aller Dinge, in diesem Neben- und Gegeneinander zweier Welten die grundliegende Thematik des Dichters.[14] Entsprechend sieht sich der Mensch hier ganz auf sich selbst zurückgewiesen, als ein „introspective hero", als ein heillos Vereinzelter „in search of salvation".[15]

Aber dieser Mann des guten Willens, der scheitert, obwohl er scheinbar alles tut, um richtig zu handeln, ist gleichwohl nicht unschuldiges Opfer eines absurden und ungerechten Weltenlaufs. Der tiefere Sinn der durchgehenden Gerichtsthematik in Kafkas Werk liegt vielmehr darin, daß der Held sein Scheitern letztlich selbst ver-

---

[10] Leo Scheffczyk (zitiert nach: Der Spiegel, Nr. 15, Hamburg, 5. April 1971, 204).

[11] Vgl. Hartmut Binder: Motiv und Gestaltung bei Kafka, Bonn 1966, 73.

[12] Edwin Muir: Franz Kafka. In: Gray (Editor): Kafka a.a.O. 36 f. nennt „the dogma of the incommensurability of divine and human law which Kafka adopted from Kierkegaard" bzw. „the incompatibility between the ways of Providence and the ways of man".

[13] Ebd. 42: Allen Erzählungen und Romanen Kafkas liege das Problem zugrunde, „how man, stationed in one dimension, can direct his life in accordance with a law belonging to another, a law whose workings he can never interpret truly, though they are always manifest to him".

[14] Hope and the Absurd in the Work of Franz Kafka (Gray: Kafka a.a.O. 148 f.): „In Kafka these two worlds are that of everyday life on the one hand, and, on the other, that of supernatural anxiety." Sein Werk demonstriere Nietzsches Satz, daß große Probleme auf der Straße liegen, daß also, wie Kafka selbst sagte, gewöhnliche Dinge ein Wunder in sich selber seien. In diesem Sinn stellte Gray (Kafka a.a.O. 3) im Blick auf den Dichter fest: „It is in and through the natural that the supernatural operates."

[15] Austin Warren: Franz Kafka. In: Gray (Editor): Kafka a.a.O. 131: „man alone, man hunted and haunted, man confronted with powers which elude him and with women with whom he is never at ease, man prosecuted and persecuted. Mit anderen Worten: die Kafkaschen Helden sind Antihelden. Mehr noch: im Welt- und Selbstverständnis Kafkas gibt es ü b e r h a u p t k e i n e H e l d e n. Ihr Leben — wie aktiv auch immer — ist ein Leben der Angst, des allseitigen Umstelltseins, der Ausweglosigkeit.

schuldet hat und daß die Entwicklung des Geschehens ihn — nach langem Sträuben — schließlich zur Erkenntnis dieser verborgenen Schuld bringt.[16] Es geht also um einen Vorgang der Desillusionierung und moralischen Selbstenthüllung des Menschen, um seine freiwillige Unterwerfung unter das (erst in letzter Stunde erkannte und erkennbare) absolute Gesetz. Was hier vorliegt, ist gleichwohl kein rechnerisch glattes Verhältnis von Schuld und Strafe, sondern der ambivalente Zwischenstatus des Menschen, der, indem ihn sein Strafgericht ereilt, gleichzeitig auch Opfer ist, weil er ja — als Mensch — nicht anders als schuldhaft irren kann, für diese unvermeidlichen Irrungen aber dennoch in vollem Umfang zur Rechenschaft gezogen wird.[17]

Aus alledem ergibt sich, daß dem kritischen Augenblick des ,Erwachens', der unerwarteten Konfrontation des Helden mit einer völlig anderen, absurd anmutenden Welt in Kafkas Dichtung besondere thematische Bedeutung zukommt. Das schockhaft plötzliche Bewußtwerden einer schon vollzogenen, aber bislang nicht wahrgenommenen Katastrophe läßt das negative Geschehen zunächst als reine Fatalität, als eine Art Unfall erscheinen. Der Held kann in allem nur eine widersinnige Störung seines normalen und tätig tüchtigen Lebens sehen. Im Glauben, selber nichts verschuldet zu haben, fühlt er sich als Opfer eines Überfalls aus dem Hinterhalt. Auch der Leser, der weithin mit den Augen des Betroffenen sieht, wertet diesen als unschuldiges Opfer. Er sympathisiert mit dem Unglücklichen und empfindet die zum Schluß erfolgende Bestrafung als unverdient.

---

[16] Diesen in früheren Deutungen nicht berücksichtigten Aspekt, daß der Held in Kafkas Dichtung nicht nur (und auch nicht in erster Linie) Opfer einer absurden Weltordnung ist, sondern — wenn auch vielleicht unwissentlich und unwillentlich — jeweils durch eigene Schuld das ihn „überrumpelnde" Strafgericht gegen sich heraufbeschworen hat, haben neuerdings INGEBORG HENEL (Die Deutbarkeit von Kafkas Werken a.a.O.) und WALTER SOKEL (Das Verhältnis der Erzählperspektive zu Erzählgeschehen … a.a.O.) nachdrücklich betont, wobei sie freilich die für Kafka konstitutive Mehrdeutigkeit in allzu glatte Eindeutigkeit überführen.

[17] Etwas von dieser Ambivalenz zeigt sich auch darin, daß die als Autorität und Allmacht sich präsentierende Gegenwelt des Helden gleichzeitig als fragwürdig, ja lächerlich erscheint, wie gerade INGEBORG HENEL (a.a.O. 257) und SOKEL (a.a.O. 291) hervorheben. In ihrem Wunsch nach restloser Durchklärung auch des Unklärbaren deuten sie aber die so problematisch erscheinende Gegenwelt lediglich als Reflexion und Projektion der Helden, da infolge des restlos in ihrer Perspektive durchgeführten Erzählens „Schauen und Geschehen immer wieder in eins fallen". (Sokel a.a.O. 291) Daß die Gegenwelt in der Sicht des Helden nicht objektiv, sondern verzerrt gespiegelt wird, ist selbstverständlich. Das bedeutet aber nicht, daß sie als solche jeglicher Fragwürdigkeit enthoben ist und so gleichsam das Absolute repräsentiert. Vielmehr begegnet der Held in der Gegenwelt nicht lediglich der eigenen Fragwürdigkeit, sondern auch der menschlichen Unzulänglichkeit als solcher. Nur freilich geht es bei diesem Zusammenstoß des Helden mit der Gegenwelt ausschließlich um seinen persönlichen Fall, um ein Gericht, das allein über ihn befindet. Diese typisch Kafkasche Isolierung (und zugleich generelle Exemplifizierung) eines per se individuellen Problems ist gewissermaßen das thematische Pendant zu der im Sinne der Hauptgestalt erfolgenden Individualisierung der Erzählperspektive.

Aber der Verlauf der Geschichten, die jeweils zur Verurteilung des Helden führen, und auch der Wortlaut des Textes ergeben eine andere moralische Wertung. Zur Verhaftung von Josef K. heißt es im *Prozeß*: ‚sieh, Willem, er gibt zu, er kenne das Gesetz nicht, und behauptet, gleichzeitig unschuldig zu sein.' Mit Recht weist Sokel darauf hin, daß hier nur K.s Ignoranz des Gesetzes bewiesen wird, nicht aber seine Unschuld.[18] Gleichwohl steht der Leser so tief im Bann der durch die Sicht des Helden geprägten Erzählperspektive, daß auch er dessen Selbsttäuschung über die Ursachen des Scheiterns erliegt und statt eines (wenn auch hintergründigen) Zusammenhangs von Schuld und Strafe nur akausalen Widersinn zu sehen vermag. Aber um eben diese (auch von anderen so willig akzeptierte und beharrlich festgehaltene) Selbsttäuschung des Menschen geht es in Kafkas Werk, um die Tatsache also, daß der Mensch a p r i o r i immer schuldig ist und infolgedessen auch das Gesetz niemals kennt, nach dem er schuldig ist, daß er also seine Schuld (zunächst) überhaupt nicht sehen kann, sich aber auch eigensinnig weigert, sehend zu werden. Deshalb muß der Exekutionsapparat in der *Strafkolonie* dem Verurteilten die (ihm nicht bewußte) Schuld in den Leib einritzen, damit er sich den Grund und Sinn seiner Verurteilung zuletzt aus seinen eigenen Wunden entziffern kann. Er ist also de facto et de jure schuldig, insofern — wie es heißt — die Schuld ‚immer zweifellos' ist, aber er ist doch zugleich auch Opfer. Indem er unwissend (oder doch nur halbwissend) schuldig wird, ist er Opfer seines Nichtwissens, Opfer also der vorgegebenen ‚gebrechlichen Einrichtung der Welt'. Im Vollsinn schuldig wird er erst dadurch, daß er sich der ihm nahegelegten, ja aufgedrängten Schuldeinsicht — und damit der vollen Selbstenthüllung — mit allen Kräften widersetzt.

Genau das trifft für die Kafkaschen Helden zu. Statt in sich zu gehen oder auch nur die Situation zu überprüfen, setzen sie sich sogleich zur Wehr und verweigern jede Kontrolle, die das eigene Ich betrifft. Nach der kurzschlüssigen Formel, daß der Angriff die beste Form der Verteidigung ist, ergreifen sie die Flucht nach vorn und diffamieren die Gegenwelt, von der aus der Angriff gegen sie erfolgte. Aber es ist eine Gegenwelt, so wie sie selbst sie sehen, weithin also eine Projektion ihres eigenen Denkens und Wertens, letzthin die Signatur ihrer persönlichen Unzulänglichkeit. Was Walter Sokel über Josef K. im *Prozeß* sagt, gilt daher im Prinzip für die Helden Kafkas insgesamt: „Die Tendenz, Probleme zu verdrängen, anstatt ihnen mutig auf den Grund zu gehen, ist symptomatisch für . . . [ihr] Gesamtverhalten" und stellt in den Romanen wie in den Erzählungen jeweils das „Handlungsgefüge dar".[19] Daß sie lediglich abwehren und damit in der Selbsttäuschung verharren, obwohl sie durch ein schockhaftes Erwachen aus ihrer vermeintlichen Daseinssicherheit aufge-

---

[18] Das Verhältnis der Erzählperspektive zu Erzählgeschehen und Sinngehalt a.a.O. 297.

[19] A.a.O. 290 f. In gleichem Sinn betont INGEBORG HENEL (a.a.O. 257 ff.), daß es jeweils der Held selber ist, der sich aus seinen Rechtfertigungen seine „sichtbare Welt" erschafft. Seine Auseinandersetzung mit der Gegenwelt sei also im Grunde Selbstauseinandersetzung.

schreckt worden sind, darin liegt ihre eigentliche Schuld. Ihre angestrengten Bemühungen um Selbstrechtfertigung erweisen sich als Ausflucht, ja als Flucht vor der letzten Wahrheit. So sehr sie auch getroffen sind, wollen sie doch den ihnen zukommenden Richterspruch nicht annehmen und die bereits verhängte Strafe umgehen. Alles, was sie unternehmen, zielt darauf, die Wahrheit nicht wahrzuhaben und — unverdientermaßen — einen Freispruch zu erlangen. Aber der Verlauf des Geschehens zeigt, daß es kein Entkommen vor dem Urteil gibt, daß man es nur (kurzfristig) aufschieben, jedoch nicht aufheben kann, ja daß der Verurteilte sein Urteil zuletzt willig akzeptiert und es ohne Widerstand vollziehen läßt (oder sogar selbst vollzieht).[20]

Aus dem Neben- und Gegeneinander von suggerierter subjektiver Sicht (im Sinne des Helden) und objektiver Gegebenheit resultiert eine Vielfalt des (scheinbar) Abwegigen oder gar Widersinnigen in Kafkas Dichtung. Absurdität scheint in der Tat ein Kennzeichen der Thematik des Dichters zu sein. So hat Austin Warren seine Romane als „burlesques of bureaucracy" und die Welten, die darin dargestellt sind, als „patriarchies or theocracies" bezeichnet.[21] Das Absurde aber liegt darin, daß die Größe und Würde dieser autoritären Welten zugleich betont und ins Erbärmliche und Lächerliche verfremdet werden.[22] Das begegnet so selbstverständlich und durchgehend in Kafkas Dichtung, daß es zweifellos auf Absicht des Dichters beruht. Überhaupt kann keine noch so tiefsinnige metaphysische oder psychologische Spekulation darüber hinwegtäuschen, daß das Absurde wesenhaft zur Thematik Kafkas gehört.[23] In seinen Erzählungen geschehen laufend die abwegigsten Dinge. Aber im Gegensatz zu E. Th. A. Hoffmann oder gar Edgar Allan Poe erscheint das Absurde hier niemals als Selbstzweck: „the irrational ... the horrible ... the grotesque are never induced for the sake of literary effect but to express a depth of reality."[24]

In solcher Sicht ist die Absurdität Kafkas eine Form der Verfremdung die dazu dient, die hinter den gewohnten scheinhaften Vorstellungen verborgene Wirklichkeit überhaupt erst sichtbar zu machen. Ja, es ist das erklärte Ziel des Dichters, gerade das ganz Normale und alltäglich Gewohnte als das Absurde zu erweisen.

---

[20] Insofern ist die Erzählung *Das Urteil* paradigmatisch für Kafkas Dichtung insgesamt, und man versteht, daß er gerade diese Geschichte um ihrer ‚inneren Wahrheit‘ willen hochgeschätzt hat.

[21] Franz Kafka. In: GRAY (Editor): Kafka a.a.O. 125 und 129.

[22] Vielleicht am krassesten zeigt sich das an der Gestalt des Vaters im *Urteil*.

[23] AUSTIN WARREN a.a.O. 124: „Kafka's is a world known in nightmares — a rational unnatural world in which unnatural situations are rationally worked out ..." Eben in dieser schockierenden Verbindung des Rationalen mit dem Anormalen liegt Kafkas Absurdität.

[24] CLAUDE-EDMONDE MAGNY: The objective Depiction of Absurdity. In: ANGEL FLORES (Editor): The Kafka Problem, New York 1946, 76. BLUMA GOLDSTEIN meint das Gleiche, wenn sie — einen Ausdruck des Dichters zitierend — feststellt: „The literature with which Kafka is concerned ... is ‚Ansturm gegen die Grenze‘."

Gehe es doch für den Schriftsteller darum, den Menschen andere Augen einzusetzen, um sie das ihnen Vertraute in einem neuen Licht sehen zu lassen und dadurch das scheinbar so Bekannte als das in Wirklichkeit Unerkannte bewußt zu machen. Kafkas Absurdität meint also nicht phantastische Erfindung oder Hinzugestaltung von Abwegigem, sondern Enthüllung der nicht wahrgenommenen Abwegigkeiten des Gegebenen.

Verhältnis zur Sprache

Da Dichtung sprachliches Kunstwerk ist, stellt sich hier vor allem die Frage, wie Kafka seine bestürzende Thematik dichterisch realisiert, wie er die traumhaft konzipierte Schreckenswelt immerwährenden leidvollen Scheiterns stilistisch bewältigt. Was für eine Sprache setzt er ein, um die ihn bedrängenden Visionen und Passionen ins Wort zu bringen? Wie gelingt es ihm, die Dunkelheit seiner Gesichte „in ein lückenlos strukturiertes Kunstgebilde der Sprache" zu verwandeln.[1]

Auf den ersten Blick scheint zwischen Thematik und Sprache Kafkas ein Spannungsgegensatz zu bestehen. Die schockierenden Begebenheiten seiner Erzählungen und Romane werden nämlich in einer ganz schmucklos nüchternen Sprache berichtet. Sein Stil kennt keine Extravaganzen, keine Verfremdungen, keine kommentierenden Zutaten; er will weder überreden noch berauschen, nicht einmal betonen, sondern nur sorgfältig protokollieren.[2] Es ist eine schlicht feststellende ‚Normal'sprache, in der der Dichter die bestürzenden Bilder seines ‚traumhaften inneren Lebens' vergegenwärtigt, ein unauffälliges und leicht eingängiges, fast alltäglich wirkendes Deutsch, das aber — durch stilistische Askese und Präzision — seinen Rang als Dichtersprache erweist.

Nun könnte man freilich einwenden, daß eine so betont schlichte Prosa — durch den Gegensatz der sprachlichen Sparsamkeit zur Aufwendigkeit der erregenden Thematik — doch auch ihrerseits eine stark verfremdende Wirkung übe und das Groteske des mitgeteilten Geschehens um so drastischer zur Geltung bringe. Und zweifellos hängt es mit dem sachlich kühlen Berichtstil Kafkas zusammen, daß das Erstaunliche und Unerklärbare, das er erzählt, vom Leser als Tatsache hingenommen wird. Die Suggestion der Realität des Erzählten ist so vollkommen, daß man über die Möglichkeit oder Unmöglichkeit des vor Augen Gestellten gar nicht erst

---

[1] BEISSNER: Der Erzähler Franz Kafka, Stuttgart 1952, 41.

[2] Wenn man mit einem gewissen Recht (und ohne abwertenden Sinn) die strikt sachliche Sprache Kafkas als „Protokolldeutsch" bezeichnet hat, so erinnert das an zwei Tatbestände, die wahrscheinlich an diesem Phänomen mitbeteiligt sind, einmal die berühmte und traditionsstarke Prager Kanzleisprache, die in Restformen bis ins 20 .Jahrhundert fortlebte, und zum andern die Tatsache, daß Kafka — aus welchen Gründen auch immer — Jurist gewesen ist und als solcher im Studium und in der praktischen Berufsausübung die intensiv stilprägende juristische Schulung erfahren hatte. Vgl. dazu auch R. G. COLLINS (Kafka's special methods of thinking. In: Mosaic. A Journal for the Comparative Study of Literature, III/4, 1970, 48): „That Kafka did not practice law later does not negate the probable influence of this training upon him." Auch PONGS (Ambivalenz a.a.O. 207) betont, daß Kafkas „Protokollstil" durch seine Amtstätigkeit als Jurist einer Arbeiterversicherungsgesellschaft verstärkt worden sei.

nachdenkt. Man ist — schon durch die Sprache — mit dem Ungeheuerlichen als etwas Faktischem konfrontiert.[3]

Auch von Wiese betont den Kontrast der „präzisen, realistischen Beschreibung ... zum Wunderbaren des Vorgangs". Das Geschehen als solches werde festgestellt, bleibe aber ohne jede Bedeutung: „Die Verwandlung [Gregors] ist wie eine unerbittliche Tatsache da ... Der Erzähler sucht sie weder zu erklären noch zu ironisieren."[4] Sie soll eben als „unerbittlich real" aufgenommen werden, weshalb „auch ... im nachfolgenden jede weitere Einmischung des Phantastischen oder gar Wunderbaren" unterbleibt.[5] „So irreal der Ausgangspunkt gewählt ist, so streng realistisch ist der vom Erzähler eingeschlagene Weg."[6] In „kühler Distanz zum Mitgeteilten" werden die Tatbestände protokolliert. So entsteht der Eindruck „einer in sich geschlossenen Welt, in der es keine phantastischen Sprünge und keine poetische Willkür gibt und keine ‚romantische Ironie' ... Die Kafkasche Erzählung läßt das Gefühl eines Gegensatzes von Phantasie und Wirklichkeit gar nicht aufkommen; die, unverwechselbare, wenn auch befremdende Welt Kafkas steht vor uns mit ihren eigenen Gesetzen und ihrer eigenen Notwendigkeit".[7] Die sorgfältig beschreibende Sprache des Dichters, „so seiltänzerisch, scheinbar schwerelos sie bei Kafka sein kann"[8], gilt also von Wiese als ein Medium der Verfremdung zu suggestiver Vergegenwärtigung von etwas letztlich Irrealem.

Was aber de facto in solchem Sinn auf den Leser wirkt, liegt andrerseits nicht in der gestalterischen Absicht des Dichters. Es geht ihm in keiner Weise um den Effekt eines solchen Kontrastes zwischen Thematik und Sprache. Im Gegenteil, wie er selbst betonte, sah er in dem Ungewöhnlichen, das die Leser schockiert, durchaus nichts Absurdes, sondern das ganz Normale, Alltägliche, nur eben meist nicht Bemerkte des menschlichen Lebens, also etwas allgemein Übliches, immer Wiederkehrendes, das nicht durch emotionalen Sprachaufwand zu etwas Sensationellem oder Phantastisch-Überwirklichem verfälscht werden durfte. Die ‚normale' Sprache seines Erzählens war also das natürliche Korrelat der in seiner Sicht ganz ‚normalen'

---

[3] Dadurch, daß Kafka seine genau beschreibende Sprache „auf das Rätselhafte oder gar völlig Unwahrscheinliche" anwendet, gewinnt dieses „Realitätscharakter", eine „überzeugende, dinglich-unabweisbare Gegenwärtigkeit, die wir nur ‚wirklichen' Gegenständen zuzuschreiben gewohnt sind". (HILLMANN a.a.O. 147) In solchem Sinn spricht auch MAX BENSE (Die Theorie Kafkas, Köln und Berlin 1952, 53) von der „realen Genauigkeit des Irrealen". CAROLINE GORDON (Notes on Hemingway and Kafka. In: GRAY, Editor: Kafka a.a.O. 80) sieht wie AUSTIN WARREN in Kafka „a metaphysical poet in symbolist narrative", who „presents a surface which is strictly naturalistic in detail".

[4] Die deutsche Novelle von Goethe bis Kafka, Bd. II, Düsseldorf 1964, 322.

[5] Ebd. 323.

[6] Ebd. 326. Es handle sich dabei um einen „Realismus, der erst durch eine poetische Fiktion in Gang gebracht wird, der zunächst einen absurden Tatbestand erschafft, ehe der Erzähler ihn von den Bedingungen des alltäglichen Lebens aus beleuchtet und analysiert".

[7] Ebd. Bd. I, 327 f.

[8] Ebd. Bd. I, 327.

Thematik. Entsprechend waren Genauigkeit und Vollständigkeit der Beschreibung die hier gestellten stilistischen Forderungen. Denn nicht „Verfremden", sondern adäquates Darstellen war sein Ziel.

Thematik und Sprache treten also bei Kafka nicht kontrastierend auseinander. In beiden bewahrt er vielmehr die gleiche Klarheit und Ehrlichkeit der Kunstgesinnung. Weil er die Gegenstände seines Dichtens ernstnimmt, verzichtet er auf jeden Aufputz der Sprache, läßt er kein Wort zu, das nicht von der Sache her gefordert ist. „Selbst das spontane ästhetische Beiwerk des Mitteilens, so etwa der Vergleich, wird in der suggestiven Schlichtheit der Sprache Kafkas getilgt. Dieser Schwund der Vergleiche, das Ausbrennen jedes ‚unsauber' ästhetischen Residuums der Formgebung ist bezeichnend für diese Prosa."[9] Strikte Sachlichkeit schließt jeden stilistischen Kulinarismus aus. Statt dessen geht es um höchstmögliche Genauigkeit und Direktheit der Darstellung, um eine „minutiöse Deskription der Details", um „Exaktheit der reinen Optik", um einen „gleichsam photographischen Zugriff des Auges".[10] Es ist wichtig, die Sorgfalt und Sachlichkeit dieses ungeschönten Stils als eine Leistung der geistigen Zucht, als Ausdruck der Wahrheitsliebe des Dichters zu erkennen und damit als ein Zeugnis seines zugleich ästhetischen und moralischen Verhältnisses zur Sprache zu würdigen.[11]

Bei dieser Würdigung der sprachkünstlerischen Leistung Kafkas, sind auch die höchst problematischen Voraussetzungen zu berücksichtigen, die vom „Prager-deutsch" her für den Dichter bestanden. Wagenbach hat die literarische und sprachliche Situation Prags, in die Kafka hineingeboren war, analysiert und im einzelnen dargelegt, daß hier ein „sprachliches Chaos" herrschte und die deutschsprachigen Schriftsteller „auf einem widerstrebenden Boden" lebten.[12] Er zitiert Stilbeispiele Prager Dichter wie Friedrich Adler, Max Brod, Paul Leppin, Gustav Meyrink, Hugo Salus, Oskar Wiener und auch den jungen Rilke, die durchgehend eine auffallend ähnliche, theatralisch aufgeputzte und zugleich abgegriffen fade Sprache gebrauchen. Seine Charakteristik dieser Prager Literatursprache ist scharf, aber zutreffend: „Das Hufgeklapper des mit Epitheta übermäßig aufgezäumten Wallachs, auf dem der Dichter hier paradiert, hört sich verdächtig hohl an ... Hier wird, grob gesagt, mit der Sprache gemogelt, sie ist unwahr und parfümiert, ...

---

[9] RAINER GRUENTER: Beitrag zur Kafka-Deutung, Merkur 4, 1950, 285. Ähnlich HILLMANN (Dichtungstheorie, 144): „Präzision der Kafkaschen Erzählweise ... und Sparsamkeit der Bilderverwertung" treffen zusammen.

[10] Ebd. (Gruenter) 285.

[11] KLAUS WAGENBACH: Franz Kafka. Eine Biographie seiner Jugend, Bern 1958, 185: Die „Sprache ... belegt ... Kafkas Wesen, speziell seinen Wahrheitsfanatismus, am deutlichsten. Es bleibt eine der wenigen Gerechtigkeiten der Geschichte, daß in den Jahrzehnten des Antisemitismus ein Jude die klarste deutsche Prosa geschrieben hat".

[12] Ebd. 81. Vgl. ferner: FRITZ MAUTHNER: Erinnerungen I — Prager Jugendjahre, München 1918.

künstlich aufgeblasen. Denn der Reichtum, der da mit ‚bernsteingelb‘, ‚silbern‘ und ‚totenblaß‘, mit ‚Kristallen‘ und ‚Edelsteinen‘ vorgetäuscht wird, ist Doublé.“[13]

Man muß einräumen, daß dieser stilistische Schwulst der Prager Dichter einem Mangelgefühl entsprang, einer Notsituation, die Fritz Mauthner folgendermaßen gekennzeichnet hat: „Der Deutsche im Innern von Böhmen, umgeben von einer tschechischen Landbevölkerung, spricht ein papiernes Deutsch ... es mangelt an Fülle des erdgewachsenen Ausdrucks. Es mangelt an Fülle der mundartlichen Formen. Die Sprache ist arm. Und mit der Fülle der Mundart ist auch die Melodie der Mundart verloren gegangen.“[14] Wer in Prag aufwuchs, — so schrieb Rilke an August Sauer —, wurde „von früh auf mit ... verdorbenen Sprachabfällen unterhalten“. Auch seine Klage über die „bange Wortverworrenheit“ zielt auf diese Unzulänglichkeit des „Pragerdeutsch“, das kein sauberes, ehrliches, klares Idiom war und durch seine „Spracharmut“ und „mangelnde Sprachrichtigkeit“ die Schriftsteller zu stilistischem Prassen und falschem Pathos verführte.[15]

Im Blick auf dieses unglückliche Erbe des „Pragerdeutsch“ ist Kafkas sprachlich-stilistische Leistung noch um so höher zu werten. In klarer Distanzierung von den Prager Dichterkollegen entschied er sich für eine „knappe, kühle, unbeteiligte, wortarme, logisch konstruierte Sprache“[16], für einen sachgerechten, ehrlichen Stil. Infolgedessen wurde seine Sprache „ein persönliches, von fast allen lokalen Einflüssen gereinigtes Pragerdeutsch“.[17] Natürlich mußte er diese ererbte verbrauchte Sprache, die künstlerisch ein stagnierendes Idiom, ein „papiernes Deutsch“ und nach Kafkas eigenen kritischen Worten ‚nichts als Asche‘ war, in zuchtvoll strenge Pflege nehmen. Und da er erkannte, daß eine solche nur noch künstlich fortgepflanzte Sprache in gewisser Hinsicht doch auch seiner eigenen Absicht nach einer sachlich

---

[13] Ebd. 81 f. Auch die frühe Prosa Max Brods zeigt diesen falschen Zungenschlag: ‚Wie märchenhafte Knospen steigen aus dem Orchester die runden Töne auf und entfalten sich zu goldklingenden Schalen; prangender Wein schimmert darin.‘ (Zitiert nach Wagenbach a.a.O. 82) Selbst Rilkes ‚Malte Laurids Brigge‘ ist von diesem Prager Literaturschwulst nicht frei.

[14] MAUTHNER a.a.O. 51. Im gleichen Sinn klagte schon Heinrich Teweles (Der Kampf um die Sprache, Leipzig 1884, 12 f. 1), daß der „Strom unserer Sprache bei uns zu versanden droht ... Wir haben in Prag kein deutsches Volkstum, aus dem sich die Sprache immer neu erzeugt; wir sind lauter Bildungsdeutsche“.

[15] Ebd. 86: Sogar „in den frühen Briefen und Werken [Kafkas] ist eine noch vorhandene sprachliche Unsicherheit nicht zu leugnen“.

[16] Ebd. 83. Wagenbach hebt mit Recht hervor: „Selbst in den grausigsten Szenen im Werk Kafkas, etwa in der exakten Beschreibung des Apparates und der Exekution des Delinquenten der *Strafkolonie*, herrscht größte Sauberkeit der Sprache.

[17] Ebd. 87. Ähnlich HEINZ POLITZER (Problematik und Probleme der Kafka-Forschung, Monatshefte für deutschen Unterricht, Madison XLII/6, Oktober 1950, 280): „Er hat aus einem nicht völlig rein bewältigten Material einen reinen, völlig beherrschten und nur ihm selbst eigentümlichen Stil gebildet.“

protokollierenden Darstellung entgegenkam, versagte er sich — im Gegensatz zu Werfel oder Rilke — jede Flucht in neuromantisches Pathos und bemühte sich, das so wortarme „Pragerdeutsch" als eine seinen künstlerischen Intentionen adaptierbare gestalterische Möglichkeit zu nützen, als eine Möglichkeit nämlich zur Entmythologisierung seiner scheinbar phantastischen Thematik. Diese spröd-sachliche Sprache schien geeignet, das Traumhaft-Überwirkliche seiner Visionen durch dinglich direkte Benennung nahezubringen und ihm so eine „ungewöhnlich dichte Realität" zu verleihen.[18] Vor allem aber zog er — aus seinem Bedürfnis nach Ehrlichkeit — das an sich arme und ausgelaugte „Pragerdeutsch" als Grundmaterial dem aufgeblasenen Schwulst einer Fülle vortäuschenden, pseudodichterischen Sprache vor.

Aus diesem Streben nach Wahrhaftigkeit ergab sich die Tendenz, sich auf das einfachste Sprachmaterial zu beschränken, also dem einzelnen Wort wieder zu vertrauen und auf Kommentar zu verzichten. Kafkas „Purismus" richtete sich also gleichermaßen gegen „die Sprachmengung und Sprachverderbung" im „Pragerdeutsch", als auch gegen den „künstlichen Wortkult, den die zeitgenössischen Prager aus falschverstandener Opposition gegen die Spracharmut betrieben".[19] Seine Bemühungen um Sauberkeit und Richtigkeit der Sprache waren von fast pedantischer Gründlichkeit. Als Formalist lag ihm daran, die geltende Sprachnorm peinlich zu beachten. Nachschlagen im Grimmschen Wörterbuch, Vergewisserung in der Grammatik über die richtige Zeichensetzung und sorgfältige Orientierung über strittige Punkte der Rechtschreibung gehörten für ihn zu den Selbstverständlichkeiten.

„Rigorose Beschränkung auf das von der Umwelt gebotene Sprachmaterial und dessen argwöhnische, geradezu pedantische Durchleuchtung" bezeichnet Wagenbach als die entscheidenden sprachlich-stilistischen Leistungen des Dichters.[20] Sie bestätigen sich in den von Jahr zu Jahr kürzer und knapper werdenden Tagebuch-Aufzeichnungen, im wachsenden Verzicht auf Ungewöhnlichkeiten in Vokabular und Syntax, im Gebrauch der Sprache als eines Instrumentes reiner Reproduktion. Aus diesem Verhältnis zur Sprache ergibt sich die für Kafka charakteristische Tendenz zu einer Epik ohne kommentierenden oder allwissenden Erzähler. Der vom Pragerdeutsch drohenden Gefahr des Sprachmangels ist er „durch die besondere Konzeption und Thematik" seines Werkes entgangen, da dessen thematische Hauptquellen E r i n n e r u n g , V o r s t e l l u n g u n d T r a u m sprachlicher Armut entgegenwirken.[21]

---

[18] PONGS a.a.O. 64.
[19] Ebd. 88 f. Bezeichnend ist auch die (von Wagenbach zitierte) Äußerung Franz Bleis über Kafkas Sprache: Seine „Prosa hat eine knabenhafte Sauberkeit, die auf sich acht gibt".
[20] Ebd. 90.
[21] Ebd. 94.

Indessen läßt sich die künstlerische Wirkung der Sprache Kafkas nicht nur aus „rigoroser Beschränkung ... und pedantischer Durchleuchtung des von der Umwelt gebotenen Sprachmaterials" erklären. Wie in der Epik Kleists fehlt es auch in ihr nicht an sprachlichen Aufhöhungen von melodisch-rhythmischem Reiz, von einer — freilich disziplinierten — Musikalität der stilistischen Phrasierung.[22] Aber die Ehrlichkeit seines Wollens, sein „Wahrheitsfanatismus" ließen ihn niemals dem Zauber des reinen Klangs verfallen.[23] Obwohl er nicht ohne Staunen und Bewunderung „den verwirrenden Eindrücken seiner Vaterstadt, dem Gewimmel des literarischen Frosch-Mäuse-Krieges und den absonderlichen, verwilderten, eruptiven Dichtungen der Prager"[24] gegenüberstand, widerstand er zugleich der Suggestion dieses Milieus und verfolgte — gegen alle Lockungen des Zeitgeschmacks — kompromißlos konsequent den eigenen Weg der künstlerischen Entfaltung. Schon die frühe Veröffentlichung der Prosastücke *Betrachtung* von 1912 erwies sich gerade auch sprachlich-stilistisch als ein opus sui generis. Man „war überrascht, daß ... hier die schlichteste Sprache herrschte, ohne adjektivische Schnörkel und dunkle Wortballungen"[25], keine Wendung, die nur sich selber wollte, kein Wort, das nicht reine Aussage war, Koinzidenz von Thematik und Sprache.

Ist aber solche vollkommene Adäquatheit das eigentliche Kennzeichen der Kafkaschen Sprache, so ergibt sich daraus, daß ihre (oft behauptete) Nähe zur Normalsprache des Alltags auf bloßem Schein beruht, daß sie vielmehr eine bewußte Kunstsprache darstellt, auch wenn sie die Mühen, die zu ihrer Vervollkommnung aufgewandt wurden, nicht mehr erkennen läßt. Das Einzige, was sie der Umgangssprache nahezurücken scheint, ist ihr leicht verständlicher, schlichter Wortschatz. Aber auch diese Ähnlichkeit täuscht. In Wirklichkeit besteht hier ein entscheidender Gegensatz. Die Einfachheit des alltagssprachlichen Vokabulars resul-

---

[22] BINDER (Kafkas literarische Urteile a.a.O. 225) betont „die melodische Bauart der Sätze" Kafkas. Die Kurzerzählung *Auf der Galerie* ist ein eindrucksvolles Beispiel solcher Art. Überhaupt gibt es Zeugnisse dafür, daß Kafka für sprachmusikalische Wirkungen empfänglich war, aber aus Klarheitsbedürfnis alles ablehnte, ‚was sich trübend in die Sinne streut' (Rilke). Vgl. seinen Tagebucheintrag (T 202): ‚Durch Werfels Gedichte hatte ich den ganzen gestrigen Vormittag den Kopf wie von Dampf erfüllt. Einen Augenblick fürchtete ich, die Begeisterung werde mich ohne Aufenthalt bis in den Unsinn mit fortreißen.' Wer sich so sehr durch emotional wirkenden ‚Unsinn' gefährdet weiß, muß sich für die rationale Gegenposition nüchterner Klarheit entscheiden. Die Klarheit der Kafkaschen Gestaltungen war also nicht schon vorgegeben, sondern mußte in zielstrebigen Bemühungen errungen werden.

[23] Die auf volkstümliche Echtheit, Naturnähe und Ursprünglichkeit gerichtete Sprache der Halbmonatsschrift *Der Kunstwart* hat ihn zwar kurzfristig zu beeindrucken vermocht, aber auch nur deshalb, weil deren stilistische Tendenzen mit seinem eigenen Wunsch nach ‚Wörtlichnehmen' der Sprache, nach vollgültigem Ausschöpfen des einzelnen Wortgehaltes übereinzustimmen schienen.

[24] WAGENBACH: Biographie einer Jugend, 97.

[25] Ebd. 96.

tiert aus einer gewissen Bequemlichkeit, ja Nachlässigkeit, die es nicht so genau nimmt und sich schon mit ungefähren Andeutungen zufrieden gibt. Diese Einfachheit ist recht eigentlich Primitivität, geistige Anspruchslosigkeit. Hingegen ist die Einfachheit des Kafkaschen Wortgebrauchs das Resultat einer strengen Wahl, Ergebnis konzentrierter Suche nach dem jeweils eingängigsten und direktesten Ausdruck. Hier geht es um messerscharfe Genauigkeit der Bezeichnung, um nuancengerechte Treffsicherheit der Formulierung, um Identität von Wort und Sache. Mehr noch, ist die Sprache als konventionelles Verständigungsmittel „im Zweckbereich des Verkehrs und der bloßen Übermittlung eingespannt"[26], so befreit sie der Dichter aus dieser vordergründigen „Verzweckung" und gewinnt ihr die nach ursprünglicher Bestimmung in ihr liegende Funktion einer klärenden Weltdurchdringung zurück. Denn das dichterische Wort ist nicht ein wiederkäuendes, sondern ein entdeckendes Wort.[27]

Diesem Charakter des dichterischen Wortes als eines entdeckenden Wortes entspringt das gestalterische Bedürfnis des Dichters, jeweils „den ganzen zusammengehörigen Sachverhalt möglichst in einem Zuge zu erfassen", d. h. „das räumliche Nebeneinander ... wie [auch] das zeitliche Nacheinander" und die die bestehende Situation bedingenden „Ereignisse so dar[zu]stellen, daß das der Sache nach Zusammengehörige auch syntaktisch zusammengefaßt erscheint".[28] Der Erzähler will also einer doppelten Zielsetzung genügen, nämlich eine Gesamtschau vermitteln und zugleich die Details in den Blick rücken. Das führt nicht selten zu riesenhaften Satzgebilden, die wirklich alles in sich aufzunehmen suchen, oder aber zu einem „Ineinanderfließen der Sätze ... als Ausdruck einer engen inneren Verkettung ..."[29]

---

[26] HILLMANN I a.a.O. 98.
[27] OSKAR LOERKE: Formprobleme der Lyrik. In: HANS MAYER (Hrsg.): Deutsche Literaturkritik des zwanzigsten Jahrhunderts, Stuttgart 1965, 542.
[28] HILLMANN a.a.O. 117. Als Beispiel dieser gestalterischen Eigenart wählt Hillmann die folgenden Eingangssätze einer Fragment gebliebenen Erzählung Kafkas:
‚Es war nach dem Abendessen, wir saßen noch um den Tisch, der Vater weit zurückgelehnt in seinem Lehnstuhl, einem der größten Möbelstücke, das ich je gesehen hatte, rauchte halbschlafend die Pfeife, die Mutter flickte eine meiner Hosen, war über ihre Arbeit gebeugt und achtete sonst auf nichts, und der Onkel, hochgestreckt, der Lampe zustrebend, den Zwicker auf der Nase, las die Zeitung. Ich hatte den ganzen Nachmittag auf der Gasse gespielt, erst nach dem Abendessen mich an meine Aufgabe erinnert, hatte auch Heft und Buch vorgenommen, war aber zu müde, hatte nur noch die Kraft, den Heftumschlag mit Schlangenlinien zu verzieren, senkte mich immer tiefer und lag schon fast, von den Erwachsenen vergessen, über meinem Heft.'
Der Wunsch des Dichters nach detailgerecht vollständiger Beschreibung der Situation ist offenkundig. Der parataktischen Reihung der Sätze (und Satzteile) entspricht die additive Darbietung möglichst aller einschlägigen Gegebenheiten. Es geht um die vollkommene Einbeziehung des Lesers in die gegebene Lage.
[29] FRITZ MARTINI: Ein Manuskript Franz Kafkas, Jahrbuch der deutschen Schillergesellschaft 2, 1958, 292.

Hier hat im Nacheinander der Sätze der Punkt seine trennende Wirkung weithin eingebüßt.

Ein gutes Beispiel konkret anschaulicher Zusammenfassung aller charakteristischen Züge zu einem Gesamtbild der Situation ist der folgende, in asyndetischer Reihung sich entfaltende Satz aus den *Hochzeitsvorbereitungen* (H 236), in dem inhaltsreiche Mitteilung und sprachliche Sparsamkeit zusammentreffen:

‚Es war gegen Abend auf dem Lande, ich saß in meinem Giebelzimmer beim geschlossenen Fenster und sah dem Rinderhirten zu, der auf dem gemähten Feld stand, die Pfeife im Mund, den Stock eingerammt, scheinbar unbekümmert um die Tiere, die nah und weit freilich in tiefer Ruhe weideten.‘[30]

Auch in beiläufigen Sätzen begegnet dieser detailfreudige Zug zu raffender Vollständigkeit der Beschreibung. So heißt es z. B. von der Mutter in der *Verwandlung*: Sie ‚fiel inmitten ihrer rings um sie herum sich ausbreitenden Röcke nieder, das Gesicht ganz unauffindbar zu ihrer Brust gesenkt.‘

Was Kafkas Erzählen kennzeichnet, ist also der direkte und konkret genaue Zugriff der Sprache, die detailbeflissene Vollständigkeit der Beschreibungen. Doch begnügt er sich nicht mit bloßer Bestandsaufnahme. Die Dinggebundenheit des (gleichsam statischen) Aufzählens weitet er zur Freiheit eines allseitigen Assoziierens. Daß z. B. der Lehnstuhl, in dem der Vater weitzurückgelehnt, Pfeife rauchend und halbschlafend sitzt, ‚eines der größten Möbelstücke‘ ist, ‚das ich je gesehen‘, fügt der Icherzähler des oben zitierten Fragmentabschnittes eigens hinzu.[31] Nichts ist hier uninteressant oder nebensächlich. Alles Assoziierbare oder scheinbar Beiläufige wird registriert. Denn es gibt keine vorgegebene Werteordnung. Was gemeinhin zur Nebensache erklärt wird, könnte ja in Wirklichkeit die Hauptsache sein. Infolgedessen ist diese Unterscheidung außer Kraft gesetzt. Der Ordo der normalen Vorstellungswelt gilt nicht mehr. Statt Über- und Unterordnung begegnet nur noch reihendes Nebeneinander. Der aus der Relativität aller Wertungen zu ziehende Schluß ist hier gezogen: Menschliche Vorurteile und historisch zufällige, konventionelle Setzungen sind wie selbstverständlich aufgehoben. Es geht um eine wertfreie, bewegliche Konfrontation mit der Wirklichkeit, um einen Standort vor (oder jenseits) aller Wertung, um die noch ungenormte, unentschiedene, ursprüngliche

---

[30] HILLMANN a.a.O. 120 zitiert zwei „besonders aufschlußreiche Fälle“ dieser Kafkaschen „Raffungsform“: ‚Frei, unbedrückt die Seiten von den Lenden des Reiters, bei stiller Lampe, fern dem Getöse der Alexanderschlacht, liest und wendet er die Blätter unserer alten Bücher.‘ (E 146: *Der neue Advokat*.) ‚Nackt, dem Froste dieses unglückseligsten Zeitalters ausgesetzt, mit irdischem Wagen, unirdischen Pferden, treibe ich alter Mann mich umher.‘“ (E 153: *Ein Landarzt*.) Ein Vergleich mit den raffenden Stilformen Goethes in Faust II, ihren dem Latein nachgeformten absoluten Satzkonstruktionen und ihren aus konkreten und abstrakten Elementen kühn gefügten Bildern liegt hier nahe und dürfte interessante Ergebnisse zeitigen.

[31] S. oben S. 95, Anmerkung 28.

Situation. Das Verhältnis von wichtig und unwichtig erscheint grundsätzlich offen. Nichts wird ausgeklammert oder abgewertet, weil jedes jederzeit entscheidend werden könnte. So herrscht in der Tat eine traumhafte Freiheit des Assoziierens.

Diese additiv ausbreitende Erzählsprache Kafkas realisiert mit ihren alles und jedes einbeziehenden, asyndetischen Reihungen nuancengetreu das ‚traumhafte innere Leben' des Dichters, die ‚surreale' Freiheit seines Denkens und damit seine „universelle Thematik". Denn nichts könnte falscher sein, als in der sachlichen Genauigkeit seines Erzählens naturalistische Tendenzen sehen zu wollen. Will der Naturalismus mit seinen fotokopierenden Milieuschilderungen die Determiniertheit und kausale Bedingtheit des Daseins, also ein eindeutiges ‚So ist es' feststellen, so will umgekehrt Kafkas assoziativ sich vollziehendes, indifferentes Nebeneinanderstellen der Dinge gerade die Indeterminiertheit und Akausalität der Welt, ihre schlechthinnige Unberechenbarkeit verdeutlichen. Hat der Naturalismus eine klare Vorstellung oder gar ein Patentrezept, wie das Schlechte, das er enthüllt, gebessert und das Unrecht, das er anklagend zur Schau stellt, ausgemerzt werden kann, so zeigt Kafka — eben im Blick auf die Unberechenbarkeit des Daseins — die Aussichtslosigkeit aller Bemühungen um eine Heilung der heillosen Welt. Da in seiner Vision der menschlichen Dinge das Leben jedes Einzelnen als ein (ihm meist nicht voll bewußter) Prozeß abläuft und in diesem Prozeß weder er selbst — als der Angeklagte — noch die Advokaten, die ihn verteidigen sollen, die gegen ihn gerichtete Anklage kennen, kann in seiner Sache grundsätzlich nichts ausgerichtet werden.[32] So rechtfertigt man sich unter Umständen für etwas, dessen man gar nicht angeklagt ist, kann aber andrerseits nichts tun zur Entlastung seiner wirklichen Schuld, da man diese nie zu erkennen vermag. Hier besteht daher auch keine Möglichkeit für Reformen klar definierbarer Mißstände, keine Chance, auf Grund positiver Erkenntnisse, eine bessere Welt zu bauen. Denn der Prozeß läuft unregulierbar seinen eigenen Gang. Der Mensch und die Menschen sind ihm ausgeliefert. Auch unter diesem Aspekt erweist sich die Sprache Kafkas als der Spiegel seiner Thematik.

Dieser thematischen Bedeutung seines Erzählstils entspricht die strenge Selbstzucht, mit der Kafka an der „Ausbildung eines autonomen Formvermögens"[33] und insbesondere einer makellosen Dichtersprache gearbeitet hat. Die Askese seines Erzählstils kontrastiert aufs äußerste zur expressionistisch getönten Sprache seiner

---

[32] Der Advokat Huld im ‚Prozeß' erklärt dem Angeklagten K., ‚daß es unmöglich [sei], die Eingabe [zu einer wirksamen Verteidigung] jemals fertigzustellen', dies aber keineswegs ,aus Faulheit oder Hinterlist, die den Advokaten allein an der Fertigstellung hindern [könnten], sondern [ausschließlich aus] Unkenntnis der vorhandenen Anklage'. Der Stand der Dinge im Lebens-Prozeß des Menschen ist also nach dieser Auffassung grundsätzlich solcher Art, daß alle noch so aufwendige Bemühung um Verteidigung oder gar Rechtfertigung des Angeklagten nichts weiter als ,geschäftiger Müßiggang' sein kann.

[33] WALSER a.a.O. 127.

Dichterkollegen, wie u. a. ein Vergleich mit dem epischen Stil des zeitgenössischen Romanciers Lion Feuchtwanger verdeutlichen kann.[34]

Als dichtender „Historiker", als Interpret geschichtlicher Situationen, Ereignisse und Persönlichkeiten stand Feuchtwanger mit der Distanz des rückblickenden Betrachters seinen Stoffen gegenüber, war er nachvollziehender, allwissender Erzähler, ausbreitender Chronist und engagierter Kommentator zugleich. Was er erzählt, ist daher auch niemals unmittelbar bedrängende Gegenwart, sondern immer nur vergegenwärtigte Vergangenheit.

Im Gegensatz dazu gibt es bei dem „ahistorischen" Epiker Kafka keinen „Abstand zwischen dem Geschehenen und dem Erzählten"[35], kein Darüberstehen des Epikers, keine Reflexion und keinerlei Gefühlsbeteiligung von außen. Vor allem aber erscheint das erzählte Geschehen stets als eine eben jetzt sich ereignende Begebenheit. Infolgedessen ist in seiner Dichtung auch gar kein Raum für einen allwissenden Erzähler. Um so aufwendiger entfaltet er sich in den Romanen Feuchtwangers. Dieser sucht das menschliche Dasein des Unwiederholbaren sinnfällig und transparent zu machen, während sich Kafkas Gestalten außer- und oberhalb aller Geschichte bewegen. Hier wird weder nach Zeiten noch nach Zonen unterschieden. Was geschieht, könnte jetzt, aber auch vor 1000 Jahren oder erst in 1000 Jahren geschehen. Hingegen erscheint die *häßliche Herzogin*, wie sie Feuchtwanger vor Augen stellt, nur in ihrer Zeit und an ihrem Ort so möglich.

Kafkas Helden jedoch sind überall und nirgends zuhause, sie sind wahr, aber nicht wirklich. Dieser gleichsam abstrakten Gültigkeit seiner Themen und Motive entspricht sein fast spröde asketischer Stil, während die in farbenreicher Fülle schwelgenden geschichtlichen Darstellungen Feuchtwangers eine stark expressive, ja auch erregt manieristische Sprache aufweisen. Hier fungiert Sprache nicht lediglich als Medium der Mitteilung, sie ist vielmehr vor allem auch Stimmungsträger und artikuliert das Mitschwingende in eigenwillig ausgeformten, grammatisch ungewöhnlichen und mitunter sogar verspielten Prägungen. Nüchterne Tatsachennennung allein genügt Feuchtwanger nicht. Wo es Erregendes darzustellen gilt, will er es auch in erregend erregten Worten verlautbaren.

Anders die Sprache Kafkas, die sich von expressionistischen Emotionen völlig frei hält. Die wortkarge Sachlichkeit seiner Beschreibungen läßt keine Manierismen zu, während Feuchtwanger selbst dort, wo lediglich Tatbestände mitzuteilen sind, seine worthäufend expressive, in Metaphern schwelgende Schilderungssprache ausbreitet. Seine Ausdruckslust begehrt über das bloße Sagen hinaus, sprengt die übliche Syntax, spielt mit dem Material der Sprache, gestaltet kommentierend hinzu. Die Eingangssätze des *Jud Süß* sind ein Beispiel solchen emotional bewegten Sprechens auch im Zusammenhang einer reinen Faktenaufzählung:

---

[34] BERT NAGEL: *Jud Süß* und *Strafkolonie*. Das Exekutionsmotiv bei Lion Feuchtwanger und Franz Kafka. In: Festschrift für Hans Eggers, Tübingen 1972, 597—629.
[35] FRIEDRICH BEISSNER: Der Erzähler Franz Kafka, Stuttgart [4]1961, 32.

Ein Netz von Adern schnürten sich Straßen über das Land, sich querend, verzweigend, versiegend. Sie waren verwahrlost, voll von Steinen, Löchern, zerrissen, überwachsen, bodenloser Sumpf, wenn es regnete, dazu überall von Schlagbäumen unterbunden. Im Süden, in den Bergen, verengten sie sich in Saumpfade, verloren sich. Alles Blut des Landes floß durch diese Adern. Die holperigen, in der Sonne staubig klaffenden, im Regen verschlammten Straßen waren des Landes Bewegung, Leben und Odem und Herzschlag.

Die Formulierung ,des Landes Bewegung, Leben und Odem und Herzschlag' läßt den Sprachimpuls hörbar werden, der diesen Dichter treibt. ,Genug ist nicht genug' lautet sein Motto.

Dem entspricht die farb- und wortreiche Beschreibung des vielfältigen, ja endlos scheinenden Verkehrs auf diesen Straßen:

Es zogen ein endloser Wurm von Mensch, Vieh und Wagen, die Protestanten, die der Salzburger Fürstbischof geifernd aus seinem Land verjagt. Es zogen bunte Komödianten und Pietisten, nüchtern von Tracht und in sich verloren, und in prächtiger Kalesche mit Vorreiter und großer Bedeckung der hagere, hochmütig blickende venetianische Gesandte am sächsischen Hof ... es zogen fromm, gewalttätig und plärrend niederbayrische Wallfahrer auf dem Weg nach Rom, es zogen, den huschenden scharfen behutsamen Blick überall, Silberaufkäufer und Vieh- und Getreidekäufer des Wiener Kriegsfaktors, und es zogen abgedankte Kaiserliche Soldaten aus den Türkenkriegen und Gaukler und Alchimisten und Bettelvolk und junge Herren mit ihren Hofmeistern auf der Reise von Flandern nach Venedig.

Wir wählten diese Sätze als Beispiel, weil sie mit ihren statistisch aufzählenden Tatsachennennungen an den protokollarischen Stil Kafkascher Beschreibungen zu erinnern scheinen. Aber in der Fülle der beigegebenen kommentierenden Würze und in den syntaktischen Freizügigkeiten heben sie sich desto entschiedener von Kafkas sparsamem, grammatisch exaktem Sprachgebrauch ab. Man vergleiche insbesondere den Schluß dieser Verkehrsschilderung:

Das alles trieb vorwärts, rückwärts, querte sich, staute sich, hetzte, stolperte, trottete gemächlich, fluchte über die schlechten Wege, lachte, erbittert oder behaglich spottend, über die Langsamkeit der Post, greinte über die abgetriebenen Klepper, das gebrechliche Fuhrwerk. Das alles flutete vor, ebbte zurück, schwatzte, betete, hurte, lästerte, bangte, jauchzte, atmete.

Es ist nur eine manieristische Variante dieses auf Fülle gerichteten Stils, wenn die Beschreibung des Escorial im *Goya*-Roman Feuchtwangers in statistische Zahlenangaben ausschweift und die Worthäufung zu einem scheinbar nüchternen Registrieren verfremdet wird:

16 Patios hatte der Escorial, 2673 Fenster, 1940 Türen, 1860 Räume, 86 Treppen, 89 Springbrunnen, 51 Glocken. Der Escorial besaß eine herrliche Bibliothek, 130 000 Bände und über 4000 Manuskripte ... 204 Statuen waren im Schloß und 1563 Gemälde ... 1515 Behälter waren da aus Gold, Silber, vergoldeter Bronze und edelstem Holz, viele von ihnen dickbesetzt mit Edelsteinen ...

Diese wenigen (aber charakteristischen) Stilproben verdeutlichen, daß im künstlerischen Gebrauch der Sprache, in der Ökonomie der Mittel, Feuchtwanger und Kafka verschiedenen Welten angehörten. Kafka ist jedem Manierismus abhold. Selbstgenuß der Sprache in Worthäufung und Wortspiel sind ihm nicht nur fremd, sondern unzugänglich. Er ist der Meister des treffsicher knappen Ausdrucks, der durchsichtig klaren, schlanken Satzgefüge, des gleichmäßig ruhigen Sprachflusses, des gedämpften Tons. Er vertraut auf die Aussagekraft des einzelnen Wortes und verzichtet auf schmückende Zutat. Seine Prosa ist eine Kunst des Untersprechens im Sinne der These Voltaires: „L'adjectif est l'ennemi du substantif." Ganz anders Feuchtwanger. Ihn verlangt es nach Buntheit und Fülle des Ausdrucks. Er will alle Möglichkeiten der Sprache ausschöpfen und auskosten, jede Nuance einfangen, jedes Detail belichten, im schillernden Bedeutungsreichtum der Worte schwelgen. Er kennt kein Sparen; ihn drängt es nach ausströmender Verschwendung. Um alles ins Wort zu bringen, zieht er alle Register: Substantive, Adjektive, Verben werden in geballter Menge ausgestoßen und in Fluß gebracht. Grammatische Kleinlichkeiten werden wie selbstverständlich weggespült. Die suggestive Kraft des gesprochenen Wortes treibt diesen Stil. Es geht um ein potenziertes Sagen, um den Superlativ des Ausdrucks.

Wohl schreibt der reife Feuchtwanger — etwa in dem zwischen 1948 und 1950 entstandenen Goya-Roman — weniger expressiv und sparsamer, aber die Lust an der Sprache als solcher, der Drang zur Häufung der Ausdrucksmittel, die Freude an der differenzierenden Vielfalt detailgerechter Beschreibung, die Liebe zum rhythmischen Fluß, zum Leuchten und Klingen der Worte prägen auch seine Alterssprache.[36] Vor allem aber — und das ist auch ein Symptom — hat er im *Goya* den Erzählbericht immer wieder durch eingefügte Verspartien sprachlich erhöht. Wo immer Erregendes geschieht, wird auch die Sprache selbst zum Träger dieser Erregung und bewegt sich in rhythmisch gebundener Zeilenform. Auch dies unterstreicht den Gegensatz des Sprachtemperaments zu Franz Kafka. Es ist geradezu unvorstellbar, daß Kafka das asketische Gleichmaß seiner kommentarlos erzählenden Prosa unterbrochen und lyrisch getönte Zwischenstücke in Versen eingeschoben hätte. Diese Gleichförmigkeit der Darstellung Kafkas geht vielmehr so weit, daß er auch alle seine Personen unterschiedslos dieselbe nüchtern neutrale Sprache sprechen läßt — im Gegensatz zu Feuchtwanger, der seine Gestalten jeweils durch eine eigene Sprache und Sprechweise charakterisiert.

---

[36] Nur ein paar Sätze aus dem ‚Goya' mögen das noch immer ausdruckshaft Drängende, Worthäufende, ja Wortspielende von Feuchtwangers Altersstil belegen: „Ja, endlich hatte er's gesehen, endlich es erfaßt, und dieses war ein für allemal ihr letztes Gesicht, das wahre, reine, hochmütige, tiefverlogene, tieflasterhafte Gesicht Cayetanas, dies war die fleischgewordene Lust, Lockung, Lüge." Oder: „Noch immer brannte ihn die ‚sarna', die Schande, die Krätze, der kratzende Grind jenes Erlebnisses". Oder: „So lebte sie, so leibte sie, so sah er sie. Alles war da, das Maskenhafte, das etwas Künstliche, das Hintergründige."

Daß Kafka keine Verse geschrieben hat, ist sicher kein Zufall. Wem es um Deutlichkeit und Ehrlichkeit der Darstellung geht, will keine geschönte Sprache. Max Brod betont als seine höchste dichterische Tugend „das absolute Bestehen auf der Wahrhaftigkeit des Ausdrucks, das Suchen des e i n e n, völlig richtigen Wortes für eine Sache, diese sublime Werktreue, die sich mit nichts zufrieden gab, was auch nur im Geringsten mangelhaft war".[37] Die Schmucklosigkeit der Prosa Kafkas ist beabsichtigt[38], die natürlich wirkende Schlichtheit seines Stils eine erarbeitete kunstvolle Schlichtheit, Produkt asketischer Selbsterziehung. Diese „Sprache verzichtet auf jeden poetischen Glanz und gewinnt ihn gerade dadurch zurück. Sie sucht eher zu unter- als zu überbieten und entgeht eben dadurch jeder Inflation der Worte und Sätze".[39]

Indessen finden sich in Kafkas Werk auch Sätze, die nicht untersprechen, sondern stark wirkende Worte gebrauchen und das Gewicht ihrer Aussagen durch sprachliche Emphase verdeutlichen. Die Tagebuchnotiz, daß er Glück nur noch dann zu empfinden vermöchte, ‚falls ich die Welt ins Reine, Wahre, Unveränderliche heben kann', ist eine solche nachdrückliche Formulierung.[40] Oder Wendungen wie ‚irdisch beflecktes Auge'[41] und ‚Spiegelung der irdischen Welt' in der ‚himmlischen Fläche'[42] kontrastieren zu der sonst geübten stilistischen Askese. Endlich der Satz aus der Erzählung ‚Elf Söhne': ‚Unschuld dringt vielleicht doch noch am leichtesten durch das Toben der Elemente in dieser Welt' wirkt fast wie ein Fremdkörper innerhalb der unexpressiven Sprache des Dichters. Wohl ist diese Äußerung leise gesprochen zu denken, aber der Wortlaut als solcher impliziert eindringliches Pathos der Verkündigung. Es begegnen Vokabeln und Bilder der Kanzelrhetorik: ‚Unschuld', ‚Toben der Elemente', ‚diese Welt' (welcher Ausdruck den Gegenbegriff der jenseitigen Welt, als der ‚Welt, die da kommen soll', herbeiruft), die so, wie sie hier gewählt sind, in einer Predigt stehen könnten.[43] Aber eben das dürfte kein Zufall sein, daß solche emphatische Sprache speziell mit moralisch-religiösen Aussagen verbunden ist. Es ist also gerade die Sprache Kafkas, die die zentrale Bedeutung des Religiösen in seinem Werk bezeugt.

---

[37] Franz Kafkas Glauben und Lehre, Winterthur 1948, 41.

[38] BEISSNER (Kafka der Dichter, 30) betont mit Recht, daß wir gleichwohl „die leisen, fast unfreiwilligen Aufhöhungen nicht überhören [sollten], die nun doch eine Gefühlsbeteiligung verraten". Die aus zwei überlangen Sätzen bestehende Kurzerzählung *Auf der Galerie* ist ein Musterbeispiel solcher künstlerisch beabsichtigten ‚Aufhöhung' der Sprache.

[39] BENNO VON WIESE: Ein Hungerkünstler a.a.O. 238.

[40] T 534. Als Sonderfall erscheint die späte Erzählung *Der Bau*, die im letzten Kapitel interpretiert werden wird. Hier begegnet eine fast „expressionistisch" erregte Sprache, die alle klanglichen und rhythmisch-melodischen Möglichkeiten ausschöpft.

[41] Im dritten Octavheft von 1917.

[42] H 73.

[43] Andrerseits erscheint dieser so gewichtige Satz so unauffällig, ja fast verborgen zwischen anderen Sätzen, daß die Gefahr besteht, über ihn hinwegzulesen. Dieses Eindämmen der aufgebotenen Emphase macht auch einen so stark rhetorisch geprägten Ausdruck wieder zu einem Kafkaschen ‚understatement'.

Wechselseitige Beziehung zwischen Thematik und Sprache

Kafka als Dichter erfassen heißt in erster Linie: ihn als sprachgestaltenden Künstler begreifen. Es ist Beißners Verdienst, diesen fruchtbaren Ansatz gewählt und nachdrücklich vertreten zu haben. „Verwandlung einer ... Seelenwirklichkeit in ein lückenlos strukturiertes Kunstgebilde der Sprache" gilt ihm als die eigentliche Leistung des Dichters.[1]

Indessen steht die Überzeugungskraft von Kafkas Sprache im Zusammenhang mit der Thematik seiner Dichtung. Indem sich der Erzähler ganz zurücknimmt, auf „unkünstlerische Reflexion", auf Gefühlsbeteiligung, auf „kaltschnäuzige Ironie ... unzeitgemäße Romantik und ... artistisch verspielte Schnörkel" verzichtet[2], läßt er die ihn bedrängenden Phänomene desto stärker zur Geltung kommen.[3] Da sich hier der Erzähler ganz aufgegeben hat, gibt es nur noch „die Reinheit des epischen Vorgangs, der von innen her gesehen wird, nicht aus einem ‚heiteren Darüberstehen', das es nicht mehr gibt".[4] Der Dichter ist daher dem Erzähler auch nirgends voraus. „Der Abstand zwischen dem Geschehenen und dem Erzählten ist aufgehoben."[5] Aus alledem ergibt sich „die wundersame Einsinnigkeit der Darstellung, die den Erzähler eins werden läßt mit der Gestalt seiner Kunst, auch wo er von ihr in der dritten Person berichtet, und die auch den Leser, der zu lesen versteht, in diese Gestalt mitverwandelt". Solche Hingabe an den epischen Vorgang an sich läßt keinen Raum für „unedle stoffliche Neugierde" oder „albernes" Erregen einer „künstlichen Spannung".[6] Aber nicht zuletzt liegt eben darin die Faszination Kafkas, daß er aus einseitiger, aber einheitlicher Sicht erzählt. Die Stimme des Erzählers wird dadurch zur „Geisterstimme aus dem Niemandsland".[7]

Gegen Beißners These von der durchgängig einsinnigen Erzählperspektive scheint der Schluß der Erzählung *Die Verwandlung* zu sprechen. Denn ohne Frage tritt im letzten Abschnitt der Geschichte mit dem Erzähler auch der Leser in eine veränderte Sicht der Dinge ein. Hier wird nämlich berichtet, wie nach Gregors Tod ein neues Leben in der Familie beginnt, ein frühlingsfrohes Aufleben, das die Misere des Verunglückten wie einen bösen Spuk hinter sich läßt. Dieser Erzählungsschluß grenzt also die Tragödie Gregor Samsas als etwas in sich Geschlossenes gegenüber dem Leben der andern ab. Damit aber unterstreicht er zugleich die Eigengeltung der Geschichte Gregors. Das Einblenden dieser neuen Sicht, nachdem das ganze Geschehen bislang in der Perspektive des „Helden" erzählt worden war, hebt die

---

[1] Der Erzähler Franz Kafka, Stuttgart 1952, 41.
[2] BEISSNER: Kafka der Dichter 12.
[3] Sein Untersprechen ist also — mit einem Ausdruck Ulrich Pretzels — ein „Crescendo ins Piano".
[4] BEISSNER a.a.O. 12 f.
[5] BEISSNER: Der Erzähler Kafka a.a.O.
[6] BEISSNER: Kafka der Dichter 12 f.
[7] GÜNTHER ANDERS: Franz Kafka. Pro und Contra, München 1951, 64.

Einsinnigkeit der Darstellung in der vorausgegangenen eigentlichen Erzählung um so stärker hervor. Der schroffe Kontrast dieses „Schlußlichtes" zum Vorausgegangenen intensiviert noch den Eindruck der epischen Introversion. Dieser Schluß hat eine ähnliche Funktion wie das ‚Nachwort des Herausgebers' bei Goethes *Die Leiden des jungen Werthers*. Auch er soll uns — durch die Demonstration der Gegenwelt — noch einmal mit dem ganz für sich stehenden Ungeheuerlichen konfrontieren. Was als Aufhebung oder Relativierung der einsinnigen Erzählperspektive Kafkas mißdeutet werden könnte, ist in Wirklichkeit ihre konsequenteste Durchführung.[8]

So sehr Beißner Kafkas künstlerische Technik des einsinnigen Erzählens als einen hohen Eigenwert betont, stellt er doch auch „eine reine Wechselbeziehung" zwischen dieser „Einsinnigkeit der Darstellung" und der „Einheitlichkeit der Themen — oder richtiger: d e s Themas"[9] fest und widerlegt so den gegen ihn erhobenen Vorwurf der „Verabsolutierung formal-ästhetischer Maßstäbe".[10]

Was Kafka als Dichter auszeichnet, sei die Reinheit seiner Kunstgesinnung, die Wahrhaftigkeit seines Erzählens, die durch die strenge Einsinnigkeit der epischen Perspektive gewährleistet werde. Martin WALSER hat gezeigt, wie bewußt Kafka um des Schreibens willen „seine bürgerlich-biographische Persönlichkeit reduzier(e), ja zerstört(e)", wie ausschließlich es ihm um die „Ausbildung" der „dichterischen Persönlichkeit", um die „Organisation eines solchen [allein dem Schreiben gewidmeten] Lebens" zu tun war.[11] Dem entspricht die Konsequenz, mit der er seine streng einsinnige Erzählhaltung verwirklicht und festgehalten hat. Diese „Wahrung des jeweiligen Ich-Standpunktes"[12] ist aber nicht nur ein Spezifikum der epischen Technik, sondern zugleich eine inhaltliche Qualität, ein Postulat der eigentümlichen Thematik des Dichters. Weil Kafka „den allwissenden Erzähler, den erscheinenden Erzähler überhaupt, verabschiedet hat", fehlt in seinen Dichtungen „der zeitlich fixierbare Punkt, von dem aus erzählt wird"[13], gibt es vielmehr nur noch den sich selbst erzählenden Vorgang[14], der „außerhalb jeder bekannten Ver-

---

[8] Daß in vielen Erzählungen und in den Romanen Kafkas die Held-Perspektive herrscht oder doch vorherrscht, ist unbestritten. Sicher entsprach sie auch dem gestalterischen Ingenium des Dichters. Doch wird in dem Kapitel „Erzählperspektiven" gezeigt werden, daß diese subjektiv einsinnige Sicht nicht so ausschließlich gilt, wie Beißner und Walser unterstellen. Die Gleichnisse und parabolischen Erzählungen kennen sie nicht, und auch in den Romanen ist der Erzähler nicht vollkommen verabschiedet.

[9] Kafka der Dichter, 13.

[10] HELMUT RICHTER, a.a.O. 305, Anm. 21: Ebd. 14 f. wird Beißner vorgehalten, daß für ihn „der Gehalt der Werke ... angesichts des ästhetischen Vergnügens an der ‚Einsinnigkeit' des Erzählens nur von sekundärem Interesse" sei.

[11] MARTIN WALSER: Beschreibung einer Form a.a.O. 11 und 13.

[12] Ebd. 29.

[13] Ebd. 45 und 42.

[14] Ebd. 22: „E s wird erzählt." Ebd. 41: „Die einzelnen Romane beginnen gewissermaßen von selbst ..." Vgl. auch die Anfänge der Erzählungen *Das Urteil*, *Die Verwandlung*, *In der Strafkolonie* u. a.

gangenheit spielt".[15] Infolgedessen vollzieht sich das geschilderte Geschehen immer unmittelbar hier und jetzt. Der Leser wird gleichsam zum Augenzeugen, und das Erzählte gewinnt „eine Gegenwärtigkeit, die der epischen Dichtung sonst fremd ist".[16] Aus dieser überzeitlichen Gegenwärtigkeit der Vorgänge ergeben sich das Fordernde und seltsam Beklemmende der Kafkaschen Epik. Der Leser ist wie festgebannt in einen magischen Zirkel und kann aus dem Zusammenhang der Innenwelt des Helden, in die er eingegangen ist, nicht mehr heraustreten. Die Identifizierung mit dem Helden kann auch gar nicht rückgängig gemacht werden, „da ja kein Erzähler da ist, der uns mehr sagen könnte, als der Held sieht".[17] Alles wird durch dessen Augen gesehen, als ein Innenerlebnis der Hauptgestalt vergegenwärtigt. Weil aber solchermaßen „das physikalisch faßbare Sehen vom Standpunkt des Helden aus reduziert" erscheint, muß „auf gegenstandsreiche Beschreibung" verzichtet werden[18], darf nichts in den Blick treten, was die vorgegebene einsinnige Erzählperspektive sprengen könnte. Vielmehr „wird der Leser in der gleichen Unwissenheit belassen wie der Held".[19] Zugleich ist klar, daß die strikte Wahrung der epischen Sicht „die Intensität des Erzählten steigert", ja überhaupt erst „das Schritt-für-Schritt-Gehen echter Epik" ermöglicht.[20]

Wenn Kafkas epische Form die Funktion der Zeit aufhebt, insofern sie — auch beim Gebrauch der Vergangenheitsform — das Erzählte nicht als vergangen, sondern als etwas überraschend Neues und eben erst jetzt Geschehendes darstellt, so zeigt sich darin, wie vollkommen diese Form zugleich Inhalt und Aussage ist und wie unmöglich es wäre, Gehalt und Gestalt dieser Dichtung von einander zu trennen oder gar gegeneinander ausspielen zu wollen. Form und Inhalt bedingen und konstituieren sich wechselseitig. Die paradoxale Zeitlosigkeit des Erzählens[21] ist ein Korrelat der Überzeitlichkeit der Thematik. Kafka gestaltet nicht Einzelfälle, nichts Geschichtlich-Einmaliges, sondern Prinzipielles, jederzeit Mögliches, Allgemein-

---

[15] Ebd. 42. Auch Hartmut BINDER (Motiv und Gestaltung a.a.O. 322) betont, daß in Kafkas Epik „eine Erzählergegenwart explizit nicht vorhanden" ist. „Es gibt nur die gerade sich abspielende Szene: Der zeitliche Standort liegt also i n der Situation." Ferner weist Binder darauf hin, daß schon Jean POUILLON (Temps et Roman, Paris 1946) „Kafkas Eigenart in der Perspektivgestaltung", eben seine einsinnige, in der Innensicht des Helden begründete Erzählperspektive untersucht habe. Wo „der Erzähler . . . ausschließlich die erlebte Wirklichkeit der handelnden Personen" darstellt und sich so mit deren Erlebnishorizont identifiziert, wird die „Zukunft des Erzählten zur echten Zukunft auch für den Erzähler" (Eberhard LÄMMERT: Bauformen des Erzählens, Stuttgart [5]1972, 71) und gestattet keine „explizite Erzählgegenwart n e b e n dem Handlungsstrang". (Binder a.a.O. 189.)

[16] Ebd. 42.

[17] Ebd. 24.

[18] Ebd. 26 und 25.

[19] Ebd. 29.

[20] Ebd. 29.

[21] Ebd. 126: „Kafka erzählt nicht der Zeit nach. Da der Sinn des Ganzen in jedem Augenblick immanent ist, kann es keinen übergreifenden Zeitzusammenhang geben."

menschliches oder — mit Emrichs Worten — „abstrakte ... Modelle menschlichen Lebens und Denkens"; es geht ihm darum, „aus den zeitbezogenen, mehr oder weniger zufälligen Einzelerscheinungen sofort ins grundsätzlich Allgemeine ... ‚Universelle' ... einzudringen".[22] Nicht detailbeflissene Abbildung der Welt (bzw. eines Ausschnittes der Welt), sondern zeitlos Gültiges, Immerwährendes, permanent Aktuelles in autonomer Parabelform zu gestalten, ist sein Ziel. Zugrunde liegt der Glaube, daß „der entscheidende Augenblick in der menschlichen Entwicklung immerwährend" ist[23] und es für den Dichter deshalb darauf ankommt, sich dieses archimedischen Punktes zu versichern.

Wer in so entschiedener Weise Teilhabe am Absoluten für sein Werk fordert, muß aus den Beschränkungen der raumzeitlichen Existenz heraustreten und die volle Freiheit des Gestaltens gewinnen. Infolgedessen muß Kafkas Dichten gegen alles gewohnte Denken und Vorstellen verstoßen und den konventionellen Leser befremdlich und abwegig, ja absurd und unfaßbar anmuten. Denn die Enthüllung der Wirklichkeit schreckt den in Illusionen gewiegten Jedermann aus seiner vermeintlichen Lebenssicherheit auf, weil in dieser Konfrontation mit der Absurdität der Welt „die Bodenlosigkeit der Existenz aufgerissen wird".[24] Wie die Erscheinung des Erdgeistes für Faust ist der Anblick der Wirklichkeit hinter den Dingen erschreckend unerträglich.

Aber um diese bedrohliche Wirklichkeit hinter den Dingen geht es Kafka. Das bedingt zugleich die zentrale Bedeutung des „traumhaften inneren Lebens" als des Zugangs in eine durch nichts gebrochene schöpferische Freiheit des Gestaltens, die das nur Gedachte — oder richtiger: das zu Ende Gedachte — geschehen läßt und auch das lediglich Assoziierte vollgültig realisiert, ja sogar das erst noch zu Denkende als ereignete Realität vorwegnimmt. Hier ist mit der Bindung an den Ort zugleich das zeitliche Nacheinander aufgehoben. Wer solche Freiheit des Traumes besitzt, kennt kein sich heraushebendes Hier und Jetzt, weil alles Geschehende hier und jetzt geschieht. Entsprechend hat das Präteritum seine Funktion als Vergangenheitsmodus eingebüßt. Auch der Gegensatz von abstrakt und konkret entfällt, weil das Begriffliche zur Parabel konkretisiert erscheint.[25]

---

[22] Franz Kafka, Bonn 1958, 68 f. Ebd. 78.

[23] Franz Kafka: Tagebücher und Briefe, Gesammelte Schriften, hrsg. von Max Brod, Prag 1937, Bd. VI, 199.

[24] PONGS a.a.O. 47. Auch Friedrich Dürrenmatt geht es nach seinen eigenen Worten ‚um das Absurde dieser Welt', auch er macht sich keine Illusionen, aber doch ist seine Position eine völlig andere: ‚Ich schreibe, um das Absurde dieser Welt wissend, aber nicht verzweifelnd, denn wenn wir auch wenig Chancen haben, sie zu retten, — es sei denn, Gott sei uns gnädig, — bestehen können wir sie immer noch.'

[25] Die Autonomie des Traumes, der alles mit allem verbindet und auch das Fernste noch direkt assoziiert, bestimmt weithin die Erzählweise Kafkas. Auch dadurch wird die einsinnige Held-Perspektive erhärtet. Denn ein Traum ist immer individuelles Geschehen. So geht es in Kafkas Erzählungen und Romanen meist um den Traum des Helden, **um**

Also nicht um müßiges Träumen geht es dem Dichter, sondern um die im Traum erreichbare Freiheit des Transzendierens, um die Befreiung von allen Bindungen des konkreten Daseins, um das Aufbrechen des Horizontes zum Ganzen und Absoluten.[26] Deshalb gilt es, nachtwandlerisch sicher jenen „entscheidenden Augenblick in der menschlichen Entwicklung" zu erfassen, der „immerwährend" ist, weil in ihm Zeitlichkeit und Ewigkeit ineinander greifen. Dem entspricht die für Kafka typische Wahl des Ansatzpunktes. „Zumeist beginnen Kafkas Erzählungen und Romane mit einem ... plötzlichen unbegreiflichen Verlust aller normalen Orientierungsmöglichkeiten. In einem unbewachten geistesabwesenden Zustand des Schlafes oder der Zerstreuung werden ihre Helden abrupt beim Erwachen in eine Welt versetzt, die sie nicht mehr mit ihren Vorstellungen zu ordnen und aufzuhellen vermögen ..."[27] Immer wieder geht es um die gleichen oder doch prinzipiell ähnlichen Abläufe und Situationen, insbesondere um den bestürzenden Vorgang der Überrumpelung durch eine völlig neue und feindliche Wirklichkeit, um das jähe Innewerden der fundamentalen Täuschung, in der man lebt, um die vernichtende Erfahrung der eigenen Ohnmacht. Die schöne, helle, bequeme Straße, die man gestern noch sicher und selbstzufrieden ging und die geradlinig auf ein lohnendes Ziel hinführte, erweist sich mit einem Mal als ein unabsehbarer, in heilloses Dunkel verlaufender Irrweg. Das gewohnte Koordinatensystem von Raum und Zeit gerät ins Gleiten: Vergangenes ist erst im Kommen, Zukünftiges ist lange schon vorbei. Auch das Gesetz der kausallogischen Folge von Ursache und Wirkung tritt außer Kraft. Das Beiläufige überpielt das Hauptsächliche, die Peripherie wird zum Zentrum, die üblichen Wertmesser, die Unterscheidungen von wichtig und unwichtig gelten nicht mehr. Statt der überschaubaren Ordnung eines Nach- und Nebeneinanders der Dinge: das Chaos einer die Phänomene durcheinanderwirbelnden, verwirrenden Gleichzeitigkeit, eine total verunsicherte Existenz, in der es keine Kommunikationsebenen mehr gibt, keine verbindliche Sprache von Mensch zu Mensch, eine aus den Fugen geratene Welt. Um dieses schockhaft vergegenwärtigte Erlebnis der Andersheit der Welt und des Ausgeliefertseins an diese aggressive, andersartige Welt, um Enthüllung also der Absurdität des Daseins, um die Nichterkennbarkeit eines Sinnes geht es in Kafkas Dichtung.

---

den Traum s e i n e r Triebe und Traumata, den Kosmos oder das Chaos der ihm zugehörigen inneren Welt. Es ist also in der Tat ‚das traumhafte innere Leben‘ einer Einzelseele, das hier in Vielfalt, Widersprüchlichkeit, Unstimmigkeit, aber gleichwohl auch fataler Zielgerichtetheit entfaltet wird. Das impliziert die Frage, in welchem Maße der Held, in dessen Perspektive erzählt wird, und der Autor identisch sind. Kafkas briefliche Mitteilung von 1923 an Oskar Baum, er habe, statt sich zum Schreibtisch vorzutasten, sich ‚lieber unter das Sofa verkrochen, wo ich noch immer zu finden bin‘, ist eine authentische Bestätigung seiner (partiellen) Selbstidentifizierung mit Gregor Samsa.

[26] Daß das die Intention des Dichters war, steht außer Zweifel. Eine andere Frage ist jedoch, ob er diesen absoluten Anspruch erfüllen konnte.

[27] EMRICH a.a.O. 17.

„Absurde" Thematik

Wohin wir auch blicken, in die Erzählungen oder in die Romane Kafkas, überall begegnen (scheinbar) widersinnige Situationen, oft auch schauerlich groteske Vorgänge. Die Welt, die Kafka vergegenwärtigt, erscheint als eine absurde Welt. Unerwartet sehen sich die Menschen einer völlig veränderten Wirklichkeit gegenüber, durch neue Fakten ‚überrumpelt'. So wird Georg Bendemann vom eigenen Vater zum Tode verurteilt und Gregor Samsa über Nacht ‚in ein ungeheures Ungeziefer verwandelt'. Josef K. erwacht als ein Angeklagter und findet sich in einen bereits laufenden Prozeß verwickelt, ohne sich diesen unsinnig anmutenden Wechsel der Dinge erklären zu können. Er kann schlechthin nichts in Erfahrung bringen, weder welches Vergehens er angeklagt ist noch durch was für ein Gericht sein Fall verhandelt wird. Nur das Eine weiß er, daß ein Prozeß gegen ihn läuft. Ähnlich geht es Karl Roßmann im Amerika-Roman *Der Verschollene*. In ein fernes, fremdes Land abgeschoben und fast noch ein Kind, sieht er sich einer ihm undurchschaubaren, feindlichen Welt ausgeliefert, im Labyrinth eines unermeßlich weiten Kontinents verloren. Der Protagonist im *Schloß* soll als Landvermesser sein Amt in einem Dorf antreten und wird auch — auf Grund einer telefonischen Durchsage der Schloßverwaltung — in dieser Funktion akzeptiert. Gleichwohl ist es ihm nicht möglich, eine offizielle Bestätigung der ihm zugesagten Tätigkeit zu erhalten noch überhaupt eine Verbindung mit den höheren Auftraggebern in der Zentrale zu erlangen. Seine Situation erscheint in der Tat als absurd: er hat einen Auftrag und kann ihn doch nicht nachweisen. Er hängt also in der Luft, operiert in ständiger Ungewißheit und reibt sich so in fruchtlosen Anstrengungen auf.[1]

Überall stellen wir das Abwegige der geschilderten Vorgänge fest und können doch nicht den Gedanken abweisen, daß alle diese Absurditäten etwas Wesentliches aussagen, ja daß sie mit unserer Person und dem menschlichen Dasein überhaupt zu tun haben, auch wenn sie sich einer letzthin unübersetzbaren Zeichensprache bedienen, jener konzentrierten Bildersprache nämlich, mit der Träume zu uns sprechen. In der Tat hat die Dichtung Kafkas etwas von der lastenden Schwere eines Verengungstraumes, der, da er doch aus dem eignen Innern aufstieg, auch als ein Ausdruck des eigenen Selbst aufgefaßt und ernstgenommen werden muß. Denn der Träumende kann ja nicht anders, als sich mit den grotesken Ausgeburten seiner

---

[1] Daß sich K. — wie INGEBORG HENEL (Die Deutbarkeit von Kafkas Werken, ZfdPh. 86, 1967, 259 ff.) annimmt (und damit eine eindeutige Schuld K.s unterstellt) — das Amt eines Landvermessers lediglich angemaßt und somit durch Lüge und Täuschung die ihn zum Scheitern verurteilenden Reaktionen der Gegenwelt selber provoziert habe, läßt sich in solcher Eindeutigkeit nicht aus dem Text herauslesen. Wohl ist spürbar, daß mit K.s Landvermessertum etwas nicht stimmt, aber nicht aus einem so konkret banalen Grund wie dem einer Hochstapelei. Vielmehr geht es auch hier um das tiefere Problem der Unsicherheit des Existierens an sich. D e s h a l b wird diese Frage hier im Ungewissen gehalten.

Träume verselbigen. Er kann die geheime Teilhaberschaft seiner Person an dem Geträumten nicht aufheben: der Traum, der ihn bei Nacht überkam, ist s e i n Traum, auch wenn er ihm als völlig widersinnig und gar nicht zugehörig erscheint. Was sich darin äußerte, mag ihm als Sprache zwar unverständlich sein; Tatsache aber ist, d a ß hier etwas zu ihm sprach, und zwar zu ihm ganz persönlich, aus den Tiefen seines eigenen Selbst. Um so stärker bedrängt ihn daher die Vorstellung, daß das Absurde seiner Träume vielleicht doch mit geheimem Sinn geladen ist, der erhellt werden sollte.

In ähnlicher Zwiespältigkeit stehen wir der Epik Kafkas gegenüber, die sich im Faktischen des dargestellten Geschehens als traumhaft wirr und widersinnig erweist, uns aber dennoch zum nachvollziehenden Mitgehen fordert, weil sie die grotesk zeichenhaften Traumbilder zu bedrückend nahen Realvisionen verdichtet. Das zeigt, daß die „absurde" Thematik a l l e i n nicht jene Wirkung zu üben vermöchte, die Kafkas Dichtung allenthalben zeitigt, daß es vielmehr vor allem die darin bewährte künstlerische Gestaltung ist, auf der die Faszination seiner Darstellungen beruht. Künstlerische Gestaltung aber bedeutet kongeniale Gestaltung: vollkommene sprachliche Verwirklichung der eigentümlichen Traumgesichte des Dichters. Um seine Kunst zu würdigen, muß man ihn daher so sehen, wie er sich selbst gesehen hat. In dem labyrinthischen Tunnelbild aus dem dritten Oktavheft von 1917 hat Kafka seine Selbstsicht gekennzeichnet:

> Wir sind mit dem irdisch befleckten Auge gesehen, in der Situation von Eisenbahnreisenden, die in einem langen Tunnel verunglückt sind, und zwar an einer Stelle, wo man das Licht des Anfangs nicht mehr sieht, das Licht des Endes aber nur so winzig, daß der Blick es immerfort suchen muß und immerfort verliert, wobei Anfang und Ende nicht einmal sicher sind. Rings um uns aber haben wir in der Verwirrung der Sinne lauter Ungeheuer und je nach der Laune und Verwundung des einzelnen entzückendes oder ermüdendes kaleidoskopisches Spiel. — Was soll ich tun? oder wozu will ich es tun? sind keine Fragen dieser Gegenden.

Nach diesem Modell des zum Verfehlen des Zieles verurteilten Menschen sind die Kafkaschen Helden gestaltet. Sie erscheinen wie Reisende, die nicht ankommen, weil sie mit dem Zug im Tunnel verunglücken und so einem permanent lichtlosen Lähmungszustand anheimfallen.[2]

Die Bezeichnung der Kafkaschen Thematik als absurd oder grotesk trifft gewiß eine Eigentümlichkeit des Dichters, klassifiziert ihn aber gleichzeitig allzu pauschal und mißverständlich. Denn seine „Absurdität" hat mit dem Absurden im gemeinüblichen Sinn des Wortes nichts zu tun. Kafka ist kein okkultistischer Dichter noch

---

[2] Für das Märchenglück eines immer guten Endes ist hier kein Raum. Infolgedessen hat CLEMENS HESELHAUS (Kafkas Erzählformen, DVjs. 3, 1952, 26. Jg., 353 ff.) für Kafkas überwirkliche Darstellungen den Begriff des „Antimärchens" als der „literarischen Form des beleidigten und enttäuschten Selbstbewußtseins" (a.a.O. 357) geprägt. In der Tat fehlt hier „die archaische Einfalt des echten Märchens". Kafka kennt „nur die Parabel mit Antimärchenzügen, in denen das Märchenhafte ins Absurde übergeht". (PONGS, a.a.O. 54)

gar ein Vorläufer gruseliger Science-Fiktion. Nicht um Abseitiges, sondern um das Inseitige (oder Hintergründige) der Dinge ist es ihm zu tun. Wenn er gleichwohl Bestürzendes, ja Alpdruckhaftes vergegenwärtigt, so nicht deshalb, weil er aus der Realität hinaus in eine erdichtete Welt oberhalb aller verifizierbaren Wirklichkeit flüchtet, sondern deshalb, weil er sich nicht immunisiert und adaptiert hat, vielmehr den Schrecken der Welt ohne jeden Schutz ausgeliefert blieb und infolgedessen die Wirklichkeit angstvoll genauer in den Blick nahm als die Anpassungsfreudigen und Lebenstüchtigen. Da aber auf diese Weise nicht erfolgsstrebige Kooperation, sondern furchtbelastete Konfrontation sein Verhältnis zur Welt bestimmte, war es ihm nicht gegeben, die Negativa des Daseins großzügig zu übersehen, mußte er sie vielmehr doppelt ernst nehmen und mit allen Konsequenzen zu Ende denken. Was ihn als „Dichter des Absurden" (Camus) erscheinen läßt, resultiert also aus seiner Stellung des Gegenübers zur Welt und der dadurch bedingten Haltung eines Sehers. Seine Situation ähnelt so sehr der Situation Kassandras, daß sie mit den Worten des Schillerschen Gedichtes recht genau umschrieben werden könnte ... Wie Kassandra muß auch er sein ‚gequältes Herz ... einsam in die Wüste tragen'; auch seine ‚Jugend war nur Weinen, und er kannte nur den Schmerz'; vor allem aber kann er wie die griechische Seherin ‚nicht zur Rechten, nicht zur Linken ... vor dem Schrecknis fliehn'. Sehenden Auges den geheimen Bedrohungen der Welt allezeit preisgegeben, ‚flieht ihn der süße Wahn', kann er sich ‚des Lebens' nicht erfreuen, weil er ‚in seine Tiefen blickt', zieht er das pessimistische Fazit: ‚Nur der Irrtum ist das Leben, Und das Wissen ist der Tod.'

Gewiß ereignen sich in Kafkas Erzählungen Dinge, die so, wie sie hier dargestellt sind, im realen Leben niemals geschehen. Dennoch ist festzuhalten, daß seine Dichtung nach Sinn und Bestimmung nicht Irreales meint, sondern mitten hinein in das Leben des Alltags und hinunter zu den Grundbefindlichkeiten menschlichen Existierens führt. Denn wie er selbst sagte, erfindet er nichts, sondern zeichnet nur auf, was er wahrnimmt, freilich mit ‚Mikroskopaugen' wahrnimmt. Das absurd, ja unmöglich Scheinende seiner Gestaltungen ist also nur das Ergebnis seines mikroskopisch genauen Sehens.[3] Das aber heißt: was in seiner Dichtung schockiert, ist nur scheinbar absurd, gibt vielmehr das eigentliche Sein der Dinge wieder, enthüllt, was man gemeinhin nicht zur Kenntnis nimmt. Das ‚ungeheure Ungeziefer', in das sich Gregor Samsa eines Morgens verwandelt sieht, ist nicht lediglich eine grau-

---

[3] HEINZ HILLMANN: Franz Kafka. In: BENNO VON WIESE (Hrsg.): Deutsche Dichter der Moderne, Berlin 1965, 261: „Das Fremdwerden der Dinge ... ist die Konsequenz des mikroskopischen Sehens ... Die Dinge werden gleichsam jedes Mal von neuem zum ersten Mal gesehen und haben keinen vertrauten und selbstverständlichen Ort und Wert im Erfahrungssystem." „Diese zur zweiten Natur gewordene Sehweise war verhängnisvoll und fruchtbar zugleich. Verhängnisvoll, weil sie einen fraglos selbstverständlichen Lebensvollzug verhinderte; fruchtbar, weil sie eine beobachtende Distanziertheit ausprägte ... eine präzise Gewissenhaftigkeit und Konsequenz, die nichts halb, nichts vorläufig abschließen konnte."

sige Metapher, sondern Realsymbol eines in totalem Selbstverlust verdämmernden Lebens. Es signalisiert die Ungeheuerlichkeit der normalen Lebensvorgänge.[4] Gerade dies, daß ‚das Gewöhnliche ... schon ein Wunder‘ ist (J 28), hat für Kafkas Dichten programmatische Bedeutung. Keiner seiner Helden ist ein Ausnahmemensch oder scharf profilierter Charakter, eher ein Durchschnittstypus, ja fast ein ‚Mann ohne Eigenschaften‘. Wir bewegen uns in einer alltagsmenschlich anonymen Lebenswelt, die aber — unter der Lupe betrachtet — voll ungeahnter Überraschungen ist. Das Absurde wird daher nicht von außen eingeführt, es gilt als immanent.

Entsprechend ist es nur eine Folge dieser Immanenz, daß „ein nach menschlichem Ermessen ... unmöglicher oder nur im Traum möglicher Fall wie die Verwandlung Gregors ... als faktische Wirklichkeit postuliert" wird und in keiner Weise als märchenhaft, sondern „gerade umgekehrt ... als das brutal Faktische des Antimärchens" erscheint.[5] Auch legt der Erzähler „alles darauf an, daß wir das poetisch Fiktive des unwahrscheinlichen Geschehens so rasch wie möglich in seinem fiktiven Charakter vergessen sollen."[6] Deshalb denkt ja auch „niemand aus dem Kreis der Umwelt über das Erstaunliche und Unerklärbare dieser Verwandlung nach".[7] Das Unverständliche und Grauenhafte stellt sich als etwas „zugleich Tatsächliches" dar; es ereignet sich „nicht jenseits der Wirklichkeit, sondern in der Wirklichkeit selbst" und erweist so „die erprobte Verläßlichkeit des Realen als bloßen Schein".[8] Insofern aber angesichts eines solchen unheimlich befremdenden Verwandlungsvorganges „die Kategorien unserer Weltorientierung versagen", kann man von einem — laut Definition — grotesken Geschehen sprechen.[9] Selbst Parodistisches, wenn auch schwerblütig Parodistisches, und — wie der *Hungerkünstler* zeigt — sogar ironisierender (makabrer) Humor begegnen in Kafkas Epik. Die Beschreibungen des Behördenapparates des obersten Gerichtes im *Prozeß* und des Beamtenaufwandes im *Schloß* sind — zumindest zum Teil — Parodien auf die Verschleißbürokratie des total verwalteten, modernen Lebens, bitterernste Vorwegnahmen von *Parkinson's Law.*

Der Eindruck der „Absurdität" wird zusätzlich dadurch genährt, daß Kafka, wie er selber betonte, nur in Bildern zu denken vermochte und daher alles, also auch das Ungegenständliche und das, „was als Inneres nicht mehr aussagbar ist, bis tief

---

[4] In der Tat ist es ein Hauptkennzeichen der Kafkaschen Dichtung, daß in ihr das Ungeheuerliche nicht lediglich als das exzeptionell Mögliche, sondern als das Übliche, ja Alltägliche erscheint. In der Erzählung *Die Verwandlung* ist recht eigentlich „die Unheimlichkeit des Existierens" dargestellt.

[5] BENNO VON WIESE: Die Verwandlung. In: Die deutsche Novelle von Goethe bis Kafka, Bd. 2, Düsseldorf 1965, 323 f.

[6] Ebd. 324.

[7] Ebd. 334.

[8] Ebd. 325.

[9] WOLFGANG KAYSER: Das Groteske. Seine Gestaltung in Malerei und Dichtung, Oldenburg 1957, 198: „Das Groteske ist die entfremdete Welt, eine Seinsstruktur, angesichts derer die Kategorien unserer Weltorientierung versagen."

hinab in archaische, ‚tierhafte' Schichten der Seele hinein, ja noch bis zu Krankheitszuständen der Bewußtseinsspaltung" in erschreckenden Bildern „nach außen treten" läßt.[10]

Auch Ambivalenz kann als eine Erscheinungsform des „Absurden" begegnen. Wenn z. B. am Schluß der *Verwandlung* beim Ausflug der Familie ins Grüne die ‚zu einem schönen und üppigen Mädchen aufgeblühte' Tochter ‚am Ziele ihrer Fahrt ... als erste sich erhob und ihren jungen Körper dehnte', so mutet das an wie ein Bekenntnis des Dichters zum natürlichen Recht des gesunden unreflektierten Lebens, zur ungebrochenen Kraft des Weiterlebens über alle Katastrophen hinaus. Zugleich aber zeigt sich, daß dieser Triumph des Lebens an das brutal wahrgenommene Recht des Stärkeren geknüpft ist, an eine Härte, die über Leichen geht. Andrerseits erscheint die Verwandlung Gregors als ein Zeichen der Flucht, der Kapitulation vor den Forderungen des Lebens, des Mangels jener Vitalität, „ohne die das Dasein des Menschen ... ins Unmögliche und ... Absurde geriete".[11] Unübersehbar ist auch „das Depravierende und Bestrafende", das dem Bild der Verwandlung des Helden in ein Ungeziefer anhaftet und diese „Flucht des Helden ins Anonyme und Isolierte [als] Existenzkatastrophe des Ich" erkennen läßt. Was hier zutage tritt, ist also ein unvermeidliches Versagen auf beiden Seiten, die fatale Tatsache, daß es überhaupt keinen gangbaren Weg in dieser Welt gibt. Weil sich aber solchermaßen die „Widersprüche des Existieresn" als „unauflösbar" erweisen, bleibt einem Dichter, der die menschliche Existenz adäquat darstellen will, keine andere Möglichkeit, als „eine verrätselte und grotesk verfremdete Welt" Kafkascher Prägung zu erfinden.[12]

Dem entspricht, daß sich der Leser Kafkascher Dichtung „durch eine fremdartige Welt" bewegt. „Es spielen sich hier Vorgänge und Begebenheiten ab, die in der äußeren raumzeitlichen Erscheinungswelt unmöglich sind und uns allenfalls im Traum begegnen, aber auch keineswegs eindeutig als Träume konzipiert sind, sondern sich ununterscheidbar — in direkter bruchloser Kontinuität — mit den Strukturen der äußeren raumzeitlichen Erscheinungswelt verbinden und zudem keineswegs mit den unterbewußt assoziativen Abläufen wirklicher Träume übereinstimmen ... Der Leser sieht sich in eine Welt versetzt, in der ihm ... sein gewohntes Realitätsbewußtsein abhanden kommt. Er sieht sich außerstande, von seiner Erfahrungswelt aus diese Vorgänge noch als wirklich oder auch nur möglich aufzunehmen und zu verstehen."[13] Da alle assoziierbaren „Bedeutungen letztlich undurchdringlich bleiben, herrscht das lähmende Gefühl labyrinthischer Sinnlosigkeit vor".[14]

---

[10] Von Wiese a.a.O. 330.
[11] Ebd. 343.
[12] Ebd. 344.
[13] Wilhelm Emrich: Zur Ästhetik der modernen Dichtung. In: Protest und Verheißung, Frankfurt a. M. ²1963, 123.
[14] Ebd. 125.

Das bruchlose Ineinander realistisch faßbarer Vorgänge und „unterbewußt assoziativer Abläufe" traumhaften Charakters unterscheidet Kafkas Gestaltungen von den phantastischen Dichtungen E. Th. A. Hoffmanns und seiner Nachfolger. Bezeichnenderweise steht Kafkas früheste erhaltene Dichtung, die 1904/05 entstandene *Beschreibung eines Kampfes*, E. Th. A. Hoffmann noch am nächsten. Wie bei diesem und dem durch ihn beeinflußten Gogol begegnet hier (wie auch in der späteren Erzählung *Blumfeld, ein älterer Junggeselle*) das absurde Selbständigwerden der Dinge, die die Helden narren oder bedrohen. Während aber der romantische Dichter seine halluzinatorische Traumwelt deutlich als eine solche kennzeichnet und gegenüber der empirischen Wirklichkeitswelt klar abgrenzt, gibt es bei Kafka eine solche „Hierarchie der Bildordnungen" nicht[15]; hier besteht vielmehr — wie betont — ein bruchloses Ineinander, eine ungestufte Einheit der empirischen und traumhaften Sphäre. „... geistige, seelische, psychologische Wahrheiten werden als sinnlich anschauliche Realitäten gestaltet", erscheinen „als Wirkliches mitten im gewohnten Kreis der Wirklichkeit".[16]

„Absurdität" kann sich ferner in der grundsätzlichen (und damit unaufhebbaren) Widersprüchlichkeit der Darstellungen Kafkas äußern. So betont R. G. Collins: „... if it were necessary to define his world, the word ‚contradiction' would probably be the prevailing one", und er zitiert als ein authentisches Zeugnis für seine These die Äußerung des Geistlichen im *Prozeß*: ‚Richtiges Auffassen einer Sache und Mißverstehen der gleichen Sache schließen einander nicht vollständig aus.'[17] Diese Widersprüchlichkeit als Grundlage aller menschlichen Erfahrung ist nach Collins auch eine Ursache dafür, daß Kafkas Romane keines definitiven Abschlusses fähig zu sein scheinen: „they are simply stopped. As is life. It is almost inevitable that they were left in incomplete form, since they assert that nothing can be finally proven."[18]

Auch das Groteske ist eine in Kafkas Dichtung begegnende Spielart des Absurden.[19] Sie läßt sich definieren als „unauflösliche Diskrepanz zwischen der scheinbaren festen Wirklichkeit der Dinge und ihrem schwankenden Sein im menschlichen Bewußtsein".[20] Als Beispiel einer grotesk absurden Erzählung kommentiert Kassel u. a. die Geschichte *Blumfeld, ein älterer Junggeselle*. Dieser „einsame, ernste und

---

[15] Wilhelm Emrich: Die Bilderwelt Franz Kafkas. In: Protest und Verheißung, Frankfurt a. M. ²1963, 253.

[16] Ebd. 256.

[17] Kafka's special methods of thinking, Mosaic. A Journal for the Comparative Study of Literature and Ideas, III/4, 1970, 54.

[18] Ebd. 54 f. Vgl. auch Günther Anders: Reflections on my book Kafka — Pro und Contra, Mosaic a.a.O. 63: „Most of his stories are broken off without a solution once the problem has been discussed; and since they never contain even the seeds of an ultimate solution, the ending comes with the finality of death itself."

[19] Norbert Kassel: Das Groteske bei Franz Kafka, München 1969.

[20] Ebd. 55: „Die alte ‚adaequatio intellectus et rei' ist gestört, die Namen der Dinge selbst ... sind höchst unsicher und zufällig, daher im Grunde beliebig austauschbar."

kaltkorrekte Mensch", der sein gesamtes Leben auf das zweckmäßigste durchrationalisiert hat, sieht sich plötzlich dem ‚teuflischen Witz' absurder Mächte gegenübergestellt und muß mit völlig widersinnigen und unberechenbaren Störungen seiner gewohnten Ordnung fertig werden. *Blumfeld* erinnert „an Erzählungen Gogols, insbesondere an die Geschichte mit der Nase, die plötzlich in einem Laib Brot gefunden wird und sich von ihrem verzweifelten Finder nicht trennen will.[21]

In Gestalt zweier kleiner Zelluloidbälle bricht die absurde Störung plötzlich in das wohlbehütete Junggesellendasein Blumfelds ein: ‚... zwei kleine, weiße, blaugestreifte Zelluloidbälle springen auf dem Parkett nebeneinander auf und ab; ... unermüdlich führen sie ihr Spiel aus.' Als etwas in sein Leben nicht Einfügbares kann der egozentrische Junggeselle dieses unsinnige Spiel der Bälle nicht begreifen noch gar dulden. Da er nur Dinge brauchen kann, die ihm nicht lästig werden, nicht aber solche, die sich selbständig machen und einem eigenen Gesetz folgen, versucht er diese ihm fremde Spielwelt in sein Dasein einzuordnen oder unschädlich zu machen. Weder das Eine noch das Andere gelingt. In seiner Auseinandersetzung mit der plötzlich eingebrochenen Gegenwelt, die seinem ordnenden Zugriff grundsätzlich entzogen ist, muß er scheitern. Je mehr er sich um Rationalisierung dieses Unberechenbaren bemüht, desto unausweichlicher wird er zu einer grotesk-komischen Figur. Die immerfort hüpfenden Bälle lassen sich nicht stoppen. Glaubt er sie von einer Stelle des Zimmers glücklich verdrängt zu haben, tauchen sie unversehens in einer anderen Ecke wieder auf und setzen boshaft ihr eigenwilliges Spiel fort. Was er auch unternimmt, er kann ihnen nicht entkommen.

Auch diese Groteske vom Junggesellen Blumfeld spiegelt im scheinbaren Unfug unaufhörlich hüpfender Zelluloidbälle die „absurde Thematik" der Kafkaschen Dichtung: das Scheitern des Menschen an der Tücke undurchschaubarer Gegebenheiten, die destruktive Macht der Kleinigkeiten und Lächerlichkeiten, die Scheinhaftigkeit aller Sicherheiten und Ordnungen, die fatale Wirkung widriger Zufälle, der unerwartete Eintritt des kritischen Augenblicks, die ‚Überrumpelung' des Helden im unvorbereiteten Zustand, die Konfrontation mit der Auswegslosigkeit des Daseins. Die vermeintlich perfekte Lebensplanung erweist sich — angesichts einer labyrinthischen Welt — als Trug. Nach langer Selbsttäuschung muß auch Blumfeld wie die anderen Protagonisten Kafkas erkennen, daß er sich nicht im Gleichschritt mit dem Gang der Welt befindet, daß er ihr nicht integriert, sondern ausgeliefert ist. So repräsentiert er in absurd verfremdeter Form den Typus des Kafkaschen Helden[22], den Junggesellen, der scheitern muß, weil er ‚kein Hiesiger' ist.[23]

---

[22] POLITZER a.a.O. 58: „Die typische Zentralgestalt ist und bleibt der Junggeselle."

[23] Auf alle Helden Kafkas und auf ihn selbst trifft zu, was im *Schloß* ein Dorfbewohner über das Mißlingen der vielen Anstrengungen K.s äußert: ‚Es geht schließlich doch alles wahrscheinlich darauf zurück, daß er kein Hiesiger ist.' Die Isolation des Junggesellentums verschärft noch die Situation. Im Zusammenstoß mit dem Anderssein der Welt wird die Bodenlosigkeit der Existenz bewußt. Ein unvorhergesehener Wechsel der gewohnten Lebensbedingungen genügt, um den planvoll errichteten Lebensbau wie ein Kartenhaus zusammenstürzen zu lassen.

Dem isolierten Ausgesetztsein des Helden in einer ihm fremd, feindlich und unberechenbar erscheinenden Welt korrespondieren die „Eliminierung aller Nebenpersonen"[24], die Konzentration auf die monologische Einsamkeit der Hauptgestalt und — als Folge daraus — die einsinnige Erzählperspektive. Auch diese zum Scheitern führende Isolation des Helden kann als Symptom der zugrundeliegenden „absurden" Thematik Kafkas angesprochen werden. Verweist sie doch auf das Sisyphus-Gespenst frustrierten Menschentums, vor allem aber auch auf den Widerspruch im Innern sowohl des Dichters wie seiner zentralen Figuren. Obwohl dem Dichter die Ehe als die vollkommenste Lebensform erschien, waren Liebe und Ehe niemals Gegenstände seines Dichtens. Allenfalls hat er gelegentlich einmal exzessive Lustakte beschrieben. Das nach seiner Vorstellung erfüllte Leben eines Gatten und Familienvaters war weder für ihn selbst noch für die Helden seiner Romane und Erzählungen realisierbar. Sie zeigen alle ein gleichsam reduziertes und in sich widesprüchliches Menschentum. Als Junggesellen können sie sich in keine Lebensgemeinschaft einordnen, haben aber auch in sich selbst kein Zuhause. Karl Roßmann, die beiden K.s, Gregor Samsa, der Landarzt, der Hungerkünstler, der Trapezkünstler, der Mann vom Lande, Blumfeld … leben allein. Georg Bendemann ist zwar verlobt, aber eben an diesem Versuch, das Junggesellentum aufzugeben, scheitert er; die geplante Heirat kommt nicht zustande. Auch der Offizier in der *Strafkolonie* ist offensichtlich ein Junggeselle mit eindeutig negativen Affekten gegenüber allem Weiblichen.

Interessant ist in diesem Zusammenhang der Landvermesser K. im *Schloß*, der zu Beginn einmal ‚Frau und Kind' erwähnt, im übrigen aber „im Dorf als echter Junggeselle Kafkascher Observanz" auftritt.[25] Ähnlich wie der Mann vom Lande, der vor dem Eingang in das Gesetz erscheint, hat er alles Frühere hinter sich gelassen. Er „zeigt … keinerlei Heimweh: zu tief hat er in seiner Wurzellosigkeit Wurzel geschlagen." „… sein Weg führt ihn niemals mehr nach Hause."[26] Auch insofern erinnert K. (und nicht nur Josef K.) an den Mann vom Lande, als sich „die aufsteigende Reihe der Türhüter der *Prozeß*-Parabel … sehr wohl mit … der Rangleiter der Beamten im *Schloß* vergleichen läßt …, mit dieser Bürokratie, die vom Vorsteher des Dorfes bis zum Kanzleivorstand Klamm hinaufführt."[27]

Aus dem grundsätzlichen Junggesellentum der Helden Kafkas folgt als Selbsterkenntnis „die Erkenntnis der Entfremdung, der Unzugehörigkeit"[28], das Wissen um

---

[21] Ebd. 73.
[24] HILLMANN a.a.O. 23 f.
[25] POLITZER a.a.O. 320.
[26] Ebd. 318.
[27] Ebd. 319. Ob jedoch — wie ERICH HELLER (Enterbter Geist, Berlin 1954, 307 ff.) annimmt — die Bezeichnung ‚Landvermesser' die Assoziation nahelegen soll, K. sei ein sich Vermessender, ein im Maß sich Vergreifender, also der Hybris Schuldiger, scheint mir zweifelhaft und weder durch den Ablauf des Geschehens noch durch K.s. Verhalten zu begründen.
[28] Ebd. 76.

die Unmöglichkeit, sich in die normale Menschenwelt einzuordnen, und als verbleibende Wahlmöglichkeit die Entscheidung, entweder Einsiedler oder Parasit zu sein. Tatsächlich werden die Kafkaschen Helden „von einer geradezu totalen Sucht nach der Hilfeleistung anderer getrieben".[29] Vor allem suchen sie nach der Hilfe der Frauen. Als typische Junggesellen — so formuliert Politzer — sind sie „polygam" und setzen ihre Hoffnung auf eine Vielzahl hilfswilliger Frauen. ‚Die Frauen haben eine große Macht', erklärt Josef K. und fährt fort: ‚Wenn ich einige Frauen, die ich kenne, dazu bewegen könnte, gemeinschaftlich für mich zu arbeiten, müßte ich durchdringen.' Auch das, nämlich die hohe Wichtigkeit der Frauen im Leben dieser prädestinierten Einzelgänger gehört zur absurden Thematik des Dichters. Politzer prägte dafür das Bonmot: „Kafkas Junggeselle ist ein Don Juan der Hilflosigkeit."[30]

Dem isolierten Helden Kafkas nahe verwandt ist endlich „die Grundfigur (Romanfragment ‚Seespeck'), in der sich der Bildkünstler Barlach autobiographisch selbst spiegelt ... sie gehört zu jenen hintersinnigen Grüblergestalten, die auf der Suche sind nach dem eigenen Ich ... wie in einem ausweglosen Zirkel verbleiben: ‚Jetzt kam es ihm vor, als ginge er an einer langen Planke entlang und fände nirgends einen Ausgang, die Planke aber hatte er im Verdacht, daß sie im Kreise liefe und er mit ihr. Wie er aber hineingekommen, war sein Geheimnis.'". „Es ist das unlösbare Geheimnis, dem auch vergeblich nachgeht, ja in trotzig-verzweifelter Auflehnung nachstürmt jener ‚unschuldige' Josef K. in Kafkas Roman *Der Prozeß*. Es ist das Geheimnis, in das ausweglos auch der Landvermesser in Kafkas *Schloß*-Roman verstrickt ist."[31]

Von allen Seiten wird deutlich, daß die Bezeichnung „absurd" in die Irre führt, insofern sie nur vordergründig zutrifft, in Wahrheit aber die Intention des Dichters verkennt. Wie er selbst formulierte, galt ihm Literatur als ‚Ansturm gegen die letzte irdische Grenze' (T 553), als ein Versuch der Erklärung des Unerklärlichen. Es ging ihm also um Ernstes, ja um das Ernsteste überhaupt, nicht um lediglich Abwegiges oder Sensationelles. Die Prager Dekadenzliteratur (Salus, Leppin, Meyrink u. a.), aber auch Oscar Wilde und Frank Wedekind lehnte er ab. Mystizismus und Schwulst waren ihm ein Greuel. Max Brod betont, daß er „durchaus nicht das Interessant-Angekränkelte, Bizarre, Groteske", sondern im Gegenteil „das Heilende, Gesunde, Einfache" wollte, und infolgedessen „vor allem Hebel, Stifter, Hamsun, Hesse und Carossa" geschätzt habe. In der gleichen Richtung lag u. a. auch sein Interesse für moderne Lebensreform.[32] Entsprechend war es ihm in der Dichtung nicht um Exzentrisches, sondern um Zentrales, also um radikale Enthüllung, um konsequenten

---

[29] Ebd. 45 ff.
[30] Ebd.
[31] BERNHARD RANG: Die deutsche Epik des 20. Jahrhunderts a.a.O. 83.
[32] HILLMANN II a.a.O. 263.

‚Realismus' zu tun. Ohne Beschönigung sollte offen gelegt werden, was ist. In solchem Sinn nahm er Becket vorweg.[33]

Gerade seine vielleicht schockierendste Erzählung, *Die Verwandlung,* ist ein Beispiel seines konsequent enthüllenden Realismus. Sie zeichnet „den Weg eines Menschen, der in der Firma plötzlich nutzlos, in der Familie überflüssig, schmarotzerhaft, also in jeder Beziehung ein ‚Ungeziefer' geworden ist. Genau als solches stellt Kafka ihn nun realiter dar . . . Er zeigt im Rückblick Gregors die Arbeitswelt, in der der Einzelne zu pausenloser Arbeit gezwungen ist und sofort rücksichtslos ausgestoßen wird, wenn er seine Funktion nicht mehr erfüllt. Er zeigt, daß die seelischen Haltungen nur Konsequenzen dieser Verhältnisse sind. So offenbart er zunächst Gregors Selbstentfremdung: dieser kann, bisher ausschließlich Firmenvertreter, mit seiner freien ‚Privatperson' nichts anfangen, sie erscheint ihm selbst als zwecklos, als Ungeziefer. Die bisherige Liebe der Familie zu ihm erweist sich als bloße Folge seiner Nützlichkeit als Ernährer, sie galt nur seiner Funktion, nicht seiner Person; die nun eintretende Abwehr, der Haß, ja die Vernichtungswut sind die üblichen Reaktionen auf ein nutzloses und das Leben und Wohlbehagen empfindlich störendes Ungeziefer. Gregors Tod ist das Endergebnis dieser Verhältnisse und Verhaltensweisen, der Negierung von außen, der Verkümmerung von innen."[34]

Um diesen Vorgang wirklich sichtbar zu machen, wird das Ungeziefer selbst vor Augen gestellt — im schockierenden Kontrast zur „normal" fortbestehenden Umwelt; denn „erst die Verzahnung von realistischer Gestaltung der Wirklichkeit und ‚unrealistischer' Gestaltung des scheinbar Phantastischen" läßt deutlich werden, was hier geschehen ist: „Gregor wird nicht mit einem Ungeziefer verglichen, sondern er ist ein Ungeziefer, erscheint nicht wie, sondern als ein solches".[35] Kafkas Kunst ist ein gesteigerter Realismus; „sie gibt nicht das Sichtbare wieder, sie macht sichtbar".[36] Aufschlußreich ist in dieser Hinsicht seine Bemerkung über Picasso: die bestürzenden Deformationen, die dieser vorführe, lägen in Wirklichkeit längst vor, seien aber nur ‚noch nicht ins Bewußtsein der Menschen gedrungen'; denn die Kunst sei ein Spiegel der Wirklichkeit, der ‚vorausgeht' wie eine Uhr.[37] Durch Weglassen und Übertreiben, Vereinfachen und Weiterentwickeln verfremdet sie das Normale, so daß die in der Wirklichkeit Lebenden deren Bild nicht wiedererkennen können und bestürzt sind.

Was hier dem Betrachter oder Leser abverlangt wird, ist Freiheit von „Fremdbestimmungen des eigenen Bewußtseins", ein wirkliches Hinschauen und Hinhören ohne „vorgefaßte Meinungen", wie es neuerdings auch Peter Handke als Forderung

---

[33] COLLINS a.a.O. 57: „Kafka sees life as a tragedy of hope, a comedy of despair."
[34] HILLMANN II a.a.O. 272. Es versteht sich, daß diese realistisch-psychologische Deutung nur e i n e n Aspekt der mehrschichtigen und auch multivalenten Erzählung erhellt.
[35] Ebd.
[36] Paul Klees Kommentar über die ungegenständliche Kunst.
[37] J 100. Vgl. Hillmann II, a.a.O. 269.

ausgesprochen hat. In seinem Aufsatzband ‚Ich bin ein Bewohner des Elfenbein-turms‘[38] berichtet er: ‚Vor einigen Jahren bin ich einmal im Kino ziemlich er-schrocken... Das kam daher, daß ein Bild allen Bildern in dem Film plötzlich widersprach‘. Was ihn aufschrecken ließ, war also, wie Christian Schultz-Gerstein betont[39], „die Faszination des ‚Stilbruchs‘". „Das Unpassende, den Erwartungen Widersprechende hatte... ihm im wahrsten Sinne des Wortes die Augen geöffnet", und zwar für ein einziges Bild in einem Film, „der ihn im übrigen gelangweilt hat". Was ihn schockierte, war die hier gewonnene Erkenntnis, „daß schon der erste Blick des Zuschauers gelenkt ist" und wir infolgedessen „nur noch in Bedeutungsbildern sehen müssen", denen wir nichts hinzufügen können, „das nicht schon modelliert wäre". Kunst (und Literatur) sollten aber — so die These Handkes (und Kafkas) — den Zuschauer (oder Leser) nicht bestätigen, sondern in Frage stellen, ihn dazu brin-gen, ‚sein Untertanenzuschauen zu überdenken‘ und sich nicht am bloßen Nach-kauen von Vorgekautem genügen zu lassen. Das aber heißt, es gelte, die in Frage stehenden Gegenstände überhaupt erst wirklich wahrzunehmen und sie nicht schon von vornherein durch Vergleiche abzuwerten. In solchem Sinn geht es auch in Kafkas „absurder" Epik nicht um Ausgeburten einer wildwuchernden Phantasie, sondern um konsequente Sichtbarmachung des Wirklichen. Wenn aber solche verkürzende Darstellung paradoxerweise vielen als absurde Ausschweifung erscheint, so beruht das auf einem fundamentalen Mißverständnis des Dichters, auf einem Verkennen seiner „Absicht, die Wirklichkeit in klaren Modellen zu erfassen".[40] Diese Intention zeigt sich nicht zuletzt auch an den epischen Gattungen, die er mit Vorzug gepflegt und eigenwillig ausgeprägt hat: Betrachtungen, Geschichten, Parabeln, Parabolische Erzählungen.[41] Zu seinem pessimistischen „Realismus" gehört ferner, daß es in sei-ner Dichtung keine Flucht in Traum und Rausch, keine Befreiung von der Fron des Lebens gibt. „Die Umklammerung der Arbeitswelt ist so total, daß sich aus ihr nie-mand lösen kann, es sei denn er geht, wie Gregor Samsa, elendiglich zugrunde".[42]

Daß es Kafka um modellhafte Gestaltung und universelle Thematik ging, macht — unabhängig davon, wie weit er diesem hohen Anspruch zu genügen vermochte — die Modernität seiner Epik aus. Wenn man gesagt hat, der zeitgenössische Roman erscheine „als Destruktion der überlieferten Romanform", so trifft das für Kafkas

---

[38] Suhrkamp taschenbuch 56, Frankfurt a. M. 1972.
[39] Besprechung des Aufsatzbandes im Feuilleton der ‚Zeit‘ (1972) unter dem Titel: Peter Handkes Kulturerlebnisse: ‚Einmal ziemlich erschrocken.‘
[40] WILHELM EMRICH: Zur Ästhetik der modernen Dichtung. In: Protest und Verhei-ßung a.a.O. 127: „Die Dichtung kann... nicht mehr inhaltlich gelesen werden, so, als würden uns hier bestimmte geschichtliche oder ideologische oder psychische Inhalte prä-sentiert, sondern sie kann nur formal verstanden werden als Modell menschlichen Seins, wobei dieses Sein freilich unter der Kafkaschen Sicht eine ganz bestimmte, unverwechsel-bar einmalige Struktur annimmt, dennoch aber... im Leser das Gefühl weckt, daß auch ihn diese besondere Struktur ‚angeht‘, daß hier ein ‚ewig Menschliches‘ berührt ist."
[41] Hillmann II, a.a.O. 269.
[42] Ebd. 276.

Romanschaffen in besonderem Maße zu: „Die Welt ist hier in keinem Sinne mehr . . . vorkonstituiert. Vielmehr werden die Möglichkeiten ihrer Konstituierung unausgesetzt neu erfragt."[43] Hier ist ein „Realismus" am Werk, für den „die Voraussetzungen, die die alte Romanform konstituierten", nicht mehr gelten. „Die erkenntnistheoretischen und ontologischen Kategorien, die einen einheitlichen Welt- und Erkenntniszusammenhang stiften", sind außer Kraft gesetzt. Einen „geschlossenen Handlungsablauf innerhalb eines raumzeitlichen Kontinuums oder eine romanhafte Verknüpfung festumrissener Charaktere" gibt es infolgedessen nicht mehr.[44] Kafkas Epik enthüllt also das bestürzende Paradox, daß die Wirklichkeit um so rätselhafter, ja unwirklicher erscheint, je voraussetzungsloser sie vergegenwärtigt wird. Mehr noch, es zeigt sich, daß der Mensch der Konfrontation mit der eigentlichen (und ganz anderen) Wirklichkeit als etwas Erschreckendem ausweichen möchte und daher eines schockhaften Erwachens bedarf, um der verborgenen Problematik seines Lebens bewußt zu werden. Erst die „Aufhebung des gewohnten Wirklichkeitsbewußtseins" bringt die Helden Kafkas zu sich selbst und zur Einsicht in die Undurchschaubarkeit der Existenz. Dieses Klarwerden bedeutet also hier recht eigentlich Verlust der Klarheit, nämlich Verlust der nur scheinhaften Klarheit und Sicherheit des „normalen" Existierens; es bedeutet Klarwerden darüber, daß die Probleme des Lebens nicht zu klären sind.

Diese für Kafka kennzeichnende Voraussetzungslosigkeit der Menschen- und Wirklichkeitsgestaltung ist jedoch keineswegs auf sein Werk beschränkt. Sie ist vielmehr „eine notwendige Konsequenz aus dem Erkenntnisstand des 20. Jahrhunderts, die sich [daher auch] bei den bedeutendsten Romanautoren dieser Epoche" feststellen läßt.[45] „Ähnliche Aufhebung des gewohnten Wirklichkeitsbewußtseins in einem Zustand zwischen Schlaf und Wachen" findet Emrich z. B. auch in dem großen Romanwerk Marcel Prousts, ferner in Hermann Brochs Schlafwandlervisionen und „halluzinatorischen Betrachtungen des sterbenden Vergil" oder in Robert Musils *Mann ohne Eigenschaften*. Auch Thomas Manns „hermetisch" abgeschlossener, „hochgetriebener" und von der Welt des tätigen „Flachlandes" isolierter *Zauberberg* gehört hierher.

Wie Hans Castorp während der entrückenden Zufahrt nach Davos wird Josef K. in Kafkas *Prozeß* sofort zu Beginn aus der Bahn seines gewohnten tätigen Lebens herausgeschleudert und radikal mit sich selbst und der Welt konfrontiert, zur totalen Rechtfertigung seines Lebens und seiner Umwelt gezwungen".[46] „In einem unvor-

---

[43] WILHELM EMRICH: Formen und Gehalte des zeitgenössischen Romans. In: Protest und Verheißung a.a.O. 169.
[44] Ebd. 170.
[45] Ebd. 170.
[46] Das gleiche gilt für Karl Roßmann im Amerika-Roman, der auf der Schiffsüberfahrt — ein Topos der Weltliteratur — den Übergang zu einem neuen Lebensstatus vollzieht. Als ob er den Lethestrom überquerte, ist alles Vergangene für ihn abgetan. Es geht nur noch um das im neuen Land ihm Bevorstehende. Für die Zurückbleibenden wird Karl Roßmann auf immer ein ‚Verschollener' sein.

bereiteten Augenblick, noch halb zwischen Schlafen und Wachen, fällt er aus dem verfestigten, schematisierten Wirklichkeits- und Bewußtseinszusammenhang heraus, der sein bisheriges Leben sicherte: ‚Ich wurde überrumpelt, das war es …‘ Sichernde Geistesgegenwart und geschlossener Arbeitszusammenhang sind hier [also] identisch."[47]

Alle Kafkaschen Helden erleiden dieses Schicksal, daß auf einmal der ihr Leben bestimmende Ordnungszusammenhang ohne ersichtlichen Grund zerreißt und daraufhin „Welt und Ich plötzlich ein fremdes, unerklärbares Aussehen" annehmen. „Konfrontiert mit dem Ganzen der Welt, wird das Ganze unüberschaubar. Nur als Teil eines Ganzen war dem Menschen die Illusion eines überschaubaren, gewissen Lebens gegeben. Nun zerbricht die Illusion. Der Mensch wird selbstverantwortlich für das Ganze seiner Welt."[48] Und an dieser Überforderung scheitert er. Da die Welt als Labyrinth erscheint, kann er sich nur noch permanent im Kreise drehn. Das Wort Bürgels im *Schloß* kennzeichnet diesen endlos fortgesetzten Leerlauf: ‚So korrigiert sich selbst die Welt in ihrem Lauf und behält das Gleichgewicht. Das ist ja eine vorzügliche, immer wieder unvorstellbar vorzügliche Einrichtung, wenn auch in anderer Hinsicht trostlos.‘ Das Ganze erscheint als ein großer Apparat, als ein perfekt funktionierendes, aber steriles System, dem der Mensch ausgeliefert ist wie einer Exekutionsmaschine. Er hat keine Chance, da er aus dem System nicht ausbrechen kann. Die Fatalität seines Scheiterns ist vorgegeben. Der kritische Augenblick trifft ihn wie der Blitz aus heiterem Himmel. Diese (scheinbare) Akausalität des katastrophalen Geschehens läßt sein Leben insgesamt als absurd erscheinen. Er kann nicht ankommen, da es kein Ziel gibt oder das Ziel nicht erkennbar ist. Deshalb gilt für den Kafkaschen Helden, daß, auch wenn er das Ziel erreichte, nichts gewonnen wäre, weil er zu spät ankäme. Aber auch moralisch erscheint seine Situation in seltsamem Zwielicht. Die Schuld des Protagonisten gilt zwar immer als zweifellos, aber sie wird nicht wirklich aufgedeckt, ja nicht einmal genannt, sondern bleibt rätselhaft in sich selbst verschlüsselt. Dieses gleichzeitige Unterstellen und Verschweigen der Schuld steigert noch den Eindruck der „Absurdität" der geschilderten Vorgänge.

Wie es der Konzeption der *Strafkolonie* entspricht, nach der der Verurteilte erst im Strafakt seiner Schuld inne wird, gilt für alle Helden Kafkas, daß erst in letzter Stunde — doch auch hier nur indirekt — ihre Schuld zutage tritt. Sie bekennen sie, indem sie das über sie verhängte harte Strafurteil am Ende annehmen. Dem entspricht das Schema, nach dem ihre Vita abläuft: „Die Helden werden schwächer im Widerstand, die Angriffe und Eingriffe des Ungewöhnlichen massiver von Mal zu Mal, bis sie schließlich … unter den immer erneuten Schlägen niedersinken und sterben", jedoch — wie betont — bereitwillig und schuldeinsichtig sterben. Daß die

---

[47] EMRICH: Formen des Romans a.a.O. 171.
[48] Ebd. 172.

Bedrohung der Helden mit der Vernichtung und oft sogar durch Freitod endet[49], hat moralische Bedeutung. Denn in allen Dichtungen Kafkas geht es um Schuld und Sühne.

Als Dichter des Absurden erweist sich Kafka vor allem mit seinen Tiergeschichten. Im Gegensatz zur Fabel, in der keine wirkliche Identifizierung von Mensch und Tier stattfindet, in der vielmehr — wie im ‚Epischen Theater' Bertolt Brechts — die Tiere nur „Zeigende" sind, besitzen sie nicht lediglich Gleichnischarakter, sondern setzen die Tierverwandlungen der Menschen oder die Menschenverwandlungen der Tiere als Realität. „Im Grunde sagen diese Metamorphosen nichts anderes aus, als daß die Geschöpfe dieser Erde — und zwar sowohl Mensch wie Tier — die Plätze verlassen haben, die ihnen ursprünglich im Plan der Schöpfung angewiesen waren. Ihre Eigenschaften sind vertauscht; ihre Identität ist verwischt."[50] Mensch und Tier haben gleichermaßen ihre Unschuld verloren. Die Entmenschlichung des Menschen und die Vermenschlichung des Tieres signalisieren eine fundamentale Störung der Welt. Es geht hier nicht nur um Irrungen, es geht um Katastrophen.

Um Entmenschlichung geht es aber auch in jenen Geschichten, die von Menschen handeln. „Die ‚hinfällige, lungensüchtige Kunstreiterin', die in der Skizze *Auf der Galerie* auf ‚schwankendem Pferd' unermüdlich im Ring einer Manege herumgetrieben wird, ist mit der Tierwelt durch ihre Umgebung verbunden. (Mit Gregor Samsa außerdem noch durch das sinnlose Kreisen um eine leere Mitte.)".[51] Hinzukommt, daß „die Zirkusatmosphäre weitgehend entsentimentalisiert" erscheint. So ist „die Reiterin ... eine seelenlose ‚Automate', die der Phantasie E. Th. A. Hoffmanns entsprungen sein könnte. Auch die Zuschauer, deren Hände ‚eigentlich Dampfhämmer' sind, stellen nichts anderes als Automaten dar und bestätigen den Marionettencharakter der Szene".[52] Durch seine Tränen, die sich ihm „unbewußt entringen", erweist sich der junge Mann als „das einzige menschliche Wesen in einer

---

[49] Der Ausgang der Erzählungen und Romane ist grundsätzlich letal: *Das Urteil, Die Verwandlung, In der Strafkolonie, Ein Hungerkünstler, Vor dem Gesetz, Der Prozeß, Das Schloß* ... usw.

[50] POLITZER a.a.O. 143 und 144. Daß die Welt aus den Fugen ist, war ein Alptraum Kafkas. Was heute kein abwegiger Traum, sondern eine reale Möglichkeit und ernsthaft diskutierte Angelegenheit der medizinischen Praxis ist, daß nämlich auf dem Wege der Transplantation versagende Menschenherzen durch intakte Schimpansenherzen ersetzt werden können, diese Durchbrechung des vorgegebenen Ordo der Natur, könnte eine „absurde" Erfindung Kafkas sein, eine Vorwegnahme der Kunst, die — nach seinen eigenen Worten — ‚vorgeht wie eine Uhr' (J 100).

[51] POLITZER a.a.O. 146. Vgl. ferner HEINZ LADENDORF (Kafka und die Kunstgeschichte. In: Wallraf-Richarts-Jahrbuch XXIII, 1961, 304 f.), dem Georges Seurats Gemälde ‚Le Cirque' von 1890/91 geradezu als eine Illustration zu Kafkas Erzählungen gilt, in der „Lüge und Leid, Schönheit und greller Kitsch so erschreckend dicht zusammengezwungen sind, als eine unauflösliche und allgegenwärtig quälende Unwahrhaftigkeit, als ein Bild der Trauer des Lebens".

[52] Ebd. 147.

universalen Puppenkomödie ..., die von Puppenreiterinnen auf Puppenpferden zur Unterhaltung der Puppen im Zuschauerraum gespielt wird".[53]

In der Erzählung *Ein Brudermord* zeigt die Entmenschlichung des Menschen schockierend absurde Züge: „... Schmar, der Wese tötet, ... ist eine Marionette; eine Puppe, die mit grotesker Gleichgültigkeit einer anderen Marionette den Bauch aufschlitzt."[54] „Die beiden repräsentieren die Menschheit, deren einer Teil dem andern mörderisch nachstellt. Nichts anderes liegt dieser Urfehde [von Kain und Abel] zugrunde als die Tatsache, daß die Menschen ... Unmenschen sind."[55]

Marionettenhafte Entmenschlichung und Verfremdung des Humanen ins Groteske begegnen auch in den Erzählungen *Elf Söhne* und *Ein Besuch im Bergwerk*. Kafkas Erklärung: ‚Die elf Söhne sind ganz einfach elf Geschichten, an denen ich jetzt gerade arbeite', nennt nur den Anlaß und enthält daher auch nur eine halbe Wahrheit. Auch spricht er schon kurz danach von fünfzehn ‚Söhnen'. Wie in *Ein Besuch im Bergwerk*, wo in ganz ähnlicher Weise zehn Ingenieure aufgezählt werden, geht es hier um das „Bild des Menschen als Zahl", also gleichsam um die nächste Stufe des Bildes „vom Menschen als Puppe". Zugrunde liegt der Gesichtspunkt, daß sich Menschen „ad libitum, ad infinitum und ad absurdum vervielfältigen lassen".[56] Die Auffassung des Menschen als bloße Zahl demonstriert in krassester Form „die Gesichts- und Namenlosigkeit einer entmenschten Menschheit". Kafkas absurd anmutende „Welt von Zahlen, Puppen, Affen und anderen un- und halbmenschlichen Gestalten" besitzt gleichwohl Realitätscharakter, insofern sie den modernen Status des total verwalteten Lebens spiegelt.[57]

Die vielleicht absurdeste Verfremdung solcher Art begegnet in *Die Sorge des Hausvaters* bei dem nicht wirklich qualifizierbaren Ding ‚Odradek'. Das Ganze ist „ein Stück Unsinn, vorgetragen im Jargon des Fachmanns", eine Karikatur der „Maschinen, deren unmenschliche Gestalten und Zwecke er während seiner Bürostunden in der Arbeiter-Unfall-Versicherungs-Anstalt zu studieren und zu beschreiben hatte".[58] Solche Gestalten und Dinge von außernatürlicher Realität entstam-

---

[53] Ebd. 147.
[54] Ebd. 147.
[55] Ebd. 147.
[56] Ebd. 150 ff.
[57] Ebd. 152: „Der Mensch erscheint als Dutzendware. Die Schwundreste von Individualität, die diese Aufzählungen den einzelnen Posten immer noch zumessen, werden ausgelöscht durch die Zahl zwölf, diese Zahl, die so rund ist wie eine Null. Und tatsächlich fallen auf dem Zifferblatt der Uhr ja zwölf und null zusammen."
[58] Ebd. 153: „Mit dem Ding ‚Odradek' wird die mechanisierte Wirklichkeit verlacht, indem ihrer Absurdität ein Heimatrecht im Überwirklichen eingeräumt wird." Ebd. 154: Zwar „ist Odradek mit technologischer Akkuratesse dargestellt, aber gerade die Wissenschaftlichkeit dieser Darstellung hindert ihn daran, Leben zu gewinnen".
[59] Ebd. 155.
[60] Ebd. 155 f. „Vergebens versucht ... das Göttliche, sich noch einmal dem Menschen zu offenbaren: wenn es erscheint, ist seine Gestalt nicht nur schrecklich, sondern auch lachhaft."

men einer von Kafka seismographisch aufgenommenen destruktiven Verwandlung der Welt. „Ihr Erscheinen im Erlebnisfeld des Menschen ist ein Symptom der Krankheit, von der ein ehedem ordentliches Universum befallen wurde: in einer heilen Welt wäre es dem Wesen Odradek nie erlaubt worden, Gestalt anzunehmen und dem Hausvater Sorgen zu bereiten".[59] Auch die störenden Bälle des Junggesellen Blumfeld hätten hier keine Chance gehabt. Und ebenso wenig hätten die Geisterpferde des Landarztes ihr Unwesen treiben können. Die unberechenbare Aggressivität all dieser wunderlich surrealen Wesen und Dinge läßt erkennen, daß der Kosmos zum Chaos geworden ist, und drängt zu heillos pessimistischen Schlußfolgerungen: ‚Einmal dem Fehlläuten der Nachtglocke gefolgt — es ist niemals gutzumachen'. *(Ein Landarzt)* Oder: ‚Ein Mißverständnis ist es; und wir gehen daran zugrunde'. *(Ein altes Blatt)*[60]

Die Absurdität der Entmenschlichung des Menschen präsentiert sich in der Perfektion ihres Vollzugs, in der „trostlosen Monotonie einer Weltordnung, in der nur noch verordnet und nichts mehr geordnet werden kann".[61] Für das Kafkasche Labyrinth gilt das Wort des Polonius aus *Hamlet*: ‚Ist es schon Unsinn, hat es doch Methode'. Menschliches Dasein erscheint als Verlorenheit in der Wüste einer restlos mechanisierten Welt, im Leerlauf einer totalitär gewordenen Bürokratie.

Im *Schloß*, seinem umfänglichsten (aber auch Fragment gebliebenen) Roman, hat Kafka versucht, „die Summe aller seiner Unsicherheiten über des Menschen Schicksal zu ziehen".[62] Aufschlußreich ist schon die Topographie. Zugrunde liegt nämlich die Vorstellung des Labyrinths, derzufolge sich der Held immerfort im Kreise dreht und deshalb — trotz mühevoll langer Wege — nicht vom Fleck kommt. Die Hauptstraße des Dorfes, von der aus K. sein Ziel, eben das Schloß, anvisiert, führte, wie es heißt, ‚nicht zum Schloßberg, sie führte nur nahe heran, dann aber, wie absichtlich, bog sie ab, und wenn sie sich auch vom Schloß nicht entfernte, so kam sie ihm doch auch nicht näher'. Diese Straße beschrieb also einen Kreis. Und so war es nur folgerichtig, daß das Dorf, das ihr entlang gebaut war, ‚kein Ende nahm'. Alle Stationen von K.s Weg sind an der im Kreis verlaufenden Dorfstraße gelegen: „nahe der Brücke der Brückengasthof, in dem er seine erste Nacht verbringt; hernach die Schule, in der er als Schuldiener Unterkunft findet; und schließlich der Herrenhof, in dessen Ausschank er Frieda begegnet und Klamm zu Gesicht bekommt. Hier, im Herrenhof, findet auch sein Nachtverhör mit Bürgel statt; hier endet, im Gespräch K.s mit der Herrenhofwirtin, der Roman. Da der Herrenhof immer noch an der Dorfstraße liegt, ist K. am Ende des Buches seinem Ziel, dem Schloß, nicht um die Länge eines Schrittes näher gekommen."[63] Das war auch nicht möglich, weil er sich

---

[61] WILHELM EMRICH: Franz Kafkas Bruch mit der Tradition und sein neues Gesetz. In: Protest und Verheißung a.a.O. 242.

[62] POLITZER a.a.O. 398.

[63] Ebd. 330 ff. Ebd. auch die nächstfolgenden Zitate.

an der Peripherie eines Kreises bewegte, in dessen Mitte sich das Schloß befand. „Seine Absicht ... die Peripherie zu verlassen und in den Mittelpunkt des Kreises vorzustoßen", konnte er nicht verwirklichen; denn es gab keinen anderen Weg, der ihm zugänglich gewesen wäre. Was er aber über „die Sphäre, die ihn vom Zentrum trennt[e], das Reich der Zwischenfiguren, der Beamten und Boten", in Erfahrung zu bringen vermochte, waren nur „Mitteilungen zweiter Hand" und mehr verwirrend als informativ. Das Bild, das sich ihm aus solchen inkompetenten Berichten von der Schloßverwaltung ergab, entsprach „der uralten Menschheitsvorstellung vom Labyrinth", einem „Zentralsymbol" des Dichters wie u. a. auch *der Turm von Babel* oder sogar *der Schacht von Babel,* unter welchen Sinnbildern sich ihm das Niemals-ans-Ziel-kommen darstellte.

Auch die „Rückblendungen wie Gardenas Bericht über ihre Liebschaft mit Klamm, die ‚weit über 20 Jahre' zurückliegt, oder Olgas Erzählung der Amalia-Episode, die ‚vor mehr als drei Jahren' spielte, führen nur scheinbar in die Vergangenheit der Figuren, die hier sprechen. In Wahrheit schließen sie K.s Zukunft in aller Hoffnungslosigkeit auf; denn sie bedeuten ihm die völlige Unnahbarkeit der Instanzen, die ihn abweisen werden, genauso wie sie seine Auskunftgeber zurückgestoßen haben ... es gab [also] keinen Zugang zum Schloß, es gibt keinen und wird keinen geben."[64] Der Schloß-Beamte Bürgel, der ihm scheinbar wirklich behilflich sein will, ist nur „der raffinierteste in der langen Reihe von Kafkas Türhütern"[65], die seinen Helden den Weg zum Ziel listig verstellen.

Nach Max Brod hat Kafka folgendes Ende des *Schloß*-Romans vorgeschwebt: „Der angebliche Landvermesser erhält wenigstens teilweise Genugtuung. Er läßt in seinem Kampfe nicht nach, stirbt aber vor Entkräftung. Um sein Sterbebett versammelt sich die Gemeinde, und vom Schloß langt eben die Entscheidung herab, daß zwar ein Rechtsanspruch K.s, im Dorfe zu wohnen, nicht bestand — daß man ihm aber doch mit Rücksicht auf gewisse Nebenumstände gestatte, hier zu leben und zu arbeiten". Danach wäre also dieser Held Kafkas zuletzt doch noch „angekommen" — aber zu spät. Eine nur scheinbar positive Lösung, in Wahrheit das traurigste Ende.[66] Leben und Lebensausgang stimmen nicht zusammen. Denn was ihn lebenslang angetrieben und in den Irrgängen durch das Labyrinth nicht hatte aufgeben lassen, war „seine ungebrochene Sehnsucht nach einer Gewißheit, die ihm versagt

---

[64] Ebd. 359.
[65] Ebd. 367.
[66] Ebd. 398. Auch Politzer wertet das Schicksal K.s. in solchem Sinn: „Dieser Landvermesser ist weder eine mythische noch eine Legendenfigur, weder der ewige Wanderer der germanischen Sage noch Ahasver, der ewige Jude der christlichen Überlieferung. Denn Mythos und Legende wissen von Himmel und Hölle, führen zum guten oder tragischen Ende. Kafkas K. hingegen wandert Kreis nach Kreis durch ein Dämmerreich zwischen Erlösung und Verdammnis, ein Schicksal, das infernalischer ist als jedes andere, das Mythos oder Legende ausgesonnen haben."

bleiben mußte", ein grundliegend Positives also, das aber eben im Augenblick des Gelingens wieder ins Leere auslief.[67]

Von allen Seiten bestätigt sich somit der pessimistisch-tragische Welt- und Lebensaspekt des Dichters: „his purpose ... was to present life as a complete ‚impasse'".[68] Die menschliche Misere galt Kafka als so unabänderlich, daß er von nichts, „weder von einem Krieg noch von einer Revolution Erneuerung" erhoffte.[69] Die Welt — so sieht es Kafka — ist nicht ins Lot zu bringen. Ihre ‚gebrechliche Einrichtung' ist irreparabel. Versäumtes läßt sich nicht nachholen, Verfehltes nicht wiedergutmachen. Die mißlingende Ankunft ist stets die schon mißlungene Ankunft. Aber obwohl die Chance, den richtigen Weg zum Ziel zu wählen, bereits von vorn herein vertan ist, steht der Mensch unter der Forderung, das Unmögliche zu vollbringen, nämlich seine begangene Schuld ungeschehen zu machen und die verlorene Unschuld zurückzugewinnen. Zum Scheitern verurteilt, bleibt den Kafkaschen Helden nichts anderes übrig, als in stets erneuerten Kämpfen zur Verteidigung und Selbstrechtfertigung sich aufzureiben und Niederlage auf Niederlage einzustecken.

Nichts könnte den tragischen Pessimismus des Dichters genauer kennzeichnen als die todestraurigen Meditationen des melancholisch verdüsterten Hamlet: ‚Es ist nicht, und es wird auch nimmer gut.' (I, 2) Kafkas negatives Fazit: Nichts ist, wie es sein sollte, findet in den Klagerufen des verzweifelnden Dänenprinzen emphatisch gesteigerten Ausdruck: ‚O Gott! o Gott! Wie ekel, schal und flach und unersprießlich / Scheint mir das ganze Treiben dieser Welt! / Pfui, pfui darüber! 's ist ein wüster Garten, / Der auf in Samen schießt; verworfenes Unkraut / Erfüllt ihn gänzlich.' (I, 2) Die Parallele dringt indessen noch tiefer, insofern bei Hamlet wie bei Kafka der bis zum selbstzerstörerischen Nihilismus vorgetriebene Pessimismus im letzten doch metaphysisch-religiös gebunden bleibt.

Bei aller Übereinstimmung der Situationen muß aber auch ihr Unterscheidendes hervorgehoben werden. Hamlets tragischer Pessimismus resultiert aus ganz konkreten und exzeptionellen Ursachen. Ihm ist etwas widerfahren, was nicht alle Tage geschieht: der unerklärlich plötzliche Tod seines geliebten Vaters und — in schockierendem Zusammenhang damit — die ‚schnöde Hast' der Wiederverheiratung seiner Mutter mit dem ungeliebten Oheim. Es geht also um Unalltägliches, Erregendes, Unverständliches. Und er selbst ist keineswegs ein Jedermann, vielmehr nach Anlage und Neigung ein Ausnahmemensch.[70] Die Tragödie Hamlets ist also ausschließlich s e i n e Tragödie, die nur er so erleiden konnte. Sie ist wohl ungeheuerlich in ihren

---

[67] Ebd.: „Es ist das entscheidende Merkmal von Kafkas Labyrinth, daß man der Wahrheit am nächsten kommt in jener Sekunde, ehe man die Schwelle überschreitet, die zu seinen Irrgängen führt."

[68] GÜNTHER ANDERS: Reflections on My Book Kafka — Pro und Contra, Mosaic a.a.O. 63.

[69] J 80.

[70] Vgl. die Laudatio des Fortinbras auf Hamlet: ‚ward ihm Raum, er hätte sich ... höchst königlich bewährt ...'

Ausmaßen: ein ‚Fest' des ‚stolzen Todes', der ‚auf e i n e n Schlag so viele Für-
sten so blutig traf' (V, 2), aber zugleich etwas Einmaliges, ein Sonderfall, nicht
ein Symptom des insgesamt als absurd erachteten Weltzustandes. Um solches jedoch,
nämlich um die immer wiederkehrenden Mißlichkeiten des Daseins, um die permanente Katastrophe des Menschen an sich, um Irreparables also, handelt es sich in den
Tragödien Kafkas. Er scheitert nicht wie Hamlet an einer besonderen Ungunst der
Situation oder daran, daß ihm die Kraft nicht reicht, um die gestörte Welt wieder
in Ordnung zu bringen, sondern daran, daß nach seiner vorgegebenen Überzeugung
die Welt überhaupt nicht in Ordnung zu bringen ist. In der Welt Kafkas scheitert
jeder. Hier folgt dem scheiternden Helden kein vom Glück begünstigter Fortinbras
nach, der erfolgreich eine neue Ordnung stiftet und so den Fortgang der Welt sichert.
Hier ist der pessimistisch tragische Weltaspekt absolut gesetzt. Es gibt keinen Ausweg aus dem Labyrinth. Im Gegensatz zu dieser unaufhörlichen Trostlosigkeit des
Kafkaschen Welt- und Menschenbildes läßt Shakespeare das Tragische als das Exzep-
tionelle mit elementarer Gewalt in die Menschenwelt einbrechen, aber auch wieder
im natürlichen Fortgang der Dinge, gleichsam in einem Akt der Selbstreinigung,
überwunden und ausgemerzt werden. Mit zwei Zeilen kündigt Fortinbras am Schluß
des *Hamlet* diesen fundamentalen Szenenwechsel an:

> Nehmt auf die Leichen! Solch ein Blick wie der
> Ziemt wohl dem Feld, doch hier entstellt er sehr.

Das normale Leben geht also weiter, und zwar in positivem Sinn. Die Störung ist
behoben. Die Welt ist kein Chaos. ‚Zu neuen Ufern lockt ein neuer Tag.'

Kafkas Dichtung hingegen kennt keinen solchen befreienden Wechsel der Szene.
Hier ist alles in gleichbleibende Düsternis getaucht und unter demselben negativen
Aspekt gesehen. Das gesamte Leben verläuft in einem Teufelskreis. Daß es sich bei
seinen Helden infolgedessen grundsätzlich um die schon m i ß l u n g e n e und nicht
um die erst bevorstehende (also möglicherweise noch verhinderbare) m i ß l i n -
g e n d e Ankunft handelt, zeigt sich in der Regel bereits zu Beginn oder — wie bei
den Parabeln und parabolischen Erzählungen — in den zugrundeliegenden M o -
d e l l s i t u a t i o n e n und moralisch-religiösen Prämissen. So sind z. B. die Delinquenten in der *Strafkolonie* nicht nur von vorn herein verurteilt, sondern ihre Verurteilung basiert auch auf einem moralisch-religiösen A priori: ‚Die Schuld ist immer
zweifellos.' Ebenso ist Gregor Samsa schon zu Beginn der Erzählung ‚in ein ungeheures Ungeziefer verwandelt', und diese Verwandlung erscheint als irreversibel.
Im *Prozeß* wird Josef K. schon im ersten Satz als ein Angeklagter vorgestellt; der
Prozeß läuft bereits und läßt sich nicht mehr umgehn. Im *Verschollenen* befindet
sich Karl Roßmann bereits auf dem Schiff nach Amerika und damit der auf ihn zukommenden neuen Situation in einem fremden Kontinent ausgeliefert. Die Weichen-
stellung, die den Verlauf seines Lebens bestimmen wird, ist schon erfolgt. Er hat
keine Wahl, er ist Gefangener seiner Situation, er wird sich gegen die Übermacht

des Riesenmolochs Amerika behaupten müssen. Aber auch hier kann der Ausgang seines Kämpfens kaum zweifelhaft sein: der Stärkere wird siegen.[71]

Als Georg Bendemann ,an einem Sonntagvormittag' über sich selbst zu reflektieren beginnt, ist es bereits um ihn geschehn. Was immer man auch als sein Verfehlen ansehen mag, er kann das (bewußt oder unbewußt) Begangene nicht wieder aufheben und ist daher reif für das vom Vater ihm zugedachte Strafurteil, so sehr er sich dagegen sträuben mag. Die Schuld liegt voraus, sie ist fundamental, ein unentrinnbarer Tatbestand. Wie die anderen Geschichten Kafkas ist also auch *Das Urteil* wesentlich nur eine Analyse von etwas Vorgegebenen, eben der vorbestehenden ,zweifellosen Schuld' des Helden. Das Gleiche gilt für den als Landvermesser sich vorstellenden K. im *Schloß*. Auch er ist bereits sich selbst, nämlich seiner Selbstreflexion, anheimgefallen und daher ein „Fremdling", ein „Unbehauster" geworden, der vergebens um Wiedereinbürgerung in eine ihn sichernde Gemeinschaft kämpft. Die Isolation ist Folge des schon begangenen Sündenfalls. Er scheitert also nicht, weil er hier und jetzt gravierende Fehler begeht, sondern weil er grundsätzlich auf einem falschen Wege ist, weil er irgendwann in der Vergangenheit, als es um die Entscheidung ging, die falsche Wahl getroffen hatte. Auch über seinem Leben steht daher der fatale Satz aus der *Landarzt*-Erzählung: ,Einmal dem Fehlläuten der Nachtglocke gefolgt — es ist niemals gutzumachen.'[72]

Die Legende *Vor dem Gesetz* bildet insofern (scheinbar) eine Ausnahme, als in ihr auch der Akt der fatalen Fehlentscheidung selbst dargestellt wird, aber bezeichnenderweise geschieht das gleich zu Beginn. Darum ist der eigentliche Erzählinhalt der Parabel wiederum nur F o l g e des eingangs gezeigten Versagens. So gilt denn grundsätzlich, daß die Erzählungen, Romane und Parabeln Kafkas alle n a c h d e m S ü n d e n f a l l spielen und daher Vergleiche mit der analytischen Dramaturgie und mit der Gattung der Schicksalstragödie naheliegen. Wie im *Ödipus* ist in Kafkas Dichtungen beim Beginn der dargestellten Handlung das Entscheidende schon geschehen. Mithin kommt es nur noch darauf an, die Helden durch eine Reihe von Verwicklungen und Selbsttäuschungen hindurch schrittweise aus ihrem tragischen Nichtwissen herauszuführen und schließlich zur vollen Einsicht in ihre Situation zu bringen, so daß ihnen im Rückblick das Ganze ihres Lebens als schuldhafte Irrung durchschaubar wird und sie zuletzt den Widerstand gegen das über sie befindende verborgene Gericht aufgeben und die ihnen zugeteilte Strafe auf sich nehmen.

---

[71] Das gilt, auch wenn Kafka hier kein völliges Scheitern des Helden geplant haben sollte. Daß er die vielleicht beabsichtigte halb-positive (oder glimpfliche) Lösung n i c h t gestaltet hat, dürfte nicht Zufall, sondern Symptom sein. Die traumatische Vorstellung der Aussichtslosigkeit alles Bemühens war zu übermächtig. Wer wie Hamlet das Leben als ein ,Sich-Waffnen gegen eine See von Plagen' sieht, kann sich ein Nicht-Scheitern gar nicht vorstellen.

[72] Die Formulierung ,Fehlläuten der Nachtglocke' macht den Schuldbegriff selbst zwielichtig, insofern das Sündigen als Folge listiger Verführung, ja Irreführung erscheint. Denn das Fehlverhalten wird durch einen Akt der Täuschung provoziert.

Es geht also in Kafkas Tragödien nicht allein um Scheitern, sondern immer auch um Schuld. Das Scheitern des Helden ist geradezu der Test seiner Schuld. Ob explizit wie im *Urteil, Prozeß* und in der *Strafkolonie* oder implizit wie in den meisten anderen Dichtungen, läuft das Leben des Protagonisten als eine Art Gerichtsprozeß ab. Ist doch — nach Kafkas eigenen Worten — auch das Jüngste Gericht in Wirklichkeit ein Standrecht, also etwas Permanentes und nicht erst in ferner Zukunft Eintretendes. Infolgedessen ist der Begriff der Schuld hier schlechthin zentral, mag auch der Held mitunter als ein verführtes oder irregeführtes Opfer erscheinen. Weil er das absolute Gesetz nicht kennt, bleibt ihm die eigene Schuld verborgen, wird er unwissend schuldig. „Unwissend" bedeutet für Kafka jedoch gleichzeitig: „ohne Gewissen", das heißt: ein moralisches Versagen. Nichtwissen als solches ist somit bereits Schuld und schützt nicht vor Strafe. In Wahrheit ist ja das Gericht keine „den Menschen von außen her belangende Instanz". „Es liegt vielmehr in ihm selbst und in der ganzen Menschheit zugleich... Deshalb auch ist es ‚unsichtbar' (T 31)... Es ist identisch mit dem ‚Unzerstörbaren', das ... die absolute Wahrheit verkörpert, die der Mensch zugleich sucht, weil sie sein Lebensgrund ist und die er zugleich flieht, weil sie ihn als konkrete Existenz vernichten würde."[73]

Aus der zentralen Bedeutung des Schuldbegriffs ergibt sich der moralistische Gesamtaspekt des Kafkaschen Schreibens. Da hier das Leben als ein permanentes Gericht erscheint, liegt allen Werken des Dichters die G e r i c h t s t h e m a t i k zugrunde. Einige seiner Erzählungen sind Strafphantasien, Strafvisionen, die sich „auf seine eigenen Schuldgefühle zurück... führen" lassen.[74] Um so erstaunlicher ist, daß die stets mit dem Tod gesühnte Schuld der Helden im einzelnen nicht definiert, sondern nur grundsätzlich unterstellt wird. Infolgedessen ist sie auch dem Leser schwer erkennbar. Wenn Josef K. im *Prozeß* eine gewisse Gefühlskälte, vielleicht auch Mangel an echtem beruflichen Engagement und typischen Junggesellenegoismus zeigt, so repräsentiert er damit weithin jenen Durchschnittsbürger, der sich allgemeiner Achtung erfreut und nicht mit Verhaftung bedroht wird. Daß er ferner das Gesetz nicht kennt, auf Grund dessen ihm der Prozeß gemacht wird, kann ihm ebenfalls nicht gut als kapitale Schuld angerechnet werden, nachdem sogar „die Vertrauensmänner und Sendboten des Gerichts" ihm keinen richtigen Bescheid darüber geben können.[75] Dem steht freilich entgegen, daß er s e l b e r zuletzt — „und zwar auf dem Weg zu seiner Hinrichtung" — ein Schuldbekenntnis ablegt, ja daß er sich schon v o n a l l e m A n f a n g a n, „seit... das Verfahren gegen ihn eingeleitet

---

[73] HILLMANN I a.a.O. 81. Vgl. auch EMRICH: Die Erzählkunst des 20. Jahrhunderts a.a.O. 188: „Die Gerichtsbehörden stehen nicht außerhalb, sondern hausen mitten im irdischen Leben, ja sie sind selbst das Leben. Denn das Leben selbst ist schon Gericht. ‚Es gehört ja alles zum Gericht', heißt es im Roman *Der Prozeß*. Aber niemand kennt das Gericht, niemand kennt sich selbst."
[74] POLITZER a.a.O. 245.
[75] Ebd. 255.

worden", schuldig gefühlt hatte.[76] Sagte er doch zur Zimmervermieterin Frau Grubach: ,... wenn Sie die Pension rein erhalten wollen, müssen Sie zuerst mir kündigen.'

Worum es hier geht, ist also die ganz persönliche Schuld des Helden, die nur er allein wissen kann und die auch nur individuell zu bemessen ist, jene Schuld, die verdrängt und vergessen oder überhaupt nicht bewußt registriert wird, jene schnellfertige Manipulation des Gewissens, die das Übersehene als nichtexistent ausklammert und tieferdringende Selbstreflexion verhindert. Gerade Josef K., der im Innersten um sein Schuldigsein weiß, will die Wahrheit nicht wahrhaben und betäubt sein Gewissen mit Selbstgerechtigkeit. Der Parabel *Vor dem Gesetz,* mit der ihn der Geistliche zur Schuldeinsicht bewegen will, vermag er nichts zu seiner inneren Klärung zu entnehmen. Sein Selbstmitleid läßt ihn mit dem Mann vom Lande sympathisieren, diesen als Opfer listiger Täuschung ansehen und nicht als einen schmählichen Versager erkennen. Seine Parteinahme für den vermeintlich Getäuschten und gegen den Türhüter ist ein Akt unbewußter Selbstrechtfertigung. Noch hat Josef K. jenen für alle Helden Kafkas entscheidenden Punkt der Schuldeinsicht nicht erreicht, wo „im Innersten ein Gewissen sich regt, die eigne Unwürde durch ein Selbstgericht zu sühnen".[77] Noch verweigert er sich seinem verschwiegenen „besseren Wissen" und hält an dem autosuggestiven Glauben fest, ein zu Unrecht Verfolgter zu sein.

Eben diese selbstverständliche Unterstellung der eigenen Unschuld ist es, die die Helden Kafkas in die Irre führt und in wachsendem Maße schuldig werden läßt. In lebenslangem Bemühn schieben sie die Schuld auf die Gegenwelten ab, wobei der Eifer ihrer Abwehr- und Rechtfertigungsbemühungen die Größe der verdrängten Schuldgefühle bestimmt. Hinzu kommt, daß die Gegenwelten jeweils mit den Augen der Protagonisten gesehen werden, daß sie also weithin subjektive Projektionen sind und „die eigene Täuschung, Impertinenz und Hilflosigkeit" der Helden zurückspiegeln.[78] Gleichwohl besitzt die Gegenwelt, so verzerrt sie sich auch in der Sicht der Hauptgestalt spiegeln mag, eine eigene Realität; sie ist nicht reine Setzung, sondern löst Reaktionen aus. Und es gehört zur Ambivalenz des wechselseitigen Verhältnisses zwischen dem Helden und der Gegenwelt, daß diese, obwohl ihr (äußerlich) die Befugnis der richterlichen Instanz zukommt, in sich selber fragwürdig erscheint und daher keineswegs das moralische Recht zur Verurteilung des Helden beanspruchen könnte. Aber es handelt sich bei Kafka nicht um das Recht oder Unrecht der Gegenwelt, sondern einzig um die Schuld des zu Verurteilenden. Das zeigt sich besonders deutlich im *Prozeß:* „Nicht das Gericht ist bereit, das Urteil zu fällen, sondern [der Held] ist bereit, den Kampf gegen sein Schuldbewußtsein aufzugeben und sich dem

---

[76] Ebd. 255.

[77] PONGS II a.a.O. 205.

[78] Ingeborg Henel: Die Deutbarkeit von Kafkas Werken a.a.O. 260. Die Bemühungen des Helden sind „Ausdruck der Verzweiflung" darüber, daß er mit dem ,unveränderlichen Gesetz' in Konflikt geraten ist.

Gericht zu unterwerfen."[79] Die eigentliche Lösung des Konflikts und damit die Erlösung des Helden wäre daher das Selbstgericht. Auch das wird am Schluß des *Prozeß*-Romans deutlich: „Daß die Henker stumm sind, bedeutet... im Grunde, daß Josef K.s Widerstand gegen das Gericht verstummt ist: in der [stummen] Erscheinung der Henker reflektiert sich von vornherein sein stillschweigendes Einverständnis mit ihrem Auftrag. Er ist dankbar, daß man es ihm ‚überlassen hat, sich selbst das Notwendige zu sagen'. Das Notwendige aber ist die Anerkennung des Urteils und damit das Eingeständnis der Schuld. Josef K. sieht ein, daß es jetzt seine Pflicht wäre, das Urteil selbst zu vollstrecken, und daß er, da ihm dazu die nötige Kraft fehlt, stirbt ‚wie ein Hund', so daß die Scham ihn überleben wird."[80]

Wenn die Erzählungen und Romane Kafkas den Leser kraß und unversöhnlich anmuten, weil sie jeweils mit der tödlichen Bestrafung des Helden enden, so beruht das recht eigentlich auf einem Mißverständnis des Dichters. Denn in seiner Sicht war Strafe nichts Schreckliches, sondern etwas Positives und Notwendiges, nämlich die „Möglichkeit der Entsühnung"[81], die Chance der Erlösung durch Aufhebung der Schuld. Ingeborg Henel verweist auf zwei (meist als schockierend empfundene) Tagebucheintragungen Kafkas, die diese versöhnende Funktion der Strafe betonen: ‚Heute früh zum erstenmal seit langer Zeit wieder die Freude an der Vorstellung eines in meinem Herzen gedrehten Messers.' (T 137, 1911); ‚Das Glück bestand darin, daß die Strafe kam und ich sie so frei, überzeugt und glücklich willkommen hieß.' (T 546, 1921)[82] Unter diesem positiven Aspekt der Strafe ist es darum auch nicht sinnlos oder absurd, wenn die Protagonisten des Dichters zuletzt ihre Selbstbehauptung aufgeben und sich dem Urteilsspruch des Gerichtes beugen. Vielmehr vollziehen sie damit das einzig Sinnvolle und längst Fällige.

Der Sinn der das gesamte Werk Kafkas bestimmenden Gerichtsthematik liegt also darin, daß „jeder Moment gelebten Lebens... verantwortet werden" muß im Blick auf „eine höchste Instanz, ein untrügliches Gesetz, ein Unzerstörbares im Menschen..., vor dem der empirische Mensch nicht zu bestehen vermag"[83] und daher immer als schuldig erscheint. Kafkas „untrügliches, bleibendes Gesetz unseres Lebens" ist also etwas Übergeschichtliches, Metaphysisches, „das schlechthin Unerforschliche, Vorgegebene, Unerzwingbare, das zugleich jeden Menschen in die Begegnung mit sich selbst zwingt."[84]

Aus alledem ergibt sich, daß die Bezeichnung „absurde" Thematik nur das Auffällige und Vordergründige, nicht aber den Kern der Kafkaschen Dichtung trifft.

---

[79] Ebd. 261.
[80] Ebd. 265 f.
[81] Ebd. 265.
[82] Ebd. 265.
[83] EMRICH: Erzählkunst des 20. Jahrhunderts a.a.O. 189 f.
[84] Ebd. 190.

Ging es dem Dichter doch keineswegs um phantastische oder gar mutwillige Deformationen der Wirklichkeit, sondern im Gegenteil um ein möglichst genaues und vollständiges Aufzeichnen der darzustellenden Phänomene, um einen bis ins letzte enthüllenden Realismus, der sich am nur Sichtbaren nicht genügen läßt und das Kurzschlüssige transzendiert. Hinzu kommt, daß es nicht nur e i n e n Schlüssel zum Werk dieses Dichters gibt, daß es vielmehr jeweils „von Fall zu Fall, von Text zu Text erschlossen werden" muß. Denn Kafka hat — trotz der vielen durchlaufenden thematischen „Parallelen und Gemeinsamkeiten" in seinen Erzählungen — „über sehr viel mehr Probleme Geschichten [geschrieben] als andere Autoren (nämlich über sein gesamtes, auch intellektuell ungewöhnlich reiches ‚traumhaftes inneres Leben') und sich dazu einer großen Vielfalt verschiedener Techniken und Methoden bedient".[85] Dennoch gibt es ein alle Gestaltungen Kafkas Verbindendes, eine — wenn auch in vielfältig wechselnden Einkleidungen sich darbietende — gleichbleibende Thematik und Problematik. Immer geht es dem Dichter um die Auseinandersetzung mit sich selbst, um die Grundfragen der eigenen Existenz. Obwohl er kein einziges im Wortsinn autobiographisches Werk geschaffen hat, liegt doch seinem gesamten Schreiben ein autobiographischer Antrieb zugrunde. Die eigene Vita, sein persönliches Leben und Leiden boten den Gegenstand seiner Dichtung. Der konsequent isolierte Einzelgänger Kafka, der grundsätzliche, unerlösbare Junggeselle erscheint in seinen Helden wieder. Wie der Dichter selbst sind auch sie einer aggressiven Gegenwelt ausgeliefert, und alles konzentriert sich auf diesen Konflikt zwischen dem allein auf sich gestellten Individuum und dem feindlichen oder sich verweigernden Kollektiv der andern.

Vor allem aber werden die Auseinandersetzungen jeweils in der Sicht des Helden vergegenwärtigt. Die anderen Gestalten haben nur funktionale Bedeutung, und Nebenpersonen sind weithin ausgeschaltet, so daß die Isolation des Protagonisten aufs schärfste zugespitzt erscheint. Infolge dieser Introversion stellt das Erzählte wesentlich eine innere Realität dar, eine „Seelenwirklichkeit", wie Beißner formulierte. Walser spricht sogar von einer „hermetischen Transzendentalität". Ingeborg Henel zog daraus die letztmöglichen (irrealen) Folgerungen: Was der Leser sieht — m i t dem Helden sieht, sei nichts als Reflexion und Reaktion, enthülle uns nur den Helden, nicht aber eine eigenständige Wirklichkeit. Jeder Schluß von diesen Reflexionen auf Instanzen einer objektiv existierenden Gegenwelt müsse fehlgehen. Alles spiele sich vielmehr im Bewußtsein des Helden ab, sei Darstellung eines (nur) inneren Vorgangs. Auch die ganze Metaphorik der Romane betr. Gericht und Schloßverwaltung deute darauf hin, daß es sich in beiden Romanen um Bewußtseinsprozesse handelt, in denen der Held sich unausgesetzt ... mit sich selbst aus-

---

[85] Seidler I a.a.O. 179. Paradoxerweise sei es deshalb sogar „eine große Gefahr" für den Interpreten, wenn er „zu viel von anderen Werken Kafkas weiß, insofern er sich dadurch den Blick für das Besondere eines Einzeltextes verstellen läßt".

einandersetzt.[86] Es handle sich also immer nur um „Spiegelungen und Projektionen des Helden, außerhalb derer es keine Realität gibt.[87]

Diese Auffassung der Person des Helden als einer Monade ohne Fenster und Türen ist bestechend, aber wie alles Bestechende nur eine halbe Wahrheit. Wohl mag die in Kafkas Dichtung dargestellte Welt als eine von der empirischen Welt weit entfernte Eigenschöpfung angesprochen werden, aber völlig autonom und ohne jeden Bezug auf die außerhalb bestehende Realität kann sie nicht sein. Sie ist niemals reine Erdichtung, sondern — auch als Schöpfung — immer zugleich Reaktion auf die vorgegebene Welt, Anwort auf das gelebte Leben, transponierte Autobiographie.[88] Ungewollt räumt auch Ingeborg Henel selbst diesen letzthin unaufhebbaren Wirklichkeitsbezug des Kafkaschen Dichtens ein, wenn sie das Erzählte als „Reflexion und R e a k t i o n" bezeichnet.[89]

Andrerseits ist Kafkas Dichtung so stark durch Introversion bestimmt, daß sie sich fast wie in einem Teufelskreis immer gleicher Problematik bewegt. Der Vereinzelte in seinem Kampf zwischen Selbstbehauptung und Selbstaufgabe ist das durchlaufende Thema, so daß sich das Gesamtwerk recht eigentlich als „Thema mit Variationen" darstellt. Daß es dennoch in jeder dieser Variationen aufs neue zu fesseln vermag, bezeugt die gestalterische Kunst des Dichters, die bilderreiche Intensität der Vergegenwärtigung. Vor allem aber bezeugt es die suggestive Macht der Thematik als solcher, die Unabweislichkeit des Eindrucks, daß hier an den Grund menschlichen Seins gerührt wird. Jeder vernimmt den Anruf: Tua res agitur. Infolgedessen verbindet sich in Kafkas Dichtung das Autobiographische mit dem Universellen. Der Kafkasche Held, der für den Dichter selbst steht, ist andrerseits ein Jedermann, der in den Mühen seiner gewöhnlichen Arbeit vorgestellt wird, so Karl Roßmann als ein sich abquälender Liftboy, Josef K. als Prokurist einer Bank, der Landvermesser K. als Schuldiener im Dorf, Blumfeld als Angestellter einer Wäschefabrik, Georg Bendemann als ein von seinen Geschäftsinteressen absorbierter Kaufmann, Gregor Samsa als geplagter (vormaliger) Handlungsreisender. Die Kafkaschen Helden repräsentieren so sehr den Typus des Jedermann, daß keiner von ihnen als Charakter klar definiert oder auch nur definierbar erscheint.[90]

---

[86] Die Deutbarkeit von Kafkas Werken a.a.O. 257 ff.

[87] Ebd. 262: „Deshalb darf der Leser dem Erzähler die Welt nicht einfach als eigenständige Welt abnehmen."

[88] SEIDLER (I a.a.O. 176) wendet mit Recht gegen Ingeborg Henels These ein, daß „einfach nicht einzusehen [sei], warum eine vom Dichter geschaffene ... Welt keine Entsprechung in der wirklichen Welt haben könne" und erhebt die Gegenfrage, wie denn überhaupt ein literarisches Werk ohne allen Bezug auf die bekannte Welt, und ohne jede Entsprechung zu ihr, in irgend einem Sinn intelligibel bleiben könnte.

[89] A.a.O. 257.

[90] EMRICH (Die Erzählkunst des 20. Jahrhunderts a.a.O. 180) verweist in diesem Zusammenhang darauf, daß auch schon Goethes „Wilhelm Meister ... kein fixierter Charakter mit definierbaren Eigenschaften [sei], sondern ein wahrhaft potentieller Mensch, der Mensch als Inbegriff seiner Möglichkeiten, immer unterwegs, ohne festes Ziel ..."

Ergibt sich aus der gleichsam eigenschaftslosen Konzeption der Hauptgestalten die universelle Tendenz des Dichters, so ist doch andrerseits das von ihm gezeichnete Welt-Lebens-Bild aufs stärkste eingeengt durch seinen pessimistisch-tragischen Aspekt. Indem Kafka mit der tiefdringenden Einseitigkeit des introvertierten Einzelgängers nur die Negativa des menschlichen Daseins, nicht aber das aus Licht und Schatten gemischte Ganze vor Augen stellt, verfehlt er die an sich gewollte universelle Thematik. Gewiß rückt er vieles in den Blick, was vielfach nicht erkannt wird. Er enthüllt sogar eine ganze Welt des gemeinhin Übersehenen. Diesem unerbittlichen Offenlegen oft verborgener Mißlichkeiten korrespondiert jedoch ein ebenso unerbittliches Übersehen vieler anderer (und nicht weniger wichtiger) Dinge. Was in seiner Dichtung aufgezeigt wird, ist also eine pessimistisch verdüsterte, ja in Wahrheit nur halb gesehene Welt, eben das Ergebnis einer durch rigorose Introversion bestimmten, reduzierten Sicht der Welt und des Lebens. Mit am krassesten erscheint diese Einengung des Blicks auf das Negative in der Darstellung der Frauen, die ohne weibliche Würde, rein als Geschlechtswesen gezeichnet sind. Nirgendwo in Kafkas Werk findet sich eine Vergegenwärtigung oder auch nur Andeutung der polar gespannten Ganzheit des Männlichen und Weiblichen. Hier gibt es keine Chance für ein positives Bekenntnis im Sinn der *Zauberflöte*: ‚Mann und Weib und Weib und Mann/Reichen an die Gottheit an‘, keine transzendierende Erfüllung der Geschlechterdualität im Sinne von Gottfrieds *Tristan*: ‚Ein man ein wîp, ein wîp ein man / Tristan Isolt, Isolt Tristan.‘ Und dies, obwohl Kafka andrerseits in Ehe, Familie und Vaterschaft das Höchste sah, was im menschlichen Leben überhaupt zu erreichen sei. Dieser Widerspruch trifft den ambivalenten Kern seines Ich, die tragische Paradoxie seiner Existenz.

Zwar trifft Emrich die Intention Kafkas, wenn er von grundsätzlich „universeller Thematik" des Dichters spricht. Denn das Werk selbst erhebt den Anspruch „universeller Thematik". Aber es realisiert ihn — wie betont — in der Enge einer konsequent pessimistischen Welt-Lebenssicht, diese freilich mit überscharfer Genauigkeit. Kafka fehlt das Gespür für die Goethesche Weisheit, daß im Atemholen z w e i e r l e i Gnaden sind. Als heillos Vereinzelter ist er nicht eingewoben ins Ganze, weiß er nichts von der heilenden Kraft des Gezeitenwechsels, der nach wellenrhythmischen Gesetzen das Gleichgewicht in der Bewegung der Dinge immer wieder herstellt. Er hält den Pendelschlag gleichsam im negativsten Punkt der Bewegung fest und fixiert die Katastrophe. In seiner Welt kommt daher nichts in Ordnung. Hier bleibt alles labyrinthisch dunkel. Josef K.s selbstverdammender Kommentar zum eigenen Tod zeigt, daß auch die sühnende Strafe der Hinrichtung keine Erlösung bringt: „„Wie ein Hund" sagte er, es war als sollte die Scham ihn überleben.‘ Es gibt auch keine Laudatio für die gescheiterten Helden Kafkas, keine *restitutio in integrum*, nicht einmal die Einräumung mildernder Umstände.[91] Alle

---

[91] Vgl. im Gegensatz dazu die Rühmung des toten Caesarenmörders Brutus gerade durch seinen Verfolger Marc Anton:

enden sie ‚wie ein Hund‘ oder ‚krepieren‘ wie ein Käfer. Die Lösung ist, daß es keine Lösung gibt. Nur der Ruf der Sehnsucht überdauert die Katastrophe. Die Antwort bleibt aus.[92]

Es ist eine masochistisch getönte Vorstellung von der Welt, die Kafka vermittelt, kein Bild, das den durch Introversion begrenzten Horizont jemals überschreitet. Zwar mag man zweifeln, ob ein Künstler gestaltend sich selbst zu überfliegen vermag, sicher ist jedoch, daß Kafka den genau entgegengesetzten Weg, den Weg der letztmöglichen Selbstversenkung gegangen ist. Das war freilich ein Weg voll reicher und überraschender Entdeckungen, und die Faszination des Lesers durch die labyrinthische Welt des inneren Menschen hat das Interesse an objektivierter welthaltiger Dichtung im Geiste Goethes (Faust II) oder Shakespeares weithin ‚ins Nebensächliche gerückt‘. Überhaupt hat der psychologische Trend des 20. Jahrhunderts das monomanische Selbstinteresse des Individuums in jeder nur möglichen Spielart attraktiv gemacht. Ohne Zweifel stimmt auch der extreme Subjektivismus Kafkas besser zu dem durch Existenzangst bestimmten Lebensgefühl des modernen Menschen als der um Distanz zum eigenen Ich bemühte Objektivismus alter Weltdichtung. Aber zugleich wird hier die Grenze des Kafkaschen Werkes greifbar. Gemessen an Shakespeares charaktere- und typenreicher Menschenwelt, die ihr vielfältig verschiedenes Sein auch auf verschiedenen Rängen darlebt und so die weite Skala des Menschenmöglichen zwischen Prospero und Caliban in kontrastvoll bunten Szenen ausbreitet, erscheint das Welt- und Menschenbild Kafkas — trotz aller Intensität der Selbstumkreisung — farblos, eng und kurzgeschlossen. Doch darf ihm nicht vorgeworfen werden, daß er den archimedischen Punkt nicht finden konnte, den zu suchen er sich zum Ziel gesetzt hatte. Niemand erkannte besser als Kafka selbst, daß er an diesem seinem höchsten Anspruch gescheitert war.

Das tut aber der Wirkung seines Werkes, der Beunruhigung, die es auslöst, keinen Abbruch. Dessen starke Stimulation beruht nicht zuletzt auf seiner in sich selbst widersprüchlich gespannten Thematik. Was oberflächlich betrachtet als abwegig, ja

---

This was the noblest Roman of them all:
All the conspirators save only he
Did that they did in envy of great Caesar;
He only, in a general honest thought
And common good to all, made one of them.
His life was gentle, and the elements
So mix’d in him that Nature might stand up
And say to all the world: ‚This was a man!‘

[92] Das widerspricht nicht der Auffassung Max Brods, nach der Kafka nicht das Zerstörende, sondern das Aufbauende, Positive w o l l t e. Es gibt viele Zeugnisse, die die ungebrochene Sehnsucht des Dichters erkennen lassen. Da aber Sehnen und Glauben bei ihm nicht im Einklang waren, wagte er nicht, eine letztgültige Antwort zu geben. Deshalb blieben seine Romane unvollendet und fanden die Erzählungen — nach seinem eigenen Urteil — meist keinen befriedigenden Schluß.

absurd anmutet, erweist sich bei genauer Prüfung als Ergebnis eines mikroskopisch exakten Sehens, das mit seiner durch Einengung des Blickfeldes aufs äußerte geschärften Deutlichkeit für den Ausfall vieler nicht in Betracht gezogener Dinge kompensiert. Wenn er das Darzustellende letztlich in sich selbst entdeckt, so erhebt er gleichwohl für diese inneren Gesichte Anspruch auf Allgemeingültigkeit, weil ihm nur im eigenen Innersten das allen Menschen Gemeinsame als adäquat erfaßbar gilt. Nur durch restlos ausschöpfende Selbsteinsicht scheint ihm der Mensch in modellhafter Klarheit erkennbar. Infolgedessen ist ihm der autobiographisch bedingte, exzentrische Einzelgänger zugleich der Mensch als solcher. Das exemplarische Bestraftwerden als ein Hauptbestandteil seiner Thematik trifft seltsamerweise relativ harmlose Menschen. Zur Darstellung des Lebens als ‚vergeblicher Liebesmüh‘ kontrastiert die hinter allem spürbar bleibende Sehnsucht nach einer Gewißheit. Trotz der schonungslos enthüllten Frustration des menschlichen Daseins stellt es sich ihm nach Sinn und Bestimmung als ein lebenslanger Kampf dar.[93] Auch der oft selbstzerstörerisch anmutende Nihilismus Kafkas war also nicht ohne Gegengewicht. Denn lebenslanger Kampf setzt Hoffnung voraus[94], unterstellt Glauben an ein Unzerstörbares. In diesem Sinn ist der Titel seines frühen Werkes *Beschreibung eines Kampfes* programmatisch für sein gesamtes Schaffen. Angesichts einer solchen Grundhaltung fragt es sich, ob die labyrinthisch gekennzeichnete Welt wirklich als nichts weiter gelten kann denn als Labyrinth und ob es lediglich sinnloser Zufall ist, wenn sich das Scheitern der Kafkaschen Helden stets in Form eines Schuld sühnenden Strafgerichts vollzieht. Im Unausgesprochenen liegt mit der stärkste Reiz dieser Dichtung. Denn Nicht-Sagen ist hier kein Nichts-Sagen. Und gerade im Moralisch-Religiösen, im Blick auf die letzten Dinge war Kafka kein Nihilist. Am Unbeweisbaren hielt er entschieden fest: „Hope is the affirmative side of Kafka's contradiction: and therefore his contradiction paradoxically suggests a value in life even when its impossibility seems proven ... Not hopelessness but struggle, not defeat but defeat contended against by hope."[95]

---

[93] Kafka selbst bekannte: wenn er verdammt sei, sei er nicht nur dazu verdammt zu sterben, sondern auch dazu verdammt zu kämpfen, bis er sterbe. (T II, 161)

[94] R. G. COLLINS a.a.O. 56: „As long as life remains, says Kafka, hope is an essential part of it."

[95] Ebd. 56 f.

Darstellungsformen

Die Erörterungen über Kafkas „absurde" Thematik führten zu einem absurden Ergebnis: das Absurde — so sieht es der Dichter — ist nicht absurd, es ist das Normale, das immer und überall sich Ereignende. Wenn wir es anders sehen, so liegt das nach Kafka daran, daß wir Welt und Leben nicht ‚mit Mikroskopaugen' betrachten und daher die eigentliche Wirklichkeit nicht wahrnehmen. Aber eben darauf käme es an, und darum ist es das erklärte Ziel des Kafkaschen Schreibens, den Leser aus seinen gewohnten Vorstellungen herauszureißen und sein bequem zurechtgemachtes Weltbild zu zerstören. Der Dichter muß also verfremden, ja schockieren. Naturalistische Genauigkeit der Schilderung genügt zu solchen Zwecken nicht. Es bedarf vielmehr parabolischer Bilder und Darstellungsformen, um das Eigentliche sichtbar zu machen, das mit dem vordergründigen Gewohnheitsblick nicht zu erkennen ist. Infolgedessen liegt auch die „Absurdität" Kafkas nicht in seinen Themen, sondern in seinen (scheinbar) grotesken Darstellungsformen.[1]

Hinzu kommt ein Weiteres: Kafka ist kein abstrakt spekulierender Philosoph, sondern ein an konkreten Gegebenheiten einsetzender und ad hoc Stellung nehmender Denker und Deuter.[2] Aber der Griff nach dem Konkreten ist immer schon ein Ausgreifen ins Allgemeine. Die gerade in den Blick genommene Situation erscheint als symptomatisch, der Einzelfall als allgemein bedeutungsvoll. Weil aber nach solcher Auffassung das Universelle jeweils nur in den dinglichen Details wahrnehmbar ist, darf nichts übersehen werden.[3] Es ist diese Spannung zwischen dem konkret Einzelnen und dem abstrakt Universellen, die der Darstellung Kafkas ihren stimulierenden Reiz verleiht. Ein Beispiel solcher Koinzidenz des Vordergründigen mit dem Hintergründigen bietet der Eingangssatz der frühen Betrachtung *Der Fahrgast*: ‚Ich stehe auf der Plattform des elektrischen Wagens und bin vollständig unsicher in Rücksicht meiner Stellung in dieser Welt, in dieser Stadt, in meiner Familie.' Diese Bemerkung ist nicht etwa weit hergeholt, sondern Ausdruck eines hellwachen Bewußtseins der Immanenz des Allgemeinen im Einmaligen und Zufälligen. Sie kennzeichnet das immerwährende Offensein des Dichters für den

---

[1] Wie ROMAN KARST (Word-Space-Time. In: Mosaic III/4 a.a.O. 1) betont, ist die Besonderheit Kafkas nicht die Ungewöhnlichkeit, wohl aber die Intensität, mit der er alles vergegenwärtigt: „This intensity explains the peculiar nature of his fiction. Everything happens here as if under the pressure of a thousand atmospheres, under the stress of the highest responsibility, under the press of catastrophe by which mankind is threatened."

[2] Ja, er denkt überhaupt erst, indem er schreibt, und plant so gut wie nicht vorher. Vgl. Hillmann I a.a.O. 155. Vor allem erfaßt er „innere Vorgänge … sozusagen ausnahmslos als Bilder", wie BINDER (Kafkas literarische Urteile a.a.O. 219) mit folgendem Satz verdeutlicht: ‚Ich wie aus Holz, ein in die Mitte des Saales geschobener Kleiderhalter.'

[3] GÜNTHER MÜLLER (Über das Zeitgerüst des Erzählens, DVjs. 24, 1950, 30) betont: „Der Ablauf des Tatsächlichen ist ungewöhnlich präzis und Schritt für Schritt gegeben, ebenso präzis die einzelnen Situationen."

Gleichnischarakter aller Gegebenheiten des Daseins, eine Haltung, in der das Ernstnehmen des Konkreten zugleich ein Transzendieren des Konkreten bedeutet.

Das Verfremdende der Darstellung Kafkas liegt vor allem darin, daß er „das innere Leben als ein sichtbares, äußeres" betrachtet, es also „radikal objektiviert [und] ihm wie einem anderen, fremden Gegenstand gegenübertritt ... Kafka versetzt sich nicht mehr wie andere Dichter ... in das innere Leben seiner Helden, indem er ihre Gefühle, Gedanken und Empfindungen nachzeichnet oder beschreibt, sondern tritt aus diesem inneren Leben heraus und betrachtet es wie ein objektives, gegenständliches Geschehen, was zugleich auf die Helden übertragbar wird, indem etwa Josef K. seinen inneren Prozeß als eine äußere schreckliche Wirklichkeit erlebt, die er zunächst selbst nicht verstehen und durchschauen kann. Die Helden stehen [also] ihrer eigenen Innenwelt als einer fremden Gegenstandswelt gegenüber, die sie plötzlich überfällt und ihr normales alltägliches Arbeitsleben durchkreuzt".[4] Das aber heißt: „das Bild verliert [bei Kafka] seinen Gleichnischarakter, wird objektive Realität".[5] Die Verwandlung Gregors Samsas wird „als realer Vorgang innerhalb der bürgerlichen Welt gestaltet, so daß subjektiv-seelische Zustände und objektiv-gegenständliche Realität ... ununterscheidbar eins werden ... im Gegensatz zu allen früheren Traumdichtungen, etwa der Romantik oder Barockzeit, wo trotz oder gerade wegen des alles verwirrenden oder ironisch-skeptischen Ineinanderspielens von Traum und Leben, Leben und Traum immer noch ein deutliches Bewußtsein der Geschiedenheit beider Sphären statthat".[6] Aber trotz solcher konsequenten Konkretisierung seines ‚traumhaften inneren Lebens' weigert sich Kafka, „irgendeine begrenzte zeitgeschichtliche, soziologische, weltanschauliche Position in seinem Werk zu gestalten ... [riegelt vielmehr] sein Werk hermetisch ab ... gegen jeden konkreten Bezug zur Zeit und Geschichte ... und gestaltet scheinbar nur irreal spukhafte Fiktionen".[7] Es entspricht seiner Forderung nach universeller Gültigkeit, daß er sich nicht festlegt; denn: ‚Der Geist wird erst frei, wenn er aufhört, Halt zu sein.' Doch bleibt die Frage, ob dieses Freiwerden des Geistes schon das sichere Ergreifen der Wahrheit bedeutet, ob die Freiheit gleichsam von selbst den Irrtum ausschließt oder ob sie nicht vielmehr gleichermaßen die Chance eines Treffers und das Risiko eines Fehlschlags impliziert.

---

[4] WILHELM EMRICH: Franz Kafkas Bruch mit der Tradition und sein neues Gesetz. In: Protest und Verheißung a.a.O. 236.

[5] Ebd. 141.

[6] Ebd. E Th. A Hoffmann trennt (z. B. im *Goldenen Topf*) die halluzinatorische Welt ganz deutlich von der normalen Tageswelt ab. Anders ist es aber schon in Erzählungen Gogols, in denen sich Traum- und Tagsphäre nicht mehr trennen lassen.

[7] Ebd. 143: „Die scheinbare Unverständlichkeit ... entspringt keinem mystischen Irrationalismus oder Erkenntnisverzicht, ... sondern ist Ausdruck eines übergreifenden Bewußtseins, das sich gegen jede begrenzende Aussage distanziert ..., um die g a n z e Wahrheit zu erreichen." In ähnlichem Sinn hatte schon TUCHOLSKY (Der Prozeß a.a.O. 400) „die grausame Mischung von schärfster Realität und Unirdischem" in Kafkas Dichtung betont.

Kafkas konkrete Darstellung hat also nichts mit traditioneller realistischer Erzählweise zu tun. Im Gegenteil, er hebt „alle kategorialen Ordnungen unseres empirischen Daseins" auf und „bewegt sich überhaupt nicht mehr in den Anschauungs- und Denkformen unseres normalen Bewußtseins".[8] Die Personen werden nicht charakterpsychologisch gekennzeichnet, sondern rollenhaft funktional gesehen, zum bloßen Modell reduziert. Im Grunde findet überhaupt keine Personendarstellung statt. Die Frauen und Männer, die in den Romanen und Erzählungen auftreten, sind weithin wie ‚Puppen . . ., von unsichtbaren Händen am Draht gezogen'. (Georg Büchner: Danton). Diese Funktionalität der Gestalten hat gewiß auch mit der einsinnigen Erzählperspektive Kafkas zu tun, derzufolge die Personen nur in der begrenzten Sicht des Helden — eben in den lediglich ihn betreffenden Funktionen — vergegenwärtigt werden.[9] Und „wie die Helden Kafkas niemals individuell bestimmte Charaktere, sondern Figuren, das heißt Handlungsträger, sind, die generelle Bedeutung haben, so ist auch der Raum keine einmalig ausgeprägte Landschaft, die wir wieder erkennen könnten an ihren realistisch kopierten Merkmalen, sondern ein Handlungsraum, der typisch und allgemein ist".[10]

Auffällig ist ferner Kafkas „bewußtes Ausklammern der emotionalen Perspektive" aus der erzählerischen Darbietung; „beurteilende Bezeichnungen wie ‚peinlich', ‚grotesk', ‚grauenvoll' usw. [fehlen] völlig".[11] „Das Groteske wird [also] nicht expressis verbis zur Darstellung gebracht, sondern Kafka läßt es mit den Mitteln seiner konkretisierenden Sprachkunst als ‚Leibhaftiges', sozusagen unbemerkt, fiktive Realität werden. Kafka stand mit dieser Kunst als Einsamer innerhalb seiner Prager Dichtergeneration und Zeit da."[12] Das wird besonders deutlich, wenn wir seine nüchtern genauen Formulierungen mit der in Stimmungsmache schwelgenden Erzählsprache seiner Prager Schriftstellerkollegen vergleichen.[13] Vor allem aber ist — wie betont — das ungewöhnlich Anmutende in seiner Sicht das ganz

---

[8] WILHELM EMRICH: Die Erzählkunst des 20. Jahrhunderts a.a.O. 186.

[9] Das steht freilich dem Anspruch, die Totalität der Lebenserscheinungen darzustellen, entgegen, bedingt vielmehr eine empfindliche Reduktion der Welt- und Menschendarstellung. Die ‚Damen' in der *Strafkolonie* werden z. B. als nichtssagende, töricht tändelnde, auf bloßes Amüsement programmierte Geschöpfe vorgestellt. Daß eine Frau auch im Vollsinn des Wortes Mutter sein kann, opferfähige Lebenskameradin, Anregerin oder gar kreative Persönlichkeit, entfällt bei solch fataler Fixierung des Blicks auf eine negative Auslese.

[10] HILLMANN I a.a.O. 172.

[11] KASSEL a.a.O. 95.

[12] Ebd.

[13] Man denke z. B. an die theatralischen Prägungen Gustav Meyrinks: ‚schwarze Riesenvögel des Entsetzens' (*Der Mann auf der Flasche*); ‚grauenhaft lüsternes Lächeln', in das die Züge eines Gesichts ‚verzerrt' sind (ebd.); ‚gespenstisches Dämmerlicht des Frühmorgens' (*Der Wahrheitstropfen*); ‚das haarsträubende Entsetzen des Scheintodes', das über ‚der regungslosen Gruppe brütet'; ‚traumhaft vampyrartige, rätselhafte Marionettentänze, von denen ein dämonisches Fluidum vergifteter, unerklärlicher Wollust ausströmte...' Aber auch schon bei E. Th. A. Hoffmann begegnen solche Entartungen der Sprache zu bloßem „Wörtern".

Gewöhnliche, das er ‚nur aufzeichnet' und nicht mit einem bombastischen Vokabular prädiziert. Die „Absurdität" seiner Darstellung beruht somit auf einem
doppelten „Verfremdungseffekt", nämlich einmal darauf, daß das normale menschliche Leben als etwas bestürzend Absurdes enthüllt wird (weil ja, mit ‚Mikroskopaugen' betrachtet, ‚das Gewöhnliche ... schon ein Wunder' ist), zum andern darauf,
daß diese sichtbar gemachten Abseitigkeiten und Schrecknisse der Welt kommentarlos nüchtern wie etwas ganz Alltägliches berichtet werden und auf Grund solchen
Untersprechens das Mitgeteilte zur Form der Mitteilung drastisch kontrastiert.[14]
Kafka will „keine Konstruktionen des Wunderbaren, Grotesken und Irrealen
schaffen", noch gar ein Spiel mit dem Horror treiben, sondern wie ein Chronist
logisch-sukzessive beschreiben „ohne die Attribute des Wunderbaren".[15] Was immer
er gestaltet, „impliziert einen realen Hintergrund".[16] Er erzählt die *Strafkolonie*
„ohne den Anschein einer bewußten Irrealität"; was darin geschieht, ist das Werk
von Menschen, nicht von Ungeheuern. Die Geschichte weist „einfach auf die Tatsache hin, daß die größten Unmenschlichkeiten von Menschen (sogar von ganz
„normalen" Menschen) begangen werden und nicht von irgendwelchen absurden,
irrealen oder auch dämonischen Mächten".[17]

Andererseits sind viele Dichtungen Kafkas — und insbesondere die großen
Romane *Der Prozeß* und *Das Schloß* — „in der Art eines Traumes konzipiert"
(Thomas Mann), so daß die Helden in einer weithin selbstgeschaffenen Welt kämpfen, leiden und scheitern. Indem sie sich mit seltsam deformierten Menschen und
Dingen und grotesken Situationen herumschlagen, setzen sie sich mit sich selbst auseinander. Dennoch bedeuten diese Projektionen keine Flucht aus der Welt, sondern
stehen in bezug zur empirischen Wirklichkeit, die sie — stark verfremdet — in
extrem zugespitzten Modellsituationen spiegeln. Insgesamt stellen sie Reaktionen
auf Erlebtes (oder Erlebbares) dar.

Daß aber die Reaktionen auf die Welt solche Formen annahmen wie in Kafkas
Dichtung, hat nicht allein mit der Individualität des Dichters zu tun, sondern ist
auch zeitgeschichtlich bedingt. Kafkas Werk ist zwar primär persönliches Lebens-

---

[14] CAROLINE GORDON (Notes on Hemingway and Kafka. In: Ronald GRAY (Hrsg.):
Kafka a.a.O. 80) trifft genau diesen Kontrast, wenn sie Kafka — mit den Worten
AUSTIN WARRENS — „a metaphysical poet in symbolist narrative" nennt, der gleichwohl in seinen Schilderungen „a strict surface adherence to Naturalism" zeige. Seine
Thematik transzendiert seine detailbeflissen naturalistische Darbietung: „... he is dealing
with a problem that is more complicated than the problem with which Hemingway
deals: Man's relation to God, rather than Man's relation to Man."

[15] KASSEL a.a.O. 99. Gewiß erzählen auch E. Th. A. Hoffmann und — von ihm beeinflußt — E. A. Poe ihre Schauermären „mit logischer Konsequenz ..., als ob es sich
um das Selbstverständlichste und Natürlichste von der Welt handele". Aber sie verlassen
die gewöhnliche Welt und begeben sich in ein Zwischenreich ‚zwischen Traum und Tag' —
im Gegensatz zu Kafka, der darauf besteht, das wirkliche Leben aufzuzeichnen.

[16] Ebd. 101.

[17] Ebd. 102.

zeugnis, zugleich aber Ausdruck der Krise des Jahrhundertbeginns, die — wenn auch in verschiedenen Graden — fast alle Dichter seiner Generation betraf und über das nur Literarische hinausgriff.[18] Die Quantentheorie von MAX PLANCK, die Psychoanalyse von SIEGMUND FREUD, die Rückführung aller Erkenntnis auf die Empfindungen als letzte Instanz durch ERNST MACH sind nur einige Erscheinungs-formen des sich wandelnden Welt- und Selbstverständnisses jener Zeit. Daß a l l e s g a n z a n d e r s i s t, dieses Grunderlebnis Kafkas, bestätigte sich hier gleicher-maßen nach außen wie nach innen, im Bereich der Physik und in der Psychologie. Die Selbstgewißheit des Ich, Ausgangspunkt und Grundlage des neueren Philoso-phierens, war jetzt fragwürdig geworden. Die Definition der menschlichen Person als eines Triebbündels verunsicherte das Ich und untergrub seinen traditionellen Anspruch, autonome Instanz zu sein. Um 1900 reifte das Klima für den *Mann ohne Eigenschaften*. Die in der Philosophie des Physikers Ernst Mach vollzogene Auf-lösung des Ich übte starke Wirkung und stimulierte das Krisenbewußtsein der Menschen um die Jahrhundertwende. Die letzte Konsequenz aus dieser Vorstellung, daß es überhaupt kein Ich gebe, zog Luigi Pirandello. Für ihn löste sich die Frage: ‚Wer bin ich?‘ in eine Unzahl kontroverser Einzelfragen auf: „Bin ich Einer? Bin ich Keiner? Bin ich Hunderttausend?‘: ‚Uno, Nessuno, Centomila?‘.

Kafkas Problematik steht gewiß auch im Zusammenhang mit der Problematik der modernen Welt, mit der Tatsache, daß — auf Grund der neuen wissenschaft-lichen Erkenntnisse — die für durchschaubar gehaltene Welt rätselhaft geworden ist und der Glaube an die prästabilierte Harmonie der Welt der Furcht vor dem Chaos zu weichen droht. Aus ähnlichen Überlegungen stellt von Wiese die rheto-rische Frage, ob „es nicht das Geheimnis der modernen Welt [ist], daß sie sich mit den Stilmitteln des Realismus allein nicht mehr aussagen läßt“. Ja, er glaubt an-nehmen zu dürfen, daß die bewußte „Fiktion“ des Dichters vielleicht „tiefer und unerbittlicher ... in die unfaßbar, fraglich und zusammenhanglos gewordene Welt ... hineinführt als der Versuch einer bloß nachahmenden Abspiegelung oder einer am Wirklichen selbst gewonnenen symbolischen Verdichtung“.[19] In der Tat ist „Sichtbar-machen“ durch Deformieren oder Transformieren Kafkas Ziel. Das erklärt sein kongeniales Einverständnis mit der Kunst Pablo Picassos und bedingt das „Absurde“ seiner Darstellungsformen.

John Fowels betont, daß es ein b e s o n d e r e r s t i l i s t i s c h e r T e n o r ist, der Kafkas Darstellung und sein Werk insgesamt kennzeichnet: „his tone of voice, his coloration (or lack of it), his drift, his ... brilliant metaphor. In memory the

---

[18] BERT NAGEL: Die Sprachkrise eines Dichters. Zum Chandos-Brief Hugo von Hof-mannsthals. In: Antiquitates Indogermanicae. Studien zur indogermanischen Altertums-kunde und zur Sprach- und Kulturgeschichte der indogermanischen Völker. Gedenkschrift für Hermann Güntert. Hrsg. von Manfred Mayrhofer, Wolfgang Meid, Bernfried Schle-rath, Rüdiger Schmitt. Innsbrucker Beiträge zur Sprachwissenschaft, Bd. 12, 1974, 111—126.
[19] Die deutsche Novelle a.a.O.

two great novels have become one and indeed seem almost two variations on the same theme . . ."[20] Die Inhalte selbst seien nicht in jeder Hinsicht neu: „The insoluble mysteries of existence, the futility of society, the paranoiac sense of victimization —a realization of all this existed, and was articulated, at least as far back as the Pre-Socratic philosophers . . . It was implicit or explicit in many earlier novelists' work: in Dostojewski, in Zola, in Dickens even—and in every great tragic playwright. With Kafka it is t h e a r t i c u l a t i o n, not the articulated, t h a t f u n d a m e n t a l l y m a t t e r s."[21] In die gleiche Richtung zielt, was Politzer über die Darstellung des *Prozeß*-Romans ausführt. Es sei „die paradoxe Natur des Zwischenreiches", die Kafka an diesem Roman fasziniert habe, „und nicht die Schuld Josef K.s, die, in sich verschlüsselt, unentdeckt bleibt". Deshalb herrsche hier „als Sinnzeichen des Zwischenreiches ein trübseliges Zwielicht". „Zwielicht füllt die Kanzleien, das Untersuchungsgericht und das Atelier des Malers Titorelli; es dringt durch die Fugen von K.s Büro in der Bank und verwandelt es in eine verschattete Grabkammer; es verschwimmt in den Hallen der Kathedrale . . ."[22]

Die „Absurdität" der Darstellung Kafkas liegt nicht zuletzt auch in den epischen G a t t u n g e n, die er wählt. In seinen Geschichten setzt er mit einem konkreten Vorgang ein, der aber alsbald in seiner zugleich generellen Bedeutung, als ein „symptomatischer Fall", erkennbar, wird. In der P a r a b e l hingegen geht die Reflexion „vom Generellen auf das Konkrete zu"; hier bildet eine „nur unbestimmt erfaßte Allgemeinheit" den Ausgangspunkt.[23] Die eigentümliche Wirkung aber ergibt sich daraus, daß auf einmal „der Sehwinkel scheinbar radikal verengt und ein ganz kleiner, unkomplizierter, einfacher Gegenstand dargestellt" wird. Indem der Erzähler „ein vereinfachtes Modell" gibt, fordert er den Leser zum Vergleich auf. Die sich darbietende Möglichkeit abstrakter Spekulation wird also nur aufgezeigt, nicht wirklich ausgewertet; „die Reflexion ist vom Erzähler auf . . . [den Leser] übertragen".[24]

Die Hinneigung des Dichters zur Parabel hat wohl auch mit seiner tiefsitzenden Psychologie-Skepsis zu tun. Er selber sprach von ,Übelkeit nach zu viel Psychologie' (H 53): ,Wenn einer gute Beine hat und an die Psychologie herangelassen wird, kann er in kurzer Zeit und in beliebigem Zickzack Strecken zurücklegen wie auf keinem anderen Feld.' Weil aber Kafka dieser ,beliebige Zickzack' psychologischer Deutung unergiebig erschien, drängte es ihn zur Form der Parabel, die ein solches Vielerlei aussspart und zur Formulierung ihrer Aussage eine „bildhafte, schematisch-vereinfachende Darstellung" wählt.[25]

---

[20] My Recollections of Kafka. In: Mosaic III/4 a.a.O. 37.
[21] Ebd. 37 f. (Streichungen vom Vf.).
[22] POLITZER a.a.O. 253.
[23] HILLMANN I a.a.O. 163.
[24] Ebd.
[25] Ebd. 167.

In einigen Parabeln erscheint „die Vergleichssituation … absolut gesetzt"; das heißt, sie ist gleichzeitig Real- und Modellsituation. So fehlt z. B. in der *Kleinen Fabel* die für diese Gattung übliche Moral; „es heißt nicht am Schluß: so wie der Maus so geht es allen Menschen, usw. Vielmehr wird nur die Lage der Maus charakterisiert, ohne daß nur diese allein gemeint wäre".[26] Selbst in den Parabeln herrscht also Konzentration auf die konkreten Begebenheiten. Das Denken nährt sich aus der Anschauung, realisiert sich in Bildern. Dem entspricht, daß die T i e r - m e t a p h e r für Kafka ein besonders wichtiges Darstellungsmittel war, insofern sie nämlich sowohl konkretisiert als auch reduziert. Die Reduktion auf die Tier-welt erlaubte „ein vereinfachendes Schema, ein das Grundsätzliche erfassendes Modell".[27]

Vollends in den p a r a b o l i s c h e n E r z ä h l u n g e n besitzt das Geschehen epischen Selbstwert. Hier ist das Gleichnis der Fabel immanent. Das aber entspricht genau der Kafkaschen Konzeptionsweise, das Generelle und selbst das Universelle jeweils in konkreten Erscheinungsformen wahrzunehmen. Enthält „der reine Typus der ‚Parabel' … nur das Modell, der des Gleichnisses, deutlich voneinander abge-setzt, Modell- und Real-Situation", so findet sich bei Kafka häufig ein „Mischtypus", in dem die „durch ein ‚so — wie' markierte Trennung … der Ebenen aufgegeben" ist und die beiden Ebenen „ineinandergeschoben und unauflösbar verbunden" wer-den.[28] Die *Verwandlung* und die *Strafkolonie* sind Erzählungen dieses Typs. In ihnen werden „Real- und Vergleichssituation … nicht mehr geschieden". Ihre „Verschränkung" … konstituiert die ‚parabolische Erzählung' und bewirkt jenen vom Dichter beabsichtigten Schock, der die gewohnten Denk- und Vorstellungs-weisen zerstört und „einen neuen klaren Blick ermöglicht" auf das, was die para-bolische Erzählung modellhaft vor Augen stellen will.[29] Doch im Unterschied von der reinen Parabel, die schematisch verkürzt, kann sie sich „Detaillierung und Breite gestatten", indem sie „das in sie eingeblendete Modell an der Realität" erprobt.[30] Die Reihenfolge kann aber auch umgekehrt sein wie z. B. in der *Strafkolonie*, die mit einem realen Geschehen beginnt, das sich dann im Ablauf des Geschehens zu-gleich als parabolisch erweist. Das entspricht Kafka in besonderer Weise, für den letzthin alles Geschehen parabolisches Geschehen darstellt und in allem Spezifischen stets auch das Generelle als voll gegenwärtig gilt, ohne daß es eines besonderen Hin-weises bedarf.

Da der Dichter nicht lediglich die einfache Grundstruktur der Welt, sondern auch ihre Detailliertheit darstellen will, kann ihm die Parabel allein nicht genügen, be-

---

[26] Ebd. 165 f.
[27] Ebd. 194.
[28] Ebd. 168.
[29] Ebd. 169.
[30] Ebd. 170: „Diese Hindurchführung durch die Realität erfordert eine gewisse Breite und Ausführlichkeit, eine Differenzierung und Ausfaltung der einzelnen Momente …"

darf er vielmehr der umfassenderen Gattung der parabolischen Erzählung und — darüber hinaus — der epischen Großform des R o m a n s. In diesem geht es ihm — im Gegensatz zu den Geschichten oder Novellen — nicht nur „um eine intensive, [sondern] auch um eine extensive, alle Bereiche differenziert erfassende Darstellung", wobei aber diese „extensive Darstellung der Welt-Totalität ... nur zu Tage [fördert], was die intensive Darstellung der ersten Situation schon ergeben hat".[31] Das heißt, der Verlauf der Romane ist „nicht progressiv gestuft", sondern folgt einem i t e r a t i v e n   S c h e m a, demzufolge die Anstrengungen der Helden nach dem stets gleichen Grundmodell in einer Vielzahl von Variationen durchgeführt werden. Alle Romane Kafkas zeigen diese gleiche Grundstruktur, nämlich die Vielzahl der stets erneuerten und stets scheiternden Bemühungen der Helden. Das iterative Schema ist daher „das formale Kennzeichen ihrer ewigen Auseinandersetzung" mit der Gegenwelt.[32] Karl Roßmanns wiederholte Anstrengungen, in der Gesellschaft Amerikas Fuß zu fassen, sind vergeblich. Was immer er unternimmt, wird von der Gegenseite vereitelt. Josef K. kann trotz vieler intensiver Bemühungen niemals in Erfahrung bringen, warum er verhaftet wurde. Und auch alle Versuche K.s, zur Verwaltung des Schlosses durchzudringen und eine legale Existenz im Dorf zu erreichen, mißlingen. Das iterative Schema der Romane gehört also zum Grundbestand der Kafkaschen Thematik. Worum es hier geht, ist — nach der Kennzeichnung Martin Walsers — der frustrierende Wechsel von Selbstbehauptung des Helden und ihrer Aufhebung durch die Gegenordnung, erneuter Selbstbehauptung und erneuter Aufhebung usw. ad infinitum. Daß auf diese Weise beide Kräfte in unaufhörlichem Kampf einander die Waage halten, macht, wie der Schloßbeamte Bürgel darlegt, die zugleich ‚vorzügliche‘ und ‚trostlose Einrichtung‘ der Welt aus.[33]

Zu den charakteristischen Darstellungsformen, die die eigentümliche, absurde oder groteske Wirkung der Kafkaschen Epik bedingen, gehört die Gestaltung des „kritischen Augenblicks", dem in erster Linie die Funktion der Verfremdung zukommt.[34] Auf zweierlei Weise kann dieser Effekt ausgelöst werden. Entweder die Erzählung hat eine „üblichen Situationen von Realität entsprechende Eingangssituation"[35] und nimmt zunächst einen ganz „normalen" Verlauf, bis auf einmal —

---

[31] Ebd. 185.

[32] HILLMANN II a.a.O. 273. Vgl. auch HILLMANN I a.a.O. 178: „Einbruch des Außerordentlichen, das sich steigernde Hin und Her von Einbruch und Abwehr des Einbruchs bis hin zum Tode des [am Ende kapitulierenden] Helden."

[33] Ebd. 273: „Die Hoffnung des Helden auf Anerkennung seiner Person ist genau so unerschöpflich wie die sie negierende Gewalt der Allgemeinheit. Die Person würde sich auslöschen, wenn sie die Hoffnung aufgäbe, die allgemeine ‚Amtsorganisation‘ würde förmlich zerreißen, wenn sie die Hoffnung erfüllte."

[34] HILLMANN I a.a.O. 171: Kafkas „Geschichten" sind „fast durchweg dadurch bestimmt, daß in eine realistisch gezeichnete Welt ein fremdartiges, ungewöhnliches, häufig wunderbares Moment einbricht".

[35] Ebd. 172.

völlig unerwartet und übergangslos — eine Wendung ins „Absurde" erfolgt und eine andere, bislang nicht erkannte (oder übersehene), erschreckende Wirklichkeit vor Augen tritt.[36] Was in perfekter Ordnung zu sein schien, erweist sich plötzlich als Trug. Die Konfrontation mit dem, was wirklich ist, trifft den Helden wie ein Schock. Die Prämissen seiner Lebensordnung gelten nicht länger. Er sieht sich den Bedrohungen einer undurchschaubaren Gegenwelt ausgesetzt. Der Weg, der auf ein Ziel hin zu führen schien, verliert sich in labyrinthischem Dunkel. Erzählungen wie *Das Urteil, Ein Landarzt, Blumfeld* u. a. folgen diesem Modell, nach dem ein unverdächtig alltägliches Geschehen unversehens in eine Katastrophe ausläuft.[37] Andere Erzählungen wie z. B. die *Verwandlung* und vor allem der *Prozeß*-Roman setzen mit dem kritischen Augenblick ein. Die absurde Wendung der Dinge erfolgt gleich zu Beginn und ,überrumpelt' den Helden oder liegt als ein „fait accompli" bereits voraus. Das „Absurde" erscheint hier als eine schockierende, aber unbezweifelbare Realität im „normalen" Lebensablauf des Helden vorgegeben: Gregor Samsa ist bereits ,in ein ungeheures Ungeziefer verwandelt', Josef K. ist schon in seinen Prozeß verwickelt.

Es kommt darum auch nichts wesentlich Neues mehr hinzu. Denn die eingetretene „absurde" Lebenswendung erweist sich als irreversibel und nimmt in gewisser Weise auch schon das Ergebnis vorweg, so daß die Erzählung im Grunde nur Analyse des Vorgegebenen ist.[38]

Die Fatalität der „absurden" Wendungen in Kafkas Erzählungen ist Ausdruck des tragischen Pessimismus des Dichters, dokumentarische Feststellung, daß die Katastrophe des Menschen unausweichlich und immerwährend ist.[39] Wenn sich der Held, durch einen Akt der Überrumpelung aus der gewohnten und für intakt gehaltenen Lebenssituation herausgerissen, einer völlig neuen, feindlich fremdartigen Welt gegenüber sieht, so ist dieser totale Szenenwechsel ein konkretes Symptom des b e r e i t s b e g a n g e n e n S ü n d e n f a l l s, ein Alarmruf für den Protago-

---

[36] Ebd. 172: „Der Einbruch geschieht meist ganz abrupt, er trifft den Helden und den Leser gleich unvorbereitet."

[37] HILLMANN I a.a.O. 121 spricht von „normaler Situation zu Beginn" und „außergewöhnlicher Situation am Schluß", wobei „der Kontrast zwischen der Normallage und dem Ungeheuerlichen sowie der abrupte Umschlag von dem einen ins andere ... exzeptionell [erscheinen] ... und noch durch eine Reihe von Stilmitteln scharf herausgehoben" werden.

[38] VON WIESE: Die Verwandlung a.a.O. 325: Der Erzähler „hat die novellistische Pointe ... gleichsam umgedreht und an den Anfang statt an das Ende gestellt ... Das Erzählte führt nicht ... zu ihr hin, sondern setzt unvermutet mit ihr ein. Alles weitere ist mehr Analyse als Erzählung".

[39] HILLMANN I a.a.O. 174: „Alle ... Verdrängungen [und Abwehrversuche des Helden] ... fruchten nichts. Der Einbruch ist ein unabänderlicher Faktor und vernichtet deshalb immer wieder die Verdrängungen. Es ist ein den kompositionellen Aufbau der Geschichten [und Romane] bestimmendes Schema, dieses immer wiederkehrende Hin und Her von Einbruch und Verdrängung".

nisten, seiner wahren (schuldbelasteten) Situation endlich inne zu werden und sich nicht länger in der Illusion zu wiegen, daß sein Leben in Ordnung sei. Der Pessimist Kafka ist zugleich ein Moralist.

Auch im *Schloß*-Roman liegt der kritische Augenblick lange voraus. K. — so heißt es dort — habe irgendwo Frau und Kind verlassen. Doch wird nicht gesagt, weshalb er weggegangen ist. Jene normale Alltagswelt des Helden wird also nicht dargestellt. Aber wir erfahren, daß es sie einmal gegeben hat und daß nun — durch den Einbruch des Außerordentlichen — eine von Grund auf neue Situation entstanden ist. Auf dieser neuen Ebene wird jedoch streng realistisch erzählt, wenn auch das Ganze an den vom Dichter gewählten irrealen Ausgangspunkt gebunden bleibt. Es ist also „ein Realismus, der erst durch eine poetische Fiktion in Gang gebracht wird, der zunächst einen absurden Tatbestand erschafft, ehe der Erzähler ihn von den Bedingungen des alltäglichen Lebens aus beleuchtet und analysiert".[40] Dieser „absurde Tatbestand" kann der A u s g a n g s p u n k t der Erzählung sein, eine dem dargestellten Geschehen vorausliegende Störung der Vita des Helden, ein unerklärt bleibendes und ummotiviert scheinendes Faktum, das hingenommen werden muß. Trotz dieses (scheinbar) akausalen Einbruchs des Außerordentlichen in ein konventionelles Leben wird die Beschreibung weitergeführt, a l s o b es ein Normalleben wäre. Obwohl alles von Grund auf verändert ist, läuft also formaliter das alte Leben noch weiter.[41] Eben dieser anstößige Anachronismus und die Tatsache, daß die Ursache der Verwandlung im Dunkel bleibt, lösen die absurde Wirkung aus. Der „absurde Tatbestand" kann sich aber auch erst im Verlauf eines völlig harmlos anmutenden Normalgeschehens einstellen als unerwarteter Einbruch von etwas Unbegreiflichem, das zu einem „absurden" E n d e führt. Auch hier bleibt die Ursache dieser plötzlichen Wendung der Dinge ungeklärt. Schuld wird v o r a u s g e s e t z t , aber nicht expressis verbis festgestellt.

---

[40] VON WIESE: Die Verwandlung a.a.O. 326.

[41] Im *Prozeß* heißt es: „Sie sind verhaftet", sagte der Aufseher zu K., „aber das soll Sie nicht hindern, Ihren Beruf zu erfüllen. Sie sollen auch in Ihrer gewöhnlichen Lebensweise nicht gehindert sein."

Sprachliche Leistung

Kafkas Erklärung, daß er nicht erfinde, sondern nur aufzeichne[1], bestätigt die sprachliche Leistung als den Kern seines Künstlertums. Was er darstellte, war ihm vorgegeben. Es Sprache werden zu lassen und dadurch in Literatur zu verwandeln, sah er als seine Aufgabe. Und auf diesem Feld ist er eigene Wege gegangen. Die Sprache der zeitgenössischen Expressionisten konnte ihm dabei kein Vorbild sein.[2] Sein Wille zum Fundamentalen und Exemplarischen forderte modellhaft klares Gestalten und stellte daher vor allem Probleme sprachlich-stilistischer Art. Halbrichtige Vergleiche und grelle Epitheta taugten zu solchen Zwecken nicht. Worum es ihm ging, waren vielmehr Genauigkeit und Sparsamkeit des Ausdrucks. Dem entspricht seine lebenslange Bewunderung der „strengen Exaktheit der Sprache Flauberts". Hofmannsthals sinnlich ansprechende Formulierung ‚Der Geruch nasser Steine in einem Hausflur' hat ihn begeistert. Für sein eigenes Schreiben erstrebte er daher „einen höchst präzisen und ganz direkten Beschreibungsstil".[3] Beispiele solcher detailgerechten Genauigkeit der Darstellung sind u. a. der ‚gewölbte, braune, von bogenförmigen Versteifungen geteilte Bauch' des Käfers, in den sich der erwachende Gregor verwandelt sieht, die ‚große Spitznase' und ‚der lange, dünne, schwarze tatarische Bart' des Türhüters, der vor dem Eingang in das Gesetz steht, die ‚kleinen, weißen, blaugestreiften Zelluloidbälle', die den Junggesellen Blumfeld äffen, die genaue Schilderung des Auftritts der Zirkusreiterin in der Manege, die technisch akkurate Information über Apparat und Prozedur der Hinrichtung in der *Strafkolonie.*

Insgesamt gilt, was Collins über Kafkas Stil geäußert hat: „Each phrase is simply stated, each description is decisively drawn, everything is clear—except, of course, the ‚meaning'."[4] So klar und unerbittlich Kafka die zugleich existentielle und moralische Schuld des Menschen sieht, so klar und unerbittlich ist auch seine Sprache, eine sachlich protokollierende Sprache ohne den kulinarischen Aufputz großer Worte, aber auch ohne den Ausdruck des Mitlebens und Mitleidens, vielmehr die Sprache eines (scheinbar ganz unbeteiligten) Chronisten, in dessen spröder Diktion das Ungeheuerliche, das sie beschreibt, allein durch sich selbst spricht und

---

[1] Vgl. auch seine programmatische Äußerung, daß sein einziges Ziel ‚d i e D a r s t e l - l u n g' seines ‚traumhaften inneren Lebens' sei.

[2] KLAUS WAGENBACH (im Klappentext seiner Ausgabe der Erzählungen Kafkas, Frankfurt 1961): Die „präzise, nüchterne Sprache, ihr unbeteiligter kühler Gestus des Erzählens brechen mit einer jahrhundertealten Tradition und weisen gleichzeitig den expressionistischen Wortzauber zurück".

[3] HILLMANN I a.a.O. 145. Vgl. Kafkas Tagebuchäußerung: ‚Die Klarheit aller Vorgänge macht sie geheimnisvoll, so wie ein Parkgitter dem Auge Ruhe gibt bei der Betrachtung weiter Rasenflächen...' Das besagt: „die realistische Deutlichkeit der vordergründigen Vorgänge erfüllt [nach Kafka] ... die gleiche Funktion für den Leser wie das Parkgitter für den Betrachter." (Ingeborg Henel: Kafkas *In der Strafkolonie.* In: Festschrift für Benno von Wiese, Berlin 1973, 499.)

[4] COLLINS a.a.O. 46.

dadurch um so erregender wirkt. In der *Verwandlung* ist es ja nicht nur der Vorgang als solcher, der in Bann schlägt, sondern vor allem auch „der kalte Beobachterblick, der registriert, was er sieht: nüchtern, präzis, unbewegt ... Die Sprachform ist dabei merkwürdig statisch, registrierend, konventionell. Nur das Adjektiv wird von der beobachtenden Blickschärfe stärker durchgeformt".[5]

Auch Günther Anders betont den asketischen Tenor des Kafkaschen Stils: „a less romantic, less subjective, less expressionistic style than Kafka's is scarcely conceivable. His sentences are articulated with the most matter-of-fact precision ..."[6] Die eigentümliche Wirkung jedoch ergibt sich aus der Spannung zwischen dieser nüchtern aufzeichnenden Sprache und dem emotional ansprechenden, sensationell oder absurd wirkenden Erzählinhalt. Denn die Genauigkeit der Details in den Beschreibungen des Dichters suggeriert eine Wirklichkeitsnähe, die der Vergegenwärtigung seiner „Schreckvisionen" zugute kommt.[7]

Auf keinen Fall darf sein schmuckloser Stil mit der Normalsprache des Alltags verwechselt werden. Im Gegenteil, Kafka geht es um die Loslösung der Sprache von den Klischees undifferenziert pauschaler Ausdrucksweise, um ihre „die Realität durchdringende und klärende Funktion".[8] Denn die Kunst — so sieht er es — „befreit sie aus ihrer Verzweckung, indem sie auf höchst ernsthafte Art mit ihr spielt, sie sich frei entfalten läßt".[9] Durch diesen Kontrast befreie sie aber auch den Zuhörer aus seiner Bewußtlosigkeit und alltäglichen Einengung.[10] Zu dieser Freiheit des Spiels gehört, daß es bei Kafka keinen Unterschied gibt „between the language of the stupid, the wise, the great or the small".[11]

Wenn Pongs Kafkas Erzählsprache als „nüchternes Protokolldeutsch" bezeichnet, so meint er phänomenologisch dasselbe wie Wagenbach, der dem Dichter nachrühmt, daß er „die klarste und schönste deutsche Prosa" in seiner Zeit geschrieben habe.[12] In ihrer Wertung jedoch gehen sie auseinander. Pongs' Formulierung schließt nämlich ohne Frage auch Kritik ein; sie läßt erkennen, daß er an Kafkas

---

[5] PONGS II a.a.O. 203. In dieser völligen Neutralität der Sprache liege „etwas Unmenschliches". Nicht zufällig habe WOLFGANG KAYSER (Das Groteske ... a.a.O. 160) von solchen Stellen Kafkas her den Begriff der „kalten Groteske" begründet.

[6] Reflections on My Book, Mosaic III/4 a.a.O. 68.

[7] PONGS II a.a.O. 206.

[8] HILLMANN I a.a.O. 98. Vgl. auch ANDERS a.a.O. 70: „Certainly he does not write in the language of everyday usage, but his style differs from it not by being more solemn or elaborate or exalted, but by being even humbler and more sober. Probably for the first time in literature elevation of style is inspired by and reflects a felt remoteness from society as a whole, rather than any sence of internal distinction."

[9] HILLMANN I a.a.O. 98.

[10] Ebd.

[11] ANDERS a.a.O. 71. Vgl. ebd. 69: „His style remains even throughout; its alienating tone transforms men and things into a kind of ‚nature morte' and removes them to the rarified atmosphere of a lustreless distance."

[12] Franz Kafka. Eine Biographie seiner Jugend, 1883—1912, Bern 1958.

Sprache — trotz ihrer Treffsicherheit — etwas vermißt, daß sie ihm als zu kalt und „lichtlos" erscheint. Hingegen verrät Wagenbachs Superlativ ein so unbedingtes Engagement an Persönlichkeit und Werk des Dichters, daß er die Frage, ob ein solches Exklusivurteil „klarste und schönste deutsche Prosa" der Zeit überhaupt gefällt werden kann, offenbar für gegenstandslos hält.[13] Doch wäre Wagenbach selbst der Sprache seines Idols sicher näher geblieben, wenn er — dessen unexpressiv sachlichem Stil folgend — den schlichten Positiv „klare und schöne deutsche Prosa" gebraucht hätte.

Die Klarheit der sprachlichen Gestaltung Kafkas ist um so höher zu werten als sie nicht durch Vereinfachung erkauft wird, sondern im Gegenteil detaillierte Genauigkeit der Beschreibung impliziert. Aus dem Streben nach Vollständigkeit der Darstellung entstehen mitunter riesenhafte Satzgefüge, die aber trotz komplizierter Syntax durchsichtig klar bleiben. In der Kurzerzählung *Auf der Galerie* wird in nur zwei Sätzen ein überaus vielschichtiger Sachverhalt erschöpfend dargestellt.[14] Solche zusammenfassende Dichte des Erzählens kann der Dichter auch dadurch erreichen, daß er die einzelnen Sätze so eng miteinander verkettet, daß sie gleichsam ineinander überfließen.[15] Aber trotz der Tendenz nach möglichst vollständiger Ausbreitung der Einzelheiten schreibt Kafka keinen aufwendigen oder gar überladen wirkenden Stil. Er gibt keiner Ausdruckslust nach. Es begegnet kein Wort zuviel: „Kafka achieves some of his finest effects by understatement."[16] Er besitzt eine Vorliebe für „raffende Stilformen" wie insbesondere „asyndetische Reihungen",

---

[13] Auch Emrich und schon Tucholsky haben Kafkas Sprache mit solchen Superlativen bedacht. Aber abgesehen davon, daß bei ästhetischen Wertungen Superlative immer problematisch sind, besteht begründeter Zweifel, ob jemand die gesamte deutsche Prosa der Kafkazeit wirklich so genau kennt, um Kafka eindeutig als den klarsten und besten Stilisten der Epoche bezeichnen zu können. Formulierungen wie „klarste" oder „schönste" Prosa", „reinstes Deutsch", „Klassiker der Moderne" oder gar „größter lebender Dichter" erinnern mit ihrer klischeehaften Plakatierung dichterischer Qualitäten allzu sehr an den Jargon von Werbetextern. Man fragt mit Recht: Ist klare Prosa nicht klarer als „die klarste Prosa", reines Deutsch nicht reiner als „das reinste Deutsch"? Ist das Schöne nicht schöner als „das Schönste"? Hat ein Großer es nötig, „der Größte" genannt zu werden? Im Blick auf den asketischen Stilisten Kafka sind diese Fragen legitim, ja notwendig, zumal in seinen Ohren der Superlativ seiner Lobredner wie ein falscher Zungenschlag geklungen hätte.

[14] HILLMANN I a.a.O. 118 verweist auf einen solchen Riesensatz im *Hungerkünstler*, der mit seiner Länge von dreiviertel Seiten einen ganzen Absatz ausfüllt. Vgl. ferner ANDERS a.a.O. 62: „Paradoxically, his style here, where clearly he must write within the narrowest limits, runs to sentences of extraordinary length, which concentrate a succession of events into a single frozen gesture."

[15] FRITZ MARTINI: Ein Manuskript Franz Kafkas: „Der Dorfschullehrer." Jahrbuch der deutschen Schillergesellschaft 2, 1958, 292.

[16] CAROLINE GORDON: Notes on Hemingway and Kafka. In: Gray (Editor): Kafka a.a.O. 82.

[17] HILLMANN I a.a.O. 119.

die ihm „die Möglichkeit [geben], die Fülle der Details ... ohne großen Aufwand mitzuteilen".[17]

Diese differenzierende Genauigkeit des Sprechens bei zugleich sparsamem Wortaufwand hebt Kafkas Stil von der simplifizierenden, wortverbrauchenden Alltagssprache ab. Weil er das einzelne Wort wichtig nimmt, kennt er keine Wortverschwendung, ist ihm vielmehr an einer beispielhaften Erprobung des Sprachvermögens gelegen. Was ihn zum Dichter macht, ist daher vor allem die Entdeckung der mißbrauchten oder ungenützten Möglichkeiten der Sprache, die Ausschöpfung ihres Potentials zu differenzierter Deutlichkeit der Aussage. Denn die Sprache der Dichtung soll nicht hinter der widersprüchlichen Vielfalt der Wirklichkeit zurückbleiben. „Die Vielseitigkeit der Dinge, die sich als dauernde Veränderung in der Zeit, dartut, zwingt den ... [Schriftsteller], ihnen gleichsam mit den Bezeichnungen nachzueilen, jede Aufhebung der Aussage durch neue Aussagen wettzumachen. [Der Dichter] ist gezwungen, jeder Bezeichnung ein Aber, ein Freilich hinzuzusetzen, er muß die Sprachform des Paradoxes, die Struktur des Einerseits — Andererseits anwenden, ja diese, je komplexer das untersuchte Phänomen ist, ad infinitum fortsetzen."[18] Da jeder Feststellung sogleich die Aufhebung folgt, entstehen immer „nur neue Antithesen", gelingt „aber keine Synthese".[19] Dieses „System" einer „totalen Wechselbezüglichkeit aller Teile" spiegelt nach Kafkas Auffassung „die Grundstruktur der modernen Welt"[20], den modernen ‚Zustand der Welt und der Seele'.[21] Wer diesen modernen ‚Zustand der Welt und der Seele' dichterisch gestalten will, muß darum ‚alles' „sowohl im Einzelnen als auch in seinen Beziehungen darstellen".[22] Was hier nottut, ist einerseits eine gleichsam „mikroskopische Feineinstellung", die mit minutiöser Akribie jedes Detail anvisiert, andererseits aber „eine ebenso radikale Blickausweitung, die die Gesamtzusammenhänge, die Beziehung aller Details im Auge behält".[23] Infolgedessen gerät Kafka wie seine Helden immer wieder „in das Dilemma von Detailzwang und Totalitätsstreben".[24] Es geht ihm wie K. im *Schloß*, für den „kein Ding abseits genug liegt, daß es nicht seiner

---

[18] HILLMANN II a.a.O. 264 f. PONGS II a.a.O. 206 f. stellt fest, „daß Kafkas Spätstil eine ausgesprochene Begabung für sophistische Dialektik entwickelt, die das Ambivalente des Lebensgrundes in ein dialektisches Hin- und Herwenden der Probleme weitertreibt". Dadurch werde „Kafka instand gesetzt, seine Kafkasituation: Steckenbleiben im Niemandsland zwischen den Widersprüchen, in hundert Variationen abzuwandeln ..." Das verstärke zugleich die ästhetische Faszination des Dichters. Ein Beispiel solcher dialektischer Erörterung ad infinitum ist im *Prozeß* das Gespräch Josef K.s mit dem Geistlichen über den Sinn der Parabel *Vor dem Gesetz*, ein Gespräch, das seinen Gegenstand zwar unermüdlich umkreist, aber dennoch zu keinem definitiven Abschluß bringt.

[19] Ebd. 265. MAX BENSE hat dieses Verfahren „abgehackte Dialektik" genannt.

[20] Ebd.

[21] J 102.

[22] HILLMANN II a.a.O. 266.

[23] Ebd.

[24] Ebd.

Meinung nach mit seiner Angelegenheit zusammenhängt".[25] Worauf es ankäme, wäre also die Koinzidenz von Detaileinsicht und Gesamtüberblick, die aber nach Kafka erst im Angesicht des Todes Ereignis wird: ‚Der Mensch überblickt in dem Augenblick wahrscheinlich sein ganzes Leben. Zum erstenmal — und zum letzten Mal.' (J 108)

Aus dem gekennzeichneten thematischen Anspruch, gleichzeitig die Vielheit des Einzelnen und die Einheit des Ganzen sichtbar zu machen, ergibt sich der Anspruch an die Sprache, ein zu solcher Synthese fähiges, gleichbleibend neutrales Medium zu sein, also in der Tat etwas wie eine „Geisterstimme aus dem Niemandsland", die alles, was sie benennt, zugleich verfremdet, nämlich im Doppelsinn seines Existierens als ein Selbst-Seiendes und als ein Gliedhaft-Zugehöriges transparent werden läßt. Günther Anders charakterisiert diese sich nicht festlegende, distanziert neutrale und damit zweidimensional offene Sprache: „Clearly, this kind of language permits almost no modulation of tone; it is incapable of expressing the various nuances of intimacy, enthusiasm, amazement or indignation."[26] Was er aber hier irrtümlich als Unvermögen („incapable") bezeichnet, war in Wahrheit künstlerische Absicht des Dichters, dem es — im Blick auf seine umfassende Zielsetzung — um ein Schreiben *sine ira et studio* zu tun war. Dem entspricht, daß sein so sorgfältig registrierender Stil dennoch alles Dargestellte zugleich neutralisiert: „in every case there is an official or formal tone, as of a documented report ... The very neatness of a dossier lends to even the most criminal case the appearance of being ‚in order'. The facts contained in it, though in themselves monstrous, acquire a certain coherence and become even rationally acceptable through being legally established. The precision of Kafka's style has a similar effect on the monstrous situations which he describes. [He] makes the horror of disorder plain."[27] Solche neutralisierende Verfremdung des Dargestellten ist ein Hauptkennzeichen der Kafkaschen Erzählsprache, die gerade durch teilnahmslose Überdeutlichkeit der Beschreibung die hellbeleuchteten Phänomene jeweils wieder in die Ferne rückt.[28] Die Welt, in die der Leser der Kafkaschen Dichtung eintritt, ist ein Zwischenreich. Konfrontation und Distanzierung halten sich hier die Waage.

Kafka kannte kein Sprachproblem in dem Sinne, daß die Sprache als solche versagt. Wie er deutlich ausgesprochen hat, ist es immer nur der Mensch, der im Umgang mit der Sprache versagt. Um jedes Wort herum, so stellte er fest, stehen seine Zweifel, aber diese Zweifel seien schon ‚vor dem Wort da'. An Felice Bauer

---

[25] Ebd.

[26] GÜNTHER ANDERS a.a.O. 71.

[27] Ebd.

[28] Ebd.: „Many of Kafka's sentences have the frightening precision of official notices, others the accuracy, the laborious definitions and flexibility of laws which demand the most careful reading and which, in the very manner of their formulation, are like threatening reminders that ignorance of the law is no excuse; others again sound like parts of a medical record; while some have the modest tone of petitions."

schrieb er: ‚Was im Innern klar ist, werde unzweifelhaft auch im Wort klar sein. Darum solle man nicht eigentlich um die Sprache, sondern um sich selbst besorgt sein‘ — um sich selbst in seinem Verhältnis zur Sprache. Dieser Einstellung entspricht sein sparsamer Wortgebrauch.

Kafka spielt das Sprachinstrument ohne Pedalgebrauch. Selbst das Ungeheuerlichste spricht er mit einfachen Worten aus, stellt es kommentarlos fest oder beschreibt es mit statistischer Genauigkeit. Ein Musterbeispiel solcher neutralen, monoton wirkenden Darstellung ist der Beginn der Erzählung *Die Verwandlung*:

> Als Gregor Samsa eines Morgens aus unruhigen Träumen erwachte, fand er sich in seinem Bett zu einem ungeheueren Ungeziefer verwandelt. Er lag auf seinem panzerartig harten Rücken und sah, wenn er den Kopf ein wenig hob, seinen gewölbten braunen, von bogenförmigen Versteifungen geteilten Bauch, auf dessen Höhe sich die Bettdecke, zum gänzlichen Niedergleiten bereit, kaum noch erhalten konnte.

Das Erregende der Situation wird nicht artikuliert. Es fällt kein einziges Wort der Teilnahme an dem außerordentlichen Geschehen. Nur die bare Tatsächlichkeit des Vorgangs wird konstatiert, und zwar in einer durchaus ruhig wirkenden, ja Ruhe ausstrahlenden, gleichmäßig bewegten Sprache. Das Unglaubliche mutet wie etwas Alltägliches an, das Absurde erscheint als eine Selbstverständlichkeit. Gleiches gilt u. a. vom Beginn des Romans *Das Schloß*:

> Es war spätabends, als K. ankam. Das Dorf lag in tiefem Schnee. Vom Schloßberg war nichts zu sehen, Nebel und Finsternis umgaben ihn, auch nicht der schwächste Lichtschein deutete das große Schloß an. Lange stand K. auf der Holzbrücke, die von der Landstraße zum Dorf führte, und blickte in die scheinbare Leere empor.

oder vom Eingang des „Hungerkünstler“-Zyklus:

> Ein Trapezkünstler — bekanntlich ist diese hoch in den Kuppeln der großen Varieté-bühnen ausgeübte Kunst eine der schwierigsten unter allen, Menschen erreichbaren —, hatte, zuerst nur aus dem Streben nach Vervollkommnung, später auch aus tyrannisch gewordener Gewohnheit sein Leben derart eingerichtet, daß er, solange er im gleichen Unternehmen arbeitete, Tag und Nacht auf dem Trapez blieb. Allen seinen, übrigens sehr geringen Bedürfnissen wurde durch einander ablösende Diener entsprochen, welche unten wachten und alles, was oben benötigt wurde, in eigens konstruierten Gefäßen hinauf- und hinabzogen. Besondere Schwierigkeiten ergaben sich aus dieser Lebensweise nicht, nur während der sonstigen Programmnummern war es ein wenig störend, daß er, wie sich nicht verbergen ließ, oben geblieben war und daß, trotzdem er sich in solchen Zeiten meist ruhig verhielt, hie und da ein Blick aus dem Publikum zu ihm abirrte. Doch verziehen ihm dies die Direktionen, weil er ein außerordentlicher, unersetzlicher Künstler war. Auch sah man natürlich ein, daß er nicht aus Mutwillen so lebte, und eigentlich nur so sich in dauernder Übung erhalten, nur so seine Kunst in ihrer Vollkommenheit bewahren konnte.

Auch hier wird Absonderliches, ja Unmögliches wie etwas ganz Normales und nicht als eine „unerhörte Begebenheit“ beschrieben, wobei die Faktizität des Geschilderten durch geruhsame Aufzählung konkreter Details betont ist. Dieselbe

nüchtern sachliche, Tatsachen registrierende Beschreibung findet sich in der Erzählung
Ein Brudermord, wo das Entsetzliche des Vorgangs durch aufzählend statistische
Darbietung zu etwas Neutralem verfremdet erscheint:

> Und rechts in den Hals und links in den Hals und drittens tief in den Bauch sticht
> Schmar. Wasserratten, aufgeschlitzt, geben einen ähnlichen Laut von sich wie Wese.[29]

Stilistische Entsagung erscheint als ästhetisches Prinzip. Die Nüchternheit der
Wortwahl erweist sich als ein subtiler Kunstgriff des sprachbewußten Dichters. Es
geht ihm um höchstmögliche Steigerung der Wirkung durch äußerste Beschränkung
der sprachlichen Mittel. Je knapper er formuliert, desto stärker stimuliert er den
Leser zum Nachvollzug des Erzählten. Da sich hier der Vorgang gleichsam selber
erzählt, könnte kommentierende Sprache die Darstellung nur verfälschen. Was
suggeriert werden soll, ist die Faktizität des Erzählten, die Glaubhaftigkeit des
Unglaublichen. Darum gibt es diesen Beschreibungen nichts hinzuzufügen, darum
darf aber auch kein Wort hinweggenommen werden. Die in Frage stehenden Dinge
selbst, die erregenden Tatbestände und Vorgänge als solche, nicht die Erregungen,
die sie auslösen, werden vergegenwärtigt.

Weil aber solchermaßen das Erzählen in Form nüchterner Tatsachenfeststellung
erfolgt, wird in Kafkas Dichtungen scheinbar nur Selbstverständliches mitgeteilt.
Doch eben darum geht es in dieser Epik, daß sich das routinehaft Selbstverständliche
als das Ungeheuerliche erweist, daß hier, mit einer formelhaft konventionellen
Sprache, die Normalität des Schrecklichen dokumentiert wird. Kafka selbst hat das
ausgesprochen:

> Edschmid behauptet, daß ich Wunder in gewöhnliche Vorgänge hineinpraktiziere.
> Das ist natürlich ein schwerer Irrtum von seiner Seite. Das Gewöhnliche selbst ist ja
> schon ein Wunder! Ich zeichne es nur auf. Möglich, daß ich die Dinge auch ein wenig
> beleuchte, wie der Beleuchter auf einer halbverdunkelten Bühne. Das ist aber nicht
> richtig! In Wirklichkeit ist die Bühne gar nicht verdunkelt. Sie ist voller Tageslicht.
> Darum schließen die Menschen die Augen und sehen zu wenig.[30]

Das trifft genau den Punkt, der Kafka von einem Schriftsteller wie EDGAR ALLAN
POE trennt. Ihm geht es nicht um Grauenvolles außerhalb des alltäglich Wirklichen,
sondern um Enthüllung des Erschreckenden m i t t e n i m normal Üblichen.
Ronald GRAY betont mit Recht Kafkas „stark contrast to the hysterical horror-
mongering of Poe's tale". Er schreibe nicht „after the fashion of Edgar Allan
Poe".[31] Darum gebe es in seinen Erzählungen auch „no aesthetic thrill as in Poe's
horror tales". In gleichem Sinn sagt MAX BROD „Eine Novelle wie Kafkas *Straf-*

---

[29] Satzbau und Satzrhythmus (mit Subjektstellung am Satzende) sind in dieser Text-
stelle allerdings etwas ungewöhnlich, so daß wir hier — mit Beißner (Kafka der Dichter,
Stuttgart 1958, 30) — von einer „leisen, fast unfreiwilligen Aufhöhung" sprechen können.
[30] J 31.
[31] Kafka. A collection of critical essays, Prentice Hall 1962, 61 ff.

kolonie hat mit Poe gar nichts zu tun, obwohl thematisch ähnliche Greuelszenen auftauchen. — Schon die Vergleichung des Sprachstils sollte darüber belehren, zumindest stutzig machen. Was hat die hellfarbige, wie von Ingres sicher liniierte Darstellung Kafkas gemeinsam mit der vibrierenden, manchmal auch geradezu gewaltsam in Vibration gesetzten Form jener Gruselexperten? Jene sind Spezialisten der Höllentiefseeforschung mit mehr oder minder wissenschaftlichem Interesse, ein religiöses Schwänzchen, eine Art ‚Moral‘ ist gewissermaßen nur aus Verlegenheit angehängt ... Klingt nicht auch ein wenig Stolzsein auf die Zerrüttung überall mit? Bei Kafka ist es jedoch tiefer Ernst des religiösen Menschen, der die Szene füllt. Er zeigt keine Neugierde nach den Abgründen. Wider seinen Willen sieht er sie. Er ist nicht lüstern nach Zerfall. [Es geht ihm nicht um] die Durchstudierung und Durchschmarotzung von ein paar passablen Höllenabnormitäten, [nicht um] die Sensation jener interessant pathologischen Skizzenbücher des ‚unheimlichen‘ Genres."[32]

In der Spannung zwischen konventioneller Sprache und ungewöhnlichem Inhalt wird die für Kafka charakteristische Intensität des Ausdrucks erreicht. Obwohl Kafka als ein „von der Wahrheit Geblendeter" ganz der Macht seiner inneren Gesichte hingegeben ist, überläßt er sich keinem Impuls der Ausdruckslust, zügelt er sein Ergriffensein zur Nüchternheit einer konsequent neutralen Sprache. Sein rein feststellendes, sachlich bescheidenes Erzählen ist also höchst bewußte, anspruchsvolle Kunst, eine Kunst für feinhörige Leser, die das Untertreiben, Versachlichen, Verfremden und zarte Ironisieren der Sprache verstehend mitvollziehen.

Im Widerspiel zu den labyrinthischen Visionen, die es realisiert, erscheint Kafkas zuchtvoll stilisiertes Prager Deutsch als eine bewußte Kunstsprache. Und es fällt nicht schwer, in der sachlich präzisen Erzählprosa Kleists das stilistische Vorbild Kafkas zu erkennen. Auch Kleist schrieb eine scharf beobachtende, fast gefühlskalt anmutende, chronikhaft nüchterne Sprache, die wie die Kafkas zur Protokollgenauigkeit eines Beamten- oder Juristendeutsch erzogen ist, zugleich aber in kompliziert kunstvoller Syntax brilliert.[33] Musterbeispiele dieses im Wortmaterial nüchtern sachlichen, im Satzbau aber ausgeklügelt künstlichen Kleistischen Stils sind

---

[32] Der Dichter Kafka. In: HANS MAYER (Hrsg.): Deutsche Literaturkritik a.a.O. 355.

[33] Es ist kein Zufall, daß Kleist zu den von Kafka am stärksten verehrten Dichtern gehörte. In beiden wirkte der Drang zum Ungeheuren, Absoluten. Für beide galt es, durch zuchtvoll strenge Form das Chaos zu bändigen. Stilistisch, insbesondere syntaktisch und satzrhythmisch, sind sie fast zum Verwechseln ähnlich. Die Eingangssätze des Amerika-Romans klingen wie ein Stück Kleistischer Prosa: ‚Als der sechzehnjährige Karl Roßmann, der von seinen armen Eltern nach Amerika geschickt worden war, weil ihn ein Dienstmädchen verführt und ein Kind von ihm bekommen hatte, in dem schon langsam gewordenen Schiff in den Hafen von New York einfuhr, erblickte er die schon längst beobachtete Statue der Freiheitskönigin wie in einem plötzlich stärker gewordenen Sonnenlicht. Ihr Arm mit dem Schwert ragte wie neuerdings empor, und um ihre Gestalt wehten die freien Lüfte.‘

u. a. die Eingangssätze der Novellen *Die Marquise von O., Das Erdbeben von Chili* und *Der Zweikampf,* in denen — ähnlich wie bei Kafka — ungewöhnliche Begebenheiten s p r a c h l i c h zu Alltäglichkeiten verfremdet erscheinen.

In M. . . ., einer bedeutenden Stadt im oberen Italien, ließ die verwitwete Marquise von O . ., eine Dame von vortrefflichem Ruf, und Mutter von mehreren wohlerzogenen Kindern, durch die Zeitungen bekannt machen: daß sie ohne ihr Wissen in andere Umstände gekommen sei, daß der Vater zu dem Kinde, das sie gebären würde, sich melden solle, und daß sie, aus Familienrücksichten, entschlossen wäre, ihn zu heiraten.

In St. Jago, der Hauptstadt des Königreichs Chili, stand gerade in dem Augenblicke der großen Erderschütterung vom Jahre 1647, bei welcher viele tausend Menschen ihren Untergang fanden, ein junger, auf ein Verbrechen angeklagter Spanier, namens Jeronimo Rugera, an einem Pfeiler des Gefängnisses, in welches man ihn eingesperrt hatte, und wollte sich erhenken.

Herzog Wilhelm von Breysach, der, seit seiner heimlichen Verbindung mit einer Gräfin, namens Katharina von Heersbruck, aus dem Hause Alt-Hüningen, die unter seinem Range zu sein schien, mit seinem Halbbruder, dem Grafen Jakob dem Rotbart, in Feindschaft lebte, kam gegen das Ende des vierzehnten Jahrhunderts, da die Nacht des heiligen Remigius zu dämmern begann, von einer in Worms mit dem deutschen Kaiser abgehaltenen Zusammenkunft zurück, worin er sich von diesem Herrn, in Ermangelung ehelicher Kinder, die ihm gestorben waren, die Legitimation eines, mit seiner Gemahlin vor der Ehe erzeugten, natürlichen Sohnes, des Grafen Philipp von Hüningen, ausgewirkt hatte.

Gemeinsam ist beiden Erzählern eine kommentarlos nüchterne, auf reine Tatsächlichkeit abhebende, fast statistisch genau beschreibende Sprache, die Unerhörtes als ein überraschendes Augenblicksgeschehen vergegenwärtigt. Obwohl Kleist als Chronist zu berichten scheint, erlebt der Leser das Erzählte im hic et nunc. Was Beißner von „dem Erzähler Franz Kafka" festgestellt hat, gilt auch für den Novellisten Kleist: „Das Geschehen erzählt sich selber im Augenblick, in paradox präteritaler Form."[34] Beide Dichter treten als Erzähler vollkommen zurück. Dieser Neigung zum reinen Berichten korrespondiert die Neigung zur „Formelhaftigkeit" in „Syntax und Wortmaterial", die ihrerseits „eine echte epische Sprache . . . konstituieren."[35]

Indessen geht die Gemeinsamkeit, die Kafka und Kleist miteinander verbindet, über das Sprachlich-Stilistische noch weit hinaus. Auch in der Thematik standen sich beide Dichter nahe. Was sie erregte, war ‚die gebrechliche Einrichtung der Welt'[36], die bestürzende Einsicht, daß das Unglaubliche das Wahre, das Absurde das Normale ist, die verwirrende Entdeckung des Surrealen und Wunderhaften im

---

[34] A.a.O. 32.
[35] WALSER a.a.O. 127.
[36] Heinrich von Kleist: Die Marquise von O . . . (Schlußabsatz).

scheinbar so leicht durchschaubaren gewöhnlichen Alltag *(Amphitryon)*. Mit Recht sah Tucholsky in Kafka einen „Großsohn von Kleist". Um so mehr verwundert, daß man neuerdings die von der Forschung behauptete Verwandtschaft beider entschieden bestritten hat.[37] Hartmut Binder, der unter Verwandtschaft offenbar volle Identität versteht, sucht durch Vergleich der Anfänge der Novellen *Die Verwandlung* und *Das Erdbeben von Chili* gerade die Verschiedenheit Kleists und Kafkas darzutun. Dabei hebt er aber — gegen seine eigentliche Intention — zugleich entscheidend Gemeinsames hervor:

> Jeweils gleich im ersten Satz werden die Hauptfiguren mit einem überraschend eingetretenen Ereignis konfrontiert, mit dessen Auswirkungen sie sich dann befassen müssen. Die Folgen treffen...gleichzeitig die Umwelt des Helden, im Falle der *Verwandlung* die Familie Samsa, das Geschäft und die Zimmerherren, in Kleists Novelle Josephe mit ihrer Familie und die Stadt St. Jago. In beiden Erzählungen müssen also zwei Handlungsstränge durchgeführt werden. Schließlich besteht eine weitere wichtige Gemeinsamkeit darin, daß die Vorgeschichte erst nach dem Beginn der Handlung nachgetragen wird.[38]

Was hier als übereinstimmend aufgeführt wird, ist nicht nur nicht wenig, sondern vor allem auch charakteristisch, ja für das Erzählen der beiden Dichter konstitutiv. Denn auch die andern Erzählungen Kleists und Kafkas setzen häufig mit einem bestürzenden Geschehen ein, mit einer Begebenheit, die den zeitlichen Standort i n die Situation selbst verlegt. Doch ist bei Kleist erst in Ansätzen da, was dann bei Kafka bewußt und konsequent durchgeführt erscheint. Noch ist Kleist vermittelnder Erzähler, der freilich so kommentarlos erzählt und das Faktische des Geschehens so durch sich selbst wirken läßt, daß der Vorgang sich selbst zu erzählen scheint. Wenn aber bei mehreren Handlungssträngen der ordnende Erzähler gelegentlich einige Rückgriffe durchführen muß, so geschieht das in einer Weise, daß er „in seinen Urteilen den Horizont der gerade dargestellten Szene nicht überschreitet".[39] Solche Fixierung der Sicht in die jeweilige Szene ist vom allwissenden Erzähler weit entfernt und steht bereits der einsinnigen Erzählperspektive Kafkas nahe. Auch wenn Kleist die Vorgeschichte jeweils wirklich erzählt und bis zu dem Zeitpunkt, an dem die Geschichte einsetzt, heranführt, liegt doch das Kennzeichnende seiner Darstellung darin, daß er die Perspektive in dem gerade laufenden Geschehen aufgehen läßt. Dieser szenischen Fixierung entspricht eine Vergegenwärtigung der Vor-

---

[37] Hartmut Binder (Motiv und Gestaltung bei Franz Kafka, Bonn 1966, 157) behauptet, daß sich für „die vielberufene Verwandtschaft zwischen Kafka und Kleist ... überhaupt nichts Beweiskräftiges" beibringen lasse: „Die Häufigkeit der Nennung in den Lebenszeugnissen ist ... kein direktes Indiz für die Fruchtbarkeit eines Vergleichs". Andrerseits betont er (a.a.O. 240), daß Kafka 1911 „besonders stark" unter dem Einfluß von Kleist, Flaubert, Goethe ... stand, wie „dies im Tagebuch von 1911 deutlich wahrzunehmen" sei.

[38] Ebd. 279.

[39] Ebd. 284.

gänge jeweils in der Sicht oder Reflexion der betroffenen Personen. Tatsächlich kennt schon die Epik Kleists mit ihrem weithin verborgenen oder unauffälligen Erzähler Perspektiventräger in einem Kafka verwandten Sinn. Bei Kafka selbst ist dann die erzählerische Darbietung nahezu ganz auf die Innensicht des Helden reduziert. Hier kann man „gar nicht mehr von einer Erzählung im herkömmlichen Sinn sprechen, denn die Handlungsschicht, der äußere Vorgang, ist sehr zurückgedrängt und bildet nicht mehr ein zusammenhängendes Skelett der Fabel".[40] Nur noch das, was der Held selber aufnimmt, wird mitgeteilt. „Die Innenwelt ist in ganz anderm Maße als bei Kleist thematisch geworden."[41] Bezeichnenderweise wird die Vorgeschichte Gregor Samsas nicht erzählt, „sondern im Bewußtsein Gregors reflektiert und damit der Ordnung und dem Zusammenhang des Erzählerberichtes ... entzogen".[42] Als etwas „von den Figuren Gedachtes" besitzt die Vorgeschichte „keine eigene Zeitdimension mehr, wie es bei der Darbietung durch einen Erzähler der Fall wäre".[43] Zwar ist bei Kleist der Erzähler noch nicht in so entschiedener Weise verabschiedet, aber er ist bereits ganz unauffällig geworden. Wo er auftreten muß, erscheint er auf die Rolle eines Ordners beschränkt, der die nötigen Informationen erteilt, wo sich die Begebenheiten nicht aus sich selbst verdeutlichen können.

Die Formelhaftigkeit des Kafkaschen Erzählstils verdeutlicht zugleich Distanz von der empirischen Welt. Infolgedessen sprechen auch „alle Figuren das Idiom Kafkas", seine präzise „Protokollsprache", in der es keinerlei Gemütsunterschiede gibt wie „Vertraulichkeit, Enthusiasmus, Empörung usw." Auch Max BENSE betont die Abgetrenntheit, ja Jenseitigkeit dieser Sprache.[44]

Das Gleiche meint Fritz MARTINI, wenn er sie als „radikal geschichtslos", „asketisch von allem Lyrischen, Metaphorischen fern" bezeichnet.[45] Ebenso betont Max BROD, daß sich Kafka ohne die übliche Symbolsprache im einfachsten Ausdruck der Wirklichkeit bewege. Norbert FÜRST kritisiert die asketische Distanziertheit und Dürre der Kafkaschen Sprache; er nennt sie: „farblos, gemütlos, klanglos, duftlos".[46] Auch Hermann PONGS hält mit Tadel nicht zurück: Kafkas eigene Bildphan-

---

[40] Ebd. 285.
[41] Ebd. 285.
[42] Ebd. 285 f.
[43] Freilich die bei Kleist begegnende sprachlich-syntaktische „Verschachtelung der Ereignisse ineinander" bezeugt die vom Bewußtsein der Figuren unabhängige Objektivität der berichteten Sachverhalte und mit ihr die noch bestehende ordnende Funktion eines Erzählers.
[44] Theorie Kafkas, Köln—Berlin 1952, 25: „Kafka verbirgt durch die Struktur seiner Sprache und deren Prädikation jeden zureichenden Grund der Wirklichkeit seiner empirischen Welt."
[45] Das Wagnis der Sprache, Stuttgart 1954, 296. Ebd. 322 heißt es: Kafka kenne nur noch „wie eine Leerform abstrahierende Bildzeichen".
[46] Die offenen Geheimtüren Franz Kafkas, Heidelberg 1956, 70.

tasie erfahre ihren gefühlskalten Niederschlag im nüchternsten Alltagsidiom; seine „lichtlose" Sprache liege „sozusagen unter dem Gefrierpunkt". Seine „Helden ... erfahren ... keine Begegnungen, die sie innerlich verwandeln, die ihr inneres Sprechen steigern zu einer neuen Sprache. Kafka hält seine Figuren im engstirnigen Alltag und im Kreis der Alltagsworte fest".[47] Doch gebe es unter seinen Dichtungen „Stücke, in denen die Präzision der sachlichsten Sprache einen Spielglanz von Freiheit verbreitet, der wie Humor aussieht, während das nihilistische Absurde immer auf der Lauer bleibt".[48]

Ob man die Sprache Kafkas als genau und treffsicher rühmt oder als trocken und monoton, formelhaft, konventionell und alltagsnüchtern, ja als gefühlskalt und lichtlos verwirft, ist zwar für die Wirkung des Werkes nicht gleichgültig, aber für die künstlerische Wertung ohne erhebliche Bedeutung. Hier stellt sich nicht die Frage nach dem subjektiven Gefallen oder Mißfallen, sondern einzig die Frage nach der Funktion dieser Sprache im Ganzen der dichterischen Gestaltung. Und in diesem Zusammenhang ist bemerkenswert, daß beide, die Verehrer und die Kritiker des Dichters, seine Sprache als ein sachlich und sorgfältig arbeitendes Instrument erkennen. Und gerade Pongs, der sein Unbehagen an der kalten Lichtlosigkeit der Kafkaschen Prosa nicht unterdrücken kann, betont andrerseits ihre ästhetische Kontrast-Funktion: „Meisterhaft" sei „die nüchterne Präzision der Sprache, die sich zum Spiegel der Schrecken macht".[49] Kafka verbinde „Alptraumszenen und kristallklares nüchternes Protokolldeutsch miteinander ... Als Künstler spalte[t] er sich in den von Schreckträumen Heimgesuchten und in den gefühlsunbeteiligten Sprachartisten auf".[50] Zweifellos ging es dem Dichter um dieses Gegeneinander von den ihn bedrängenden „Schreckbildern, in denen sich Traummetaphern in Szenen umsetzen," und einer nüchtern registrierenden Sprache; es ging ihm um „Schreckparabeln ... die Vision und Alltag, Schreck und Spiel in einem sind".[51]

Kafkas neutrale Sprache war also bewußte Kunstsprache, um „seine labyrinthischen Visionen in den Alltag einzuschmelzen".[52] Daß das in der Tat das Ziel des Dichters war, läßt sich an der Entwicklung seines epischen Stils erkennen. In seinem Frühwerk (bis 1912) ist seine Sprache noch „expressiver als später ..., bis in Einzelheiten hinein bildreicher und kühner ... Grundsätzlich ist zu sagen: von Werk zu

---

[47] A.a.O. 68. Pongs spricht sogar von einer durch den „weltverwerfenden Radikalismus Kafkas" bedingten „zynischen Nüchternheit der Sprache". KURT WEINBERG (Kafkas Dichtungen, Bern und München 1963, 245) spricht von „völlig unauffälligen Gemeinplätzen" und „dem Scheine nach harmlosen Vokabeln".

[48] Ebd. 65.

[49] A.a.O. 55.

[50] Ebd. 127. Das Prädikat „gefühlsunbeteiligt" klingt etwas hart, trifft aber den harten Kern von Kafkas Willen nach einer objektiv gültigen, reinen Form.

[51] Ebd. 64.

[52] Ebd. 67.

Werk wird Kafkas Sprache einfacher, knapper, scheinbar alltäglicher".[53] Das zeigt gerade seine „Art der Darstellung des Übersinnlichen", insofern es für den reifen Kafka charakteristisch ist, „daß das Paradox als das Allernatürlichste eingeführt wird",[54] während in den frühen Erzählungen wie *Beschreibung eines Kampfes* (1904/5) oder *Hochzeitsvorbereitungen auf dem Lande* (1907) die seltsamen Vorgänge durchaus noch als wunderhafte Erscheinungen beschrieben werden. In den späteren Dichtungen jedoch ist „das Irrationale ... real, ja vielleicht das einzig Reale".[55] Dies glaubhaft zu machen ist der Sinn seines nüchternen Sprechens. Denn solche nüchterne Sprache realisiert genau, was sie meint. Das Klischee wird hier gleichsam durch sich selbst überwunden und gewinnt — in der Spannung zur Ungewöhnlichkeit der beschriebenen Geschehnisse — die Kraft einer spontanen Prägung. Was sich hier vollzieht, ist also Wiederentdeckung und Neuverwirklichung dessen, was die Sprache wirklich sagt, ein Ernstnehmen des Gesagten durch ein striktes Wörtlichnehmen der Wörter. Hinzu kommt, daß die sachlich kühle Genauigkeit solcher Sprache Vertrauen in ihre Zuverlässigkeit weckt.[56] Durch konkrete Beschreibung „erreicht er trotz der scheinbar so absurden Überspanntheit seiner Fabeln durchweg die Illusion einer konsequenten Sachlichkeit ... Mit pedantischer Sorgfalt werden unscheinbare Gesten, deren Sinn sich nicht ohne weiteres erschließt, bis zur bildhaften Wirklichkeitsnähe ausgearbeitet".[57] Die ausführliche Beschreibung der Hinrichtungsmaschine in der Erzählung *In der Strafkolonie* und die Ausschilderung der neuen Erscheinungs- und Lebensform des zum Käfer verwandelten Helden in der *Verwandlung* sind typische Beispiele.

Die realistische Nüchternheit solcher Darstellungen läßt erkennen, wie streng „das kritische Bewußtsein des gewissenhaften Sprachkünstlers das ... Werk ... überwacht". „Nie kommt es bei Kafka zu jenem expressionistischen ‚Lärm und Wortgewimmel', wie er sie Janouch gegenüber an den Gedichten Johannes R. Bechers verurteilt."[58] Mag er auch von seinen inneren Schreckbildern tief verwirrt und bedrängt worden sein, die Art, wie er dieses ‚traumhafte innere Leben' gestaltet, „ist alles andere als traumhaft"; im Gegenteil, hier bewährte er die „Gabe,

---

[53] INGE JENS: Studien zur Entwicklung der expressionistischen Novelle, Diss. Tübingen 1954. Eine Sonderstellung nimmt jedoch die späte Erzählung *Der Bau* ein (vgl. das letzte Kapitel des Buches). Hier spricht nämlich der Ich-Erzähler eine durchaus emotionale Sprache und überläßt sich mitunter einem fast expressionistischen Sprachimpuls, fast als ob er sich an der Ballung der Wörter, an der Rhythmik und Melodik des Sprachflusses, ja sogar an den bloßen Klangwirkungen der Assonanzen und Alliterationen berausche.

[54] KURT WEINBERG: Kafkas Dichtungen, Bern und München 1963, 22: Kafka „behandelt ... seine Phantasiegebilde, trotz der Ungeheuerlichkeit des Stoffes, als ob sie dem durchschnittlichsten Alltagsleben angehörten".

[55] Ebd.

[56] PONGS a.a.O. 123.

[57] WEINBERG a.a.O. 26.

[58] Ebd. 19.

ganz schematisch kühne Konstruktionen zu entwerfen"[59] und seine Alpträume in einer durchsichtig klaren, fast an die Helligkeit Mozarts gemahnenden Sprache wiederzugeben, so daß in seiner Prosa „die dunkelste Nacht wie in einem Kristall eingeschlossen ruht".[60] In der Tat liegt die dichterische Leistung Kafkas vor allem darin, daß in seinem Werk, dem zwar „das Nichts im Rücken steht", gleichwohl ein harmonischer Ausgleich des Gegensatzes zwischen heiler Sprache und heillosem Gehalt erreicht worden ist.[61] Wer „die handwerkliche Schönheit" von Kafkas Satzbau und „die mathematische Präzision seines Stils" bewundert, muß sich darüber klar sein, daß diese nichts „mit preziöser Spielerei" zu tun haben; „sie sind nicht Selbstzweck", sondern inhaltlich geforderte Formstrukturen, „aufgerichtet wie Wellenbrecher gegen das ungeheure Chaos, in dem er sich zurechtfinden wollte".[62]

Am hymnischsten hat der Freund Max Brod die Dichtersprache Kafkas gerühmt. Auch wer den Kafkakult Brods nicht nachvollziehen kann, empfindet, daß solche liebend verstehende Einfühlung tiefer dringt als vivisektorisch gewaltsame Stilanalysen es vermöchten. Wie für das Leben im Miteinander gilt auch für die Kunst, daß man lieben muß, um voll verstehen zu können. Deshalb sei auch hier das letzte Wort über Kafkas sprachlich-stilistische Leistung dem Freund überlassen: Reinheit — so betont Max Brod[63] — sei das höchste Kennzeichen von Kafkas Sprache:

> Die billigen Mittel (neue Worte zu drehen, Zusammensetzungen, Rochade der Satzteile usw.), diese Mittel verschmäht er ... Seine Sprache ist kristallklar, und an der Oberfläche merkt man gleichsam kein anderes Bestreben, als richtig, deutlich, dem Gegenstand angemessen zu sein. Und doch ziehen Träume, Visionen von unermeßlicher Tiefe unter dem heiteren Spiegel dieses reinen Sprachbaches. Man blickt hinein und ist gebannt von Schönheit und Eigenart. Man kann aber nicht auf den ersten Blick sagen, worin das Eigene dieser doch nichts als richtigen, gesunden, einfachen Satzformen besteht ... Die Kadenzen, die Abschnitte scheinen geheimnisvollen Gesetzen zu folgen, die kleinen Pausen zwischen den Wortgruppen haben ihre eigene Architektur, eine Melodie spricht sich aus, die nicht aus Materie dieser Erde besteht. Es ist Vollendung, die Vollendung schlechthin, ... Vollkommenheit der reinen Form ... Vollkommenheit — und eben deshalb nicht outriert, nicht extravagant. Sprünge macht man nur, solange die äußerste Grenze, die Linie, die das All umfaßt, nicht erreicht ist ... es ist das Vollendete in Bewegung, unterwegs. Daher paart sich Allumfassendes

[59] Ebd. 19.

[60] WLADIMIR WEIDLÉ: Die Sterblichkeit der Musen, Stuttgart 1958, 345.

[61] Ebd. 348.

[62] STEPHAN HERMLIN: Franz Kafka, in: HERMLIN/MAYER: Ansichten über einige Bücher und Schriftsteller, Berlin o. J. 159.

[63] Er betont, wie sehr die Erscheinung Kafkas „Wahrhaftigkeit, unerschütterliche Echtheit, Reinheit ist. Hier ist Wahrheit und nichts als sie". (Hans Mayer: Deutsche Literaturkritik a.a.O. 352.) Auch Ludwig Hardt, einer der letzten Rezitatoren großen Stils, rühmte „die ganz seltene Reinheit und Entschiedenheit seiner Leistung, ... die wunderbare Klarheit seiner Prosa, die zu rezitieren für mich immer ein Entzücken war". (Vortragbuch Ludwig Hardt, Hamburg 1924).

zwanglos mit allerkleinstem, ja skurrilstem Detail...Daher die große kunstvolle Periode und die Schlichtheit des Stils, jedoch mit Einfällen gesprenkelt in jedem Satz, in jedem Wort. Daher die Unauffälligkeit der Metaphern, die doch immer (man merkt es überrascht erst eine Weile nachher) Neues sagen. Daher Stille, Übersicht, Freiheit wie über den Wolken — und doch die gute Träne und das mitleidige Herz...Diese Sprache ist Feuer, die aber keinen Ruß hinterläßt. Sie hat die Erhabenheit des unendlichen Raumes, und dennoch zuckt sie alle Zuckungen der Kreatur.[64]

Noch mehr aber als dieses feiernde Rühmen des Freundes besagt, was ein progressiver Schriftsteller der jungen Generation zu Kafkas 50. Todestag ausgesprochen hat: „... wenn ich an den letzten Satz aus *Der Prozeß* denke: ‚Es war, als sollte die Scham ihn überleben‘, kommt mir vor, als ob das nicht nur ein Satz wäre, sondern eine H a n d l u n g gewaltiger als alle Handlungen, von denen ich bis jetzt gehört habe."[65]

---

[64] Ebd. 352. Man begreift, daß ein Schriftsteller wie Max Brod, der selber expressionistischem Schwelgen zuneigte, die Ruhe und Schlichtheit des Kafkaschen Stils um so verehrungsvoller bewunderte.
[65] PETER HANDKE: Gewaltiger als alle Handlungen. In: Frankfurter Allgemeine Zeitung, Samstag, 1. Juni 1974, Nummer 126.

Erzählperspektiven

Von welcher Seite man Kafka betrachten mag, immer wieder zeigt sich, daß er sich einer streng eindeutigen Festlegung entzieht. Jede Beobachtung, die man macht, läßt sich durch eine Gegenbeobachtung entkräften oder doch relativieren. Auch seine eigenen theoretischen Äußerungen spiegeln diese wechselreiche Vielfalt der Perspektiven. Wer es darauf anlegen wollte, Kafka ad absurdum zu führen, hätte es daher nicht schwer, ihn auf authentische Weise zu widerlegen. Es gibt nichts, was er restlos bejaht, aber auch kaum etwas, was er restlos verworfen hätte. Es war seine unbedingte Wahrheitsliebe, die sein Denken in dauernder wachsamer Beweglichkeit hielt und ihn zu keiner Zeit und an keinem Ort dogmatisch kurzschlüssig erstarren ließ. Und es ist das Hauptzeugnis dieser Wahrheitsliebe, daß innerhalb seiner grundsätzlich kritischen Haltung die Selbstkritik die erste Stelle einnimmt.

Auch in seiner epischen Technik läßt sich Kafka nicht so eindeutig festlegen, wie man vielfach geglaubt hat. Zwar trifft Beißners Unterstellung einer einsinnigen Erzählperspektive im Werk des Dichters zweifellos einen Kern seines Gestaltens. Aber im einzelnen hat man nicht wenige und auch prinzipielle Abweichungen von dieser epischen Grundhaltung feststellen können.[1] Walter Sokel hat überzeugend nachgewiesen, daß in den Parabeln und parabolischen Erzählungen „das Gesetz der einheitlichen Perspektive, das... [Kafka] in den größeren Erzählungen von *Urteil* bis *Prozeß* befolgt hat", bewußt gebrochen ist. Schon in der *Strafkolonie* begegnet „das neue Prinzip der perspektivischen Distanzierung vom Erzählgeschehen" (und damit der allwissende Erzähler).[2] Abgesehen davon, daß sogar in jenen Geschichten, die im Prinzip aus der Sicht des Helden erzählt sind, diese einheitliche Perspektive

---

[1] Vgl. u. a. KEITH LEOPOLD: Breaks in Perspective in Franz Kafka's *Der Prozeß*, German Quarterly XXXVI, 1963, 31—38. HILLMANN a.a.O. 128 und 188 ff. kennzeichnet die *Josefine* als eine nicht aus der Perspektive des Helden gestaltete Erzählung. Nach HEINRICH HENEL (Das Ende von Kafkas *Der Bau* GRM 22, 1972, 3 f.) trifft Beißners Behauptung, „das Geschehen werde immer vom Standpunkt einer einzigen Gestalt, des Helden dargestellt, ... zwar auf die meisten Werke Kafkas zu, aber nicht auf alle". „Die Aussagen des erzählenden Helden (in den Ich-Erzählungen) und die Auffassung der Hauptgestalt (in den Er-Erzählungen) sind ... nicht immer identisch mit der Wahrheit, der Autor verständigt sich manchmal mit dem Leser über den Kopf seines Helden hinweg ..." Darum sei es nötig, die Stimme des implizierten Autors gleichsam als eine zweite Stimme mitzuhören.

[2] Das Verhältnis der Erzählperspektive zu Erzählgeschehen und Sinngehalt in *Vor dem Gesetz, Schakale und Araber* und *Der Prozeß*, ZfdPh. 86, 1967, 270. In seinem Kafkabuch (New York und London 1966) schrieb SOKEL: Wer die Perspektive des Protagonisten für den ganzen Kafka halte, falle der geschickten Täuschung zum Opfer, die durch eben diese Perspektive verursacht wird.

nicht ausnahmslos durchgehalten wird, zeigt sich in der epischen Entwicklung Kafkas eine Tendenz zu fortschreitender Objektivierung der Erzählperspektive. In solchem Sinn unterscheidet sich der letzte Roman des Dichters *Das Schloß* vom *Verschollenen* und vom *Prozeß*. Die zunehmende Wichtigkeit didaktisch objektiver Erzählgattungen wie Parabel (Fabel) und Gleichnis weisen in dieselbe Richtung.

Aber wenn auch die einsinnige Erzählperspektive weder für das Gesamtwerk Kafkas gilt noch in den einschlägigen Dichtungen mit letzter Konsequenz verwirklicht ist, so herrscht sie doch zweifellos vor und entsprang einem genuinen Gestaltungsantrieb des Dichters. Das Erzählen aus der Sicht des Helden, der letzthin mit dem Erzähler identisch (oder doch kongruent) ist, entsprach dem autobiographischen Ansatz Kafkas. Es korrespondiert dem ‚traumhaften inneren Leben‘ als der durchgehenden Thematik seiner Dichtung. Die subjektgebundene Sicht ist also dem Erzähler selbst immanent, so daß es zu einer vollen Objektivierung der Erzählperspektive kaum jemals kommen kann. Sie ist die Voraussetzung dafür, daß die im einzelnen disparate und akausale Welt der Kafkaschen Romane und Erzählungen gleichwohl als etwas Einheitliches und in sich Zusammengehöriges, als eine nach unbekannten Gesetzen konstituierte Welt eigener Prägung empfunden wird. Es ist die Koinzidenz von Perspektive und Geschehen, die das traumhaft bunte Vielerlei der Begebenheiten nicht als Chaos, sondern als eine Art höherer Ordnung erscheinen läßt, als etwas Zwangsläufiges und Notwendiges, trotz aller Unbegreiflichkeit Sinnvolles. Die subjektive Erzählperspektive hat also unmittelbar an der Sinnaussage teil. Die feststellbaren Abweichungen heben daher auch ihre fundamentale Bedeutung nicht auf; sie kommen hinzu und differenzieren das Bild.

In diesen Zusammenhang gehört, was Binder zur Charakteristik des Kafkaschen Erzählens gesagt hat:

> Die Entwicklung muß sofort mit dem Beginn der Geschichte einsetzen, eine Verzögerung, sei es durch Milieuschilderungen oder ‚Nebenerfindungen‘, also nicht zum Mittelpunkt der Fabel Gehöriges, ist nicht statthaft. Ein Handlungspunkt soll sich, dem Darzustellenden angepaßt, in langsamem oder schnellem Erzähltempo aus einem andern entwickeln, erdachte ‚Sprünge‘, ‚Löcher‘ und äußerliche Verknüpfung sind gleichermaßen unzulässig ... Das läßt den Schluß zu, daß [für Kafka] nur in einen Erzählzusammenhang gehört, was sich zwangsläufig aus einem einzigen Ansatz entwickeln kann.[3]

Daß aber, wie es dem Leser mitunter vorkommen mag, bloße Nebenumstände und Kleinigkeiten oft so wichtig genommen werden, erklärt sich daraus, daß es innerhalb des gegebenen Kontextes überhaupt nichts Nebensächliches gibt. Hierin gründet der (scheinbare) Gegensatz zwischen der einerseits praktizierten Genauigkeit und Vollständigkeit der Darstellung und dem „Erzählprinzip der Reduktion" in Kafkas

---

[3] Kafkas literarische Urteile a.a.O. 234.
[4] Klaus RAMM: Reduktion als Erzählprinzip bei Franz Kafka, Frankfurt a. M. 1971.

Epik.[4] Was zum Mittelpunkt der Fabel gehört, wird vollständig, mit gewissenhafter Hingabe ans Detail ausgebreitet. Hier fällt nichts dem Prinzip der Reduktion zum Opfer. Zur einsinnigen Perspektive gehört diese nichts auslassende pedantische Exaktheit der Darbietung. Umgekehrt bleibt unberücksichtigt, was in der subjektbestimmten Sicht des Erzählers nicht eingeschlossen ist.

Andererseits läßt sich zeigen, daß trotz ihrer fundamentalen Bedeutung die einsinnige Perspektive in keiner Erzählung Kafkas durchgängig gilt. Wie von Wiese betont[5], stellt der Dichter „doch nicht nur seine isolierte, innerseelische Welt... dar"; vielmehr gibt es „auch bei Kafka eine Distanz zum Erzählten", die zwar „nicht durch Reflexion..., sondern durch [ein] Erzählen von mehreren Blickpunkten her" gewonnen wird. Auch wenn man „mit Kafka selbst seinen poetischen Stil als Darstellung seines traumhaften inneren Lebens" auffaßt, so werden doch „seine Werke... dabei nicht zu einem monologue intérieur". Denn „die weitverzweigte Organisation des Gerichtes in dem Roman *Der Prozeß* [behält] ihren eigenen Schwerpunkt... neben dem anderen Schwerpunkt Josef K., und das gleiche [gilt] vom Verhältnis jenes anderen K., der wiederum nur eine Chiffre für Kafka selbst ist, zu den Mächten des Schlosses oder, vielleicht noch eindringlicher, im Gegeneinander von Karl Roßmann und einer pervertierten entfremdeten Massengesellschaft im Roman *Amerika*". Ebenso sei in der *Verwandlung* die in der Familie repräsentierte Gegenwelt des Helden „nicht nur unter dem Blickpunkt des Verwandelten und seiner Seelenwirklichkeit" zu sehen, auch wenn hier das Erzählen „ganz überwiegend aus der Perspektive des Verwandelten heraus erfolgt". Denn hinter dem Ganzen stehe „noch der Dichter Kafka, der mit einer unbestechlichen Sachlichkeit berichtet, die sich jede Einmischung in das Erzählte verbietet". Infolgedessen verzichte er bewußt darauf, „zwischen dem Protagonisten Gregor und seinen Gegnern Partei zu ergreifen". Das gilt auch für die anderen Erzählungen und Romane. Der Held genießt nirgends den Vorzug der Sympathie des Erzählers. Zumindest findet sie keinen Ausdruck, so daß offen bleibt, ob solche Sympathie mit dem Helden grundsätzlich fehlt oder lediglich unausgesprochen bleibt.

Aber auch wenn die Gegenwelten der Kafkaschen Helden — sei es das Gericht, die Schloßverwaltung, die Familie oder andere Instanzen — jeweils in der verzerrenden subjektiven Sicht der Protagonisten vergegenwärtigt werden, bedeutet das nicht, daß sie nur Wahnbilder darstellen und somit als irreal gelten müssen. Gewiß decken sie sich nicht mit den Vorstellungen der durch sie Betroffenen, existieren aber doch als wirkende Wirklichkeiten, sind also Realitäten und relativieren als solche die Sicht der Helden, die sich von dieser ihrer realen Wirkung nicht emanzipieren können.[6] Jedoch abgesehen davon überschreitet Kafka auch in Geschichten, die als

---

[5] Vgl. zum folgenden: Benno von Wiese: Die Verwandlung. In: Die deutsche Novelle von Goethe bis Kafka, Bd. 2, Düsseldorf 1964, 326 ff.

[6] Und selbst wenn man mit INGEBORG HENEL (Die Deutbarkeit von Kafkas Werken a.a.O. 256 ff. und ähnlich Walter Sokel a.a.O. 290 f.) annehmen wollte, die Gegenwelten

Musterbeispiele einsinniger Erzählperspektive gelten können, nicht selten die durch die Hauptgestalt bestimmte subjektive Sicht des Geschehens. Im letzten Satz der Erzählung *Das Urteil:* ,In diesem Augenblick ging über die Brücke ein geradezu unendlicher Verkehr' spricht unvermittelt der distanzierte wissende Erzähler und teilt etwas mit, was über die Perspektive des Helden hinausgeht.

Die Held-Perspektive ist also nur ein Teil seines gesamten Blickwinkels. Er hält sie ein, weil er das Ich des Einzelnen in seinem hoffnungslosen Kampf ... verfolgen will, daß heißt, es geht ihm um das Dasein dieses einen Einzelnen."[7] Insofern ist die subjektiv einsinnige Erzählperspektive gleichsam die erzähltechnische Konsequenz aus der Thematik des Dichters. Wenn er hier dennoch über den Tod seines Helden hinaus erzählt, so deshalb, weil er abschließend „noch etwas höchst Wichtiges zu berichten" hat, nämlich „das Überleben der Welt, die sich in endloser Bewegung erhält". „Derartige Schlußsituationen charakterisieren einen Erzähler, der trotz seiner ... nur von einem Subjekt erzählenden Einseitigkeit, immer [auch] das Ganze im Auge behält und überschaut".[8] Andererseits unterstreicht aber gerade dieser zum Schluß vollzogene Perspektivenwechsel die konsequente epische Introversion des vorausgegangenen Erzählens.

Das Gleiche gilt vom Schluß der *Verwandlung.* Auch hier erfolgt ein geradezu grell wirkender Perspektivenwechsel, der freilich durch solche Kontrastwirkung mit einem ganz neuen Aspekt die introvertiert einsinnige Darbietung der eigentlichen Geschichte eher steigert als abschwächt. Doch auch innerhalb der eigentlichen Geschichte äußert sich der beobachtende Erzähler, wenn etwa, wie von Wiese betont[9], die neue Situation des verwandelten Gregor „mit einer Art von makabrem Galgenhumor" geschildert wird: „Da sind nicht nur die vielen Beinchen, die so hilflos reagieren, da hören wir auch von der plötzlich aufsteigenden Idee, um Hilfe zu rufen, und es heißt dann weiter: ,Trotz aller Not konnte er bei diesem Gedanken ein Lächeln nicht unterdrücken.' Ein lächelndes Insekt, das noch dazu über das Bild lächelt, das der einstige Mensch nunmehr seiner Umwelt bieten muß, wenn er sie um Hilfe anruft, — das Groteske dieses Einfalls" zeigt, daß das hier entfaltete innere Geschehen zugleich von außen gesehen und gedeutet wird. Auch der in seiner lakonischen Kürze doppelt alarmierende Satz: ,der Vater war nicht in der Stimmung, solche Feinheiten [nämlich Gregors pantomimische Bemühungen, seinen guten Wil-

---

seien jeweils aller Realität enthobene, reine Projektionen des Inneren des Helden, gälte auch hier noch immer die fatale mephistophelische Weisheit:
> Am Ende hängen wir doch ab
> Von Kreaturen, die wir machten.
> (Faust II, Zweiter Akt, Szene: Laboratorium)

[7] HILLMANN I a.a.O. 175.

[8] Ebd.

[9] VON WIESE a.a.O. 333. NORBERT KASSEL (Das Groteske ... a.a.O. 169) verweist auf „die mannigfachen Zeiterwähnungen in Form einleitender Zeitadverbien, die nicht ausschließlich im Vermögen der begrenzten Sicht Gregors" liegen.

len, in sein Zimmer zurückzukehren und dort zu verschwinden] zu bemerken' ist eine Erzähläußerung, die das Erzählen aus der begrenzten Sicht des Helden überschreitet. In diesen Zusammenhang gehört nicht zuletzt Gregors „erlebte Rede": ‚War er ein Tier, da ihn Musik so ergriff? Ihm war, als zeige sich ihm der Weg zu der ersehnten unbekannten Nahrung.' Fragt sich doch, ob diese Äußerung wirklich nur als Selbstgespräch zu deuten ist, oder ob darin nicht vielmehr die Situation als solche angesprochen wird, so daß also hier der Held gleichsam stellvertretend den Kommentar des Erzählers mitteilt und die Frage somit „auch eine Frage an den Leser" ist.[10] Ein solcher Bruch der einperspektivischen Erzählweise findet sich u. a. auch im zweiten Kapitel des Amerika-Romans. Karl Roßmann ist von einem Freund seines Onkels, Herrn Pollunder, zu einem Besuch in dessen Landhaus eingeladen worden. Auf der Fahrt dorthin äußert er zu Herrn Pollunder seine Verwunderung darüber, daß ihm sein Onkel so ungern die Erlaubnis zu diesem Besuch gegeben hat. Der darauf folgende Satz ist eine reine Erzählerbemerkung: ‚Auch Herr Pollunder konnte, obwohl er dies nicht offen eingestand, keine Erklärung dafür finden, und beide dachten, als sie in Herrn Pollunders Automobil durch den warmen Abend fuhren, noch lange darüber nach, obwohl sie gleich von anderen Dingen sprachen.' Hier werden sowohl der Held als auch sein Partner in der Sicht des darüberstehenden wissenden Erzählers vergegenwärtigt.

Auch im *Schloß*-Roman tritt der Erzähler gelegentlich von seiner Hauptfigur zurück und spricht für sich selbst. Das gilt schon für den ersten Abschnitt, wenn in diesem das Schloß als ‚groß' und die Leere auf dem Schloßberg als ‚scheinbar' bezeichnet wird".[11] Denn „sicherlich kann K. nicht selbst diese beiden Beobachtungen gemacht haben, da für ihn ‚auch nicht der schwächste Lichtschein' sichtbar geworden ist".[12] Einen noch drastischeren Bruch der subjektgebundenen Erzählperspektive konstatiert Politzer „im Nachtverhör K.s durch den Sekretär Bürgel, in dem dieser zwar spricht, von dem Landvermesser aber nicht gehört werden kann, weil dieser in tiefen Schlaf versunken ist". Politzer schließt folgende Deutung an: „Hätte K. jedoch Bürgels Rede vernommen, dann wäre es ihm freigestanden, das Schloß zu betreten. Die Tatsache, daß K. diese Worte nicht zu hören vermag, verrät uns, daß die Möglichkeit, vom Schloß aufgenommen zu werden, zwar besteht, doch nicht für K. Das kann jedoch nur heißen, daß das Schloß zwar existiert, groß und erreichbar ist — aber gerade nicht für diesen einen Landvermesser."[13] Aber wie immer bei Kafka ist es doch nicht nur Pech, das den Unglücklichen trifft, vielmehr wirken auch hier Fatalität und Versagen zusammen, um den Helden seine Chance versäumen zu lassen. Daß er sie verschläft, ist eine klägliche Sache. Zwar gibt es plausible Gründe dafür — er hat sich durch gehäufte Anstrengungen ermüdet —, aber

---

[10] Kassel a.a.O. 170.
[11] Politzer a.a.O. 327.
[12] Ebd.
[13] Ebd.

zugleich verweist dieses Einschlafen im entscheidenden Augenblick auf eine auch moralische Schwäche des Mannes. Es zeigt, daß er nicht auf dem Posten ist, wenn es gilt, daß er sich in Nebendingen verbraucht und daher außerstande ist, die Hauptsache zu meistern. Auf jeden Fall ist der Perspektivenwechsel an dieser Stelle notwendig, um etwas Entscheidendes mitzuteilen, was die Sicht des Helden überschreitet.

Endlich aber relativiert die (jederzeit zu assoziierende) Identität des Dichters mit seinen Helden auch von innen her die streng subjektgebundene Einsinnigkeit der Erzählperspektive.[14] Denn so sehr sich der Erzähler mit seinen Helden identifiziert — so sehr nämlich, daß er für den Leser unsichtbar wird —, geht seine Perspektive doch nie restlos in der Perspektive der Hauptgestalten auf. Das aber heißt, wie Ingeborg Henel in Übereinstimmung mit Walser betont, daß Erzähler und Held nicht wirklich identisch, sondern „nur kongruent" sind und infolgedessen „es auch dem Leser nicht erlaubt [sei] sich mit dem Helden zu identifizieren".[15] So erzähle zwar der Autor „vom Standpunkt des Helden", vertrete aber nicht dessen Standpunkt, sondern sei „als Richter über seinen Helden in dem unsichtbaren Gericht gegenwärtig". Erst am Ende, im Augenblick des Gerichtes, wenn der um Rechtfertigung bemühte Held „den Kampf gegen das unveränderliche Gesetz" aufgibt und sein Urteil als gerecht anerkennt, „fallen der Standpunkt des Autors und der des Helden zusammen", womit aber „auch dem Leser ... ein Standpunkt angewiesen" werde.[16] Wenn jedoch nach dieser Auffassung Kafka zwar „eindeutig aus der Perspektive des Helden erzählt", gleichzeitig aber „immer auch außerhalb des Helden auf Seiten der Gegenordnung [und] über ihm in der ‚neutralen Instanz'" steht[17], so steckt in diesem einperspektivischen Erzähler doch auch noch der allwissende Erzähler, der die Perspektiven wechseln kann, sich aber freiwillig und grundsätzlich auf einsinnige Darstellungsweise beschränkt.

Dennoch sagt Sokel mit Recht, daß „Kafka ... den von Flaubert und Henry James programmatisch betriebenen Eliminierungsprozeß des allwissenden, über seinen Charakteren stehenden, auktorialen Erzählers zum logisch konsequenten Extrem" geführt habe.[18] Infolgedessen werden in Kafkas Romanen und Erzählungen die auftretenden Personen nicht charakterhaft psychologisch gestaltet.

---

[14] Ebd. 321.

[15] INGEBORG HENEL: Die Deutbarkeit von Kafkas Werken a.a.O. 254. Indessen liegt eben darin die Wirkung des Kafkaschen Erzählens, daß sich der Leser zum Sympathisieren und Sich-Identifizieren mit dem Helden gedrängt fühlt und so die von Beißner betonte Verwandlung des Lesers in den Helden de facto stattfindet.

[16] Ebd. 266.

[17] Ebd. 259.

[18] Walter Sokel: Erzählperspektive und Erzählgeschehen, 269. Den nachhaltigen Eindruck von Flauberts Perspektivgestaltung auf Kafka bezeugen nach BINDER (Kafkas literarische Urteile a.a.O. 226) „die eigene Darstellungstechnik und Briefstellen, in denen er das Hervortreten des Erzählers in gerade gelesenen Texten bemängelt".

Wie Janouch mitgeteilt hat, sagte Kafka selbst: ‚Ich zeichnete keine Menschen. Ich erzählte eine Geschichte‘.[19] Das aber heißt: Kafkas Epik ist „Ereignisdichtung". Sie denkt nicht in Charakteren, sondern in Situationen und Vorgängen. Dem entspricht seine Vorliebe für geborene Geschichtenerzähler wie Johann Peter Hebel und Charles Dickens, dessen *David Copperfield* cum grano salis das Vorbild zu seinem *Amerika*-Roman abgab. Auch Kafka spürte die Lust am ausgreifenden Fortspinnen des epischen Fadens, am Ausgestalten der Situationen und Hinzuerfinden immer neuer Episoden. Während er in dieser Hinsicht noch dem altepischen Typus des Geschichtenerzählers zuneigt, ist er andrerseits der Dichter des Individuums. Infolgedessen zeigt sein Werk ein gespanntes Ineinander von Ereignisdichtung und konsequent subjektbezogener Darstellung. Was z. B. im *Prozeß,* im *Schloß* oder im *Verschollenen* erzählt wird, ist eine Abfolge von bestürzenden Vorgängen, scheint alles Ereignisdichtung zu sein. Es läuft ab wie im Traum. Eine kaleidoskophaft bunte Geschichte entfaltet sich. Aber diese Geschichte spielt sich weithin im Innern des Helden ab. Die Vorgänge und Situationen sind mit seinen Augen gesehen. Das Erzählte ist ‚traumhaftes inneres Leben‘, also nicht unpersönlich, sondern im Gegenteil mit der betroffenen Person, mit ihrer Sicht der Welt und des Lebens identisch. Was hier eintritt, ist ‚coincidentia oppositorum‘, nämlich Ereignisdichtung als reine Personendichtung, als etwas eindeutig Individuelles, als die innere Biographie des Protagonisten. Für die mitspielenden Personen aber gilt, daß sich ihre Charakteristik jeweils in ihrer Funktionalität erschöpft.[20] Das heißt: nicht ihre Gedanken und Gefühle, sondern nur ihre „Worte, Gebärden und Handlungen" werden mitgeteilt: „Das wahre Innenleben dieser Gestalten bleibt unbekannt. Auch physisch sieht der Leser nur, was die Hauptgestalt sieht..."[21] So sind es in der Tat die zentralen Erzählfiguren wie Gregor Samsa, Georg Bendemann, Josef K. oder K. oder Karl Roßmann, aus deren Perspektiven wir jeweils das Geschehen erleben. Es ist eine „einperspektivische Erzählweise", die man mit Sokel ‚existentiellen Realismus‘ nennen könnte. Stellt sie doch „genau das dar, was jeder Mensch lebenslänglich erfährt." „Zu lebenslänglicher Einzelhaft in seinem Gehirn verurteilt, kann ja kein Mensch unmittelbare Gewißheit über das Innenleben und Bewußtsein seiner Mitmenschen erlangen, sondern ist immer nur auf Mittelbares und Mutmaßliches angewiesen... Kafkas extrem personale Erzählperspektive ist also die formale Entsprechung der unvermeidbaren Existenztatsache der Individuation.[22]

---

[19] Gespräche mit Kafka, a.a.O. 25. Im gleichen Sinn bemerkte Kafka bei anderer Gelegenheit: ‚Wir Juden sind Geschichtenerzähler‘.

[20] WALSER, a.a.O. 47 spricht von der „Funktionalität der Figuren als ihrer Charakteristik".

[21] SOKEL a.a.O. 269.

[22] Ebd. 269. Den äußersten Gegensatz zur subjektbestimmt einsinnigen Perspektive Kafkas, zu seiner Verabschiedung des allwissenden Erzählers repräsentiert das Epische Theater Bertolt Brechts. Wenn hier jede Konzentration auf einen Helden und überhaupt jede Personalisierung des Geschehens verworfen wird, so ist damit grundsätzlich jede

Gleichwohl finden sich in Kafkas Werk auch Erzählformen, in denen die einperspektivische Erzählweise aufgehoben ist. In den Parabeln und parabolischen Erzählungen gibt es durchaus den distanzierten Erzähler. Hier treten Perspektive und Geschehen auseinander. Überhaupt läßt sich ein Prozeß fortschreitender Distanzierung von Perspektive und Geschehen in Kafkas Epik feststellen. Bereits in der *Strafkolonie* als einer parabolischen Erzählung ist eine solche Objektivierung der Erzählperspektive erkennbar.[23] Obwohl hier der Offizier — zumindest im größeren Teil der Geschichte — die handelnde und leidende Hauptgestalt ist, sehen wir die von ihm veranlaßten und erlittenen „Geschehnisse ... nicht mit seinen Augen". „Es sieht sie der Forschungsreisende, der als Beobachter und Zuhörer zwischen Offizier und Leser tritt. Wir sehen nicht mehr mit den Augen, wir sitzen nicht mehr im Hirn der das Geschehen erlebenden Figur, sondern erfahren mittelbar durch Sinnesorgane und Hirn des Zuschauers."[24] Wohl scheinen wir — unter der Suggestion der eindringlich genauen Beschreibung des Strafapparates und des Strafverfahrens, die der Offizier mitteilt — zunächst alles mit dessen Augen zu sehen, „gehen aber mit dem Ende des Berichts ... in die Perspektive des Reisenden ein"[25], um schließlich überhaupt in der vollen Freiheit epischer Distanz dem Ganzen gegenüberzustehen. Vor allem aber tritt hier auch der über dem Erzählgegenstand stehende, auktoriale Erzähler in Funktion. Er äußert sich kommentierend zum dargestellten Geschehen, beurteilt die beteiligten Personen von außer- oder oberhalb, sowohl den Offizier, dessen Fanatismus er mit dem Stichwort ‚beschränkter Kopf' wertend kennzeichnet, als auch den Forschungsreisenden, dessen Verhalten er durch Hinweise auf seine vielfältige Welt- und Lebenserfahrung begründet, und auch den Sträfling, den er ganz von außen her — mit naturalistisch anmutender Genauigkeit — in allen mimischen und gestischen Äußerungsformen abschildert. Hier erfolgt also in der Tat eine Annäherung an die „traditionelle Autonomie des Erzählers".[26] Das heißt: es tritt

---

Möglichkeit einer Subjektivierung der Sicht (von der Hauptperson aus oder zur Hauptperson hin) ausgeschaltet. Denn was das Epische Theater anstrebt, ist die Vergegenwärtigung der Daten und Fakten im Nebeneinander, also eine möglichst umfassende Information des Zuschauers durch bilderbogenbunte Ausbreitung aller Gegebenheiten der Situation, ohne Vorauswahl und Vorurteil. Mit diesem Anspruch auf Faktizität und Vollständigkeit der Darbietung bedeutet das Epische Theater — zumindest theoretisch — die konsequenteste Verwirklichung des allwissenden Erzählers.

23 Ebd. 270.
24 Ebd. 270.
25 Ebd. 270.
26 Ebd. 274. In der Legende *Vor dem Gesetz* findet Sokel den von „Beißner und Walser völlig unbeachtet gelassenen Beweis einer traditionell-auktorialen Erzählperspektive bei Kafka" (ebd. 273). Denn hier gewährt uns der Dichter einen „unmittelbaren Einblick in das Innenleben einer Gestalt, die nicht die Hauptfigur ist". Das heißt: hier meldet sich der (sonst verabschiedete) allwissende Erzähler, der auch die „Gedanken und Intentionen" des Gegenspielers mitteilt. In den folgenden beiden Sätzen liegt eine solche „völlige Objektivierung der Erzählperspektive" vor: ‚Er macht viele Versuche, eingelassen zu werden, und e r m ü d e t d e n T ü r h ü t e r durch seine Bitten'. ‚Der Türhüter erkennt, daß der

„die Perspektive eines Erzählers [hinzu] . . ., der mehr weiß als die [zentralen] Gestalten und Dinge berichtet, die der Held selber nicht wahrnehmen kann.[27]

Im Domkapitel des *Prozeß*-Romans erscheint die perspektivische Distanzierung des Dichters vom Erzählgeschehen doppelt deutlich. Denn die hier eingefügte Legende *Vor dem Gesetz* wird von einer erdichteten Gestalt, dem Geistlichen, erzählt, der selber das Erzählte von außen anblickt. Josef K., dem er die Geschichte erzählt, ist also zweifach von der Figur der Legende, dem Mann vom Lande, entfernt. Für den Leser des Romans jedoch ist die Entfernung von dem hier berichteten Geschehen sogar eine dreifache. Innerhalb des Romans hat die Legende eine parabolisch-didaktische Funktion: „Sie ist Gleichnis, Illustration, bildnis-geschehnishafter Kommentar zur Romanhandlung".[28] Dem entspricht eine objektive Erzählperspektive „außerhalb der beiden Figuren, Türhüter und Mann vom Lande". Beide werden uns vielmehr in aller Form „,vorgestellt‘, vor uns hingestellt"[29]: ,Vor dem Gesetz steht ein Türhüter. Zu diesem Türhüter kommt ein Mann vom Lande und bittet um Eintritt in das Gesetz‘.

Es ist Sokels Verdienst, das Nebeneinander einer einperspektivischen und einer „auktorial-traditionellen" Erzählweise in Kafkas Epik festgestellt und zugleich in den Zusammenhang der gestalterischen Entwicklung des Dichters eingeordnet zu haben. Tatsächlich läßt sich beobachten, daß in den frühen Erzählwerken Kafkas (etwa bis 1914) die einsinnige Perspektive aus der Sicht der Hauptgestalt herrscht, während später — etwa seit der (im Oktober 1914 verfaßten) *Strafkolonie* — „die neue Erzählform Kafkas [dominiert], die im krassen Gegensatz zu den einperspektivischen Geschichten vom *Urteil* bis *Prozeß* auf der Verwendung einer vom Geschehen distanzierten und das Geschehen beobachtenden Perspektivengestalt beruht".[30] Ein frühes Beispiel einer solchen wesentlich nur beobachtenden Perspektivengestalt ist eben der Forschungsreisende in der *Strafkolonie*. Daß aber dieser am Schluß der Erzählung selber handelnde Person wird, hat Kafka bezeichnenderweise als schweren künstlerischen Fehler empfunden.

Stellt sich das Nebeneinander der beiden verschiedenen Erzählweisen — im Blick auf die Entfaltung der epischen Technik des Dichters — zugleich als ein Nacheinander dar, insofern Objektivierung der Erzählperspektive erst in einer späteren Phase (etwa nach 1914) begegnet, so reflektiert es sich vor allem auch in einem markanten

---

Mann schon an seinem Ende ist und, u m s e i n v e r g e h e n d e s G e h ö r n o c h z u e r r e i c h e n , brüllt er ihn an‘. (Hervorhebungen nach Sokel a.a.O. 272 und 274.)

[27] Ebd. 274. Was Sokel hier von der *Legende* feststellt, daß nämlich der Erzähler „außerhalb und über den beiden Figuren der Erzählung [der Mann und der Türhüter] steht und . . . in herkömmlicher Erzählmanier in beide hinein" blickt, gilt auch für die beiden Hauptgestalten der *Strafkolonie*, den Offizier und den Forschungsreisenden (wie auch für alle anderen Figuren der Geschichte).

[28] SOKEL: *Vor dem Gesetz* a.a.O. 271.

[29] Ebd. 272.

[30] Ebd. 299.

Nebeneinander verschiedener Gattungen in Kafkas Werk. Hier sind im besonderen G e s c h i c h t e n (nämlich größere Erzählungen und Romane) und P a r a b e l n (also Gleichnisse, Legenden und parabolische Erzählungen) zu unterscheiden. Eine Geschichte im Sinne dieser Gattungsbestimmung liegt vor, „wo ... eine ... Verknüpfung von Perspektive und Geschehen stattfindet... wo [also] Schauen, Tun und Erleiden in einer Hauptfigur vereinigt sind" und somit prinzipiell aus der Sicht des Helden erzählt wird.[31] Im Gegensatz dazu weisen die Parabeln und parabolischen Erzählungen „eine ... Trennung zweier Ebenen auf — [nämlich] der Geschehnis- und der Bedeutungsebene".[32] Hier geht es um „den Vorgang des Schauens und des Hinweisens", durch den „das Geschehnis zur Bedeutung" wird. Wesentlich ist dabei, „daß der Schauende Distanz zur Handlung bewahrt, [daß also] das Ich ... nichts [ist] als schauende Intelligenz ... Ein solches reines Schauen gibt es nirgends in Kafkas ‚Geschichten' ".[33]

Wichtig ist ferner Sokels Hinweis, daß die Figuren der Geschichten Kafkas, also z. B. Gregor Samsa, Josef K. und K., nicht wirklich Handelnde sein könnten, da ihnen die Erkenntnis fehle und ihr Tun nur impulsives Getriebenwerden darstelle. Eigentlicher Zuschauer und Erkennender könne daher auch nur der Leser sein. Dieser aber werde durch die an die Hauptgestalt gebundene Erzählperspektive allzu leicht dazu verführt, sich mit dem Helden zu identifizieren oder doch mit ihm zu sympathisieren und infolgedessen alles mit dessen Augen — also aus einer einseitigen, verzerrenden, falschen Perspektive — zu sehen. Das einsinnige Erzählen aus der Sicht der Hauptgestalt verleitet somit zu einem undistanzierten, unkritischen Lesen und letzthin zur Bereitschaft, die Selbstrechtfertigung des Helden zu glauben und ihn als „unschuldiges Opfer eines ungerechten Weltverlaufs" aufzufassen. Das widerspricht jedoch nicht nur dem konkreten Geschehnisinhalt, sondern auch der intendierten Aussage des Dichters. Geht es doch bei Kafka immer um die (zwar nicht offen zutage liegende, aber) unabweisliche existentielle Schuld des Helden.[24]

Das Erzählen vom Standpunkt des Helden aus, wie es für die G e s c h i c h t e n Kafkas charakteristisch ist, bedeutete notwendig „eine Einschränkung des Blickfeldes, nicht nur im Vergleich zu einem allwissenden Erzählen, sondern auch im Vergleich zu einer Icherzählung". „Denn der Er-Erzähler blickt mit dem Helden nur nach außen auf die Welt und nicht auf den Helden; er weiß nichts von dem, was in seinem Innern vorgeht. Der Leser erfährt über den Helden nur, was dieser über sich selbst sagt und was andre über ihn sagen. Diese Aussagen gehen aber niemals in die

---

[31] Ebd. 291. SOKEL rechnet dazu u. a. *Urteil, Verwandlung, Prozeß, Amerika, Blumfeld, Ein Hungerkünstler, Das Schloß,* betont aber zugleich, daß es G r a d u n t e r - s c h i e d e zwischen den Geschichten gibt.

[32] Ebd. 291 f.

[33] Ebd. 292.

[34] INGEBORG HENEL a.a.O. 263: Menschliche Existenz „ist bei Kafka, gemäß der jüdisch-christlichen Tradition, immer gefallene sündige Existenz". Vgl. seine Auslegung des Sündenfalls: H 104 f.

Tiefe... Schon über die äußere Erscheinung des Helden erfahren wir so gut wie nichts."[35] So verwundert es nicht, daß die weitere Entwicklung der Kafkaschen Epik zu einer Objektivierung der Sicht und explizierter Didaktik tendierte. „Visieren und Betrachten des Erzählgegenstandes und -vorgangs von einer entfernten Perspektive" erscheint in wachsendem Maße als Erzählprinzip.[36] Diesen „Schritt von der Geschichtsform, wo Perspektive und Geschehen zusammenfallen, zur Parabelform, die die Perspektive vom Geschehen distanziert", kennzeichnet Sokel als einen „Schritt von einer radikal einfühlenden, im Brechtschen Sinne ‚aristotelischen‘ zu einer wiederum im Brechtschen Sinne verfremdenden und (wenn auch höchst subtil) didaktischen Poetik". Und er sieht sich in dieser Auffassung dadurch bestätigt, „daß Kafka in den Parabeln immer häufiger sprechende Tiere erscheinen läßt, womit er sich derjenigen Dichtgattung nähert, die seit jeher didaktischer Distanzierung gedient hat — der Fabel".[37]

Dieser Zug zur Objektivierung zeigt sich vor allem darin, daß in den späteren Erzählungen Kafkas oft „eine beobachtende, vom Geschehen distanzierte Figur eingesetzt" wird, mit deren Augen der Leser das Geschehen betrachtet. „Sie verkörpert in der Form eines Icherzählers die... neue, vom Geschehen getrennte, objektivierende Perspektive. Sie sieht und beschreibt den Erzählvorgang und berichtet von ihm in der ersten Person, Singular oder Plural."[38]

Eine Sonderstellung nimmt die Erzählung *Ein Hungerkünstler* ein. Sie suggeriert mitleidende Teilnahme, ja Identifizierung mit der Hauptgestalt, eine so starke Einfühlung in die Frustration des Helden, daß sich das Ganze fast wie ein Eigenbericht des Betroffenen liest. Die monologische Stimmung einer Lebensbeichte prägt den Grundtenor der Geschichte. Andrerseits ist aber der Hungerkünstler „nicht aus der Perspektive des Helden, sondern aus der eines unabhängigen Erzählers gesehen".[39] Der Reiz der Spannung liegt also darin, daß der Dichter dem Leser die Gestalt ganz nahe rückt, sich selbst aber in weiter Distanz hält. „Im *Hungerkünstler* sind Welt und Held in einem dritten Punkt verankert, dem Erzähler, der sie beide in gleicher Weise geschaffen hat und manipuliert. Daraus ergibt sich... die besondere Art der Ironie (ja fast eines gewissen Humors), die den *Hungerkünstler* und *Josefine* auszeichnet."[40] Wie sehr der Hungerkünstler von außen gesehen wird, zeigen folgende Beschreibungen: ‚bleich, in schwarzem Trikot, mit mächtig vortretenden Rippen... durch das Gitter den Arm [streckend], um seine Magerkeit befühlen zu lassen...‘ ‚der Kopf lag auf der Brust, es war, als sei er hingerollt und

---

[35] Henel a.a.O. 258.
[36] Sokel a.a.O. 299.
[37] Ebd. 299.
[38] Ebd. 299.
[39] Ingeborg Henel: Ein Hungerkünstler, DVjs. 38, 1964, 244: „Ähnlich verhält es sich mit *Josefine,* wo die Heldin sogar weitgehend von einem kritischen Erzähler beschrieben wird."
[40] Ebd. Ähnliches gilt auch für einige Partien des *Amerika*-Romans.

halte sich dort unerklärlich ..., der Leib war ausgehöhlt; die Beine drückten sich im Selbsterhaltungstrieb fest in den Knien aneinander, scharrten aber doch den Boden.' Indem hier — scheinbar naturalistisch — die „ganze Armseligkeit" des „nur noch Körperlichen, nicht mehr Menschlichen ... gezeigt" wird, „wie es so von innen her nicht erfahren und vom Standort des Subjekts nicht beschrieben werden könnte"[41], wird in eben diesem Äußerlichsten zugleich das Innerste enthüllt. Denn solche Bloßstellung der leidenden Kreatur kommt einer Selbstpreisgabe gleich. Auch bei objektivierter Erzählperspektive ist es in Kafkas Dichtung immer das schuldhaft leidende Subjekt, das den Blick anzieht. Der Zug zur subjektiv einsinnigen Erzählperspektive war nicht zuletzt in der Thematik des Dichters begründet.

---

[41] Ebd.

Interpretationen

,Das Urteil'[1] und ,Die Verwandlung'

Nach Kafkas eigener Auffassung ist *Das Urteil* seine U r g e s c h i c h t e , in der ihm der Durchbruch zu einem Schreiben in seinem Sinn, ,mit vollständiger Öffnung des Leibes und der Seele' (T 210), gelungen war.[2] „Die autobiographisch-psychologische Komponente der Erzählung" liegt so offen zutage[3], daß sie als ein fast direktes Zeugnis seines Selbstverständnisses angesprochen werden kann.[4] Gleichwohl geht es um mehr als einen privaten Lebenskonflikt. *Das Urteil* ist nicht nur eine

---

[1] BINDER, EMRICH, HILLMANN, KASSEL, POLITZER, SOKEL, TAUBER, WEINBERG u. a. haben in ihren Kafka-Darstellungen eingehend über diese Erzählung gehandelt und ihre Schlüsselstellung innerhalb des Gesamtwerkes betont. Aus der Vielzahl monographischer Einzelstudien über *Das Urteil* seien genannt:

EDMUND EDEL: Franz Kafka: Das Urteil, WW 9, 1959, 216—225;

RITA FALKE: Biographisch-literarische Hintergründe von Kafkas *Urteil*, GRM XLI, 1960, 164—180;

KATE FLORES: The Judgment. In: Angel Flores and Homer Swander (Hrsg.): Franz Kafka Today, Madison 1964, 5—24;

CLAUDE-EDMONDE MAGNY: The Objective Depiction of Absurdity. In: Angel Flores (Hrsg.): The Kafka Problem, New York 1946, 75—96;

E. L. MARSON: Das Urteil, Journal of the Australasian Universities Language and Literature Association 16, 1961, 167—178;

KARL H. RUHLEDER: Franz Kafkas *Das Urteil*: An Interpretation, Monatshefte (MdU) LV, No. 1, 1963, 13—22;

INGO SEIDLER: Das Urteil: „Freud natürlich"? Zum Problem der Multivalenz bei Kafka. In: Psychologie in der Literaturwissenschaft, Heidelberg 1971, 174—190;

ERWIN R. STEINBERG: The Judgment in Kafka's *The Judgment*. In: Modern Fiction Studies 8, No. 1, 1962, 23—30;

JOHN WHITE: Franz Kafkas *Das Urteil* — An Interpretation, DVjs. 38, 1964, 208—229.

[2] Als Kafkas „Urgeschichte" bezeichnet WALTER SOKEL *Das Urteil* deshalb, weil in ihr „die Grundstruktur aller folgenden Erzählungen und Romane Kafkas" begegne und überhaupt „Kafkas persönliches Problem hier Sprache" geworden sei. Auch INGO SEIDLER (a.a.O. 185) gilt sie als Urgeschichte, aber nicht so sehr wegen des zugrundeliegenden Problems, als vielmehr „wegen der Art, in der dieses Problem in einen weiteren Bezugsrahmen gestellt wird".

[3] SEIDLER a.a.O. 180.

[4] Als dichterisch objektives, doch im Kern autobiographisches Dokument ist *Das Urteil* neben dem *Brief an den Vater* und der Erzählung *Der Bau* vielleicht das konzentrierteste Selbstzeugnis Kafkas. Kafka selbst hat durch Buchstabenspiel in den Personennamen den autobiographischen Zusammenhang betont: *Kafka/Bendemann* (wie auch später in der ,Verwandlung': *Kafka/Samsa*) sowie F(elice) B(auer)/F(rieda) B(randenfeld). Sogar im Titel der Erzählung hat er diesen direkten Bezug zum Ausdruck gebracht: Das Urteil. Eine Geschichte für Fräulein Felice B.

unglückliche Familiengeschichte, sondern eine das Persönliche zugleich transzendierende, parabolische Erzählung, ja eine modellhafte Verdichtung des Kafkaschen Grundthemas von Schuld, Gericht und Strafe, eine Auseinandersetzung mit „Kafka's great questions ... Guilt, Suffering, and Death".[5] Das fast überschwengliche Lob, das der Dichter gerade dieser Erzählung gezollt hat[6], zeigt, daß er in ihr die erste künstlerisch gültige Gestaltung seines zentralen Problems sah. Und die Tatsache, daß er gegenüber seinem Verleger nachdrücklich darauf bestand, sie als selbständige Publikation zu veröffentlichen, „suggeriert einen gewaltigen Rahmen, innerhalb dessen sich Bedeutsames abzuspielen scheint".[7] Vor allem enthüllt diese Geschichte die Multivalenz und Vielschichtigkeit von Kafkas Vorstellungsleben. Wie Seidler gezeigt hat, rührt jedoch die hier zutage tretende Vielschichtigkeit nicht — wie z. B. in der *Strafkolonie* — „von der hohen Abstraktionsstufe eines (metaphorisch genannten) gemeinsamen Nenners verschiedener möglicher Verkörperungen her, sondern ... von verstreuten, aber konkreten Details, die zu mehr als einem möglichen Sinn förmlich zusammenschießen".[8] Eben dadurch erweist sich diese Erzählung als eine Ausgeburt ‚traumhaften inneren Lebens‘. Denn auch dem Traum ist das konsequente Festhalten einer „hohen Abstraktionsstufe" fremd. Allseitiges Assoziieren, ja Amalgamieren von Dinglichem und Begrifflichem sind die Formen seiner Aussage.

Vordergründig betrachtet ist die Geschichte absurd. Daß ein Vater, der selber ein ambitionierter rigoroser Geschäftsmann gewesen war, seinen erfolgreichen Sohn zum Tode des Ertrinkens verurteilt, entbehrt jeder Rechtfertigung, zumal dieser Vater als moralisch fragwürdig und in seiner boshaft senilen Anmaßung als unzurechnungsfähig und widerwärtig erscheint.[9] Wer nicht mit Anstand abzutreten vermag, ist nicht befugt, den Nachfolger zu verurteilen. Väterliche Autorität entartet zur Farce, wenn sie als Instrument kleinlicher Eifersucht mißbraucht wird.

---

[5] HILDEGARD PATZER: Sex, Marriage and Guilt, a.a.O. 119 f.

[6] Kafka sprach beglückt von ‚fremdesten Einfällen‘ von ‚uneingestandenen Abstraktionen‘, von ‚solchem Zusammenhang‘, vom ‚Feuer zusammenhängender Stunden‘. In einem Brief an Felice Bauer (BF 53) findet er jedoch keinen ‚geraden, zusammenhängenden Sinn‘ in der Geschichte und kann ‚nichts darin erklären‘. Diese Äußerung war freilich durch Rücksichtnahme auf die Verlobte bedingt.

[7] SEIDLER a.a.O. 181.

[8] Ebd. 179. SEIDLER fügt hinzu: „Der chemische Begriff der ‚Multivalenz‘ dürfte diese Art von Ambiguität deshalb genauer bezeichnen, und ich vermute, daß sie bei Kafka häufiger anzutreffen ist als die in der *Strafkolonie* aufgewiesene."

[9] Im Gegensatz dazu sagt WILHELM EMRICH (Die Erzählkunst des 20. Jahrhunderts und ihr geschichtlicher Sinn. In: Protest und Verheißung, Frankfurt a. M. ²1963, 189): „In der Novelle *Das Urteil* schickt der Vater mit Grund den Sohn in den Tod, da dieser sich anmaßt, ihn mit Beherrschung oder Fürsorge beherrschen oder überlisten zu können." In Wirklichkeit liegen jedoch Anmaßung und Hinterlist auf seiten des Vaters, der mit greisenhaftem Eigensinn eine Rolle festhalten will, der er längst nicht mehr gewachsen ist. Zudem bedarf dieser kindisch gewordene Alte solcher fürsorglichen Beherrschung durch den Sohn und sollte sie nicht mit Gehässigkeit, sondern mit Dankbarkeit erwidern.

Sehen wir das Ganze als einen reinen Vater-Sohn-Konflikt, liegt also das größere Recht — nicht das Recht überhaupt — auf Seiten des Sohnes. Um so widersinniger mutet es an, daß der Sohn — nach nur kurzem Widerstand — das groteske Vernichtungsurteil des Vaters annimmt und sogar an sich selbst vollzieht.[10]

Aber es versteht sich, daß der Sinn der Sache nicht reiner Irrsinn sein kann, zumal — wie betont — Kafka selbst gerade diese Geschichte als gelungen anerkannt hat. Aller vordergründigen Absurdität zum Trotz gilt es also, dem hintergründig vieldeutigen Tiefsinn des parabelhaften Geschehens auf die Spur zu kommen. Und es lag nahe, daß vor allem analytische Psychologie[11], aber auch moralphilosophische und religiös-theologische Interpretationskunst zur Sinndeutung des Ganzen aufgeboten worden sind. RITA FALKE unterstellt einen „klassischen Freudschen Vater-Sohn-Konflikt" und wertete so die Geschichte lediglich als ein Stück Autobiographie. KATE FLORES untersuchte die Rolle von Georg Bendemanns Freund und sah in diesem den anderen Georg, den vernachlässigten, geopferten, verratenen Georg, so daß also Freundesverrat hier in Wirklichkeit Selbstverrat des Helden bedeutet. In solcher Sicht steht der Freund für den ‚inneren' Kafka, ist er der menschlich wertvollere und daher ein Sohn nach dem Herzen des Vaters. Daß aber der moralisch fragwürdige Vater als Fürsprecher des Freundes fungiert, rückt diesen selber ins Zwielicht. Denn die geheime Komplizenschaft des Vaters mit dem Freund ist eher ein belastendes als ein positives Indiz für den Freund. Edmund EDEL gab eine „existentiell-moralistische" Deutung[12], die den Standpunkt des Vaters voll akzeptiert und die Verurteilung des Sohnes wegen dessen gottsträflicher Ichverfallenheit für gerechtfertigt hält. Nach E. L. MARSON geht es im *Urteil* um zweierlei, einmal um eine Ödipussituation, zum anderen um die Spaltung der Persönlichkeit des Dichters in zwei Gestalten, in den Freund, der mit dem Schriftsteller Kafka, und um Georg Bendemann, der mit dem gesellschaftlichen Kafka zu identifizieren sei. Für ERWIN STEINBERG handelt es sich in dieser Geschichte um eine symbolische Identifizierung des alten Bendemann mit Jehova, derzufolge das Ganze in dreifacher Weise, nämlich als „ein Vater/Sohn-Konflikt, ein Mensch/Gott-Konflikt und ein Konflikt zwischen Schriftsteller und potentiellem Ehemann" auszulegen sei. In der Sicht KURT WEINBERGS ist *Das Urteil* etwas wie ein Sammelsurium jüdischer und christlicher Anspielungen. Nach ihm liegt hier — wie angeblich auch in allen anderen Erzählungen Kafkas — ein bestimmtes Modell zugrunde, nämlich

---

[10] Unter solch „realistischem Aspekt" kennzeichnet Claude-Edmonde Magny (a.a.O.) *Das Urteil* als eine absurde Geschichte. Beides, das Strafurteil des Vaters und das Selbstgericht des Sohnes seien absurd. Der Vater erscheine zum einen als Autoritätsfigur, zum anderen als senil, ja irrsinnig.

[11] Kafkas eigener Hinweis, daß er bei der Abfassung der Erzählung ‚natürlich' auch an Freud gedacht habe, mußte den psychoanalytischen Deutungseifer stimulieren und rechtfertigen. Andererseits sollte nicht vergessen werden, wie reserviert und skeptisch der Dichter der Psychologie gegenüberstand.

[12] Vgl. SEIDLER a.a.O. 182.

„der Kampf zwischen ‚Gottesfiguren‘ und ‚Messiasanwärtern‘“, „wobei dem Vater die Rolle der Gottesfigur, Georg die des Messiasanwärters zufällt, der Freund jedoch zu einer ‚Apostelfigur‘ aufsteigt“.

Grundsätzlich wird man einräumen müssen, daß eine solche abwegig, ja kontrovers anmutende Vielfalt der Aspekte, ein solches Neben- und Gegeneinander religiöser und realistischer, metaphysischer und psychologischer Elemente der assoziativen Beweglichkeit eines traumhaft konzipierenden Vorstellungslebens entsprechen. Und sicher sind Wandelbarkeit und Mehrdeutigkeit der Phänomene Hauptcharakteristika der dichterischen Welt Kafkas. Nichts, was hier erscheint, ist nur auf einen einzigen Nenner zu bringen. Auch die Wertrelationen von Haupt- und Nebensinn stehen nicht unbedingt fest und können sich — wie im Traum — mitunter verschieben. Aber eben deshalb kommt es um so mehr darauf an, sich der Gesamtkonzeption zu versichern und nicht im Labyrinth des noch vordichterischen Kompilationsstatus stecken zu bleiben. Wer *Das Urteil* und *Die Verwandlung* als unglückliche Familiengeschichten ansieht, hat — vordergründig betrachtet — nicht unrecht, weil er damit sehr genau den bildgebenden Rahmen des Ganzen trifft; er verfehlt aber das Entscheidende, weil er nicht wahrnimmt, was in diesen Erzählungen über den autobiographischen Anlaß und die konkrete Einkleidung hinausweist.

Wir haben betont, wie fatal sich der ‚Vaterkomplex‘ Kafkas auf sein Leben und Schreiben ausgewirkt hat und in welch hohem Maße er sogar thematische Bedeutung besaß. Aber ebenso sicher ist, daß Kafka von der direkten Selbstdarstellung wegstrebte und in dem Sonderfall seines Lebens den Allgemeinfall menschlicher Existenz zu begreifen suchte. So tragisch ernst er den lebenslangen Konflikt mit dem Vater durchlitten hat, für den Dichter Kafka war dieser Konflikt letztlich nur eine scharf konturierte Metapher der Seinsproblematik als solcher. Im Bild eines Familienkampfes spiegelt sich ihm der Kampf um die Selbstbehauptung des Ich in der Welt. Infolgedessen ging es hier eigentlich um existentielle Fragen, um moralische und metaphysische Probleme, um die Stellung des Individuums zu den Menschen und zu Gott. Es macht jedoch den künstlerischen Reiz, die Eindruckskraft der Kafkaschen Gestaltungen aus, daß sie sich niemals in abstrakte Spekulationen verlieren, daß sie Geistiges, Seelisches, Moralisches und Transzendentes verbildlichen, als dingliche Vorgänge vergegenwärtigen. Ausgangspunkt ist meist eine durch den Vaterkomplex bedingte „psychologische Situation“, aus der sich „die Grundstruktur“ der Erzählungen des Dichters ergibt, nämlich ein „doppelter Kampf des Protagonisten: einerseits mit sich selbst, andererseits mit einer höheren Macht“.[13]

---

[13] Walter H. Sokel: Franz Kafka — Tragik und Ironie. Zur Struktur seiner Kunst, München und Wien 1964, 48. Allen Werken seit 1912 liege die persönliche Situation des Dichters, sein Verhältnis zum Vater, also die Beziehung eines „machtlosen Ich zu einer übergewaltigen Macht“ (Ebd. 9) zugrunde: „Was im *Urteil* und der *Verwandlung* mit dem leiblichen Vater des Helden begonnen wird, im *Schloß* Gesellschaftsordnung in den *Forschungen eines Hundes* das Absolute, im *Hungerkünstler* das Publikum, in *Josefine* das

Die Gestalt des Vaters im *Urteil* ist infolgedessen zugleich die Verkörperung, sozusagen die konkreteste Erscheinungsform der Gegenmächte im Leben des Individuums, die dessen Selbstbehauptung hemmen oder gar aufheben.[14] Was seine Person charakterisiert, nämlich die kontroverse Mischung von Autorität und Fragwürdigkeit, Geltungsanspruch und Banalität, kennzeichnet auch die Machthierarchien, die im *Prozeß* und im *Schloß* dem Helden entgegenstehen. Auch für sie gilt das paradoxe Nebeneinander von Macht und Lächerlichkeit. Sokel sieht daher in der Vatergestalt des *Urteils* die Urform der in den späteren Werken begegnenden bürokratischen Gegenwelten des Helden.[15] Was für Georg Bendemann und Gregor der autoritäre Vater[16], das ist für den Mann vom Lande in der *Legende* der furchterweckende Türhüter[17], an dem er nicht vorbeikommt, für die beiden K.s in den Romanen der labyrinthische Behördenapparat des Obersten Gerichtes bzw. der zentralen Schloßverwaltung. Durchgängig zeigt sich das Doppelgesicht der Gegenwelt, die Fragwürdigkeit der gesetzten Autorität, deren Macht gleichwohl unbestritten gilt, und damit die unaufhebbare Ambivalenz und Widersprüchlichkeit des Daseins. Offenbar hat Kafka die Wirklichkeit so erlebt, als unauflösbar zweideutig und kontrovers. Schlechthin unrealistisch ist aber diese Sicht der Dinge keineswegs. Alle Autorität ist — in ihrer historischen Bedingtheit — zugleich berechtigt und anfechtbar: „Väter, Lehrer, Vorbilder, Parteien, Religionen, Institu-

---

Volk ... Der Gegensatz von Kollektiv und Individuum, Publikum und Künstler, Menschheit und Unmensch." (Ebd. 510) Vgl. auch HEINZ HILLMANN: Franz Kafka. In: BENNO VON WIESE (Hrsg.): Deutsche Dichter der Moderne, Berlin 1965, 278, Anmerkung 57.

[14] Die Vaterfigur bot sich Kafka um so leichter als ein über sich selbst hinausweisendes Symbol an, als in seiner Sicht die strikt patriarchalische Lebensordnung altjüdischer Tradition noch eine Selbstverständlichkeit war. Daß jedoch der Vater im *Urteil* die Extreme des Erhabenen und Lächerlichen geradezu drastisch demonstriert, indem er sich einerseits pompös zur Pose des richtenden und strafenden Gottes hochreckt, andererseits aber sich völlig würdelos und kindisch gebärdet, zeigt, wie sehr er sich von dieser altjüdischen Tradition bereits emanzipiert hatte. Doch war es nur erst eine Freiheit des kritischen Denkens; im spontanen Empfinden, in den Tiefen des Unbewußten jedoch wirkte das alte Erbe noch fort.

[15] SOKEL a.a.O. 13.

[16] Das Hinauswachsen des Vaters über die individuelle Vaterschaft zur Autorität als solcher wird im *Urteil* durch seine Riesenhaftigkeit verbildlicht. Und in der *Verwandlung* wächst der Vater als Verfolger zu einer ungeheuren Bedrohung an: ‚Unerbittlich drängte der Vater und stieß Zischlaute aus, wie ein Wilder‘; ‚es klang schon hinter Gregor gar nicht mehr wie die Stimme bloß eines einzigen Vaters‘ ... ‚So hatte er sich den Vater wirklich nicht vorgestellt, wie er jetzt dastand.‘ ‚Gregor staunte über die Riesengröße seiner Stiefelsohlen.‘ ‚Gregor sah zum Schreckbild seines Vaters auf.‘ Vgl. dazu KASSEL a.a.O. 165.

[17] Der zum Schreckgespenst gesteigerte Vater kann in verschiedenen Gestalten auftreten, z. B. als groß sich aufspielender Türhüter oder — wie HILDEGARD PATZER (a.a.O. 129) festgestellt hat — als brutaler, unheimlicher Pferdeknecht (*Ein Landarzt*): „The groom that rips Rosa from the doctor's paralyzed fingers is the father that asserts his power to drive the financée from Georg Bendemann in *The Judgment*." Auch dies ist eine Variante des Kafkaschen Grundmodells, die Wiederkehr des Gleichen in drastischen Abwandlungen.

tionen, Traditionen jeglicher Art — alles, was Alter mit Macht verbindet, trägt diesen Januskopf."[18]

Kafka selbst nannte die Erzählung *Das Urteil* ,das Gespenst einer Nacht' und in Anknüpfung daran bezeichnete sie Seidler als eine „symbolische Strafphantasie . . ., die sich aus Kafkas tief gestörtem Verhältnis zu seinem Vater nährt".[19] Auch der Dichter bestätigt diesen autobiographisch-psychologischen Bezug durch den Hinweis, daß er während des Schreibens ,an Freud natürlich' gedacht habe. (T 210) Die Auseinandersetzung spielt ausschließlich zwischen Vater und Sohn, deren Verhältnis durch ihre Beziehungen zu zwei anderen Personen, dem früheren nahen Freund und der jetzt in das Leben des Sohnes eingetretenen Braut, akut betroffen ist. Der Konflikt entzündet sich am Heiratsplan des Sohnes, den der Vater — unter gemeinen Beschimpfungen der Braut — als einen Verrat des Sohnes an seinem einst nahestehenden Freund strikt ablehnt. Was hier vorliegt, ist also etwas wie ein Komplott der Junggesellen gegen Georg, der durch das eingegangene Verlöbnis mit Fräulein Frieda Brandenfeld dem Junggesellentum abtrünnig geworden ist. Der Freund ist reiner Junggeselle und so gekennzeichnet, daß für ihn eine andere Lebensform überhaupt nicht vorstellbar erscheint. Der Vater ist als Witwer in ein zweites Junggesellendasein eingetreten. Und Georg selbst ist gerade noch Junggeselle, aber schon im Begriff, in den neuen Status des Ehelebens einzutreten und so das Junggesellentum zu verraten. Das Seltsame der Situation liegt also darin, daß hier das Junggesellentum als ein Ideal vorgegeben erscheint und der Braut infolgedessen die destruktive Rolle eines Störenfrieds zukommt. Ohne Frage spiegelt sich darin auch die fatale Zwiespältigkeit des Junggesellen Kafka, der sich — trotz wiederholter Ansätze — zu keiner definitiven Bindung entschließen konnte, weil er in der Ehe eine Gefährdung seiner Kunst, einen Verrat seiner höchsten Bestimmung sah. Seinem lebenslangen Schwanken in dieser Frage korrespondiert die Ambivalenz Georgs im Blick auf die geplante Verheiratung mit einem wohlhabenden Mädchen. Er schreibt zwar an den Freund, über diese Neuordnung seines Lebens ,recht glücklich' zu sein, aber „der Wortlaut des Briefes verrät mehr von Georgs Unruhe über die bevorstehende Hochzeit, als der Briefschreiber bereit ist, sich oder dem Freund einzugestehen".[20] Infolgedessen fürchtet er mit Grund, „die Wiederkunft des Freundes könnte ihn in die Einsamkeit des Junggesellen zurücklocken".[21] Da er sich aber zu dieser Heirat entschlossen hat, geschieht das schlechthin Paradoxe, daß er nämlich „den Freund zur Hochzeit" einlädt, „indem er ihn [gleichzeitig nachdrücklich] bittet, dort zu bleiben, wo er ist".[22]

---

[18] SEIDLER a.a.O. 177. Vgl. auch Wallensteinmonolog: ,Sei im Besitze und du wohnst im Recht.'
[19] Ebd. 185. SEIDLER fügt hinzu: „Auf dieser Ebene ist tatsächlich Kafkas berühmter Brief an diesen Vater der beredteste Kommentar der Geschichte."
[20] HEINZ POLITZER: Franz Kafka, der Künstler, Frankfurt a. M. 1965, 88.
[21] Ebd. 89.
[22] Ebd. 89.

Auch darin, daß Georg dem Freund das eingegangene Verlöbnis so lange verschwiegen hatte und es ihm erst jetzt, als es sich nicht länger verheimlichen ließ,
in einem konventionell stilisierten Brief mitteilte, zeigt sich seine Verlegenheit,
ja eine Art von Schuldgefühl. Indessen war diese Verlobung Georgs nur die letzte
akuteste Form seiner Lösung vom Freunde. Die Lebenswege Georgs und seines
Freundes waren schon früher in verschiedene Richtungen verlaufen, wobei der
Freund an seinen einst mit Georg geteilten Jugendidealen festgehalten hatte. Gegen
die Interessen eines weltlichen Erfolges war er nach Rußland gegangen, in ein Land
des sozialen Aufstandes, wo er in freiwilliger Askese „die beinahe geistliche Reinheit
eines Junggesellen bewahrt [hatte] und ... all dem abhanden gekommen war, was
Georg mit dem Begriff der ‚Wirklichkeit‘ bezeichnen würde“.[23] Genau umgekehrt
hatte sich Georg — unter Verleugnung der einst gemeinsam gehegten Lebensträume
— für den Weg der geschäftstüchtigen Prosperität entschieden, die er nun durch
eine reiche Heirat krönen wollte. Infolgedessen waren alle Bemühungen des Freundes, „Georg zu sich in das ferne Land hinüberzuziehen“, an dessen Karrierewillen
gescheitert.[24] Hatte aber die Freundschaft zwischen beiden — zumindest formal —
weiterbestanden, so war mit dem Entschluß zu einer vorteilhaft kalkulierten Ver-
ehelichung der Bruch endgültig geworden.

Aber auch für Georgs Vater bedeutete dieser Schritt den endgültigen Bruch. Denn
hierin enthüllte sich „die Urschuld des Sohnes in seinem Begehren, ein Weib zu
nehmen, eine Familie zu gründen und den Vater vom Thron zu stoßen“.[25] Genau
das ist es, was der alte Bendemann Georg als unverzeihliche Schuld anlastet und
wofür er ihn zum Tode verurteilt. Unter diesem persönlich-psychologischen Aspekt
erscheint der in die Ferne entschwundene Freund als das alter ego Georgs, „das
heißt [als] ein ... für Georg einst mögliches, [nun] aber von ihm ‚verratenes‘ Ich“,
dem gegenüber er sich zwar im Bewußtsein seiner erfolgreichen Tüchtigkeit zunächst
überlegen fühlt, um jedoch alsbald zu erkennen, „daß dieser Freund in Wahrheit
i s t, was ... [er] selbst nach dem Urteil seines Vaters sein s o l l t e, aber nie sein
k a n n“.[26] Von dieser psychologischen Grundsituation eines doppelten Konfliktes
des Helden, nämlich seiner Gespaltenheit in sich selbst und seines Antagonismus
zum Vater, muß die Deutung der Erzählung ausgehen, auch wenn sich ihr Sinn
nicht im Autobiographischen erschöpft. Wie Politzer betont, ist zwar ihre Thematik
„schwer mit Hinweisen auf Kafkas Biographie beladen; ihre Durchführung jedoch
führt entschieden über die Sphäre seines Erfahrungsbereiches hinaus“.[27] Gerade
diese Erzählung, die so viel Direktes und Persönliches von Kafka enthält, läßt
erkennen, daß sein Leben doch nur der Rohstoff war, den er als Dichter transzen-
dierte. Obwohl er im Grunde immer über sich selber schrieb, wollte er doch auch im

---

23 Ebd. 92.
24 Ebd. 92.
25 Ebd. 411.
26 SEIDLER a.a.O. 186.

Schreiben von sich wegkommen und die privaten Erfahrungen zu Parabeln des Lebens objektivieren.

Daß der Freund keine wirkliche Person, sondern lediglich das ,alter ego', das verdrängte bessere Selbst des Helden darstellt und somit das i s t , was Georg sein s o l l t e , könnte als eine psychologisch einleuchtende Begründung der in Kafkas Erzählung ausgebreiteten Problematik angesprochen werden, die den Vater-Sohn-Konflikt als einen klaren Fall analysiert und auf bestimmte seelische Grundtatsachen reduziert. Doch regt sich dagegen mit Recht der Zweifel, ob das nicht eine Simplifikation sei, die ein komplexes Geschehen unzulässig auf e i n e Ebene festzulegen sucht. Tatsächlich liegt das Stimulierende der Geschichte darin, daß sie die Multivalenz eines traumhaften Geschehens besitzt und daher durch solche Fixierung in e i n e r Richtung ihren eigentlichen Sinn, nämlich ihre Mehrdimensionalität, verlöre. Mit anderen Worten: die simple Richtigkeit einer psychologischen Erklärung (falls wir diese einmal als überhaupt zureichend unterstellen) ist mit dem zu Erklärenden nicht identisch. Denn war hier vorliegt, ist Literatur. Das heißt: Kafka hat den (vielleicht analysierbaren) „Fall" in eine Erzählung verwandelt und damit als eine eigenständige Wirklichkeit vergegenwärtigt. Die Geschichte ist daher mehr als der ihr zugrundeliegende Konflikt. Hier wird deshalb auch nicht lediglich symbolisiert oder allegorisiert, sondern neues Leben und neue Welt erschaffen. Verwandlung in Literatur heißt ja: einen in und durch sich selbst glaubhaften Geschehnisablauf vor Augen stellen. Und eben darum, um Literatur und nicht um die Sezierung eines klinischen Falles war es Kafka zu tun.

Tatsächlich gehen auch nicht alle Details der Erzählung in einer autobiographisch-psychologischen Deutung auf, weshalb Seidler mit Recht eine weitere Interpretationsebene, im besonderen das Aufdecken einer allegorischen Schicht, fordert.[28] Hierher gehören z. B. die gottähnlichen Züge der Vatergestalt. Erwin R. Steinberg verweist in diesem Zusammenhang auf spezifische Parallelen zum Yom Kippur Tag, dem jüdischen Bußtag. Abgesehen davon, daß Kafka das *Urteil* in der Nacht nach dem Yom Kippur Tag des Jahres 1912 in einem Zug niedergeschrieben hat, sind auch zahlreiche Bezüge zu Stellen aus dem Kol Nidre Gebet erkennbar: es ist nämlich der Tag „of awe and anxiety", an dem die Engel ausrufen: ,Behold the Day of Judgment!', der Tag, an dem entschieden wird, „who shall be brought low and who shall die', ja auch: ,who shall perish by fire and who by water'.[29] Schlechthin durchschlagend jedoch ist Steinbergs Hinweis, daß „among Orthodox Jews a father may even declare dead a son who has violated or denied his Judaism".[30] Genau dies gilt für Kafka selbst, der ja wiederholt seine freidenke-

---

[27] POLITZER a.a.O. 92.
[28] SEIDLER a.a.O. 186.
[29] The Judgment in Kafka's *The Judgment* a.a.O. 23 f. Der Vater verurteilt den Sohn ,zum Tode des Ertrinkens'.
[30] Ebd. 23.

rische Emanzipation von der jüdischen Glaubensüberlieferung geäußert hat, ohne jedoch innerlich vom Erbe des Judentums ganz frei geworden zu sein. Er war der abtrünnige Sohn, den ein orthodoxer Vater mit Recht verflucht hätte. Andererseits war aber Vater Kafka selbst kein orthodoxer Jude mehr. Wie im Traumleben stimmen also auch hier die Bezüge und Parallelen nicht völlig. Es gibt assoziative Sprünge und Widersprüche. Doch bleibt festzustellen, daß Hauptmotive der Erzählung der religiösen jüdischen Tradition entstammen.[31] Denn tatsächlich verurteilt Vater Bendemann seinen emanzipierten Sohn — wegen des Abfalls von der Tradition — zum Tode.

Die „absurde" Geschichte *Das Urteil* verliert also ihre Absurdität, wenn sie, eingeordnet in die Biographie des Dichters, als die Geschichte des emanzipierten westlichen Juden erkannt wird, der scheitert und scheitern muß, weil er durch die Loslösung von der Tradition seinen Mutterboden verloren hat. Dies galt für Kafka selbst nicht weniger als für den Helden seiner Erzählung, und insofern ist Georg Bendemann eine autobiographische Figur. Wie Samuel Hugo Bergmann berichtet, lebte Kafka als Gymnasiast der sechsten oder siebenten Klasse „in einer atheistischen oder pantheistischen Atmosphäre", war also von seinem jüdischen Glauben abgefallen und versuchte „mit allen Mitteln ... mir meinen [jüdischen] Glauben zu nehmen", und bedrängte „mich mit vielen [atheistischen] Diskussionen".[32] Aber er konnte sich dieser Emanzipation nicht erfreuen; denn sie führte ihn nicht in die Freiheit, sondern in die Krise, und „viele Jahre später", so fährt Bergmann fort, „suchte er selber den Glauben, den er mir mit Hilfe von Spinoza hatte nehmen wollen".[33] In diesem Zusammenhang ist nicht nur der T a g (jüdischer Bußtag), sondern vor allem auch das J a h r der Abfassung der Erzählung wichtig. Denn das Jahr 1912 ist das entscheidende Jahr der Rückwendung Kafkas zum Judentum, die ihn gegen Ende seines Lebens sogar zur Annäherung an den Zionismus führen sollte.

Bemerkenswert ist auch der äußere Anlaß dieser fundamentalen Wende in Kafkas Leben, nämlich die Begegnung mit einer jiddischen Theatertruppe, die aus Galizien nach Prag gekommen war und in einem kleinen Café, Savoy, am „Ziegenplatz" ihre

---

[31] Was für viele Geschichten Kafkas gilt, trifft also auch für *Das Urteil* zu, daß er nämlich seine ,absurden' Fabeln meist nicht selber erfunden, sondern mit ihren ungewöhnlichen und schockierenden Motiven fertig übernommen hat. Entscheidend ist jedoch, daß dennoch stets eine eigengeprägte neue Dichtung entstand.

[32] Erinnerungen an Franz Kafka. In: Universitas, Ausgabe vom Juli 1972, 742. BERGMANN ist ein kompetenter Zeuge. Wie Kafka „im Jahre 1883 in Prag von jüdischen Eltern geboren", hat er mit Kafka „vier Jahre zusammen die Grundschule und acht Jahre zusammen das Gymnasium besucht", und auch noch als junger Student ist er gemeinsam mit Kafka „den ersten Weg in ein Universitäts-Institut gegangen". Überhaupt hat diese Freundschaft bis zum Tod Kafkas bestanden und gerade gegen Ende noch einmal eine Intensivierung erfahren.

[33] Ebd. Auch Kafka erwähnt diese Episode in den Tagebüchern (T 222).

Vorstellungen gab.[34] Es waren keine künstlerischen Ereignisse, sondern bescheidene Aufführungen, die hier geboten wurden. Daß sie dennoch Kafka so stark beeindruckten, ja ins Innerste trafen und verwandelten, wirft Licht auf seine Situation und läßt den Mangelzustand erkennen, unter dem er als ein Emanzipierter, Nichtintegrierter litt. Das jiddische Theater machte ihm schmerzlich bewußt, was er mit seinem Abtrünnigwerden aufgegeben hatte und doch nicht zu entbehren vermochte. Es drängte ihn wie den verlorenen Sohn in das mutwillig verlassene Vaterhaus seines jüdischen Glaubens zurück. „Glühend sog er das Erlebnis lebendigen Judentums in sich ein, nach dem seine Seele gedürstet hatte, ohne daß das degenerierte Judentum von Prag diesen Durst hätte stillen können."[35] Hier am Beispiel des noch tief in seinem Glauben wurzelnden und am alten Gesetz festhaltenden Ostjudentum erlebte er, was es heißt, in einer jahrtausendealten Tradition geborgen zu sein. Hier erkannte er, daß die Abkehr von den eigenen Ursprüngen[36] nicht nur den Verlust der sicheren Bleibe, sondern auch schwere Schuld bedeutet, die, wie das alte Gesetz befiehlt, als eine T o d s ü n d e zu ahnden ist.

Genau das ist in der Erzählung *Das Urteil* in konkretes Geschehen umgesetzt: Georg Bendemann hat die Todsünde begangen, die Linie der Väter aufzugeben und wird dafür von seinem Vater zum Tode verurteilt. Was ihm als Schuld angelastet wird, ist das Einschlagen selbstgewählter neuer Wege, eben die Lösung vom Überkommenen oder — in der Sprache Hebbels — „die eigenmächtige Ausdehnung des Ich". Umgekehrt gründet die Richtervollmacht des Vaters eindeutig auf der Tradition, auf einem weit zurückreichenden patriarchalischen Erbe.[37] Seine Macht ist also gleichsam institutionalisiert, im Vatertum als solchem begründet und daher von der jeweiligen Individualität der einzelnen Väter unabhängig. Er mag persönlich höchst fragwürdig sein, in seinem Status als Vater vertritt er das Vatertum überhaupt und verfügt über dessen gesetzlich verbriefte patriarchalische Macht. Was Jahrhunderte und Jahrtausende geglaubt und heilig gehalten haben, wirkt in seiner Gestalt mit gesammelter Kraft fort.[38] Auch der junge Bendemann kann — trotz

---

[34] Evelyn Torton Beck: Kafka and the Yiddish Theater. Its impact on his work, The University of Wisconsin Press, Madison 1971, 12 ff.

[35] Bergmann a.a.O. 476. Tatsächlich ging es hier nicht um Ästhetisches, sondern um Moralisch-Religiöses, Fundamental-Menschliches.

[36] Entsprechend betont Vater Bendemann in seiner Abrechnung mit dem Sohn ,die starken Wurzeln der Kraft' in der Kontinuität der Geschlechterfolge: ,Glaubst du, ich hätte dich nicht geliebt, ich, von dem du ausgingst?' Oder: ,Ich bin noch immer der viel Stärkere. Allein hätte ich vielleicht zurückweichen müssen, aber so hat mir Mutter ihre Kraft abgegeben, mit deinem Freund habe ich mich herrlich verbunden...' Dabei ist klar, daß dieser Freund der nichtemanzipierte, im Generationszusammenhang verbliebene Georg Bendemann ist.

[37] Solche Vatermacht, die bis zur Opferung der Kinder gehen kann, begegnet sowohl im biblischen (Abraham) wie im griechischen Altertum (Agamemnon).

[38] Vgl. Schiller: Wallensteins Tod, 1. Aufzug, 4. Auftritt: ,die Macht, / Die ruhig, sicher thronende..., Die in verjährt geheiligtem Besitz, / In der Gewohnheit festgegründet ruht, / Die an der Völker frommem Kinderglauben / Mit tausend zähen Wurzeln sich be-

seiner Emanzipation — gegen die traditionelle Patriarchenwürde seines Vaters nicht aufkommen. Seine erfolgreiche Selbständigkeit in der Führung des Geschäfts hat ihn zwar äußerlich respektabel gemacht, aber noch immer nicht seine moralische Abhängigkeit von der Autorität des Vaters überwunden. Dessen Stärke beruht also zugleich auf der Schwäche des Sohnes. Als es für Georg darum geht, dem Freund seine Verlobung mitzuteilen, glaubt er, für dieses persönliche Schreiben, das väterliche Placet einholen zu müssen. Er sucht daher den Vater auf, um ihn den Brief bestätigen zu lassen.

Daß der Sohn von der Macht des Vaters und der durch ihn verkörperten Tradition niemals freiwerden kann, ist recht eigentlich das Thema der Erzählung. Und der Ausruf des alten Bendemann: „Ich bin noch immer der viel Stärkere" bietet insofern den Schlüssel zum Ganzen. Das spiegelt sich auch im Bau der Geschichte, in ihrer durch Zweiteiligkeit und auffällige tektonische Parallelen gekennzeichneten Gestalt. Mit einem Blick des Helden auf den Fluß und die Brücke beginnt die Erzählung, mit seinem Sturz von der Brücke in den Fluß endet sie. Die behagliche Muße des Anfangs ‚an einem Sonntagvormittag im schönsten Frühjahr' und die ‚spielerische Langsamkeit', mit der Georg seinen Brief an den Freund verschloß, werden durch den bis zum Ende sich spannenden Bogen als Trug, ja Selbstbetrug des Protagonisten enthüllt. Sein Freitod zeigt, daß nichts in diesem scheinbar so wohlgeordneten Leben in Ordnung war. Und sein letzter leiser Ruf: „Liebe Eltern, ich habe euch doch immer geliebt" verkündet die Rückkehr des Abtrünnigen in den Schoß der Familie, die Wiedereingliederung also in den Traditionszusammenhang durch Sühnung des Abfalls in einem freiwilligen Selbstgericht. Dieser Wille zur Wiedergutmachung äußert sich geradezu als Lust zum Tode: ‚Aus dem T o r s p r a n g er, über die Fahrbahn zum Wasser t r i e b es ihn. Schon hielt er das Geländer fest, w i e e i n H u n g r i g e r d i e N a h r u n g. E r s c h w a n g sich über ... und ließ sich hinabfallen.' (Hervorhebungen vom Vf.). Die Tradition erringt einen vollen Sieg. Die Emanzipation wird als schuldhafte Irrung entlarvt.[39]

Auch das Bauprinzip der Zweiteilung, das die Form der Erzählung bestimmt, steht im Dienst dieser Aussage. Die Handlung spielt in zwei markant gegeneinander abgesetzten Räumen, in dem hellen Vorderzimmer des Sohnes und in dem

---

festigt ... das ewig Gestrige, / Was immer war und immer wiederkehrt / Und morgen gilt, weil's heute hat gegolten! ... Das J a h r übt eine heiligende Kraft; Was grau für Alter ist, das gilt ihm göttlich ... Und heilig wird's die Menge dir bewahren.' In den gleichen Zusammenhang gehört auch der tragische Zusammenstoß des Kandaules mit der Tradition in Hebbels *Gyges und sein Ring,* sein Scheitern an der ‚alles bedingenden und bindenden Idee der Sitte' und die daraus resultierende Warnung: ‚Drum rühre nimmer an den Schlaf der Welt!'

[39] Dem entspricht auch der wechselseitige Bezug zwischen Anfang und Schluß der Geschichte: Zu Beginn steht die Absicht Georgs, dem Freund die bevorstehende Heirat mitzuteilen, am Ende erfolgt mit dem Vollzug des Freitodes die Aufhebung seines Heiratsbeschlusses.

dunklen Hinterzimmer des Vaters. Aber paradoxerweise zeigt sich, daß Georg erst im Dunkel des väterlichen Zimmers sehend wird, während er in der Tageshelle seines eigenen Zimmers in ahnungsloser Blindheit lebte. Und dieses paradoxale Gegeneinander von verdunkelnder Helligkeit und lichtbringendem Dunkel spiegelt sich auch in den listenreichen Spielen, die Vater und Sohn miteinander spielen.

Entscheidend ist aber die Mulitvalenz der Figuren und Vorgänge, die Mischung der Elemente, kurz das letzthin traumhafte Konzipieren, das gerade auch diese Erzählung bestimmt und uns hindern sollte, konsequente Eindeutigkeit der Personen und Positionen zu unterstellen. Mit diesen grundsätzlichen Vorbehalten sollen jetzt die drei Hauptgestalten der Geschichte näher betrachtet werden.

Im Licht der von Steinberg eruierten altjüdischen Parallelen erscheint der alte Bendemann als eine wunderlich vielfältig gemischte Figur, in der Gott Jahwe, ein orthodox-jüdischer Vater und auch der leibliche Vater Kafkas zu einer neuen, buntschillernd widersprüchlichen Persönlichkeit amalgamiert worden sind. Von allen dreien ist Charakteristisches in ihr enthalten, aber mit keinem von ihnen ist sie wirklich identisch. Traumhaft assoziativ spielen diese Elemente verschiedener Herkunft in die Erzählung herein, scheinen auf und signalisieren etwas, werden jedoch nicht konsequent festgehalten. Sie bringen jeweils eine eigene Farbe ins Bild, können aber keinen Totalanspruch erheben. Man sollte sie nicht übersehen, doch auch nicht überwerten. Was Hauptsache oder nur Beigabe ist, bleibt schwer zu entscheiden. Vor allem aber können auch gleichwertige Komponenten zusammentreffen.

Obwohl die Handlung als solche nur zwischen Vater und Sohn spielt, gibt es doch drei Hauptpersonen in der Geschichte, insofern auch dem nichtauftretenden Freund eine entscheidende Rolle zukommt. Hingegen hat die Braut Georgs nur die Funktion eines Katalysators. Es geht also — wie schon früher betont — um das tödliche Spiel zwischen drei Junggesellen. Was im *Urteil* ausgesagt werden soll, müßte sich daher aus der Charakteristik dieser drei Hauptpersonen und einer Kennzeichnung ihrer wechselseitigen Beziehungen erkennen lassen. Am widersprüchlichsten in der Mischung der Elemente erscheint die Gestalt des Vaters, und Kafka hat ihn — gegen alle Realistik und Psychologie — als eine in aller Ernsthaftigkeit abstoßend groteske Figur gezeichnet. „Bendemann senior verwandelt sich aus einem pensionierten Geschäftsmann in einen sich aufbäumenden, mit den Beinen strampelnden, mit den Fingern um sich stechenden primitiven Kriegsgott, dessen Grimm sich erst legt, wenn er in majestätisch-epigrammatischer Rede sein Urteil verkündet hat. Aufrecht steht er da in seinem Bett, ‚nur eine Hand hielt er leicht an den Plafond‘, ein Trick, übermenschliche Größe vorzutäuschen ...“[40] Die Indezenz dieses exhibitionistischen Komödiantentums kontrastiert zu der angemaßten Jahwe-Rolle, dem Anspruch, als „der strafende und rächende, der zürnende und unnach-

---

[40] POLITZER a.a.O. 99.

giebige Gott der jüdischen Geschichte"[41] Urteil zu sprechen. Andererseits sind seine Worte an den Sohn: ‚Glaubst du, ich hätte dich nicht geliebt, ich, von dem du ausgingst?' „vom Pathos eines erzürnten Bibelvaters getragen ... [und] weisen ... auf die Patriarchen als die ... Ahnen dieses Bendemann hin. Nirgendwo die leiseste Andeutung, daß dieser Vater bereit gewesen wäre, seinem Sohn zu vergeben".[42] Darin spiegelt sich die Tragik Kafkas, „daß er sich nur den Fluch des Daseins vorstellen konnte [und daß es] in seiner Welt keinen Segen" gab. „Der alte Bendemann stellt sich [so] am Ende als ein sehr persönliches Angstgespenst heraus."[43] Gleichzeitig wird aber im Widerspruch zu der voll ausgespielten Machtpose das Gebrechliche und Miserable der Gestalt vor Augen gestellt: „Mit zahnlosem Mund äußert ... [er] Platitüden, unter denen sich ein ohnmächtiges Ressentiment kaum zu verbergen vermag. Unfähig, sich auf einen Gedanken zu konzentrieren, wiederholt er seine Sätze nach Art von Personen, die an Gedankenflucht leiden ..."[44] Indem er „seine eigenen Aggressionen enthüllt, [erweist er sich] als seines Richteramtes unwürdig".[45] Und zuletzt löst sich auch seine Autorität „in Nichts auf; er selbst stürzt nieder auf sein Bett, sobald er den Sohn aus dem Zimmer gejagt hat".[46] Vom Richtergott Jahwe über die ganze Welt bleibt nichts bestehn. „Der alte Bendemann war [nur] dieses einen Sohnes letzte Instanz."[47] Und auch dies nicht aus begründetem eigenen Anspruch, sondern bedingt durch die Schwäche des Kontrahenten.[48]

Unter dem jüdisch religiösen Aspekt erweist sich diese Schwäche des Sohnes als eine Spiegelung von Kafkas eigener Schwäche, als Reflex seines wiederholt geäußerten Schuldgefühls, das er darüber empfand, daß er sich „aus der jüdischen Glaubenstradition ausgeschlossen und an die christliche nicht angeschlossen wußte".[49] Durch Emanzipation war er heimatlos geworden. Seine Äußerung aber, daß das jüdische Volk ‚nie auf die niedrige Stufe einer anonymen und darum geistlosen Masse herabsinken [werde], wenn es an der Erfüllung des Gesetzes festhält' (J 116), impliziert daher zugleich eine Selbstverurteilung des emanzipierten Juden Kafka.

Von hier aus versteht sich der im Wendepunkt der Erzählung schlagartig eintretende Perspektivenwechsel Georgs „von der selbstgefälligen, umweltvergessenen Scheinsicherheit ... zu der Erkenntnis all dessen, was gegen ihn und sein Lebenskonzept steht", und damit zugleich zu der Erkenntnis „der immer noch viel

---

[41] Seidler a.a.O. 188.
[42] Politzer a.a.O. 100.
[43] Ebd. 106.
[44] Ebd. 90.
[45] Ebd. 99.
[46] Ebd. 100.
[47] Ebd. 100.
[48] Die gleiche Situation begegnet in der ‚Legende', in der die Macht des Türhüters allein durch die Schwäche des Mannes vom Lande bedingt ist und daher ins Riesenhafte auswächst, als dieser zum Zwerg zusammenschrumpft.
[49] Seidler a.a.O. 188.

größeren Kraft der von ihm überwunden geglaubten väterlichen Position".[50] Es geht in der Tat um die P o s i t i o n des Vaters, nicht um seine P e r s o n, um das, was er — wenn auch nur verbal und in würdeloser, degoutanter Form — vertritt. Das Schockierende der ganzen Auseinandersetzung liegt ja eben darin, daß Georg an einem an sich inkompetenten Gegner scheitert, daß also der Vater sein Strafurteil über den Sohn nicht in eigener Zuständigkeit, sondern stellvertretend ausspricht.[51] Gleichwohl ist die Verurteilung kompromißlos absolut. Sie fordert mehr als nur die Einsicht: ,Du mußt dein Leben ändern'; sie fordert das Selbstgericht des Schuldigen, denn Schuld gilt als unaufhebbar. Allein der Tod erscheint als der Sünde Sold.

Unter dieser Perspektive ist Georg, wie Seidler richtig sieht, „das Urbild des emanzipierten, dem Glauben seiner Väter untreu und ganz weltlich und materialistisch gewordenen Juden"[52], ein erfolgsüchtiger Manager, dem letzthin alles — und gerade auch die (gewinnbringende) Heirat — nur Mittel zum Zweck ist. Die Besessenheit des geschäftstüchtigen Karrieristen beherrscht weithin sein Denken und untergräbt sein Fühlen, läßt ihn vieles kurzerhand übersehen oder gar vergessen, zwingt ihn auf die rationelle Einbahnstraße betriebsamer Zielstrebigkeit. Indessen sind ihm auch mildernde Umstände zuzugestehen: er ist jung, steht am Anfang seines Berufslebens, er will und muß sich bewähren. Ein gewisser kurzschlüssiger Egoismus mag sogar als ein Recht der Jugend angesprochen werden. Vorwärtsdrängender Leistungswille ist ein natürlicher Impuls, engagierter Einsatz für die übernommene Aufgabe eine sittliche Forderung. Das Unrecht, das Georg begeht, ist also nicht nur Unrecht. Wissend abwägende Weisheit steht allenfalls am Ende, niemals am Anfang des Weges. Vor allem aber sollte das letzte, im Augenblick des Freitodes gesprochene Wort des Sohnes nicht überhört werden: „Liebe Eltern, ich habe euch doch immer geliebt.' Gerade daß es im letzten Augenblick, im Akt des Selbstgerichtes gesprochen wurde, gibt diesem Wort sein Gewicht, macht es zu einem gültigen Bekenntnis; denn angesichts des frei gewählten Todes sind Lüge und Beschönigung gegenstandslos. Diese letzte Äußerung Georgs widerlegt somit authentisch eindeutig, was ihm fast alle Interpreten als Hauptschuld anlasten daß er nämlich — in rücksichtsloser Wahrnehmung seiner Geschäftsinteressen — seinen Vater planmäßig bewußt habe verdrängen wollen. Die Einführung neuer und erfolgreicherer Geschäftsmethoden war kein Schlag gegen den Vater, sondern ein schlichtes Gebot der Vernunft und kam — zumindest indirekt — auch diesem selbst zugute. Was als Schuld bleibt, ist die egoistische Vergeßlichkeit der Jugend, die im allgemeinen zwar als etwas Selbstverständliches, eben als ein Stück Natur ange-

---

[50] Ebd.
[51] Das entspricht genau der Situation in der Parabel *Vor dem Gesetz,* in der der Türhüter das Urteil über den Mann vom Lande auch nicht in eigener Machtvollkommenheit, sondern nur in Vertretung verkündet.
[52] SEIDLER a.a.O. 188.

sehen und toleriert, hier jedoch als eine Todsünde verurteilt wird. Aus dieser kraß abweichenden moralischen Wertung eines gemeinhin als verzeihlich erachteten allgemeinmenschlichen Verhaltens resultiert das Unbehagen des Lesers an Kafkas *Urteil*. Der ethische Rigorismus des Dichters erscheint unangemessen, ja unmenschlich. Das rührt jedoch an den Kern seiner sittlich religiösen Haltung, die alle Schuld ernst nimmt und keine Verharmlosung noch gar Entschuldigung der Schuld zuläßt. Hinzu kommt, daß es bei der Verurteilung Georgs nicht nur um die Sünde der egoistischen Vergeßlichkeit geht. Die Durchführung der Erzählung zeigt vielmehr, daß diese Sünde gleichsam als Ursünde gesehen wird, nämlich als schuldhafter Status allseitiger Sündenanfälligkeit. Im Egoismus der Vergeßlichkeit — so sieht es Kafka — ist die Möglichkeit jedes Verbrechens angelegt. Denn dieser Egoismus erweist sich als totalitär und hebt letzthin die Menschlichkeit selber auf. So entpuppt sich der vergeßliche Sohn sogar als ein potentieller Vatermörder. Und es ist dann auch diese jäh aufbrechende Selbsteinsicht, die Georg niederwirft und — unter dem Druck der bewußt gewordenen tödlichen Schuld — das Strafurteil des Vaters in roboterhaft raschem Selbstgericht vollziehen läßt.

Die überraschend plötzliche Kapitulation des Sohnes in der Auseinandersetzung mit dem Vater, die scheinbar unmotiviert und bedingungslos wie ein legendenhafter Umschlag erfolgt, ist gleichwohl nicht so unvorbereitet, wie es oberflächlicher Betrachtung erscheinen möchte. Der den akuten Konflikt auslösende Brief an den Freund, der diesem die Verlobung Georgs mitteilen sollte, war lange hinausgezögert worden. Endlich ‚an einem Sonntagvormittag im schönsten Frühjahr' raffte sich der Bräutigam zu der bereits überfälligen Mitteilung auf. Es war ein mühsames und peinliches Unternehmen, das er sich am liebsten erspart hätte. Wußte er doch, ohne es sich voll eingestehen zu wollen, daß er mit diesem Schreiben einen Trennungsstrich zwischen sich und dem Freund zog und dadurch die schon halb vollzogene Absage an die gemeinsame Vergangenheit endgültig machte. Nicht nur das lange Zögern, sondern auch das Verhalten nach dem Abschluß des Briefes lassen das erkennen. Offenbar ahnte er die Fatalität, die durch dieses Schreiben ausgelöst werden würde: ‚Er verschloß ihn [den Brief] in spielerischer Langsamkeit und sah dann, den Ellbogen auf dem Schreibtisch gestützt, ... aus dem Fenster ... [und] dachte darüber nach ...' Solch nachdenkliches Verweilen verstand sich keineswegs von selbst. Denn in Georgs managerhaft organisiertem Leben gab es keine Zeit für Überlegungen, die aus der vorgeplanten Ordnung herausfallen. Meditieren war ein Luxus für müßige Philosophen, nicht für verantwortungsbewußte Geschäftsleute. Aber heute vermochte auch er sich dem Zwang zum Nachdenken nicht zu entziehen.[53] Mehr noch, er unternahm etwas, was er schon lange nicht mehr getan oder

---

[53] ‚Mit diesem Brief in der Hand war Georg lange, das Gesicht dem Fenster zugekehrt, an seinem Schreibtisch gesessen. Einem Bekannten, der ihn im Vorübergehen von der Gasse aus gegrüßt hatte, hatte er kaum mit einem abwesenden Lächeln geantwortet. Endlich steckte er den Brief in die Tasche ...'

recht eigentlich versäumt hatte, nämlich er ‚ging quer durch einen kleinen Gang in das Zimmer seines Vaters, in dem er schon seit Monaten nicht gewesen war‘. Es liegt etwas Nachtwandlerisch-Zielsicheres in diesen ungewohnten, spontanen Aktionen. Man spürt, hier ist etwas in Gang gekommen, was lange Zeit überdeckt, aber nicht länger aufzuhalten war. Und in der Tat: „Der Weg zum Zimmer seines Vaters führt Georg ins Innere, sowohl des Hauses wie seiner eigenen Seele.“[54] Die Konfrontation mit dem Vater beginnt. Und sie entzündet sich zum einen an Georgs Heiratsentschluß, zum anderen an seinem Bruch mit dem Freund, wobei beides auf das Gleiche, nämlich auf die Entfremdung des Sohnes vom Vater, hinausläuft.

Daß dennoch das *Urteil* nicht nur eine unglückliche Familiengeschichte ist, liegt vor allem an der dritten, die beiden Kontrahenten überdauernden und überwindenden Hauptperson der Erzählung, an der Gestalt des Freundes.[55] Ist er es doch, durch den die Geschichte eine religiöse Dimension erhält. Auf „gewisse religiöse Anspielungen im Text“ hat schon vor Jahrzehnten Herbert Tauber hingewiesen.[56] Hingegen hat vor kurzem JOHN WHITE eine religiöse Deutung des *Urteils* entschieden abgelehnt, obwohl er andererseits die Mehrschichtigkeit des Ganzen ausdrücklich anerkannte.[57] In jüngster Zeit (1971) jedoch ist Ingo Seidler (a.a.O. 188 ff.) mit Vorzug den religiösen Bezügen der Novelle nachgegangen und hat überzeugende Zusammenhänge nachzuweisen vermocht. Auch Politzer (a.a.O. 91 ff.) hat — insbesondere im Blick auf die Gestalt des Freundes — die religiös-metaphysische Komponente im *Urteil* betont. Wörtlich sagt er: „Kafka... zielte auf... Entrückung des Freundes, als er die Figur schuf. Die Atmosphäre, mit der er ihn umgab, ist mystisch und drängt nach metaphysischen Lösungen. So ließ er ihn zum Zeugen von Revolutionen und beinahe zum Märtyrer seiner eigenen Überzeugung werden.“[58] Seidler geht es vor allem um die christlich religiösen Anspielungen in der Erzählung, wobei er allerdings auch manches für ein zweifelsfreies Indiz hält, was allenfalls nur als Möglichkeit gelten kann. Daß z. B. die Bedienerin, durch den wortlos davoneilenden Georg erschreckt, ‚Jesus‘ ausruft, ist für ihn kein bloßer Schreckensausruf, sondern impliziert eine tiefsinnige christliche Aussage, die abschließend den religiösen Kontext des Ganzen bewußt machen soll. Ein direkter religiöser Bezug hingegen dürfte darin liegen, daß „dem Vater... der Freund durch die Anekdote von dem Geistlichen, der sich demonstrativ ein Blutkreuz in die flache Hand schnitt, in Erinnerung gebracht wird.“[59] Oder wenn Georg von dem Freund sagt, ‚er habe ihn

---

[54] POLITZER a.a.O. 89.
[55] Ebd. 100: „Nur der Freund bleibt übrig, unsichtbar, unberührt und unbesiegt.“
[56] Franz Kafka. Eine Deutung seiner Werke, Zürich 1941.
[57] *Das Urteil* — an Interpretation. DVjs. 38, 1964, 208—229.
[58] POLITZER a.a.O. 101.
[59] SEIDLER a.a.O. 187. Auch für POLITZER (a.a.O. 91) erschließt diese Begebenheit aus der russischen Revolution eine ins Religiöse weisende Dimension des Freundes. „Denn sie vereinigt die Elemente der sozialen Revolution..., der religiösen Begeisterung... und des Selbstopfers.“

zweimal verleugnet', so ist das wohl als eine christliche Anspielung aufzufassen. Höchst bezeichnend ist in diesem Zusammenhang aber das äußere Bild, das Kafka von diesem Freund mitgeteilt hat: „... der fremdartige Vollbart verdeckte nur schlecht das seit den Kinderjahren wohlbekannte Gesicht, dessen gelbe Hautfarbe auf eine sich entwickelnde Krankheit hinzudeuten schien.' Seidler glaubt, in diesem Porträt das Bild des ‚Schmerzensmannes' zu erkennen. Auch für Politzer ruft das Äußere des Freundes religiöse Assoziationen hervor. Sein Vollbart deutet den Wunsch an, einem russischen Mönch zu gleichen. „Man könnte sogar soweit gehen, seine [geschäftliche] Erfolglosigkeit einer inneren Absicht zuzuschreiben, der ... Absicht nämlich, ein Leben evangelischer Armut zu leben. Das Land, in dem dieser Freund zu verharren sich entschlossen hat, ist ein Russland nach dem Sinn des alten Grafen Tolstoi ... "[60] Wenn er trotz beruflicher Erfolglosigkeit dort bleibt, so gibt es dafür nur e i n e Erklärung: „die politischen Unruhen, deren Zeuge er geworden war, ziehen ihn an und halten ihn fest."[61]

Die Bedeutung des Freundes als einer Hauptperson der Erzählung hat Kafka selbst betont. Nach seinen Worten (T 296 f.) ist der Freund ‚die Verbindung zwischen Vater und Sohn ... ihre größte Gemeinsamkeit'. Die Entwicklung der Geschichte zeige, ‚wie aus dem Gemeinsamen, dem Freund, der Vater hervorsteigt und sich als Gegensatz Georg gegenüberstellt'. Das Gemeinsame sei also ‚alles um den Vater aufgetürmt'. Georg hingegen fühle es nur noch ‚als Fremdes, Selbständig-Gewordenes, von ihm niemals genug Beschütztes, russischen Revolutionen Ausgesetztes, und nur weil er selbst nichts mehr hat als den Blick auf den Vater, wirkt das Urteil, das ihm den Vater gänzlich verschließt, so stark auf ihn'. Die Auffassung, daß der Vater bei der Auseinandersetzung mit dem Sohn i n V e r t r e t u n g d e s F r e u n d e s spricht und auch die Kraft, die er dabei entfaltet, wesentlich aus dieser Funktion der Stellvertretung gewinnt, ist also authentisch. Er allein könnte den Sohn nicht durch ein Strafurteil niederzwingen. Seine eigene Persönlichkeit gäbe ihm nicht die Befugnis, das Richteramt auszuüben. Und der Vater selbst erklärt auch, daß er die Stärke seiner Position und sein höheres moralisches Recht im Kampf gegen den Sohn vor allem seiner Identifizierung mit dem Freund verdankt (während Georg sich mit nichts auf den ehemaligen Freund und die mit ihm gehegten Jugendideale berufen kann, da er ihn — in Verfolgung seines völlig anders verlaufenden Lebenswegs — stillschweigend abgeschrieben hat): ‚... der Freund ist nun doch nicht verraten! ... Ich war sein Vertreter am Ort ... Daß du dich nur nicht irrst! Ich bin noch immer der viel Stärkere. Allein hätte ich vielleicht zurückweichen müssen, aber ... mit deinem Freund habe ich mich herrlich verbunden ...' Daß es sich

---

[60] POLITZER a.a.O. 91. Widersprüchlich bleibt jedoch, daß der von solcher Heiligenhaltung unüberbrückbar getrennte Vater sich dann als der Vertreter dieses Freundes ausgibt (richtiger: aufspielt). Ist doch gerade er — in seiner greisenhaft eigensinnigen Bosheit — der letzte, der sich für seine Person auf einen Idealisten solcher Art berufen dürfte.

[61] Ebd. 91.

dabei — gerade auch moralisch — um inadäquate Stellvertretung handelt, gehört zum Strukturmodell der Kafkaschen Dichtung, und spiegelt das ihr zugrundeliegende pessimistische Menschen- und Weltverständnis. Die sich als die Vertreter des „Höheren“ aufspielen und dabei auch äußerlich erfolgreich und mächtig sind, können mit ihrer eigenen Person diesen Anspruch nicht rechtfertigen.[62]

So wichtig der Freund in der Vater-Sohn-Auseinandersetzung auch ist, so unbestimmt allgemein, so rein ideell und funktional bleibt doch das Bild, das die Erzählung von seiner Person vermittelt. „Was immer wir von ihm erfahren, ist eine Verneinung; er ist abwesend, namenlos, unverheiratet, von schwacher Gesundheit und [beruflich] erfolglos.“[63] Trotz seines hohen Stellenwertes im Ganzen der Geschichte erscheint er so ungreifbar fern, daß sich die Frage aufdrängt, ob er überhaupt existiert.[64] Tatsächlich fragt auch der Vater: ‚Hast du wirklich diesen Freund in Petersburg?‘ Aber obwohl es sich dabei um eine verrückte, unrealistische Frage handelt, trifft sie Georg vernichtend. Berührt sie doch „den wunden Punkt seiner Existenz.“[65] Denn die unsinnig scheinenden Worte des Alten: ‚Du hast keinen Freund in Petersburg ... Wie solltest du denn gerade dort einen Freund haben!‘ sind nicht Wahnsinn, sondern enthüllen „eine paradoxe Wahrheit“.[66] Seidler unterstellt hier einen christlich religiösen Sinn.[67] Petersburg — so argumentiert er — könne in diesem Kontext nur die Burg Petri bedeuten, sei also eine Anspielung auf Rom als den ursprünglichen Sitz der Christenheit, wodurch der Freund als ein Vertreter jenes ursprünglichen, reinen Christentums gekennzeichnet wird. Wie aber das Christentum ein Sohn des Judentums ist, so der Freund — als Vertreter des Christentums in Petri Burg — ‚ein Sohn nach dem Herzen‘ des Jehova-Vaters — im Unterschied zu dem völlig säkularisierten eigenen jüdischen Sohn, den er — wegen seines Abfalls von der religiösen Tradition — zum Tode verurteilen muß.

Das sind gewiß bestechende Gedankengänge. Auch werden sie aus Ansätzen entwickelt, die in der Geschichte selbst zu liegen scheinen. Dennoch stellt eine so betont christliche Sinndeutung des Konflikts eine Überinterpretation dar, insofern sie sich zu weit vom eigentlichen Zentrum der Sache, nämlich vom biographisch-jüdischen Kern des Problems entfernt. Tatsächlich hat doch das Christentum im Leben und

---

[62] Wie der Vater im *Urteil* ist auch der Türhüter in der *Legende* kein adäquater Vertreter des Absoluten (‚Das Gesetz‘), dessen Wortführer zu sein er sich anmaßt. Ebenso kontrastieren die Gerichtsbeamten und die Vertreter der Schloßverwaltung durch ihre Mediokrität und Lächerlichkeit zur Höhe der Institution, die sie ex officio repräsentieren.

[63] POLITZER a.a.O. 91.

[64] In der fiktiven Wirklichkeit der Erzählung hat der Freund eine reale Existenz. Hier wird das ‚traumhafte innere Leben‘ des Dichters als Realität genommen. Infolgedessen erscheint auch das alter ego des Helden als eine Persönlichkeit eigenen Wuchses und Willens. Das Existieren des Freundes ist somit als selbstverständlich zu unterstellen.

[65] POLITZER a.a.O. 90.

[66] Ebd. 93.

[67] SEIDLER a.a.O. 187 f.

Denken Kafkas zu keiner Zeit eine nennenswerte oder gar wegweisende Rolle gespielt. Wie sollte es daher gerade hier, in seiner Durchbruchsgeschichte, — einmalig und unmotiviert, wie ein ‚deus ex machina‘ — entscheidende Bedeutung erlangen? Hingegen steht fest, daß der Dichter, als er *Das Urteil* schrieb, unter dem Einfluß des (damals in Prag gastierenden) Jiddischen Theaters stand und sich mit inbrünstiger Hingabe auf sein Judentum zurückbesann.[68] Die Macht des alten Glaubens, der in den jiddischen Dramen noch lebte, überwältigte ihn, und er fühlte, daß seine intellektuelle Freigeisterei dem nichts entgegenzusetzen hatte. Durch das Erlebnis des Jiddischen Theaters wurde ihm seine Emanzipation vom Judentum in voller Deutlichkeit als „Sündenfall“ bewußt. Infolgedessen hat er sich auch mit so starkem Einsatz an den Unternehmungen des Jiddischen Theaters engagiert und sogar Freundschaft mit den jiddischen Schauspielern, insbesondere mit dem Hauptdarsteller Yitskhok Levi, geschlossen.

Hinzu kommt, daß — wie Evelyn Torton Beck mit erschöpfender Akribie nachgewiesen hat[69] — sämtliche Motive in der Erzählung *Das Urteil,* und zwar nicht nur Einzelmotive, sondern gerade auch die das Ganze konstituierenden Motivketten, aus den damals in Prag aufgeführten jiddischen Theaterstücken stammen. Der Unterschied zwischen der Geschichte und der jiddischen Dramatik liegt — grob gesprochen — darin, daß in dieser die schwer verständlichen oder schockierenden Begebenheiten jeweils reichlich kommentiert werden, während Kafka sie unerläutert, in ihrer ganzen Unbegreiflichkeit vor Augen stellt. Insofern geben die den Stoff übermittelnden jiddischen Theaterstücke weithin den Kommentar zur Erzählung des Dichters. Daß Kafka auch einiges hinzugebracht, ja etwas Eigenes daraus gestaltet hat, versteht sich von selbst. Doch ist erstaunlich, wie genau er am Modell der Vorlagen festhielt und sich mit dem dort in Frage stehenden Problem identifizierte, nämlich mit dem Problem des Sühne fordernden, sündigen Abfalls vom jüdischen Glauben. So kann in der Tat kein Zweifel darüber bestehen, daß *Das Urteil* eine spezifisch jüdische Geschichte autobiographischer Prägung darstellt, deren Sinn überhaupt nur unter diesem Aspekt erfaßt werden kann. Die zu Recht erfolgende Bestrafung des Abtrünnigen ist das zentrale Thema.

Dazu stimmt, daß Kafka den seinem Gesetz treu gebliebenen Freund Georg Bendemanns im *Urteil* nach dem Bild eines unverführbar gläubigen orthodoxen Juden gestaltete. Denn wie schon Max Brod erkannte, hat eben der jiddische Schauspieler Yitskhok Levi, Kafkas naher Freund in jener Zeit, als Modell für die Figur

---

[68] Vgl. Evelyn Torton Becks ausgezeichnete und reich dokumentierte Darstellung „Kafka and the Yiddish Theater“ (a.a.O.) und Samuel Hugo Bergmanns Erinnerungen an Franz Kafka (a.a.O.).

[69] Vgl. das Kapitel: First impact of the Yiddish theater: „The Judgment“ (1912) a.a.O. 70—120.

des Freundes in der Erzählung gedient.[70] In einem Brief an Felice Bauer vom 27./28. Dezember 1912 beschrieb Kafka diesen Levi in ganz ähnlichem Ton und mit fast den gleichen Worten, mit denen er drei Monate früher den Freund im *Urteil* charakterisiert hatte:

> Ich habe auch schon einige Briefe in der Zwischenzeit von ihm bekommen. Sie sind alle einförmig und voll Klagen; dem armen Menschen ist nicht zu helfen; nun fährt er immerfort nutzlos zwischen Leipzig und Berlin hin und her. Seine früheren Briefe waren ganz anders, viel lebhafter und hoffnungsvoller, es geht vielleicht wirklich mit ihm zu Ende. Du hast ihn für einen Tschechen gehalten, nein er ist ein Russe.[71]

Auch in einem späteren Brief Kafkas an Felice Bauer vom 1. Juni 1913 finden sich Äußerungen über Yitskhok Levi, die an die Gestalt des Freundes im *Urteil* erinnern:

> Weißt du, wenn nicht der Löwy hier wäre, ich nicht einen Vortrag für den armen Menschen veranstalten müßte ... und schließlich dieses nicht niederzudrückende Feuer des Löwy auf mich wirkte, ... ich wüßte nicht, wie die paar Tage vorübergegangen wären.

Die Parallele ist nicht zu übersehen: in beiden Fällen hat der Freund äußerlich nicht reussiert, aber dennoch das bessere Teil erwählt. Sowohl Georg wie Kafka müssen sich im Blick auf den Freund vorwerfen, den falschen Weg eingeschlagen zu haben. Der Ärmere erweist sich als der Reichere und Stärkere. Mögen auch, wie ich Seidler einräumen will, christliche (oder doch als christlich deutbare) Elemente in die Vater-Sohn-Auseinandersetzung der Erzählung eingegangen sein, den Hauptpunkt der Sache betreffen sie nicht. Mehr als alle anderen Werke des Dichters enthüllt *Das Urteil*, daß Kafka nach Sinn und Bestimmung der Dichter des Judentums war. Vor allem enthüllt diese Geschichte den unmittelbaren Einfluß des Jiddischen Theaters auf Kafkas Schreiben. So konnte man eine Reihe direkter Paralellen zu jiddischen Theaterstücken (z. B. Jakov Gordings *Gott, Mensch und Teufel* und Avraham Sharkanskis *Kol Nidre* im *Urteil* nachweisen. U. a. war gerade der Vater-Sohn-Konflikt ein beherrschendes Thema der jiddischen Dramatik. Und wenn — wie Evelyn Torton Beck (a.a.O. 76) betont — die Handlung der Kafkaschen Erzählung in vielem „sensational and grossly exaggerated", ja „theatrical" anmutet, so erklärt sich das eben daraus, „that many of the elements of this story ... are literally taken over from the [yiddish] theater".

---

[70] EVELYN TORTON BECK a.a.O. 19, Anm. 25: „Levi almost certainly served as a model for the friend in Russia in ,The Judgment' ... The correspondence between biography and fiction is, in this case, extremely close."

[71] Vgl. dazu die Kennzeichnung des Freundes im *Urteil*: ,Nun betrieb er ein Geschäft in Petersburg, das anfangs sich sehr gut angelassen hatte, seit langem aber schon zu stocken schien, wie der Freund ... klagte. So arbeitete er sich in der Fremde nutzlos ab ... dessen gelbe Hautfarbe auf eine sich entwickelnde Krankheit hinzudeuten schien ... Was sollte man einem solchen Manne schreiben, der sich offenbar verrannt hatte, den man bedauern, dem man aber nicht helfen konnte.'

Die Behauptung des Vaters, daß Georg keinen Freund in Petersburg habe (oder richtiger: diesen Freund verraten und verloren habe), ist eine fatale Anspielung auf die nur leicht übertünchte Wurzellosigkeit der Existenz des Sohnes, der zwar äußeren Erfolg, aber keinen inneren Halt, keine heimatliche Geborgenheit mehr besitzt und — in seiner Vergeßlichkeit — sich dieses Verlustes nicht einmal bewußt zu sein scheint. Die etwas hinterlistige Frage nach dem Freund zielt also auf den hier eingetretenen Status seelischer Verarmung bei wachsendem materiellem Wohlstand und erinnert daran, daß der Mensch nicht vom Brot allein lebt. Sie läßt die Entfremdung vom Freund als Symptom einer moralischen Katastrophe erkennen. In solcher Sicht hat der Freund „für Georg und seinen Vater die Gestalt eines Symbols angenommen" und das in solchem Grad, „daß man sagen kann, er habe aufgehört, in Wirklichkeit zu existieren."[72] Aber „in Georgs Gewissen und dem Ressentiment seines Vaters [führt er] ein zweites, von dem ersten unabhängiges Dasein ... [und] erfüllt sie mit [dieser] seiner zweiten, ‚imaginären' Existenz bis zum Rande".[73] Nur deshalb konnte der Konflikt zwischen Vater und Sohn so heftige, tödliche Formen annehmen. Und sicher spricht auch der Vater mit Recht von ‚falschen Brieflein' des Sohnes an den Freund. Denn mit Georgs Entschluß zu einer reinen Geschäftslaufbahn war die Kommunikationsebene mit dem Freund aufgehoben worden. Diese ‚Brieflein' waren sogar in doppeltem Sinn ‚falsch', einmal „weil sie die volle Wahrheit ... verschwiegen", zum andern weil sie „auch falsch adressiert, das heißt, an ein Gespenst aus Georgs Vergangenheit gerichtet" waren.[74] Und eben der Verlobungsbrief mit seinen peinlich glatten Verlegenheitsphrasen setzte den Schlußstrich unter das Ganze. Weil aber in alledem die Schuld Georgs deutlich zutage tritt und auch dieser selbst seiner Schuld am Ende — wie in einem Akt jähen Erwachens — inne wird, kann in der großen Auseinandersetzung zwischen Vater und Sohn jene eigenartige Verwandlung eintreten, derzufolge „der alte Bendemann ... aus einem hinfälligen Greis zur letzten Instanz über Georgs Leben und Tod" anwächst.[75]

Aber trotz dieser kausal-logischen Schlüssigkeit im Ablauf des Geschehens, daß nämlich auf die Erkenntnis der Schuld hier sogleich die Sühne der Schuld erfolgt, löst die Geschichte ein Unbehagen aus. Es widerstrebt, einen Mann als Richter zu akzeptieren, der zugleich Ankläger, also selber Partei ist und auch nicht die charakterliche Integrität besitzt, die ihn zu objektiver Haltung befähigen könnte. Zudem fehlen ihm die persönlichen Voraussetzungen, um stellvertretend für den Freund und das in diesem beleidigte Junggesellentum ein Urteil zu fällen. Gerade ihm kommt es am wenigsten zu, sich zum moralistischen Fürsprecher des Freundes und seines Junggesellenideals aufzuwerfen, nachdem er selber ein Eheleben nach seinem gusto geführt hatte und auch jetzt das ihm als Witwer zugefallene Junggesellentum kei-

---

[72] POLITZER a.a.O. 94.
[73] Ebd. 94.
[74] Ebd. 94.
[75] Ebd. 95.

neswegs begrüßt, sondern im Gegenteil griesgrämig beklagt. Sein Verhalten zeigt also die heuchlerische Widersprüchlichkeit derer, die Wasser predigen und Wein trinken. Zu dieser inneren Unglaubwürdigkeit kontrastiert um so krasser die fanatische Heftigkeit seines Gebarens. Die Paradoxie der Situation geht indessen noch weiter. Denn tatsächlich ist Georg — trotz der durch sein Versagen eingetretenen Entfremdung — dem Freund näher geblieben als der Vater, der zwar mit starken Worten die Sache des Freundes zu vertreten vorgibt, in Wirklichkeit aber — seiner Persönlichkeit nach — durch Welten von diesem getrennt ist. Daß hingegen Georg durch die Erkenntnis seiner Schuld so schwer getroffen werden konnte, bestätigt den letztlich unzerstörbaren (wenn auch schmählich verleugneten) Kern seiner Bindung an den Freund und an die ,lieben Eltern'.[76] Sein Vollzug des väterlichen Urteils durch Freitod ist ein Akt der sühnenden Wiederversöhnung, zu dem ein Mann vom selbstgerecht selbstsüchtigen Schlag des alten Bendemann niemals fähig gewesen wäre.

Unbehagen löst aber auch die Härte des verhängten Urteils aus. Der Tod des Ertrinkens für die der Jugend eigentümlichen „Sünden" der Vergeßlichkeit, des aus alten Bindungen ausbrechenden Freiheitsdranges und egozentrischen Erfolgsstrebens erscheint als eine unangemessen hohe Strafe. Zugleich aber hat gerade dies für Kafka selbst zentrale Bedeutung. Es enthüllt seine pessimistische Sicht des menschlichen Daseins, das er — a priori und toto genere — im Zeichen der Schuld und Verlorenheit sieht. Wer zur vollen Einsicht in sich selbst erwacht, verfällt hier unausweichlich einem gnadenlosen Gericht, so unausweichlich, daß er es sogar willig selbst vollzieht. ,Die Schuld ist immer zweifellos', dieser Satz aus der *Strafkolonie* bestimmt das Menschenbild des Dichters insgesamt, es bestimmt vor allem auch sein Selbstverständnis. Und in den gleichen Zusammenhang gehört der letzte kommentierende Satz des Vaters unmittelbar vor seiner Verkündigung des Urteils: „Ein unschuldiges Kind warst du ja eigentlich, aber noch eigentlicher warst du ein teuflischer Mensch!" Denn auch diese Äußerung betrifft die im Grunde heillose Situation des Menschen und verdeutlicht, daß das hier zu fällende Urteil letztlich „dem Plan einer Schöpfung gilt, die es dem Teufel erlaubt..., die Welt kindlicher Unschuld zu betreten und zu korrumpieren".[77] Infolgedessen gilt dieses Urteil für jedermann. Warum es gerade Georg Bendemann trifft, bleibt eine offene Frage. Das Erregende liegt darin, daß ein so relativ Harmloser herausgegriffen wird.

Die Erzählung provoziert aber noch ein weiteres Unbehagen, das unmittelbar durch die Persönlichkeit des Dichters, eben durch sein eigenartiges Welt- und Selbstverständnis, bedingt ist. Es geht um das hier unterstellte Ideal der absoluten Rein-

---

[76] Georgs letzte Worte verdeutlichen, daß das *Urteil* zwar nicht nur, doch aber a u c h eine Familiengeschichte ist und als solche ernst genommen werden muß. Überhaupt sind bei Kafka die gewählten Bilder niemals nur Formen der Einkleidung.

[77] POLITZER a.a.O. 96.

heit, das für ihn an den Status des Junggesellentums gebunden erscheint.[78] Das aber ist eine ebenso willkürliche wie gewaltsame Setzung. Daß sich Georg zur Heirat entschließt und damit das (unrealistische) Junggesellenideal aufgibt, ist nur natürlich und kann ihm nicht als Egozentrik angelastet werden. Egozentrisch (und naturwidrig) wäre im Gegenteil das fanatische Festhalten am Junggesellentum als der idealen Lebensform. Denn solche prinzipielle Enthaltung von den freudvoll-leidvollen Pflichten eines ehelichen Miteinanders ist recht eigentlich Verrat am Leben und nicht notwendig ein moralisches Verdienst. Man muß schon hoffnungslos denaturiert sein, um die Hingabe an eine Liebesbindung nicht anders denn als Verlust der Reinheit deuten zu können. Im Gegensatz dazu könnte man argumentieren, daß Junggesellenaskese — falls solche überhaupt im Vollsinn zu verwirklichen wäre — ärmer und unreiner sei als erfüllte Liebe.

Wenn aber die Erzählung trotz ihres an sich unsinnigen Verlaufs eine ungewöhnlich starke Wirkung übt, so zeigt das, daß wir es hier mit einer Absurdität zu tun haben, die sich nicht einfach als Unfug abtun läßt. Daß ein eigensinniger, kindisch gewordener Vater seinen fleißigen und tüchtigen Sohn zum Tod des Ertrinkens verurteilt und dieser das groteske Strafurteil auch widerspruchslos annimmt und vollzieht, — dieser „Unsinn" erhält seinen Sinn allein aus der (durch die Hauptperson bestimmten) streng „einsinnigen" Erzählperspektive des Ganzen. Im Blick auf die fragwürdige Gestalt des Vaters wäre der Verlauf der Geschichte in der Tat irr und albern. Aber es geht hier gar nicht darum, ob der Vater einen triftigen Grund zu solcher Verurteilung des Sohnes hatte, — er hatte ihn nicht, zumindest nicht in dem von ihm unterstellten Grade —, sondern darum, daß der Sohn, obwohl er die Anmaßung des väterlichen Richterverhaltens durchschaut, dennoch das ungeheuerliche Urteil annimmt, weil er sich nämlich — im Zusammenhang der Anschuldigung des Vaters — einer a n d e r e n , tieferen Schuld bewußt geworden ist.

Das aber heißt: das Urteil des Vaters und das Selbstgericht des Sohnes decken sich nicht. Sie stehen in keinem direkten Kausalzusammenhang, wie das der Erzählverlauf zu suggerieren scheint. Der Sohn richtet sich für ein Versagen, dessen er gar nicht angeklagt wurde, das ihm aber — eben in der Auseinandersetzung mit dem Vater — jählings bewußt geworden ist. Das Absurde liegt somit darin, daß ein an sich widersinniges Urteil gleichwohl die totale Selbstverurteilung des Angeklagten auslöst, weil es nämlich — in einem sich assoziierenden anderen Zusammenhang — unerwartet einen wirklichen Sinn erhält. Die äußere Lösung bleibt freilich insofern makaber, als nicht der bessere, sondern der brutalere der beiden Kontrahenten, der herrschsüchtige Vater, als „moralischer Sieger" aus dem Kampf hervorzugehen

---

[78] So abwegig die Assoziation auch anmuten mag, so liegt doch ein Vergleich des Kafkaschen Junggesellenideals mit dem Jungfräulichkeitsideal Hrotsvits von Gandersheim nahe, das diese in ähnlichem Sinn als eine heiligende Kraft absolut gesetzt hat. Ist doch auch die Askese Kafkas letztlich ethisch-religiös begründet. Vgl. BERT NAGEL: Hrotsvit von Gandersheim, Stuttgart 1965, 54 ff.

scheint. Dieser Sieger spürt aber seinerseits nicht einen Hauch von eigener Lebensschuld, ist vielmehr außerstande, auch nur den Ansatz eines Versagens in sich selbst zu entdecken. Er ist so selbstbesessen und selbstsicher, daß er sich sogar widerwärtigstes Komödiantentum leisten zu können vermeint. Auf die gottgewollte Vaterherrschaft pochend glaubt er sich zu jedem Mittel legitimiert und allezeit im Recht.[79] Er fühlt sich als unanfechtbare Autorität auch dort, wo er sich — objektiv betrachtet — lächerlich macht: Mitten im Bett ‚stand [er] vollkommen frei und warf die Beine. Er strahlte vor Einsicht‘, ein lebendes Denkmal kindischer Unreife, ein Greis ohne Würde und Weisheit.

Nun geht es aber in diesem Vater-Sohn-Konflikt nicht darum, die relative Schuldlosigkeit des Sohnes gegen die brutale (und unbegründete) Selbstgerechtigkeit des hinterhältig herrschsüchtigen Vaters zu stellen. Thema der Erzählung ist vielmehr eindeutig die Schuld des Sohnes, eine freilich schwer erkennbare Schuld, die auch dem Sohn selbst — bei dem Zusammenstoß mit dem Vater — völlig überraschend zum Bewußtsein kommt. Insofern ist seine Konfrontation vor allem eine Konfrontation mit sich selbst und führt ihn so zu jener fundamentalen Seinserfahrung, in der Selbsteinsicht und Schuldeinsicht zusammenfallen. Wie es um den moralisch-menschlichen Status des Vaters bestellt ist, ob er als gut oder böse, gerecht oder ungerecht zu gelten hat, steht also hier gar nicht zur Erörterung. Wohl aber erweist sich das Verhältnis des Sohnes zum Vater als Symptom eines menschlichen Versagens. Deshalb kann Georg in der Auseinandersetzung mit dem Vater — zu seinem eigenen Erschrecken — sogar zum Wunsch des Vatermordes provoziert werden: ‚Jetzt wird er sich vorbeugen, dachte Georg, wenn er fiele und zerschmetterte! Dieses Wort durchzischte seinen Kopf.‘ Dieser jäh auftauchende mörderische Gedanke ließ ihm die Schuldhaftigkeit seines Daseins bis auf den Grund durchsichtig werden. Zum ersten Mal sah er sich hier — völlig ungeschönt und ohne jede Entlastungsmöglichkeit — in seiner (sonst so wohlanständig verpackten) vitalen Sündhaftigkeit. Er erfuhr — im Sinne Tolstoischen Sündenbewußtseins — daß er, weil Nicht-Liebe in seinem Herzen wohnt, schuldig ist. Deshalb konnte ihn das unmenschliche Strafurteil des Vaters zum sofortigen Vollzug des Freitodes antreiben.

Die hier zutage tretende Disproportion von Anstoß und Geschehen, insbesondere das Auseinanderklaffen von Anlaß und Ursache, haben mit der Form der Erzählung „als einem von der Handlung untrennbaren Teil des Inhalts“ zu tun[80], mit ihrer

---

[79] Ohne Frage spielt hier auch die auf strikt patriarchalischer Lebensordnung gründende jüdische Ethik herein, die in Kafkas empfindlicher Seele nachwirkte. KURT WEINBERG (Kafkas Dichtungen. Die Travestien des Mythos, Bern und München 1963) ist mit Vorzug diesen Spurenelementen des Archetypischen in Kafkas Werk nachgegangen und hat auf diesem entdeckungsfreudigen Weg zurück zu den Archetypen eine geradezu erdrückende Vielzahl möglicher Bezüge nachzuweisen versucht. Freilich hat er dabei nicht selten übers Ziel hinausgeschossen und ist namentlich auch von der Dichtung selbst weithin abgekommen.

[80] WEINBERG a.a.O. 7.

konsequent einsinnigen Erzählperspektive, derzufolge es allein um den Sohn, um das schockhafte Erlebnis seiner elementaren Schulderfahrung geht. Die Schuld des Gegenspielers jedoch bleibt außerhalb des Kontextes, gehört nicht zum Thema.

Das aber rührt an den Kern alles Kafkaschen Dichtens, an die Tatsache nämlich, daß es in seinen Erzählungen und Romanen immer nur um Schuld und Gericht des Helden (und damit um die eigene Schuld und das eigene Gericht) geht. Hieraus resultiert auch die jeweils durch die Sicht des Protagonisten bestimmte) Einsinnigkeit der Darstellung als Grundform seines Erzählens. Diese (meist) einsinnige Erzählperspektive dokumentiert, daß Kafka der Dichter des Individuums ist[81], der das Erlebnis der Welt ausschließlich im Innenerlebnis des Helden (und das heißt: im Aspekt seiner leidvollen Selbsterfahrung) vergegenwärtigt. Die Konzentration der Darstellung auf die Sicht des Helden bestimmt zugleich die Thematik: in allen seinen Werken gestaltet Kafka das gespannte Gegenüber eines Einzelnen zur Welt, die sich ihrerseits auf vielfältig wechselnde Weise präsentieren kann: in Personen oder Personengruppen (z. B. Gestalten wie der Vater oder der Türhüter oder die Familie), in Institutionen (wie die Gerichtsbehörde oder die Beamtenhierarchie der Schloßverwaltung) oder in dem buntschillernden Komplex eines fremden Kontinents (Amerika). Daß grundsätzlich nur das Schicksal des Individuums in Frage steht, zeigt sich geradezu demonstrativ in der *Legende* — trotz ihres Titels *Vor dem Gesetz*, der eine abstrakt allgemeine Thematik formuliert. Tatsächlich stellt aber in dieser Parabel das Gesetz selbst nicht das Thema dar; es wird nicht einmal umschrieben, sondern erscheint einfach als gegeben, vorgegeben. Als Sinn der Legende jedoch wird ausgesprochen, daß es für den Mann vom Lande, der in das Gesetz eintreten wollte, nur einen einzigen Zugang zum Gesetz gibt und daß auch dieser wiederum nur für ihn allein bestimmt ist. Der Held der Parabel, dieser als ‚Mann vom Lande‘ bezeichnete Jedermann erscheint also durchaus als ein Einzelner, als ein einmaliges Wesen, als Individuum. Die individuelle Eindimensionalität der Sicht in Kafkas Erzählungen ist mithin Prinzip. Sie entspricht der Überzeugung des Dichters, daß die Welt nur individuell erfahren werden kann und daß auch das Allgemeinmenschliche allein im (vollständig) vergegenwärtigten Erlebnis eines Einzelnen zu fassen ist. Weil aber von dieser Prämisse aus ‚Jedermann‘ eine individuelle Realität und nicht lediglich eine abstrakte Konstruktion darstellt, führte Kafkas Weg konsequent zum parabolischen Erzählen. Denn in der Parabel ist der Protagonist zugleich Mensch als solcher und Individuum.

---

[81] LAWRENCE RYAN (‚Zum letztenmal Psychologie!‘ Zur psychologischen Deutbarkeit der Werke Franz Kafkas. In: Psychologie in der Literaturwissenschaft, Heidelberg 1971, 171) betont — in Auseinandersetzung mit EMRICHS These, daß Kafkas Dichtung eine umfassende Kritik des modernen Industriezeitalters darstelle —, Kafka habe diese Kritik nicht geleistet noch überhaupt leisten können; denn: „er kannte nur das Individuum". Gesellschaftskritik lag nicht in seinem Programm; sie wird — wie etwa im Amerika-Roman — allenfalls in indirekter Form, als Akzidens sichtbar.

Um wiederum zum *Urteil* zurückzukehren, so liegt nach Politzer „Reiz und Schwäche" dieser Erzählung darin, „daß sie sich zwischen den Sphären der Wirklichkeit und der Überwirklichkeit, der Psychologie und der Metaphysik nicht entscheiden kann".[82] Urteil und Strafvollzug erfolgen oberhalb der Wirklichkeit, während das vorausliegende Geschehen noch realistisch verifizierbar ist.[83] Das steht in genauem Gegensatz zur Lösung in Goethes Faust. Hier findet der Held, der am Ende seiner Erdentage — nach einer letzten tragischen Selbsttäuschung — als ein Gescheiterter ‚im Sand‘ liegt, im metaphysischen Raum, durch ‚von oben‘ teilnehmende Liebe, Erlösung und Erhöhung.[84] Georg jedoch, den man im realen Leben nicht ernsthaft belangen könnte, wird gerade im moralisch-allegorischen Bereich oberhalb der Wirklichkeit verurteilt.

Auch Seidlers Interpretation des *Urteils* erweist die Erzählung abschließend als ein Zeugnis von Kafkas tragischem Pessimismus. Sie scheint ihm „mit e i n e r Wortreihe z w e i Geschichten zu erzählen: eine psychologische Vater/Sohn/Alter Ego-Phantasie und zugleich eine Allegorie der drei Kafka prinzipiell zugänglichen religiösen Entscheidungsmöglichkeiten. Auf beiden Ebenen identifiziert sich Kafka bezeichnenderweise mit dem, der gewogen und zu leicht befunden wird. Damit hat er zwei seiner Grundprobleme auf den gemeinsamen Nenner seiner immer wieder beteuerten eigenen Minderwertigkeit gebracht. Daß dies offenbar nicht ohne Lust geschah (man vergleiche Kafkas genießerisches Aufzählen der Parallelen zwischen seinem Namen und dem Georg Bendemanns: T 212), mag man ihm als masochistisch ankreiden."[85]

Das sensationellste Zeugnis solch radikaler Selbstverurteilung ist die *Verwandlung*, die kurz nach dem *Urteil* entstand[86] und überhaupt noch in den Kontext dieser „Urerzählung" Kafkas gehört, insbesondere auch strukturell in vielem mit ihr übereinstimmt. Auffällig ist die Parallele zwischen den zwei Vatergestalten: Samsa senior und Bendemann senior gehören „beide dem wilden Stamm der Kafka-Väter an".[87] Überhaupt ist das psychologisch-autobiographische Moment hier wie dort besonders stark. So sei z. B. Frau Samsa sehr genau „dem Leben Kafkas nachgeformt".[88] In ihr habe Kafka „sowohl den Altruismus seiner Mutter wie die Oberflächlichkeit ihres Verständnisses für ihn festgehalten".[89] Darin spiegelt sich, wie

---

[82] A.a.O. 98.

[83] Ähnliches gilt für die *Strafkolonie,* in der zwar die geschilderten Praktiken der Marterjustiz, nicht aber die zum Schluß erfolgende Selbstexekution des Gerichtsoffiziers als realistisch anzusprechen sind.

[84] Die ‚seligen Knaben‘ verkünden: ‚Er hat gelernt, er wird uns lehren.‘

[85] SEIDLER a.a.O. 190.

[86] *Das Urteil* wurde in der Nacht vom 22. auf den 23. September 1912, die *Verwandlung* im November/Dezember 1912 geschrieben.

[87] POLITZER a.a.O. 111.

[88] Ebd. 110.

[89] Ebd. 110.

sehr er darunter litt, daß seine Mutter ihre Liebesfähigkeit so ausschließlich auf den Vater konzentrierte. Wenn sie gegenüber dem in einen Käfer verwandelten Sohn als Mutter versagt, nämlich in Ohnmacht fällt und mit dieser Fluchtgebärde anzeigt, daß es ihr nicht möglich ist, dieses Biest als ihren Sohn zu akzeptieren, so ist das eine besonders krasse Variation der pessimistischen These: ‚Schwachheit, dein Name ist Weib.‘ Kafkas negatives Verhältnis zum Weiblichen schloß auch das Mütterliche mit ein.

Am krassesten jedoch enthüllt sich dieser negative Aspekt des Weiblichen an der Gestalt der Schwester, der Gregors innigste Anhänglichkeit und selbstloseste Liebe gehörten. Ja, kaum weniger ungeheuerlich als die Verwandlung Gregors in einen Käfer ist die Verwandlung der Schwester von „einer barmherzigen Samariterin, einer ‚Schwester‘ im christlichen Verstande dieses Wortes", zur „Anklägerin", die wie der Vater drohend die Faust gegen ihn erhebt und „ihn mit eindringlichen Blicken durchbohrt".[90] Diese Verwandlung der Schwester — so resumiert Politzer (a. a. O. 129) — besitze „die logische Brutalität des trivialen Lebens." Obwohl sie die einzige war, die den Verwandelten zunächst noch als Bruder behandelte und ihm sogar großes ‚Zartgefühl‘ erwies, war sie es dann, „welche... den Verwandlungsvorgang zum endgültigen tierischen Verenden beschleunigt". „So verwandelt sie unbewußt das noch menschliche Zimmer in eine Höhle, in der Gregor zwar als Käfer frei nach allen Richtungen herumkriechen kann, ‚jedoch auch unter gleichzeitigem schnellen gänzlichen Vergessen seiner menschlichen Vergangenheit‘. Schließlich schreibt auch sie Gregor als Menschen und Bruder ab: ‚Ich will vor diesem Untier nicht den Namen meines Bruders aussprechen, und sage daher bloß: wir müssen versuchen es los zu werden.‘"[91] Nachdem damit auch die letzte menschliche Verbindung Gregors mit der Familie zerrissen ist, ‚geht er ein‘, und die Bedienerin, die ‚das Zeug von nebenan‘ so schnell wie möglich aus der Wohnung hinauskehrt, stellt mit Befriedigung fest: „Sehen Sie nur mal an, es ist krepiert; da liegt es, ganz und gar krepiert!" Diese Entwürdigung des Menschen noch unter das Tier hinab zum Kehricht erscheint — im Blick auf den autobiographischen Bezug der Erzählung — als ein geradezu pathologisch grausames Zeugnis der Selbsterniedrigung. Gegen einen Masochismus solchen Grades ist kein Kraut gewachsen. Und es ist gewiß ein Höchstmaß von tragischer Ironie, wenn Gregor eben dort endgültig scheitert, wo er der geliebten Schwester innerlich am nächsten kommt und seine menschliche Identität noch unzweifelhaft gesichert erscheint, nämlich in seiner Ergriffenheit durch das Violinspiel der Schwester. Die Frage: ‚War er ein Tier, da ihn Musik so ergriff?‘, ist — wie Politzer betont — ganz gewiß eine rhetorische Frage und „natürlich lautet die Antwort: Nein. Er ist ein Mensch. Nur ein Mensch vermag sich von Schönheit und Seelenhaftigkeit so hinreißen zu lassen".[92] Gregor lauscht ja auch nicht wie die

---

[90] Ebd. 116.
[91] NORBERT KASSEL: Das Groteske bei Franz Kafka, München 1969, 166 f.
[92] POLITZER a.a.O. 119.

auf ihre Tochter stolzen und eitlen Eltern aus Selbstliebe auf das Musizieren der Schwester: Ihm ist vielmehr, als zeige ihm die Musik den ,Weg zu der ersehnten unbekannten Nahrung'. Gleichwohl vermag die „Musik der Schwester" als „das Medium des Mitmenschlichen" Gregors „Wiederaufnahme in den menschlichen Bezirk der Familie" nicht zu bewirken. Im Gegenteil, dieses am stärksten Verbindende erweist sich in seinem Fall als das endgültig Entzweiende: um seiner (falsch verstandenen) Musikbesessenheit willen wird er — gerade auch von der Schwester — unwiderruflich aus der menschlichen Gemeinschaft ausgestoßen. Wie Georg Bendemann durch den Vater, so erfährt Gregor Samsa durch das Komplott der Familie sein Todesurteil, und wie jener läßt er es am Ende willenlos-willig geschehen, so daß auch er letztlich durch Freitod endet. Tatsächlich nimmt Gregor „sein Verschwinden um der Familie willen mehr oder weniger freiwillig auf sich", und ähnlich wie Georg Bendemann, der zuletzt erkennt, die ,lieben Eltern ... doch immer geliebt' zu haben, denkt er ,mit Rührung und Liebe' an die Seinigen zurück.[93] Die Übereinstimmung der Lösung in beiden Erzählungen ist nicht zu übersehen. Im Urteil „identifiziert sich der Sohn mit dem Spruch des Vaters, der ihn zum Tode verurteilt". „In der Verwandlung ... findet es Gregor auch ... ganz in der Ordnung, daß die Familie sein endgültiges Verschwinden verlangt. Die katastrophale Störung, die seine abnorme Art zu existieren mit sich gebracht hat, kann nur durch die freie Einwilligung in seinen eigenen Tod beseitigt werden."[94] Ebenso war in beiden Erzählungen — wenn auch in verschiedenen Graden — der Kapitulation des Protagonisten vor dem Vater bzw. der Familie eine Auseinandersetzung mit dem aggressiven Vater vorausgegangen.

Schwieriger erkennbar, ja recht eigentlich unauffindbar jedoch ist seine Schuld. Die aggressive Feindseligkeit des alten Samsa läßt sich hier nicht aus einem den Autoritätsanspruch des Vaters verletzenden, karrierebesessenen Vordrängen des Sohnes herleiten. Gregor erscheint weit mehr als ein planmäßig ausgebeutetes Opfer des kollektiven Familienegoismus.[95] So liegt in der Tat auf der Ebene psychologischer Deutung des Geschehens der Schluß nicht fern, daß es eine Fluchtreaktion war, durch die sich Gregor während der ,unruhigen Träume' der fatalen Nacht in ein ,ungeheures Ungeziefer verwandelt' hat. Wenn aber — nach dieser Auffassung des Vorgangs als eines in Erfüllung gegangenen geheimen Wunsch- und Fluchttraums — „die Verwandlung Gregors dessen parasitäre Veranlagung symbolisiert, dann

---

[93] BENNO VON WIESE: Die Verwandlung. In: Die deutsche Novelle von Goethe bis Kafka, Bd. 2, Düsseldorf 1964, 330.
[94] Ebd. 335 f.
[95] Ebd. 112: „Die Eltern haben ihn in die Sklaverei verkauft, und niemand vermag zu leugnen, daß er das Dasein eines Sklaven führt." Das widerspricht der fragwürdigen Auffassung, es sei das in seiner Ungeziefergestalt sichtbar gemachte Schmarotzertum Gregors, das die Familie gegen ihn aufbringe. Eher trifft das Gegenteil zu.

war diese parasitäre Veranlagung vererbt, und zwar vom Vater, [der] Gregors Pflichtbewußtsein rückhaltlos ausgebeutet" hatte.[96]

Die Verwandlung in einen Käfer und das über den Sohn verhängte Todesurteil des Vaters sind zweifellos groteske Vorgänge, die aber trotz ihrer phänomenalen Sinnlosigkeit eine „geistige Funktion" besitzen. Norbert Kassel verweist auf diesen „paradoxen Charakter des Grotesken", nämlich gleichzeitig „spielerisch-phantastische Erfindung und künstlerisches Mittel geistiger Auseinandersetzungen zu sein"[97] Die spannende und stimulierende Wirkung dieser Erzählungen ergibt sich daraus, daß sie aus psychologisch-autobiographischen Ansätzen entwickelt werden, sich aber keineswegs darin erschöpfen, vielmehr darüber hinaus auch eine parabolische Aussageform gewinnen, die ihrerseits moralisch-metaphysische Deutungen fordert. Zum Parabolischen gehört, daß der Held ein Jedermann ist. Und Gregor Samsa ist in der Tat „ein Durchschnittsmensch ..., der anderen Durchschnittsmenschen zum Verwechseln ähnlich sieht", dessen „unglaubliches Schicksal" daher auch jeden Leser „befallen" könnte.[98] Im Einklang mit seiner Überzeugung, daß ‚das Gewöhnliche selbst ... schon ein Wunder' sei (J 28), bewährt sich Kafkas gestalterische Meisterschaft vor allem dort, wo er — wie in der *Verwandlung* oder im *Urteil* — „ein Außerordentliches auf einem Gemeinplatz spielen läßt".[99]

---

[96] POLITZER a.a.O. 112. Auch dies erinnert an die Situation im *Urteil*, wo der Vater dem Sohn eben jene Eigenschaften und Neigungen vorwirft, denen er selber in seinem aktiven Berufsleben reichlich gefrönt hatte.

[97] A.a.O. 171. Vgl. ebd. 199: „Hervorgerufen durch das groteske Verwandlungsgeschehen oder ähnlich absurd erscheinende Vorgänge werden die Konflikte familiären Zusammenlebens provoziert und Probleme des Mitmenschlichen mit Überschärfe deutlich gemacht."

[98] POLITZER a.a.O. 125,

[99] Ebd. 125.

Ein Hungerkünstler' und andere „Künstlernovellen"

Das in den dichtungstheoretischen Äußerungen seiner Briefe, Tagebücher und Gespräche erkennbare Selbstverständnis Kafkas wird durch sein autobiographisch geprägtes Werk bestätigt.[1] Sind doch die Helden seiner Erzählungen und Romane letzthin mit dem Dichter identisch, „dichterische Chiffren für Franz Kafka selbst".[2] Daß sie im *Prozeß* und *Schloß* mit dem Buchstaben K. bzw. Josef K. bezeichnet werden, ist ein deutlicher Hinweis. Und auch „die wohl bewußt gewollte Verschlüsselung des Namens Kafka in dem Namen Samsa"[3] verweist auf die Identifizierung des Erzählers mit dem Protagonisten seiner Erzählung, zumal Kafka ein „solches Spiel mit den Vokalen seines Namens ... für die im gleichen Jahr entstandene Erzählung *Das Urteil* selber durch eine Notiz in seinem Tagebuch von 1913 bezeugt".[4] Noch im Sommer 1923, also elf Jahre nach der 1912 geschriebenen *Verwandlung*, sah sich Kafka im Bild des Helden dieser Erzählung.[5] Oder wenn er am 12. Juli an Max Brod schrieb: ‚Eben laufe ich herum oder sitze versteinert, so wie es ein verzweifeltes Tier in seinem Bau tun müßte, überall Feinde', so deckt sich die hierin gekennzeichnete eigene Situation genau mit der Situation des Tieres in der bald danach (1923) entstandenen Erzählung *Der Bau*. Die Zwangsvorstellung, daß ‚überall Feinde' sind, und — als Folge daraus — die Angst vor einem unerwarteten Angriff sind zentrale Motive in dieser Geschichte. Wiederholt klagt das Tier: ‚... meiner Feinde gibt es unzählige.' ‚... es sind nicht nur die äußeren Feinde, die mich bedrohen. Es gibt auch solche im Innern der Erde.' ‚Hier gibt es viele Feinde und noch mehr Helfershelfer der Feinde.' Verängstigt fragt es: ‚... kann ich denn trotz aller Wachsamkeit nicht von ganz unerwarteter Seite angegriffen werden?'

Für die Erhellung von Kafkas künstlerischem Selbstverständnis kommt der Erzählung *Ein Hungerkünstler* besondere Bedeutung zu. Einmal von der Thematik her, weil hier die Problematik des Künstlertums, also die Frage nach der Möglichkeit künstlerischer Existenz zur Erörterung steht und der Hungerkünstler selbst

---

[1] Abgesehen davon, daß Kafka selbst die Identifikation mit seinen Helden durch deutlich anklingende Namengebung (z. B. Kafka/Samsa) betonte, hat er sich auch theoretisch für die Autobiographie als literarische Form stark interessiert. Andrerseits ist seine Dichtung aber nicht autobiographisch in dem Sinne, daß sie daten- und faktengerecht den Ablauf seiner Vita wiedergibt. Im Gegenteil, nichts, was hier erzählt wird, hat sich so in seinem Leben abgespielt. Gleichwohl ist alles, was Kafka schrieb, Selbsterlebtes, verarbeitete und in Dichtung umgesetzte Lebenserfahrung, transponierte Autobiographie.

[2] BENNO VON WIESE: Die Verwandlung. In: Die deutsche Novelle von Goethe bis Kafka, Bd. 2, Düsseldorf 1964, 321.

[3] Ebd. 321.

[4] Ebd. 321.

[5] So schrieb er an Oskar Baum, daß er, „statt sich zum Schreibtisch vorzutasten, sich ‚lieber unter das Sofa verkrochen [habe], wo ich noch immer zu finden bin'". (VON WIESE a.a.O. 321) Der Bezug auf den in einen Käfer verwandelten Gregor Samsa, der sich gleichfalls mit Vorzug unter das Sofa verkriecht, ist unübersehbar.

nichts anderes ist als „die groteske Metapher"[6] für den künstlerischen Menschen überhaupt. Zum anderen aber auch deshalb, weil es eine der spätesten Erzählungen (1922) des Dichters ist, also ein entscheidendes Wort in eigener Sache. Die Auffassung dieser Erzählung Kafkas als einer parabolischen Darstellung seines künstlerischen Selbstverständnisses hat sich weithin durchgesetzt. In der Deutung hingegen herrscht noch keine Einigkeit. Die Fragen, die sich hier stellen, hat bereits Benno von Wiese in seiner Interpretation des *Hungerkünstlers* formuliert: „Wie faßt Kafka seine Figur auf? Ist sie komisch, tragisch oder ironisch gemeint? Haben wir es mit einer Karikatur des Künstlertums oder mit einem echten Künstlertum zu tun? Welchen Sinn hat die Metapher des Hungerns?"[7]

Ich knüpfe an diese Fragen hier an, obwohl ich mit von Wieses Deutung nur in einigen Zügen, nicht aber im ganzen übereinstimme. Seine eindeutige Entscheidung für den Hungerkünstler und gegen die Kontrastfigur des Panthers, also für „den hungernden Geist und seine Absurdität und [gegen] die Faszination des Lebens"[8] erscheint mir mit Kafkas ambivalenter Selbstauffassung nicht vereinbar. Hier wird in Form eines Schwarz-Weiß-Schemas der Gegensatz zwischen dem in Wahrheit und Freiheit spielenden reinen Geist und dem nackten Materialismus der vitalen Existenz unterstellt — eine Wertung, die im Denken des durch Zweifel frustrierten und vor seinen Zweifeln zuletzt auch kapitulierenden Dichters keinen Platz hatte.[9] Im Gegenteil, die Skepsis Kafkas hat — je länger desto entschiedener — auch die geistige und künstlerische Existenz des Menschen miteingeschlossen. Übermächtig lebte in ihm die (biblische) Vorstellung von der Nichtigkeit des Menschen (vor Gott), und zwar des ganzen Menschen.[10] Kafkas Menschenbild ist recht eigentlich das Lutherische Menschenbild, nur ohne das Heil der Erlösung durch Gnade und Glauben. Zwar hat er wiederholt auch den Willen zum Glauben und den Wunsch zur Hoffnung geäußert, aber immer wieder fixiert sich sein Blick auf den verlorenen Menschen. Er kennt nicht wie Luther den durch Christus erneuerten Menschen. Lutherisch ist sein Menschenbild aber insofern, als es hier keinen Gegensatz oder Wertunterschied zwischen der geistigen und sinnlichen Natur des Menschen gibt, als vielmehr der ganze Mensch aus Fleisch und Geist als nichtig gilt. „Leiblichkeit, Sinne, Triebe, Verstand, Vernunft, Wille bilden zusammen das, was [Luther] die kreatürliche Seite des Menschen ... nennt."[11] In solch Paulinisch-Lutherischer Sicht sind

---

[6] Von Wiese: Ein Hungerkünstler a.a.O. Bd. 1, 337.

[7] Ebd. 331.

[8] Ebd. 342.

[9] Klaus Wagenbach (Franz Kafka. In Selbstzeugnissen und Bilddokumenten, Reinbek 1964, 92) stellt fest, daß sich Kafka bei einer Wahl zwischen ‚Leben' und Literatur stets für die Literatur entschied, fügt jedoch hinzu: „ohne sich allerdings gegen das Leben entscheiden zu wollen, wodurch dieselbe Konstellation immer wieder auftrat."

[10] Vgl. seinen Ausspruch: ‚Sündig ist der Stand, in dem wir uns befinden, unabhängig von Schuld.'

[11] Leonard Beriger: Humanismus und Reformation. In: Bruno Boesch (Hrsg.): Deutsche Literaturgeschichte in Grundzügen, Bern und München ²1961, 132.

Geist und Künsterlertum für Kafka keine Auszeichnungen im Sinne eines philosophischen Idealismus antik-griechischer oder Kantisch-Schillerischer Prägung, keine Möglichkeit der Teilhabe am Jenseitig-Ewigen, sondern Phänomene von der gleichen Hinfälligkeit wie die Leiblichkeit des Menschen. Es ist also der toto genere nichtige Mensch, der in Kafkas Dichtung begegnet, der — ohne Erlösung — restlos verlorene Mensch, mit dessen ‚Macht nichts getan‘ ist, wenn nicht ‚der rechte Mann‘ für ihn streitet. Aber im Gegensatz zu Luther ist hier kein machtvoller Streiter sichtbar, der den Verlorenen aus seiner kreatürlichen Nichtigkeit erlöst. Kafka kennt nur „das unerbittliche Nein [Luthers] gegenüber dem natürlichen Menschen“, nicht aber dessen „rückhaltloses Ja zum begnadeten Menschen“.[12]

Entsprechend zog er das pessimistische Fazit, daß dem ‚irdisch befleckten Auge‘ das vollgültige Transzendieren niemals gelingen kann. Auch der Hungerkünstler demonstriert kein — wenn auch kunstvoll verhülltes, ja ins Groteske verzerrtes — Gelingen. Er bedeutet keine Gewähr dafür, daß „das Eigentliche und Wahre von neuem unter uns anwesend sein kann“.[13] Er erreicht nicht ‚die himmlische Fläche‘, sondern resigniert und findet sich damit ab, daß der Rest Schweigen ist. Es handelt sich um den gleichen kampf- und sieglosen Rückzug wie in der anderen späten Erzählung ‚Der Bau‘: „Hier ist die Welt zu einer Art Dachsbau zusammengeschrumpft, und dieser Bau ist das Werk des Tieres, Teil seiner selbst. Nachdem es in seinem früheren Leben gelegentlich noch aus seinem Bau, das heißt aus sich selbst, herausgegangen ist, verkriecht es sich später in sich selbst.“[14]

Daß es sich hier um dasselbe Muster wie im *Hungerkünstler* (aber auch schon in der *Verwandlung*) handelt, also um das Grundmodell der Kafkaschen Menschen- und Lebenssicht überhaupt, duldet keinen Zweifel. Alle Erzählungen des Dichters variieren dieses Thema des Scheiterns und (zuletzt freiwilligen) Resignierens der Helden. Ihre Selbstaufgabe, die zugleich Selbstgericht bedeutet, erscheint unausweichlich und verweist auf die Identität der Helden mit Kafka selbst. Denn auch für ihr Leben gilt, was für des Dichters eigenes Leben galt, daß ihnen nämlich in Wahrheit nicht zu helfen war.[15] In diesen Zusammenhang der immer wieder negativ verlaufenden Selbstauseinandersetzung Kafkas gehört gerade auch die Gestalt des Hungerkünstlers. Sein folgenloses Enden präludiert das Aburteil, mit dem der Dichter zum Schluß sein gesamtes Werk verwarf.

---

[12] Ebd. 132. Vgl. die Lutherschen Verse:
        Mit unsrer Macht ist nichts getan.
        Wir sind gar bald verloren.
        Es streit’t für uns der rechte Mann,
        Den Gott hat selbst erkoren.

[13] Von Wiese: Hungerkünstler a.a.O. 342.

[14] Ingeborg Henel: Die Deutbarkeit von Kafkas Werken, ZfdPh. 86, 1967, 258.

[15] Die typologische Verwandtschaft Kafkas (und seiner Helden) mit Kleist ist unübersehbar. Was dieser in seinem letzten Brief an die Stiefschwester Ulrike von sich bekannte: „…die Wahrheit ist, daß mir auf Erden nicht zu helfen war“, könnte als Motto über Kafkas Leben stehen.

Da jedoch die Erzählung den „Kontrast der rein vitalen zur geistigen Sphäre"[16] zum Inhalt hat und der Hungerkünstler selbst — wenn auch in grotesker Verfremdung — den Prototyp des Künstlers und des Geistesmenschen überhaupt repräsentiert, liegt die Versuchung nahe, sich auf dessen Seite zu schlagen und Kafka zu unterstellen, er habe die „Geistigkeit dieser aus dem Vitalen herausgedrängten, immerfort ausgehungerten Existenz" als etwas eindeutig Positives gewertet wissen wollen. Sei doch dieses „Hungern ... nur die Metapher für [den] geistigen Willen, die vitale Existenz mit ihren notwendigen Bedürfnissen in der Freiheit des Hungerspiels zu widerlegen".[17] Natürlich sieht auch von Wiese die Schwierigkeit, „die geistige Existenz auch noch in der grotesken Entstellung des ‚Hungerkünstlers' positiv zu verstehen, zumal alle ihre Äußerungsformen nur negativ zu sein scheinen".[18] Um so beflissener bemüht er sich, diese Gestalt hochzustilisieren und mit immer neuen Formulierungen die in ihr parabolisch vergegenwärtigten hohen Geisteswerte zu umschreiben. „Der Hungerkünstler — [das sei] die groteske Metapher für den isolierten Durchbruch zum Geist in einer verfremdeten Welt."[19] Mag er auch „— von außen gesehen — zur komischen, fast bemitleidenswerten Figur werden, hinter [dieser] Entstellung des Künstlers zur bloßen Jahrmarktsfigur ... steckt ... die eigentliche Wahrheit des Künstlertums".[20] Seine durch Hungern erreichte „Widerlegung des Vitalen ... öffnet zugleich den Zugang zum absoluten und geistigen Sein, soweit es unter den auch ihm auferlegten Bedingungen noch gelebt werden kann".[21] Daß „die unbedingte Aufhebung der vitalen Existenz durch den freien, mühelos spielenden Geist ... nur im Tode enden" kann, sei „nicht negativ, sondern durchaus positiv gemeint, nämlich als eine vollständig gewordene Selbstdarstellung und Selbstrechtfertigung".[22] Von Wiese idealisiert also den Hungerkünstler — trotz des negativen äußeren Gegenscheins — zu einer Gestalt, die vollgültig die Wahrheit und Freiheit der geistigen Existenz verwirklicht. Das Groteske der Einkleidung oder Verhüllung symbolisiert ihm die einzige Möglichkeit, das Eigentliche und Wahre — wenn auch in schockierender Verzerrung — in unserer unwahren Welt zu erhalten.[23]

---

[16] Von Wiese: Hungerkünstler a.a.O. 334 und 331.

[17] Ebd. 333: „dieser hungernde Künstler erweist ... parabolisch die radikale Möglichkeit, daß von dem uneingeschränkten Vorrang des Immateriellen aus auf alles Materielle verzichtet werden kann. Die Verrichtung des Naturhaften ... zeigt auf eine indirekte ... und grotesk entstellende Weise die auf einem andern Wege nicht mehr darstellbare, auf Askese gegründete freie geistige Existenz."

[18] Ebd. 341.

[19] Ebd. 337.

[20] Ebd. 335.

[21] Ebd. 336.

[22] Ebd. 339.

[23] Vgl. ebd. 342. Daß das Leben des Hungerkünstlers als ein Leben der Vergeistigung aufzufassen ist, hat Kafka durch schroffe Konfrontierung mit der sinnlich rohen Gegenwelt verdeutlicht: die vom Publikum gewählten ‚Wächter' sind ‚merkwürdigerweise ge-

Wer jedoch Kafkas tiefwurzelnde Skepsis auch gegenüber dem Geist und dem Künstlertum ernstnimmt und sich bewußt hält, wie kritisch er sein eigenes Schreiben bewertet hat, wird an eine so eindeutige Stellungnahme für den Geist und gegen das Leben nicht glauben. Auch spricht der Wortlaut des Textes nicht dafür, daß er das Gegeneinander des Hungerkünstlers und des Panthers als einen Schwarzweißkontrast aufgefaßt wissen wollte. Ganz im Gegenteil drängt seine Darstellung die Frage auf, ob er nicht den Panther in der Selbstverständlichkeit seiner Lebensfülle bejahte, dagegen den Hungerkünstler als fragwürdig empfand.

Indessen wäre es grundsätzlich falsch, hier den einen gegen den anderen auszuspielen. Und gegen von Wieses idealistische Hochwertung des Hungerkünstlers als eines vergeistigten Menschen ist geltend zu machen, daß Kafka selbst eine solche konsequente Vergeistigung durchaus nicht als ein Positivum aufgefaßt hat. War sie doch, wie er selber schmerzlich empfand, durch eine gewisse Lebensuntauglichkeit, Einseitigkeit, ja Halbheit erkauft, die den Mangel an Lebensfülle nicht zu kompensieren vermögen. Was von dem — gleichfalls lebensuntauglichen — reinen Geistwesen Homunculus in Faust II gesagt wird, gilt cum grano salis auch für den Hungerkünstler Kafkas:

> Er ist ‚nur halb zur Welt gekommen‘.[24]
> ‚Und möchte gern im besten Sinn entstehen.‘[25]

Nur erscheint ihm keine Galathea, die ihn zur Ganzheit des Lebens erlöst. Er ist eine Kafkasche Figur und als solche unerlösbar.

Im übrigen ist es nicht nur die Einseitigkeit des Künstlers, die seinen Mangel ausmacht (zumal diese ja zugleich den Vorzug seiner Vergeistigung einschließt), sondern auch das Künstlertum an sich erscheint problematisch und keineswegs als ein zweifelsfreies Ideal menschlichen Seins.[26] Der Künstler wird nicht als der Erwählte gesehen, der nur deshalb scheitert, weil er feiner organisiert ist als die andern Menschen oder weil die Welt nach ihrer abscheulichen Gewohnheit es liebt, ‚das Erhabene in den Staub zu ziehn‘, sondern der kritische Blick des Dichters trifft durchaus existentielle Unzulänglichkeiten des Künstlermenschen überhaupt. Die

---

wöhnliche Fleischhauer‘. Oder daß der Käfig des Hungerkünstlers sich auf dem Weg zu den Ställen der Tiere befindet, — „diese unmittelbare Nachbarschaft der ‚Ställe‘ zeigt den ins Tragische hineinreichenden Kontrast zwischen einer zur Schau gestellten vitalen Welt, zu der sich alle Besucher drängen, und der geistigen Darstellung, die immer mehr aus Zeit und Raum hinausgedrängt wird". (VON WIESE, ebd. 337) Vom Hungerkünstler selbst heißt es, ‚daß ihn die Ausdünstungen der Ställe, die Unruhe der Tiere in der Nacht, das Vorübertragen der rohen Fleischstücke für die Raubtiere, die Schreie bei der Fütterung sehr verletzten und dauernd bedrückten‘.

[24] Klassische Walpurgisnacht: Thales über Homunkulus. (Vers 8248)
[25] Homunkulus über sich selbst. (Vers 7831)
[26] Kafka hat wiederholt von ‚Schriftstellereitelkeit‘ gesprochen und in seinem Brief an Max Brod vom 5. Juli 1922 das Schreiben als einen zwar ‚süßen wunderbaren Lohn, aber für Teufelsdienst‘ bezeichnet.

Frustrationen des Hungerkünstlers bieten ein befremdend verfremdendes Bild grundsätzlichen Versagens. Die Einseitigkeit seines Existierens erweist sich als sinnlos, da er sein Ziel, „die Welt durch ein Hungern ohne Ende in Erstaunen zu setzen"[27], doch nicht erreicht. Vor allem aber erscheint diese fruchtlose Einseitigkeit auch noch in einem moralischen Zwielicht, insofern sie als Leistungsergebnis angestrengtester Bemühung zur Schau gestellt wird, während sie in Wirklichkeit überhaupt keine Mühe kostet.[28] Denn der Hungerkünstler Kafkas kann ja gar nicht anders als hungern, weil er, wie er zuletzt selber bekennt, die Speise nicht finden konnte, die ihm schmeckte[29]: ‚Hätte ich sie gefunden, glaube mir, ich hätte kein Aufsehen gemacht und mich vollgegessen wie du und alle.' Er hungert also nur deshalb, weil die Speise, die ihm geboten werden könnte, für ihn nicht genießbar ist. Das heißt, seine öffentlich vorgeführte Kunst des Hungerns ist gar keine Leistung, die Bewunderung beanspruchen darf.[30] Im Gegenteil, in diesem anormalen, aber für ihn ganz natürlichen und unvermeidlichen Hungern enthüllt sich seine Halbheit, der Mangel seiner vitalen Mitgift, sein Ungenügen gegenüber den Forderungen des Lebens. Er aber setzt diesen Defekt als einen Wert, präsentiert ihn als einen Gegenstand öffentlicher Bewunderung. Was hier vorliegt, ist also ein bestürzendes Paradox: Selbstgenuß der eigenen Schwäche. Das zielt auf jene Schriftstellereitelkeit, die Kafka als etwas Teuflisches verwarf und von der er sich selber gleichwohl nicht ganz frei wußte.

Im Gegensatz zu von Wiese hat Ingeborg Henel überzeugend dargetan, daß im *Hungerkünstler* Kafkas die Kunst keineswegs als ein Positivum gekennzeichnet

---

[27] Ebd. 327.

[28] Da der Hungerkünstler einwandfrei sein Hungerpensum erfüllt, wird er zu Unrecht als Schwindler verdächtigt. Gleichwohl betrügt er das Publikum, nämlich dadurch „daß er seine Not als Tugend, seinen natürlichen Drang als Leistung ausgibt". Er ist also schuldig — aber nicht im Sinn des gegen ihn gehegten Verdachtes. Das bezeichnet eine für Kafka typische Situation. Auch Vater Bendemann im *Urteil* verurteilt seinen Sohn für etwas, dessen dieser nicht — zumindest nicht in dem ihm unterstellten Maße — schuldig ist. Weil sich der Sohn aber in anderer Hinsicht als schuldig erkennt, akzeptiert er das Strafurteil des Vaters und vollzieht es sogar selbst. INGEBORG HENEL verweist auf die prinzipiell ähnliche Situation in Schillers ‚Jungfrau von Orléans', wo die Heldin unschuldig der Zauberei angeklagt wird, sich aber dennoch nicht gegen diese falsche Anklage verteidigt, weil sie sich — ähnlich wie Georg Bendemann — in anderem Sinn schuldig weiß.

[29] POLITZER a.a.O. 430: Hier „nimmt Kafka das Motiv der ‚unbekannten Nahrung' wieder auf, das er schon in der *Verwandlung* eingeführt hatte". Deutete in dieser Geschichte das Bild „ganz allgemein in die Richtung des unerschließbaren Geheimnisses, das über dem Schicksal des Menschen waltet", so ist es im *Hungerkünstler* „mit dem Thema der Kunst ... aufs innigste verflochten". Der Hungerkünstler stelle sich — mit einem Ausdruck Goethes aus Faust II (V. 8204—8205) — als ein ‚sehnsuchtsvoller Hungerleider nach dem Unerreichlichen' dar.

[30] Ebd. 434: „Er allein nämlich wußte ..., wie leicht das Hungern war. Schon der Gedanke an Essen würgte ihn im Hals. Aber erst ... in seinen letzten Worten ... verrät er ... sein ganzes Geheimnis. Er hat, sagt er, zeitlebens hungern müssen, weil er nicht anders konnte. Seine Kunst ist [also] nicht beachtenswert, sie ist eine Selbstverständlichkeit."

ist.[31] Was den Hungerkünstler, der seiner natürlichen Neigung nach verhungern würde, „am Leben erhält, ist seine Kunst". Denn da er aus dem Hungern eine Kunst gemacht hat, erwarb er die paradoxe Fähigkeit, „vom Hungern zu leben". Das zeigt jedoch, daß Künstlertum hier nicht „Transzendierung oder Negierung des Lebens" bedeutet, „sondern [im Gegenteil] Behauptung des Lebens trotz des Wunsches, sich aus dem Leben zu hungern". Indem der Hungerkünstler, obwohl das Hungern für ihn Natur ist, „vorgibt, sein Hungern sei eine Leistung, gibt er seine Not als Tugend aus und macht sich damit der Verfälschung der Wahrheit schuldig". Infolgedessen wird hier „die Kunst ihres Prestiges als einer hervorragenden Leistung beraubt und... als Not entlarvt". Diese Novelle „ist keine Rechtfertigung der Künstler und keine Kritik der [kunstunverständigen] Welt, sondern eine Selbstbeschuldigung wie alle Werke Kafkas ... keine Apologie der Kunst, sondern ihre Verurteilung".

Die Problematik des Hungerkünstlers, der sich durch Schauhungern zu bestätigen sucht, hat Kafka „schon früh (1909) in dem *Gespräch mit dem Beter* dargestellt. Da dieser sich nicht durch sich selbst von seinem Leben überzeugen kann, hat er es sich zum Lebenszweck gemacht, ‚von den Leuten [beim Beten in der Kirche] angeschaut zu werden'". Wie der Hungerkünstler ist er also eine im Grunde „erbärmliche Figur ... — erbärmlich, weil die Lebensnot ihn dazu zwingt, sich zur Schau zu stellen und dadurch zu pervertieren". Im gleichen Sinn verweist Ingeborg Henel (a.a.O. 235) noch auf eine andere ‚Künstlernovelle' Kafkas, nämlich auf seine späteste Erzählung *Josefine, die Sängerin,* die „wie der Beter durch das Schaubeten und der Hungerkünstler durch das Schauhungern" ihr wahres Wesen durch ihr Singen verrate. Insgesamt enthüllt der *Hungerkünstler* ein negatives Selbstverständnis Kafkas; er verdeutlicht jenes fatale Paradox des Künstlertums, daß „sich der Trieb a u s dem Leben i m Leben manifestiert". Zugrunde liegt die „kompromißlose Auffassung" von dem unüberbrückbaren Gegensatz zwischen Wahrheit und Leben, die Überzeugung, daß das Leben „auf Kosten der Wahrheit [geht] und umgekehrt". Da aber die Kunst im Dienst des Lebens steht, das Leben stimuliert und erhält, steht auch sie gegen die Wahrheit, ist sie Lüge und Selbsttäuschung, ‚Teufelsdienst'. Dieser ethische Rigorismus, dem nicht nur Leben und Wahrheit, sondern auch Kunst und Wahrheit als unvereinbar gelten, deckt sich mit dem Pessimismus des alten Tolstoi, der alle Kunst als ein teuflisches Mittel der Verführung ablehnte. Wer mit der Wahrheit Ernst machen will, müsse daher die Welt, das Leben und gerade auch die Kunst aufgeben — getreu der christlichen Forderung: Stirb der Welt ab und lebe in Gott!

Im *Hungerkünstler* wird also nicht die Welt der Kunst als das Höhere und Bessere der Welt des gemeinen Alltags gegenübergestellt. Geistigkeit und Sinnlichkeit

---

[31] Ein Hungerkünstler, DVjs. 38, 1964, 230—247. Die hier mitgeteilten Zitate sind dieser Studie Ingeborg Henels S. 232 ff. entnommen.

Panther, (Publikum)

verfallen vielmehr dem gleichen Verdikt. Hungertrieb und vitaler Trieb erscheinen als gleichwertig. Darum besteht auch „kein prinzipieller Gegensatz zwischen dem Helden und dem Publikum als seinem Gegenüber: dieses ist nicht schlechter als jener; es repräsentiert nicht das Scheindasein der Welt gegenüber dem wahren Sein des Künstlers, sondern beide sind der Wahrheit entfremdet und der Lüge verfallen".[32]

Die gleichwertige Nebeneinanderstellung der transzendierenden Hungerlust des Hungerkünstlers und der sich selbst genießenden reinen Vitalität des Panthers zeigt, daß diese Erzählung keine Zeitkritik beabsichtigt, wie von Wiese unterstellt, keine „Darstellung des Künstlerschicksals in einer Gesellschaft, die der Kunst keinen Platz einräumt [und] den Künstler in die Isolierung verbannt ..."[33] Worum es hier geht, ist vielmehr die in der Künstlerexistenz zu akuter Krise entfaltete Widersprüchlichkeit des Lebens, dargestellt in dem unauflösbaren Gegeneinander von reinem Hungern und reinem Leben, um die nur im Tod zu erreichende Kompromißlosigkeit des Seins. Wie bei den anderen Gestalten Kafkas geht es auch beim Hungerkünstler, der vom Hungern leben will, um ein unlösbares Problem, nämlich um die Widersprüchlichkeit des Lebens oder — wie der Dichter selbst formulierte — um ‚die Unmöglichkeit zu leben‘.

Es ist offenkundig, daß der junge Panther, der nach dem Tod des Hungerkünstlers in den Käfig einzieht, „das wilde Tier, dem nichts fehlt und das sich mit Lust in dem öden Käfig herumwerfen kann"[34], als Kontrastfigur dazu dient, um die vitale Dürftigkeit und Einseitigkeit des Hungerkünstlers, die Sinnlosigkeit eines solchen Am-Leben-Vorbeilebens augenfällig zu machen[35]: ‚Die Nahrung, die ihm schmeckte, brachten ihm ohne langes Nachdenken die Wächter; nicht einmal die Freiheit schien er zu vermissen; dieser edle, mit allem Nötigen bis zum Zerreißen ausgestattete Körper schien auch die Freiheit mit sich herumzutragen; irgendwo im Gebiß schien sie zu stecken; und die Freude am Leben kam mit derart starker Glut aus seinem Rachen, daß es für die Zuschauer nicht leicht war, ihr standzuhalten. Aber sie überwanden sich, umdrängten den Käfig und wollten sich gar nicht fortrühren.‘

Gegenüber der Mangelexistenz des Hungerkünstlers, dessen zur Perfektion gediehene Einseitigkeit den fundamentalen Mangel seines Existierens doch nicht aufheben kann, repräsentiert der Panther das rundum volle Leben, das natürliche Recht der Stärke, die gesunde Balance von außen und innen, das vitale Einssein mit sich selbst. Dieser Panther ist nicht ‚bloß halb zur Welt gekommen‘, sondern ‚mit allem Nötigen bis knapp zum Zerreißen ausgestattet‘. Die Bewunderung, die

---

[32] Ebd. 243.
[33] Ebd. 241.
[34] VON WIESE a.a.O. 340.
[35] POLITZER a.a.O. 435: Das Panther-Nachspiel stellt „die ungehemmte Vitalität eines jungen Raubtiers" der Kunst des Hungerkünstlers entgegen.

ihm zuteil wird, die Attraktion, die er ausübt, erscheinen wohlbegründet und selbstverständlich. Gewiß ist er „nur" ein Panther, aber als ein solcher ganz und ohne Makel. Und weil er ganz ist, ist er auch Herr seiner selbst und — trotz des Käfigs, in den er gesperrt ist — im Besitz seiner Freiheit, die ,irgendwo im Gebiß' ihren sicheren Sitz hat. Um dieser vitalen Ganzheit und Freiheit willen erscheint er dem Hungerkünstler überlegen. Er besitzt die in seinem Bereich mögliche Vollkommenheit, die der Hungerkünstler in seiner Sphäre nicht besitzt noch je erlangen kann.

So eindeutig jedoch bei dieser Gegenüberstellung der Panther als der naturgewollte Sieger und der Hungerkünstler als der kläglich resignierende Verlierer erscheinen, geht es hier gleichwohl nicht um eine Entscheidung pro und contra. Wie immer bei Kafka liegen die Verhältnisse komplizierter und kontroverser.[36] Zwar wird im Kontrast zur prallen Lebensfülle des Panthers die Einseitigkeit und Halbheit des Hungerkünstlersdaseins sichtbar. Aber zugleich wird er als der ungerecht Behandelte und um den Lohn seiner Arbeit Betrogene gekennzeichnet.[37] Ja, es widerfährt ihm das Ungerechteste, was ihm überhaupt widerfahren kann: man glaubt ihm sein Hungern nicht und hält ihn für einen Falschspieler. Hat er sich doch mit seinem permanenten Hungern so weit von der natürlichen Lebenswelt entfernt, daß ihn niemand mehr verstehen kann und die Tatsächlichkeit seines exzeptionellen Existierens als bloßen Trick mißdeutet Dabei hätte er es in Wahrheit — auch über die auf vierzig Tage beschränkte Hungerzeit hinaus — ,noch lange, unbeschränkt lange ausgehalten'. Was man ihm unterstellt und wofür er gedemütigt wird, trifft also nicht zu. Das Schlimmste aber ist für ihn dies, daß man ihn auch noch gutmütig schont und die ihm zu Unrecht unterstellte Mogelei zu tolerieren gewillt ist. Gerade die zynische Gutmütigkeit, mit der man ihn ganz selbstverständlich für einen Schwindler hält, dabei jedoch gleichzeitig großzügig Nachsicht walten läßt, enthüllt seine Katastrophe. Sie zeigt ihm, „daß er keine Aussicht hat, je verstanden zu werden".[38] Das hier waltende Mißverständnis ist also ausweglos tragisch. Indem jedoch auch der Hungerkünstler selbst sein Unternehmen mißversteht, erscheint er zugleich als eine komische Figur. Stellt er doch seine Kunst zur Schau und wirbt um die Bewunderung des Publikums, obwohl „er sich in Wirklichkeit aus dem Leben heraushungern will".[39] Tatsächlich kann ja der Hungerkünstler „erst in der Vergessenheit seinem wahren Wesen gemäß leben, d. h. hungern. Der Beifall des Publikums ist somit keine notwendige Ermutigung für den

---

[36] Ebd. 435 f.: Hier handle es sich nicht lediglich um „die Ohnmacht des Geistes im Gegensatz zu der ungebrochenen Lebenskraft eines natürlichen Wesens". „Solch eine simple Antithese [könne] Kafkas Intention nicht gewesen sein." Dagegen spreche auch das dem „Lebensproblem dieses Hungerkünstlers" zugrundeliegende „Paradox der ,unbekannten Nahrung'". Infolgedessen bleibe „die Geschichte ... verschlüsselt und unenträtselt".
[37] ,Denn nicht der Hungerkünstler betrog, er arbeitete ehrlich, aber die Welt betrog ihn um seinen Lohn.'
[38] INGEBORG HENEL: Ein Hungerkünstler a.a.O. 241.
[39] Ebd. 241.

Künstler, sondern eine Verführung, und seine Vereinsamung nicht ein trauriges Schicksal, sondern die notwendige Voraussetzung für seine Verwirklichung".[40] Aus dem hier realisierten Paradox des Nebeneinanders von Tragik und Komik in der Person des Hungerkünstlers resultiert der subtil ironische Tenor der ganzen Erzählung. Da aber nach Kafkas Grundkonzept das tragische Moment überwiegt, steht die Komik dieser Gestalt im Zwielicht tragisch getönter Ironie.

Was jedoch die weitere Frage betrifft, ob wir es im *Hungerkünstler* „mit einer Karikatur des Künstlertums oder mit einem echten Künstlertum zu tun" haben, so ist sie recht eigentlich falsch gestellt. Denn es kann kein Zweifel darüber bestehen, daß Kunst und Künstlertum hier ernstgenommen sind und jeder Gedanke einer Karikatur dieser Phänomene gegenstandslos ist. Was als Karikatur mißverstanden werden könnte, ergibt sich daraus, daß Kafka die Kunst nicht verherrlicht, sondern in ihrer Fragwürdigkeit bloßstellt. Im *Hungerkünstler* wie in den anderen „Künstlernovellen" Kafkas erscheint das Künstlertum als eine tief problematische und zum Scheitern verurteilte Existenzform. Das aber zeigt, daß auch im Innersten seiner Eigenwelt der Dichter durch ein negatives Selbstverständnis bestimmt war. Auch in der Kunst — oder gerade in der Kunst — erscheint ihm „Mißlingen der Ankunft" als des Menschen Los.[41]

Kafkas letzte Erzählung *Josefine, die Sängerin oder Das Volk der Mäuse* (Frühjahr 1924) handelt noch einmal und in gleichem Sinne wie der *Hungerkünstler* über Kunst und Künstlertum. Auch Josefine, die Sängerin, ist bereit, „für die Kunst ihre ganze Existenz aufs Spiel zu setzen":[42] ‚... es ist, als hätte sie alle ihre Kraft im Gesang versammelt, als sei allem an ihr, was nicht dem Gesang unmittelbar diene, jede Kraft, fast jede Lebensmöglichkeit entzogen ...' Der Vergleich mit dem Hungerkünstler liegt nahe. Josefine ist von demselben Ehrgeiz besessen wie dieser: ‚Sie greift nach dem höchsten Kranz, nicht weil er im Augenblick gerade ein wenig tiefer hängt, sondern weil er der höchste ist; wäre es in ihrer Macht, sie würde ihn noch höher hängen.' Ebenso will der Hungerkünstler die Höchstzeit von vierzig Hungertagen noch überbieten. Den gleichen Perfektionsfanatismus, die gleiche Sucht, jeden bestehenden Rekord zu brechen, zeigt der Trapezkünstler in der Erzählung *Erstes Leid* (1922). Perfektion im Widerspiel zur Notdurft, der sie abgerungen werden mußte, forcierte Vollkommenheit mit dem Schein der Mühelosigkeit kennzeichnet auch die Darbietung der Kunstreiterin in *Auf der Galerie*. Um raffinierteste Kunst ingeniöser Art geht es endlich in der Geschichte *Der Bau,* in der

---

[40] Ebd. 243.

[41] Auch HILLMANN (a.a.O. 109) sieht im *Hungerkünstler* ein Zeugnis von Kafkas Pessimismus: „die düsterste Gestaltung des Schicksals des Künstlers. Seine Bestimmung zwingt ihn nicht nur zur Aufgabe jeglichen normalen Lebens, sondern versagt ihm auch jeden Lohn für sein furchtbares Unternehmen. Sein Ruhm ist nur ein Scheinruhm, und was er gesucht hat, findet er nicht einmal im Tode."

[42] POLITZER a.a.O. 440.

210

ein scharfsinnig listenreiches Tier seine unter der Erde angelegte Festung beschreibt. Aber auch seine ausgeklügelte Kunst wird ad absurdum geführt; denn — wie das Tier erkennen muß — ist ‚manche List ... so fein, daß sie sich selbst umbringt'. Der Bau, der perfekten Schutz gegen Eindringlinge zu bieten scheint, erweist sich schließlich als Gefängnis, aus dem es kein Entrinnen gibt. Falls diese Erzählung ebenfalls als „Künstlernovelle" anzusprechen ist, erscheinen hier Kunst und Künstlertum nicht als zweifelsfreie Positiva, sondern als Gefahren und Fallstricke, als Mittel der Täuschung und Selbsttäuschung, als fanatische Irrungen, die ins Leere auslaufen. Schon die Tatsache, daß in Kafkas Dichtungen der Künstler im Bild eines Hungerkünstlers, eines Zirkusartisten, einer Kunstreiterin oder der Mäusin Josefine als Sängerin oder sogar in der Gestalt eines maulwurfähnlichen Waldtieres vorgestellt wird, rückt Kunst und Künstlertum in ein makabres Licht und kennzeichnet künstlerische Leistung als Exzentrik oder fanatische Narretei. Solche Bilder aus der Welt des Schaugeschäftes implizieren eine Abwertung künstlerischen Tuns. Es sind Metaphern der Prostitution, die „die Zweideutigkeit der Beziehung des Künstlers zu seiner Kunst" beleuchten.[43] Kafkas Aburteil über die Kunst richtet sich also nicht nur auf unzureichendes Gelingen, nicht lediglich darauf, daß — trotz des vollen Lebenseinsatzes — das hochgesteckte Ziel niemals ganz erreicht wird, sondern darauf, daß im Akt der Bemühung auch das Ziel selbst verfälscht wird. Der Kunstpessimismus des Dichters ist somit vor allem moralischer Art. Hellsichtig selbstkritisch durchschaut er, daß in allem künstlerischen Schaffen banale Künstlereitelkeit mit im Spiele bleibt und in solcher Vermischung mit dem Menschlich-Unzulänglichen das Ideal nicht rein erhalten werden kann. Was ‚die Welt ins Reine, Wahre, Unbedingte heben' sollte, erweist sich — trotz dem Anschein formalen Gelingens — als trügerisches Menschenwerk, ja als teuflische Irrung.[44]

Auch die „Künstlernovellen", in denen Kafkas eigene Existenz gespiegelt wird, enthüllen also insgesamt ein negatives Selbstverständnis des Dichters. Gerade die späten Erzählungen *Ein Hungerkünstler, Der Bau* und *Josefine, die Sängerin* bestätigen das triste Resultat, das Kafka in seinen Briefen, Tagebüchern und Gesprächen aus seinem Leben gezogen hat. Sie zeigen den Künstler in der grundsätzlich gleichen Situation wie die anderen Helden Kafkas. Die Künstler-Problematik ist somit von der allgemein menschlichen Problematik nicht zu trennen, hat vielmehr in dieser ihre Ursache. Das heißt: Auch Kunst und Künstlertum sind nicht frei von Schuld. Und auch hier geht es um eine nur dem Protagonisten selbst einsichtige (oder einsichtig werdende) Schuld. Das Versagen vor der Welt und das Scheitern in der Welt zählen im Grunde nicht, da sie auf Mißverständnissen beruhen und daher zu Unrecht angelastet werden. Hingegen ist das Versagen, dessen sich der Held selber schuldig weiß, stets eine unabweisliche und ihn total verurteilende Schuld, auch wenn die Welt, die ihn in einem ganz anderen Sinne und zu Unrecht

---

[43] POLITZER a.a.O. 452.
[44] Vgl. Kafkas Brief an Max Brod vom 5. Juli 1922. S. o. S. 52.

verurteilt, jene selbstzuerteilte Schuld nicht als eine solche anrechnen noch überhaupt erkennen würde. Im Wissen um sein (den anderen gar nicht erkennbares) existentielles Versagen beugt sich der Kafkasche Held dem Schuldspruch der ihn mißverstehenden Gegenwelt. Was sich hier vollzieht, ist immer Selbstgericht.

Die Verurteilung durch den Vater, durch ein Gericht oder die Strafe der Verwandlung in ein Tier werden rechtsgültig erst durch den Akt der Selbstverurteilung des Betroffenen. Die Helden des Dichters sind somit zwar a priori Verurteilte, insofern ihre Schuld ‚immer zweifellos' und vorgegeben ist, aber am Ende all ihrer Verteidigungs- und Rechtfertigungsbemühungen erkennen sie auch selber die ihnen oft lange verborgene Schuld und nehmen das Strafurteil an. Kunst und Künstler stellen in Kafkas Sicht keine Ausnahmen dar; auch sie bestätigen sein pessimistisch tragisches Menschenbild.

Hungerkunstler – pessimism : hungers cos dislikes food ∴ no great achievement, rather it's easy.

‚Vor dem Gesetz‘

Vor dem Gesetz steht ein Türhüter. Zu diesem Türhüter kommt ein Mann vom Lande und bittet um Eintritt in das Gesetz. Aber der Türhüter sagt, daß er ihm jetzt den Eintritt nicht gewähren könne. Der Mann überlegt und fragt dann, ob er also später werde eintreten dürfen. „Es ist möglich“, sagt der Türhüter, „jetzt aber nicht“. Da das Tor zum Gesetz offensteht wie immer und der Türhüter beiseite tritt, bückt sich der Mann, um durch das Tor in das Innere zu sehn. Als der Türhüter das merkt, lacht er und sagt: „Wenn es dich so lockt, versuche es doch, trotz meines Verbotes hineinzugehn. Merke aber: Ich bin mächtig. Und ich bin nur der unterste Türhüter. Von Saal zu Saal stehn aber Türhüter, einer mächtiger als der andere. Schon den Anblick des dritten kann nicht einmal ich mehr ertragen.“ Solche Schwierigkeiten hat der Mann vom Lande nicht erwartet; das Gesetz soll doch jedem und immer zugänglich sein, denkt er, aber als er jetzt den Türhüter in seinem Pelzmantel genauer ansieht, seine große Spitznase, den langen, dünnen, schwarzen tatarischen Bart, entschließt er sich, doch lieber zu warten, bis er die Erlaubnis zum Eintritt bekommt. Der Türhüter gibt ihm einen Schemel und läßt ihn seitwärts von der Tür sich niedersetzen. Dort sitzt er Tage und Jahre. Er macht viele Versuche, eingelassen zu werden, und ermüdet den Türhüter durch seine Bitten. Der Türhüter stellt öfters kleine Verhöre mit ihm an, fragt ihn über seine Heimat aus und nach vielem anderen, es sind aber teilnahmslose Fragen, wie sie große Herren stellen, und zum Schlusse sagt er ihm immer wieder, daß er ihn noch nicht einlassen könne. Der Mann, der sich für seine Reise mit vielem ausgerüstet hat, verwendet alles, und sei es noch so wertvoll, um den Türhüter zu bestechen. Dieser nimmt zwar alles an, aber sagt dabei: „Ich nehme es nur an, damit du nicht glaubst, etwas versäumt zu haben.“ Während der vielen Jahre beobachtet der Mann den Türhüter fast ununterbrochen. Er vergißt die anderen Türhüter und dieser erste scheint ihm das einzige Hindernis für den Eintritt in das Gesetz. Er verflucht den unglücklichen Zufall, in den ersten Jahren rücksichtslos und laut, später, als er alt wird, brummt er nur noch vor sich hin. Er wird kindisch, und, da er in dem jahrelangen Studium des Türhüters auch die Flöhe in seinem Pelzkragen erkannt hat, bittet er auch die Flöhe, ihm zu helfen und den Türhüter umzustimmen. Schließlich wird sein Augenlicht schwach, und er weiß nicht, ob es um ihn wirklich dunkler wird, oder ob ihn nur seine Augen täuschen. Wohl aber erkennt er jetzt im Dunkel einen Glanz, der unverlöschlich aus der Türe des Gesetzes bricht. Nun lebt er nicht mehr lange. Vor seinem Tode sammeln sich in seinem Kopfe alle Erfahrungen der ganzen Zeit zu einer Frage, die er bisher an den Türhüter noch nicht gestellt hat. Er winkt ihm zu, da er seinen erstarrenden Körper nicht mehr aufrichten kann. Der Türhüter muß sich tief zu ihm hinunterneigen, denn der Größenunterschied hat sich sehr zu ungunsten des Mannes verändert. „Was willst du denn jetzt noch wissen?“ fragt der Türhüter, „du bist unersättlich“. „Alle streben doch nach dem Gesetz“, sagt der Mann, „wieso kommt es, daß in den vielen Jahren niemand außer mir Einlaß verlangt hat?“ Der Türhüter erkennt, daß der Mann schon an seinem Ende ist, und, um sein vergehendes Gehör noch zu erreichen, brüllt er ihn an: „Hier konnte niemand sonst Einlaß erhalten, denn dieser Eingang war nur für dich bestimmt. Ich gehe jetzt und schließe ihn.“

Unter den kurzen Erzählungen Kafkas kommt der Legende *Vor dem Gesetz* hervorragende Bedeutung zu. Ingeborg Henel nennt sie „sein bedeutendstes Gleichnis".[1] Auch der Dichter selbst, der sein schärfster eigener Kritiker war, hat sie positiv bewertet[2] und — herausgelöst aus dem zugehörigen Romankontext — noch zu seinen Lebzeiten als ein selbständiges Prosastück veröffentlicht.[3] Mit dieser Parabel ist es ihm gelungen, die Problematik seines vielschichtigen Denkens in der treffsicheren Kürze eines Bildes sichtbar zu machen. Das Labyrinthische seiner Romane, das nach vielen Seiten Ausgreifende seiner Erzählungen sind hier in die modellhafte Eindeutigkeit einer überschaubaren Fabel eingefangen.[4] Aber trotz solcher Reduktion liegt keine Simplifizierung, sondern das Wunder einer Verdichtung vor, die Repräsentanz des Ganzen in einer kernhaft geschlossenen Form, eine vollgültige Bildwerdung also, eine Verkürzung ohne Einbuße. Als ein Gleichnis des Handlungsganzen in den Roman *Der Prozeß* eingefügt, ist sie ein Beispiel der bildschaffenden, integrierenden Kraft des Dichters und verdeutlicht „in ... radikaler Vereinfachung ... der Vorgänge" das (immer gleiche) „Grundmodell" seiner Romane und seines Werkes insgesamt.[5] Der ‚Mann vom Lande‘, der vor dem Türhüter am Eingang ‚in das Gesetz‘ erscheint, ist der Prototyp des Kafkaschen Helden überhaupt. Als solcher will er das ihm geboten Erscheinende tun, nämlich in ‚das Gesetz‘ eintreten, läßt sich aber durch den Türhüter, der ihm die Gefährlichkeit seines Vorhabens klar macht, einschüchtern und vom Eintritt abhalten.[6] Infolgedessen mißlingt seine Ankunft, verfehlt er das ihm gesetzte Ziel. Ist also — so stellt sich hier die Frage — der Türhüter schuld am Scheitern des Mannes? Hat er den Ärmsten in seiner Ahnungslosigkeit getäuscht? Oder hat der Mann selbst seine Katastrophe verschuldet?

---

[1] Die Türhüterlegende und ihre Bedeutung für Kafkas *Prozeß*, DVjs. 37, 1963, 52.

[2] Im Tagebuch notiert er, daß er beim Wiederlesen der Türhüterlegende ‚Zufriedenheit und Glücksgefühle‘ empfunden habe.

[3] Im Almanach des Kurt Wolff Verlags vom Dezember 1915.

[4] In gleichem Sinn urteilt JÜRGEN BORN (Kafka's Parable ‚Before the Law‘. Reflections towards a Positive Interpretation. In: Mosaic. A Journal for the Comparative Study of Literature and Ideas, III/4, University of Manitoba Press 1970, 154): „It [the Parable] rises above the action described in ‚The Trial‘ and becomes a symbol of the human situation as Kafka saw it."

[5] Hillmann: Kafka, Dichtungstheorie a.a.O. 177.

[6] Ungesagt bleibt, w a r u m der Türhüter den Eintritt verbietet. Ist dieser Widerstand des Türhüters Ausdruck der jeweils vorgegebenen Fatalitäten des Lebens, mit denen der Mensch fertig werden muß? Will er zeigen, daß das Dasein komplizierter und schwieriger ist, als es auf den ersten Blick zu sein scheint? Erweist dieses Hindernis die ‚condicio humana‘ als eine permanente Testsituation? Spiegelt das Verbot des Türhüters die dem Menschen eigentümliche ‚Angst vor der eigenen Courage‘, den unbewältigten Dualismus der menschlichen Natur, die Halbheit und Inkonsequenz des moralischen Wollens, kurz: die fatale Behinderung des Menschen durch sich selbst? Alle diese Fragen zielen auf die Feststellung hin, daß die Konfrontation des Mannes mit dem Türhüter eine Verbildlichung der im Innern des Mannes sich abspielenden Selbstauseinandersetzung darstellt.

Da der Türhüter erklärt, ‚daß er ihm j e t z t den Eintritt nicht gewähren könne', scheint dessen Person das eigentliche Hindernis zu sein. Doch auf die Frage des Mannes, ‚ob er ... später werde eintreten dürfen', antwortet der Türhüter, daß das m ö g l i c h sei, daß aber jetzt diese Möglichkeit noch nicht besteht. Gleichzeitig wird jedoch betont, daß ‚das Tor zum Gesetz o f f e n s t e h t w i e i m m e r und d e r T ü r h ü t e r [sogar] b e i s e i t e t r i t t, als der Mann versucht, durch das Tor einen Blick ins Innere des Gesetzes zu werfen. Er k ö n n t e also eintreten. Niemand, auch nicht der Türhüter, würde ihn daran hindern. Es gibt keinen äußeren Zwang, der ihn vom Eingang zurückhält. Lediglich die Angst, die ihm der Türhüter einflößt, läßt ihn so rasch und grundsätzlich resignieren. Der Mann besaß also die Entscheidungsfreiheit, aber infolge seiner Angst vor dem Risiko entschied er sich negativ, nämlich nicht einzutreten, sondern zu warten, bis er die Erlaubnis zum Eintritt erhält. Sein Warten ist zwar kein völlig untätiges Warten, — im Gegenteil: ‚Er macht viele Versuche, eingelassen zu werden, und ermüdet den Türhüter durch seine Bitten' —, aber es ist ein fruchtloses Warten, eine sinnlose Geschäftigkeit, ein Auf-der-Stelle-treten. Seine Bemühungen führen zu nichts, weil sie schon vom Ansatz her unzureichend und falsch gerichtet sind.

Daß er beim Erscheinen vor dem Türhüter noch nicht eintreten konnte, war zwar — wie betont — kein absolutes Hindernis, keine unabweisliche Fatalität, mochte aber insofern hingehen bzw. als mildernder Umstand akzeptiert werden, als die Schrecksekunde beim plötzlichen Innewerden der Gefahren seines Unternehmens fast unvermeidlich seine Aktivität lähmen mußte. Das Erschrecken und Stocken vor einer Aufgabe, für die man sich (noch) nicht zureichend gerüstet weiß, läßt sich als Überraschungseffekt des Augenblicks erklären und entschuldigen.[7] Das Versagen liegt darin, daß die Konfrontation mit dem Risiko nicht zu einer verstärkten Mobilisierung der Kräfte, nicht zu einer Steigerung des moralischen Einsatzes führte. Die Schrecksekunde wurde nicht bewältigt, sondern eskalierte zu einem Dauerzustand kleinmütiger Angst. Statt eines Wachsens an und mit der Aufgabe erfolgte die Kapitulation vor der Aufgabe. Denn das lebenslange Warten und Sitzen vor dem Eingang ‚in das Gesetz', ohne etwas Ernsthaftes und Planvoll-Zielstrebiges zu unternehmen, das nutzlose Geschäftigsein und allmähliche ‚Kindischwerden' des Mannes sind schockierende Zeugnisse seines moralischen Versagens, Symptome eines in Trivialitäten sich äußernden Resignierens.[8]

---

[7] Deshalb konnte er — wie zweimal betont wird — ‚jetzt' nicht eintreten.

[8] Eindringlich kennzeichnet INGEBORG HENEL (a.a.O. 52) diesen Zerfallsprozeß: „Der Mann vom Lande, wie er auf einem Schemel vor der Tür zu seinem Ziel hockt und die Flöhe in dem Pelz des Türhüters um Hilfe anfleht, ist eine Bettlergestalt, deren Leben kein Leben, sondern ein allmähliches Verwesen ist. Die Angst vor dem ersten Türhüter, der nicht einmal so fürchterlich und mächtig ist wie die späteren Türhüter, hat ihn förmlich an die Stelle vor dem Eingang gebannt, sie hat ihn erniedrigt und gedemütigt (wie der Kaufmann Block [im *Prozeß*] gedemütigt ist) und macht ihn schließlich kindisch. Die

Gewiß, der Mann vom Lande wollte ins Gesetz. Deshalb erschien er ja vor dem Türhüter des Gesetzes und bat um Einlaß. Aber offenbar wollte er es nicht absolut; denn er schreckte zurück und gab auf, als er erkannte, daß der von ihm begehrte Eintritt in das Gesetz ein Wagnis war, das den Einsatz des Lebens fordert. Infolgedessen mußte er scheitern, weil er nur dann, wenn er das totale Risiko auf sich nähme, sein Ziel hätte erreichen können. Statt dessen blieb er aber an der ihm Furcht einflößenden Figur des Türhüters hängen und verbrauchte sich in billigen Liebedienereien, ohne je einen entscheidenden Schritt zu wagen. Er ging nicht entschlossen sein großes Ziel an, sondern lieferte sich der (im Grunde subalternen) Figur des Türhüters aus und erschöpfte so seine Lebenskräfte in permanentem Leerlauf.

Walter Sokel betont das Widerspruchsvolle in der Unterwerfung des Mannes unter den Türhüter, nämlich einerseits sein Wollen zum Gesetz und andrerseits die Furcht, die ihn vom Eintritt in das Gesetz abhält.[9] Infolgedessen zerrinnt sein Leben in selbstverwirkter Knechtschaft zwischen Furcht und Sehnsucht, in einem heillos ambivalenten Neben- und Gegeneinander von Sich-Fürchten und Sehnen im Blick auf dasselbe Ziel. Diese Ambivalenz ist es, die ihm die Freiheit raubt und ihn am Handeln hindert. Er will nicht wahrhaben, daß der Zugang zum Absoluten zugleich das absolute Wagnis bedeutet, daß dieser Weg auch das Fürchterliche einschließt, daß also — um ein Analogon aus Goethes Faust heranzuziehen — der Mann, der in das Gesetz einzutreten begehrt, den Anblick des Erdgeistes müßte ertragen können. Wer aber sich schonen und sparen will und vorsichtig zurückhält, weil er sein Leben nicht aufs Spiel zu setzen wagt, sollte sich bescheiden und kein Ziel solcher Art anstreben. Wer sich hingegen dazu entschlossen hat, müßte auch den Mut aufbringen, unbeirrt durch die auf diesem Wege drohenden Gefahren zum Absoluten vorzudringen. Der Mann vom Lande, der vor dem Tor in das Gesetz erscheint, ist daher vor die Entscheidung Entweder/Oder gestellt. Hier gibt es keinen bequemen und sicheren Mittelweg: „entweder unendlicher Verzicht oder unendlicher Glaube".[10] Wer sich jedoch weder zum einen noch zum anderen zu entschließen vermag, verurteilt sich selbst zu lebenslangem, fruchtlosem Wartestand.

Wichtig sind in diesem Zusammenhang die Bemerkungen INGEBORG HENELS (a.a.O. 60 f.): „Das Gesetz, von dem hier die Rede ist, ist das je eigene Gesetz, und ihm gegenüber ist die paradoxe Haltung des Türhüters sinnvoll, daß er den Eintritt verbietet und auf ihn hinweist; denn zu seinem eigenen Gesetz wie zu dem ober-

---

Legende erklärt nicht, warum der Türhüter dem Mann den Eintritt verbietet, aber sie macht es überaus deutlich, daß der Mann, indem er das Verbot befolgt, sich seiner Menschlichkeit begibt und den Sinn seines Lebens verfehlt."

[9] ZfdPh. 86, 1967, 293 ff.

[10] Ebd. 294. Vgl. ferner: EMRICH: Die Erzählkunst des 20. Jahrhunderts a.a.O. 191: „. . . die höchste Instanz, das untrügliche Gesetz ist [nach Kafka] der Grund unseres eigenen Daseins. Der ‚Mann vom Lande‘ könnte eintreten ins Gesetz, wenn er angstlos den Weg zu sich selbst fände, zu dem, was er i s t und sein k ö n n t e."

sten Gericht, das mit dem Selbstgericht identisch ist, gelangt der Mensch nicht durch
Befolgung von Vorschriften, sondern durch den Einsatz seiner ganzen Person, im
Gegensatz zu allen äußeren Bedingungen und zu seinen eigenen Wünschen.“ Infolgedessen ist auch „der Zutritt zum Gesetz … weder positiv noch negativ von
Welt und Türhüter abhängig“. Ist auch „die Welt so wenig wie der Türhüter dazu
angetan, den Menschen in das Gesetz einzuführen, so ist sie doch auch nicht fähig,
ihm das Tor zum Gesetz zu verschließen“. „Darin, sagt der Geistliche, sind sich die
Deuter der Schrift einig, daß der Türhüter das Tor nicht schließen kann. Das bedeutet, wenn der Türhüter den Eintritt auch verbietet, so kann er ihn doch nicht
endgültig verhindern.“ Und POLITZER (a.a.O. 270) trifft einen entscheidenden Punkt,
wenn er feststellt: „Daß er vor dem Gesetz steht, … ohne dafür verantwortlich
zu sein, macht die Fragwürdigkeit dieses Türhüters aus.“

Indessen geht es hier nicht nur um diesen unbewältigten inneren Widerspruch im
Verhalten des Mannes vom Lande. Es geht vor allem auch um die eigentümliche
Selbsttäuschung, in der sich dieser im Blick auf sein angestrebtes Ziel befindet. War
er doch der naiven Meinung, daß die Beziehung des Menschen zum Gesetz unkom-
pliziert, risikolos und einfach sei. Darin lag sein fataler Irrtum. Die furchterregende
Gestalt des Türhüters demonstriert jedoch, daß das Gesetz außer Verlockung und
Glanz auch Drohung und Schrecken enthält. Wer dem Glanz des Gesetzes nahekommen will, muß daher bereit sein, auch der Drohung des Gesetzes standzuhalten
und seinen Schrecken zu bestehen. Es war leichtfertige Selbsttäuschung des Mannes,
wenn er glaubte, daß der für ihn allein bestimmte Eingang einen unproblematischen,
gefahrenlosen Weg zur Seligkeit garantiere. Es war mithin gar nicht der Türhüter,
der den Mann täuschte und dadurch an der Erreichung seines Zieles hinderte, sondern der Mann selbst befand sich von Anfang an in einer durch eigene Fahrlässig-
keit bedingten Täuschung. Und er mehrte noch sein Schuldkonto dadurch, daß er bis
zuletzt unbelehrbar an seinem Irrtum festhielt.

Der „erste Irrtum“ des Mannes liegt darin, daß er mit unzureichenden und auch
völlig inadäquaten Bemühungen, nämlich mit „Bitten und Bestechungsversuchen“
auf das Hindernis reagiert; „der zweite, gefährlichere Irrtum“ jedoch liegt darin,
„daß … [er] die Verantwortung für seine Handlungen nicht auf sich nimmt“, sich
vielmehr „gerne der Selbsttäuschung über die Macht des Türhüters hin[gibt] und
… dessen Verbot als absolutes Hindernis am Eintritt in das Gesetz“ betrachtet.[11]
Die Parallele zur Situation Josef K.s im *Prozeß* ist offensichtlich. Auch dieser will
alle Schuld vom Manne auf den Türhüter (und damit von sich auf die Gerichtsbeamten) abwälzen“. Doch erklärt der Geistliche bei seiner Auslegung der Parabel,
„daß der Türhüter als Beamter unfrei und nur dem Gesetz, nicht [aber] dem Mann
vom Lande verantwortlich sei, während der Mann als freier Mensch die volle Ver-

---

[11] Ingeborg Henel: Türhüterlegende a.a.O. 54: „Sein elendes Verwesen vor dem Eingang ist das Urteil über diese Selbsttäuschung.“

antwortung für seine Handlungen trage".[12] Deshalb rechtfertigen auch „die Fehler des Türhüters nicht das Versäumnis des Mannes vom Lande und die Schwächen der Beamten nicht den schlechten Verlauf von Josef K.s Prozeß".[13] Weil aber — wie der Geistliche betont — „der Mann vom Lande sein Leben freiwillig außerhalb des Gesetzes verbringt, ... trifft ihn allein die Schuld für sein Versäumnis". Ebenso frei — und darum auch ebenso schuldig — „wie der Mann vom Lande ist ... Josef K., obwohl er ein Verhafteter ist".[14]

Das eigentliche Problem der Kafkaschen Helden liegt eben darin, daß sie nur scheinbar unfrei, in Wahrheit aber — mit einem Wort Sartres — „zur Freiheit verdammt" sind. „Als Josef K. fort will, entläßt ihn der Geistliche mit den gleichmütigen Worten: ‚Das Gericht nimmt dich auf, wenn du kommst, und entläßt dich wieder, wenn du gehst.'" Doch ist Josef K. über diese Versicherung seiner Freiheit nicht glücklich. Im Gegenteil, „er ist enttäuscht, daß der Geistliche ihn ohne weiteres gehen läßt, wie er schon früher keineswegs erfreut war, als der Aufseher ihm mitteilte, daß er sein bisheriges Leben weiterführen dürfe. Es ist ihm also nicht wohl in seiner Freiheit, er will die Verantwortlichkeit nicht, und er ahnt dunkel, daß ein Gericht, das ihm die Freiheit nicht nimmt, ihn zuletzt auch nicht freisprechen kann".[15] Das impliziert aber zugleich, daß das Gericht, das er so bedrohlich auf sich zukommen sieht, am Ende ein Selbstgericht sein wird. Das Gleiche gilt für den Mann vom Lande, dessen grundsätzliche Freiheit der geistliche Ausleger der Parabel eindeutig feststellt. Daraus folgt, daß nach Kafkas Überzeugung „dem Menschen die klare Erkenntnis von Gut und Böse mitgegeben ist". Wenn „er sündigt, liegt das somit nicht daran, daß er nicht weiß, was er zu tun hat, sondern daran, daß ihm die Kraft [oder richtiger: die Entschiedenheit des sittlichen Wollens] fehlt, seinem Wissen gemäß zu handeln".[16]

Was hier vorliegt, ist also eine durch moralische Läßlichkeit bedingte „Trübung der Erkenntnis", derzufolge der Mensch „die Verantwortung für seine Handlungen von sich auf die Umstände, auf die Mitmenschen und die Welt im allgemeinen abzuschieben" versucht.[17] „Diese Art der Rechtfertigung nennt K. Motivation. Wenn er sagt, daß die ganze sichtbare Welt nichts als eine Motivation des Menschen sei, meint er ..., daß der Mensch seinen Gewissensqualen zu entgehen versucht, indem er die eigene Sündhaftigkeit auf die Außenwelt projiziert und sie als böse und feindlich hinstellt. Der *Prozeß* ist dieses Leben der Selbstverteidigung und Recht-

---

[12] Ebd.
[13] Ebd. 56.
[14] Ebd. 57: „Dies macht Kafka schon in der Verhaftungsszene deutlich, und zwar deshalb, weil von Schuld nur die Rede sein kann, wo es Freiheit gibt." Schuld aber „ist das Thema des Romans und der Legende", ja der gesamten Dichtung Kafkas.
[15] Ebd.
[16] Ebd. 58.
[17] HENEL III a.a.O. 58.

fertigung ... ein Prozeß, der ... verloren gehen muß, denn es gibt keinen Freispruch von der menschlichen Sündhaftigkeit. Die Gerichte, vor denen sich K. verteidigen will, mit ihrem Anhang von Dienern und Frauen, deren [inkompetente] Hilfe er sucht, dürfen nicht als Vertreter des göttlichen Gesetzes verstanden werden — als solche wären sie in ihrer Korruption absurd — und auch nicht als ein Bild von der Schlechtigkeit der Welt, die eine Rechtfertigung und Entschuldigung des Helden darböte ..., sondern als Wege und Gebäude der menschlichen Rechtfertigung aus Schwäche; nur so ist ihre Unfähigkeit und Korruption zu verstehen."[18] Sie spiegeln das Versagen des Angeklagten. Das Anwachsen des Türhüters ins Riesenhafte entspricht daher — umgekehrt proportional — dem Schrumpfen des Mannes zum Zwerg. Es konkretisiert den hier ablaufenden moralischen Zerfallsprozeß.

Wie für Josef K. die Gerichtsbeamten ist für den Mann vom Lande der Türhüter eine ‚Motivation". Das heißt: „In dem Verbot des Türhüters sieht er die Entschuldigung für das Nicht-Erreichen seines Zieles."[19] In dieser beflissen festgehaltenen Selbsttäuschung über ihre moralische Verantwortlichkeit und Freiheit liegt die Schuld der Kafkaschen Helden. Zwar kann man ihnen nicht vorwerfen daß sie untätig seien und sich nicht bemühten, wohl aber, daß ihre Anstrengungen erfolglos bleiben. Trotz eifriger Umtriebe scheitern alle ihre Versuche, so daß der Eindruck entsteht, das Schicksal treibe ein tückisches, listenreiches Spiel mit den Unglücklichen. Man fühlt sich daher gedrängt, mit ihnen zu sympathisieren und sie als ungerecht Verfolgte anzusehen. Aber eben hier liegt die Täuschung, der — im Mitleiden mit den Helden — auch die Leser allzu leicht erliegen, der Täuschung nämlich, daß schon Anstrengung als solche ein Alibi der Schuldlosigkeit sei. Sie beobachten teilnahmsvoll, wie sehr sich die Helden bemühen, übersehen aber, daß diese sich völlig unangemessen bemühen — an falscher Stelle, mit falschen Mitteln und falscher Zielsetzung — und aus diesem Grunde scheitern, scheitern müssen. Auch die Art ihrer Anstrengungen spiegelt das Versagen der Helden, ihren Mangel an Einsicht, ihre Neigung, zu Surrogaten zu greifen, und damit ihren inneren Widerstand gegen den absoluten Anspruch, der an sie gestellt ist. So viel sie auch zu ihrer Rechtfertigung und Selbstbehauptung unternehmen, alle ihre Aktionen bleiben vordergründig und kurzschlüssig, treffen nicht den Kern der Sache. Daß ein Mann, der in das Gesetz eintreten will, schon vor der Instanz des Türhüters verzagt und schließlich auch endgültig und ausschließlich an dieser Nebenfigur scheitert, beleuchtet die peinliche Diskrepanz zwischen Zielsetzung und Methode, die Ungeklärtheit des eigenen Wollens, die moralische Unsicherheit und — als Folge solcher Pervertierung des Konzepts — die Verfehlung des Zieles. Josef K. und K., aber auch die andern Helden Kafkas scheitern nicht daran, daß sie zu wenig zu ihrer Rettung tun, sondern daran, daß sie nicht das Richtige tun und ihre Kräfte in In-

---

[18] Ebd.
[19] Ebd. 60.

stanzen verbrauchen, die für ihre Ziele gar nicht zuständig sind. Daß sie solchermaßen in der Wahl der Mittel und Wege versagen, bedeutet aber zugleich ein Versagen im Blick auf das Ziel, nämlich ein nicht volles Erfassen und Ernstnehmen des Zieles.[20] Eben darin liegt ihre moralische Schuld, daß sie um das Ziel wissen, sich aber dennoch lebenslang gegen die diesem Ziel einzig adäquate Entscheidung wehren und die ihnen präsentierte Lebensrechnung mit falscher Münze zu begleichen suchen.

Wenn Josef K., „statt sein Inneres zu erforschen, … die äußere Welt kritisiert", so kann seine Anklage „nicht als gültige Kritik an den Behörden" gelten, „sondern als Verdeckung der eigenen Schuld, [eben] als Motivation und Rechtfertigung". Infolgedessen ist das „Selbstgericht … das bewegende Element in fast allen seinen Werken, von seiner ersten geglückten und ihn befriedigenden Geschichte *Das Urteil* bis zu der späten Novelle *Ein Hungerkünstler*, in der er die eigene Flucht aus der Welt, seinen Hang zur Askese und sein Künstertum bloßstellt".

Daß sich der Mann vom Lande über die Möglichkeiten des Eintritts in das Gesetz täuscht, ergibt sich aus der Gleichnisfunktion, die der Parabel innerhalb des Prozeß-Romans zukommt. Hier erzählt nämlich der Geistliche diese Legende dem Helden des Romans, Josef K., um ihn am Beispiel der Selbsttäuschung des Mannes vom Lande die eigene Selbsttäuschung erkennen zu lassen. Wörtlich sagt er: ‚In dem Gericht täuschst du dich,‘ und betont damit die Analogie zwischen den beiden Gestalten. Wie nach den warnenden Worten des Geistlichen Josef K. ‚zuviel fremde Hilfe‘ sucht und nicht merkt, ‚daß es nicht die wahre Hilfe ist‘, so verläßt sich auch der Mann vom Lande auf ‚fremde Hilfe‘, nämlich auf den Türhüter, statt den Eintritt zu wagen. Beide lassen sich abschrecken, als sie unerwarteten Schwierigkeiten begegnen[21], und geben sich der trügerischen Hoffnung hin, auch ohne den vollen Einsatz der Person ans Ziel gelangen zu können. So versucht K. auf Um- und Schleichwegen einen Freispruch in seinem Prozeß zu erreichen, und der Mann vom Lande bietet alles auf, was er mit auf die Reise genommen hat, ‚um den Türhüter zu bestechen‘. Selbst die Flöhe in dessen Pelzmantel geht er um Hilfe an, damit er ihn ‚umstimmen‘ könne. Schließlich vergißt er sogar, daß es noch andere und mächtigere Türhüter auf dem Weg zum Gesetz gibt und sieht in diesem ersten und untersten Türhüter ‚das einzige Hindernis für den Eintritt in das Gesetz‘.

Beide, der Mann vom Lande und Josef K., verlieren Zeit und Mühe am falschen Platz, beide fahren fest und werden ‚verhaftet‘ bzw. lassen sich in F r e i h e i t festhalten. Ihre Gefangenschaft ist gleichzeitig freiwillig und unauflöslich. Die Abhängigkeit von der Person des Türhüters, in die sich der Mann vom Lande begibt, müßte nicht sein, und doch kann er sich lebenslang nicht mehr davon freimachen.

---

[20] Das deckt sich zugleich mit der Sokratischen Ethik, deren Kern in dem Satz konzentriert werden könnte: Wenn ich das Gute weiß und es nicht tue, dann habe ich es nicht gewußt.

[21] ‚Solche Schwierigkeiten hatte der Mann vom Lande nicht erwartet!‘

Auch Josef K. hat sich freiwillig in den Dschungel der inkompetenten unteren Instanzen des Gerichtes begeben, um einen Vorteil zu erlisten, und kann nun keinen Ausweg mehr finden. Obwohl es für keinen von beiden einen wirklichen Zwang gibt, leben sie doch wie unter Zwang und pervertieren ihr Dasein. Aber ausdrücklich wird gesagt, daß sie ihre Freiheit nicht verlieren. Auch nach seiner Verhaftung kann Josef K. ungestört seinen Dienst in der Bank ausüben, und der Mann vom Lande könnte jederzeit seinen Platz vor dem Eingang in das Gesetz wieder verlassen. Niemand würde und könnte ihn dort festhalten. So heißt es im Prozeß: „Sie sind verhaftet", sagte der Aufseher zu K., „aber das soll Sie nicht hindern, Ihren Beruf zu erfüllen. Sie sollen auch in Ihrer gewöhnlichen Lebensweise nicht gehindert sein." Und zur Legende erklärt der Geistliche, daß der Mann vom Lande durchaus frei sei und hingehen könne, wohin er wolle: „Wenn er sich auf einen Schemel seitwärts vom Tor setzt und dort sein Leben lang bleibt, so geschieht dies freiwillig, die Geschichte erzählt von keinem Zwang."[22]

Beide reagieren also in gleicher Weise auf die ‚Verhaftung'. Sie „ziehen die Sicherheit vorsichtigen Wartens ... der freien, alles wagenden Tat" vor und lösen dadurch ihr Scheitern aus.[23] Wenn sich der Mann vom Lande durch Drohungen verängstigen und auf diese Weise vom subjektiv Gewollten und objektiv Gebotenen abhalten läßt, so zeigt das, daß er den Zugang zum Absoluten nicht absolut sucht, daß ihm also das Gesetz nicht wirklich das Höchste ist, daß ihm vielmehr die (scheinbar) gefahrlose Sicherheit der Existenz mehr bedeutet als das Gesetz.[24] Diesem Versagen auf der Suche nach dem Gesetz entspricht das Versagen Josef K.s auf der Suche nach dem obersten Gericht. Es geht also in der Parabel um „die gleichen Probleme, Vorgänge, Widersprüche, Unsicherheiten und Mißverständnisse wie im Roman" — nur in verdichteter Form.[25] Das im Roman höchst komplizierte Geschehen wird hier in höchster Einfachheit wiederholt. Hier wie dort wird das Ziel nicht erreicht. Und hier wie dort werden die Helden schuldig gesprochen. Als Letztes erfährt der Mann vom Lande, daß der immer offenstehende Eingang in das Gesetz, vor dem er entschlußlos wartend sein ganzes Leben vertan hat, nur für ihn bestimmt gewesen war und nun geschlossen werde, da er die Chance nicht wahrnahm.[26] Und das Bewußtsein dieses Versagens muß den Mann um so schwerer tref-

---

[22] Während im *Prozeß* die Verhaftung Josef K.s „romanhaft als ein Vorgang erzählt" wird, stellt sie die *Legende* als das dar, was sie tatsächlich ist, nämlich als eine menschliche Grundsituation: „die Angst verhaftet den Menschen vor der offenen Tür zum Gesetz und erlaubt ihm nicht einzutreten". (Ingeborg Henel: Türhüterlegende a.a.O. 69.)

[23] SOKEL: Erzählperspektive a.a.O. 295.

[24] Ebd. 296.

[25] Ebd.

[26] Vgl. Henel: Türhüterlegende a.a.O. 52: „Daß der Eingang nur für ihn bestimmt ist, muß bedeuten, daß er von ihm auch hätte Gebrauch machen sollen. Es handelt sich also um ein Versäumnis des Mannes, der sein Leben vor der offenen, für ihn allein bestimmten Tür verwartet hat."

fen, als ihm eben jetzt — im Angesicht des Todes — die volle Größe und verpflichtende Absolutheit des nicht erreichten Zieles erkennbar wird, indem er — schon halb erblindet — ‚im Dunkel einen Glanz [gewahrt], der unverlöschlich aus der Tür des Gesetzes bricht'.

Die Bereitwilligkeit, mit der Josef K. zuletzt den Schuldspruch akzeptiert und das Gericht an sich vollziehen läßt, besagt das gleiche. Sie bestätigt die Schwere des Versagens im Widerspiel zur Größe und Notwendigkeit der Aufgabe und unterstellt, daß sein Scheitern schuldhafte Irrung war. Es gehört zum Konzept Kafkas, daß alle seine Helden zum Schluß eine solche ethisch rigorose Verurteilung erfahren, vielleicht am krassesten in der Erzählung *Das Urteil*, in der der Vater seinen Sohn Georg ‚zum Tode des Ertrinkens' verurteilt. Dabei ist die Wahl dieser Todesart nicht zufällig. Der hier befohlene Kältetod des Ertrinkens korrespondiert vielmehr der routiniert kaltherzigen Geschäftstüchtigkeit, mit der Georg seine kaufmännischen Ziele erfolgreich verwirklicht, dabei aber achtlos an Freunden und Bekannten, ja sogar an seinen Nächsten vorbeigelebt hat. Um des wirtschaftlichen Erfolges willen hatte er alles andere vergessen und den besseren Teil seines Wesens verleugnet, war er fast zu einem Roboter ökonomischer Effektivität geworden. Auch die geplante Heirat — selbstverständlich mit einem vermögenden Mädchen — stand im Dienst dieses Erfolgskonzeptes. Alles aber, was belasten könnte oder Zeit kostet, war ausgeschaltet. Und sicher hatte er um dieser beruflichen Zielstrebigkeit willen viele liebenswerten menschlichen Züge unterdrücken müssen, die gerade sein Vater und sein Freund nun schmerzlich an ihm vermißten. Der Freund selbst war denn auch einen ganz anderen, weniger erfolgreich konsequenten, aber menschlicheren Weg gegangen, indem er das darlebt, was Georg gleichfalls hätte verwirklichen können (und sollen), aber auf Grund der einmal getroffenen Entscheidung für das geschäftliche Reüssieren unterdrückt, ja eliminiert hatte. Deshalb wäre ja auch jener Freund — wie der Vater erklärt — ein Sohn nach seinem Herzen gewesen, nämlich ein menschlich gebliebener, ihm nahe verbundener Sohn, kein ins Neutrale entfremdeter, bloßer Karrierist. Der Vater verurteilt also den Sohn, weil dieser nicht so geworden war, wie er ihn sich gewünscht hatte. Ja, im Grunde hätte Georg beide in ihm liegenden Möglichkeiten verwirklichen sollen, nämlich ein Sohn sein wie jener Freund und zugleich ein tüchtiger Geschäftsmann, also letzthin unvereinbare Dinge in sich vereinbaren. In dieser Erwartung, ja Forderung, das Unmögliche möglich zu machen, bezeugt sich der ethische Rigorismus Kafkas. Hier — so scheint es — wird der Held dafür verurteilt, daß er nicht vollbringt, was er de facto niemals vollbringen kann, nämlich sich auseinanderteilen und gleichzeitig zwei sich ausschließende verschiedene Wege gehen. Infolgedessen erscheinen Urteil und Strafe als hart, ja ungerecht. Die radikale Schuldbelastung der Helden löst ein gewisses Unbehagen aus, zumal ihr Scheitern nicht allein durch persönliches Versagen, sondern auch durch Fatalitäten bedingt zu sein scheint, für die sie nicht voll verantwortlich zu machen sind.

Angesichts der überdimensional anmutenden Katastrophen drängt sich die Frage auf, ob ein Mensch dafür schuldig gesprochen werden kann, daß die Aufgabe, an der er scheiterte, seine Kräfte überstieg. Ist es wirklich eindeutige Schuld, wenn die Kafkaschen Helden ungeschickt reagieren, weil es ihnen an der richtigen Einsicht gebricht? Sind sie so unbarmherzig zu verurteilen, wenn sie falsche oder sinnlose Maßnahmen ergreifen und erst zu spät — nämlich im Augenblick des Todes — erkennen, was richtig gewesen wäre? Kann man billigerweise erwarten oder gar fordern, daß ein Mensch weiter sieht, als sein Auge reicht? Darf man bei der Schuldzuteilung von der ihn bedingenden konkreten Situation kurzerhand abstrahieren, als ob er nicht unter dem harten Gesetz der Geschichte stünde, daß — wie Ortega y Gasset formulierte — Wahrheit immer nur ist, was j e t z t Wahrheit ist? Vor allem aber: Ist ein Mensch wirklich nur an seiner Aufgabe zu messen? Muß er nicht auch, ja in erster Linie nach den ihm gegebenen Möglichkeiten beurteilt werden? Liegt es denn in seiner Macht, sein Potential nach Belieben zu steigern? Ist es, selbst wenn er die richtige Einsicht besitzt, nur noch eine Sache seines moralischen Willens, das Gesetz, nach dem er angetreten, zu ändern und erfolgreich mit fünf Pfunden zu wuchern, obwohl er von Natur nur mit einem Pfund ausgestattet worden ist? Bringt denn — um nun zu unserem Beispiel zurückzukehren — der Mann in der *Legende* überhaupt die moralisch menschlichen Voraussetzungen mit, um an der Person des Türhüters, der ihm (unsinnigerweise) einen zu großen Schrecken einjagt, vorbeikommen zu können? Oder generell gefragt: Ist existentielle Schuld zugleich moralische Schuld?

Das Bedrückend-Hoffnungslose Kafkas liegt darin, daß in seiner Sicht letzthin alle Schuld moralische Schuld ist und persönlich verantwortet werden muß. Mehr noch: Leben ist ihm nicht nur ein unausweichliches Schuldig w e r d e n im Sinne Goethes, sondern ein Schuldig s e i n in und durch sich selbst. Es liegt nahe, darin eine Parallele, vielleicht sogar ein direktes Fortwirken der gnadenlosen Moraltheologie des Alten Testamentes zu sehen, nach der „Der Herr und Gott" des Menschen „ein eifriger Gott" ist, „der da heimsucht der Väter Missetat an den Kindern bis ins dritte und vierte Glied".[27]

Dieser ethische Rigorismus des Gesetzes kommt vor allem am Schluß der Legende zum Ausdruck, wo der Türhüter dem Sterbenden die Verkündigung seines Scheiterns ins Ohr „brüllt". In der erschreckenden Lautheit dieser Eröffnung tönt gleichsam die Donnerstimme des Gerichtes, das nun in der letzten Stunde jäh und unerbittlich über den Mann hereinbricht. Unerwartet trifft ihn die vernichtende Härte eines totalen Schuldspruches, die brutale Eröffnung, daß das Spiel endgültig ver-

---

[27] Auch der christliche Begriff der ‚Erbsünde' könnte mit Kafkas Identifizierung von Leben und Schuldigsein assoziiert werden. Jüdisch-christlicher Tradition entspricht ferner, daß die Schuld durch den Tod nicht getilgt wird, sondern Josef K. als ‚Scham' überlebt. Vgl. Henel: Türhüterlegende a.a.O. 61.

loren ist: ‚Ich gehe jetzt und schließe [den Eingang].‘[28] Die Parabel endet also mit der pessimistischen Feststellung, daß keiner sein Ziel erreicht, daß Scheitern unausweichlich ist, weil Schuld und Irrtum zu spät erkannt werden und erst im Strafakt des Gerichtes der Mensch zur Einsicht in sich selbst gelangt.[29] Infolgedessen kann es auch für die Kafkaschen Helden, so sehr und so lange sie sich auch sträuben mögen, zuletzt immer nur die eine Konsequenz geben, sich dem über sie verhängten Strafgericht zu unterwerfen, um in der Koinzidenz von Schuld und Sühne „Erlösung" zu finden.[30] Einen andern Ausweg gibt es nicht. Denn da in Kafka tragischer Fatalismus und unerbittlicher (religiös fundierter) Moralismus unlöslich verbunden sind, ist Schicksal von Schuld nicht zu trennen, gilt vielmehr alles Schicksal als verdientes Schicksal.[31]. Nichtwissen und Sichtäuschen erscheinen somit nicht lediglich als Fatalitäten, sondern als schuldhaftes Versagen. Darin liegt der bedrückende Pessimismus des Dichters, daß das Scheitern seiner Helden zwar pausibel erklärt, aber letztlich doch nicht entschuldigt werden kann. Im Blick auf das Absolute — so sieht es Kafka — gibt es keinen Freispruch.

Daß das Gesetz in der *Legende* etwas Absolutes oder das Absolute überhaupt meint, bezeugt sich sinnlich-sinnbildhaft in dem (zuletzt erkennbaren) „Glanz, der unverlöschlich aus der Türe des Gesetzes bricht".[32] Aber auch das oberste Gericht und das Schloß, zu denen die Romanhelden Kafkas vergeblich Zugang zu erlangen suchen, erweisen sich — durch ihre Unzugänglichkeit — als Instanzen höheren, ja

---

[28] Die Situation erinnert u. a. an den Schluß der Erzählung *Das Urteil,* wo ähnlich jäh und unerwartet die Verurteilung des Sohnes durch den Vater erfolgt. Auch dieser Schuldspruch trifft einen Ahnungslosen und macht mit einem Schlag das Ganze seines Lebens zunichte: „Ich verurteile dich jetzt zum Tode des Ertrinkens!" Und wie in der *Legende* geht es auch hier um ein „Zu spät", gibt es keine Chance nachzuholen oder wiedergutzumachen. Urteil und Urteilsvollstreckung fallen zusammen. Indem Georg Bendemann das Strafurteil unverzüglich selbst vollzieht, erweisen sich Sühnung der Schuld und Erkenntnis der Schuld als identisch.

[29] Die *Strafkolonie* exemplifiziert in aller Form, daß erst die Stunde des Gerichtes die Stunde der Einsicht ist. Der Grundsatz, nach dem gerichtet wird, lautet daher: „Die Schuld ist immer zweifellos." Dem entspricht die Funktion des dort eingesetzten Strafapparates. Er schreibt den Delinquenten das Urteil, das sie gar nicht kennen, auf den Leib, so daß sie es sich — im Augenblick des Vollzugs — aus ihren eigenen Wunden ablesen können.

[30] Als ein weitgespannter religiöser Terminus trifft das Wort „Erlösung" in den Kern der Kafkaschen Thematik.

[31] In den Schlußworten der Erzählung *„Ein Landarzt* findet dieses Ineinander von Fatalismus und Moralismus lapidaren Ausdruck: „Betrogen! Betrogen! Einmal dem Fehlläuten der Nachtglocke gefolgt — es ist niemals gutzumachen."

[32] Daß Kafka das Gesetz als Beispiel wählte und überhaupt die Gerichtsthematik in seinem gesamten Werk eine entscheidende Rolle spielt, ist gewiß kein Zufall, sondern hat zweifellos auch mit seinem Judentum zu tun. Denn die Juden sind das Volk des Gesetzes, in dessen religiösem und moralischem Denken dem Gesetz von Anfang an zentrale Bedeutung zukam. Die als unverlöschlicher Glanz sich bezeugende Absolutheit des Gesetzes verweist zugleich auf ein metaphysisches Problem, das einer totalen Subjektivierung entzogen ist.

absoluten Ranges, von denen aus über das Leben der Protagonisten befunden wird. „Eintritt in das Gesetz“, Zugang zum „obersten Gericht“ oder Verbindung mit der zentralen Behörde im „Schloß“ bedeuten infolgedessen Teilhabe am Absoluten, Erfüllung der eigentlichen Bestimmung des Lebens. Sie zielen letztlich auf Transzendentes und verdeutlichen in Bild und Gleichnis die Forderung an den Menschen, sich selbst zu überfliegen und das Außerordentliche zu tun. In der Unendlichkeit der Aufgabe, mit der die Helden dabei konfrontiert werden, enthüllt sich der metaphysische Auftrag, sich als „Wurf nach einem höheren Ziel“ zu begreifen. Auch Jürgen Born verweist auf diese transzendente Dimension in der Legende: „Certain elements of the parable suggest a metaphysical or religious interpretation.“[33] Hierzu gehört, daß Kafka selbst die Geschichte als „Legende“ bezeichnet hat und daß sie — innerhalb des Romans — von einem Geistlichen im Dom erzählt wird. Das Metaphysische sieht Born verbildlicht „in the broad expanses, and perhaps in the endless distances, which seem to separate the man from the country from the inner sanctum: ,From hall to hall, keepers stand at every door, one more powerful than the other“.‘[34]

Noch ein weiterer Grundzug des Kafkaschen Dichtens, ein Hauptkennzeichen seiner Thematik, ist in der Legende programmatisch ausgeprägt, und zwar in den abschließenden Worten des Türhüters an den Mann vom Lande: ,Hier konnte niemand sonst Einlaß erhalten, denn dieser Einlaß war nur für dich bestimmt.‘ Dieser Schlußsatz verdeutlicht, daß Kafka der Dichter des Individuums ist, der immer die Existenz des Einzelmenschen im Auge hat.[35] Seine Helden, die K.s in den Romanen und die Georgs und Gregors in den Erzählungen, auch der Hungerkünstler oder der Junggeselle Blumfeld, sind Individuen und interessieren als solche. Ja, das Besondere ihres Schicksals liegt meist gerade darin, daß sie im kritischen Augenblick ihres Lebens in heillose Isolierung geraten[36] und so als Vereinzelte einer Gegenwelt konfrontiert sind, zu der ihnen die Rückkehr versagt ist.

---

[33] A.a.O. 160.

[34] Ebd.

[35] LAWRENCE RYAN (,Zum letztenmal Psychologie!‘ Zur psychologischen Deutbarkeit der Werke Franz Kafkas. In: Psychologie in der Literaturwissenschaft, Heidelberg 1971, 171) betont ebenfalls diesen Punkt: „Kafka hat keine Theorie der Gesellschaft entwickelt; er kannte nur das Individuum.“ Infolgedessen habe er auch „jene Kritik am modernen Industriezeitalter, die Emrich ihm zuschreibt, ... nicht geleistet“. (Vgl. WILHELM EMRICH: Franz Kafka, Bonn 1958, 269.) Man kann hinzufügen, daß er eine solche Gesellschaftskritik auch gar nicht hat leisten wollen, weil eben der einzelne, ja vereinzelte Mensch der eigentliche Gegenstand seines Interesses war. Entsprechend ist auch der Zugang zur Deutung der Parabel in erster Linie über eine Subjektanalyse des ,Mannes vom Lande‘ zu gewinnen.

[36] HEINZ HILLMANN a.a.O. 123: „Eine ... Isolation [des Helden] als Vorbereitung auf den ,kritischen Augenblick‘ findet sich bei Kafka fast durchweg. Ich erinnere, um zu zeigen, daß das für alle Genres seiner Erzählungen gilt, an die P a r a b e l *Gib's auf*, an die G e - s c h i c h t e *Die Verwandlung* und an den R o m a n *Der Prozeß*.“ Überall geht es um

Gegenstand der Kafkaschen Dichtung ist also das vereinzelte Individuum, in Spannung zu einer als fremd und feindlich empfundenen Gegenwelt, vor allem aber auch sich selbst anheimgefallen, den eigenen destruktiven Vorstellungen ausgeliefert, — mit einem Wort Hebbels — „eingeriegelt in die eigene Hölle", ein Gefangener seiner selbst, der sich nur noch im eignen Kreise dreht und keine Möglichkeit besitzt, aus diesem zu einer tödlichen Schlinge sich zuziehenden Teufelskreis auszubrechen. Wie es im *Schloß* heißt, mißlingen die Bemühungen K.s deshalb, weil er kein ‚Hiesiger' ist und infolgedessen alle seine Kontaktversuche das bloße Nebeneinander nicht überwinden und kein Miteinander in der Gemeinschaft herbeiführen können. Seine Sprache erreicht die Nebenmenschen nicht, weil sein Sprechen im Grunde nur Selbstgespräch ist, aber dennoch nach erlösender Kommunikation verlangt.

Die einsinnige, subjektgebundene Erzählperspektive, die Kafkas Epik weithin bestimmt[37], ist die gestalterische Konsequenz aus dieser thematischen Zielsetzung, die konfliktreiche Welt der Selbstauseinandersetzungen des Individuums auszuloten. Diese Tragödie des isolierten Individuums meint aber zugleich die Tragödie des Menschen überhaupt. Die eigentümlichen Schicksale, die die Protagonisten des Dichters durchleiden, sind individuell und exemplarisch zugleich.

Stellvertretende Bedeutung für das Werk Kafkas insgesamt hat die Parabel *Vor dem Gesetz* auch insofern, als sie das grundliegende Thema des Dichters, die mißlingende (oder mißlungene) Ankunft, in dem für ihn typischen Bild eines unabsehbar langen und unüberwindlichen Weges andeutet. Dieses Bild ist direkter Ausdruck, ja konkreter Bestandteil der Kafkaschen Thematik. Immer wieder müssen seine Helden endlos scheinende, hindernisreiche Wege zurücklegen, ohne ihrem Ziel näherzukommen. Im Gegenteil, die Schwierigkeiten werden größer, je weiter sie vordringen. Der Überblick geht verloren, die Welt wird zum Labyrinth, in dem zwischen vor- und rückwärts nicht mehr unterschieden werden kann. Der Kampf der Kafkaschen Helden erscheint wie ein Kampf mit der vielköpfigen Hydra: Je mehr Köpfe ihr abgeschlagen werden, desto mehr wachsen ihr nach. So viel auch Josef K. im *Prozeß* unternimmt, um die für ihn zuständige, entscheidende Instanz des obersten Gerichtes zu erreichen, und so eifrig sich K. im *Schloß* um einen Kontakt zur zentralen Behörde bemüht, sie kommen beide nicht weiter und erschöpfen ihre Kräfte in Angriff oder Abwehr gegen eine immer stärker werdende Bedro-

---

die grundsätzlich gleiche Situation: „Die Hauptgestalt ist nicht mehr Teil eines sie umfassenden und behütenden Kreises, [sondern] wird aus diesem völlig herausgelöst." Diese Isolation bedeutet, „daß der Held dem bedrohlichen Einbruch völlig ausgesetzt ist und von nirgendher Hilfe erwarten kann".

[37] Daß dieses Erzählen rein aus der Sicht der Hauptgestalt nicht absolut eingehalten wird, und überhaupt eine wachsende Tendenz zur „Objektivierung der Erzählperspektive" in Kafkas Dichtung festgestellt werden kann, ist in dem Kapitel „Erzählperspektiven" erörtert worden.

hung. Entsprechend heißt es von dem Mann in der Legende: ,Solche Schwierigkeiten hat er nicht erwartet.'

In der kurzen Erzählung *Eine kaiserliche Botschaft* hat Kafka diese Vergeblichkeit alles (noch so gut gemeinten) menschlichen Bemühens, diese Unausweichlichkeit des Scheiterns mit letzter Konsequenz im Bild des niemals zu überwindenden, sondern durch immer neue und größere Widerstände erschwerten Weges konzentriert. Der Bote, der die wichtige Botschaft des Kaisers überbringen soll, ist zwar — wie es heißt — ,ein kräftiger, ein unermüdlicher Mann', der sich auch mit seinen starken Armen ,Bahn durch die Menge' zu schaffen vermag. ,Aber — so fährt der Bericht fort — die Menge ist so groß; ihre Wohnstätten nehmen kein Ende', so daß er sich letztlich doch ,nutzlos' abmüht. Wie tapfer er sich auch ,durch die Gemächer des innersten Palastes' zwängt, ,niemals wird er sie überwinden; und gelänge ihm dies, nichts wäre gewonnen; die Treppen hinab müßte er sich kämpfen; und gelänge ihm dies, nichts wäre gewonnen; die Höfe wären zu durchmessen; und nach den Höfen der zweite umschließende Palast; und so fort durch die Jahrtausende...' Diese Erzählung läßt freilich die Schuldfrage problematisch werden, insofern sie die objektiven Hindernisse zum Absoluten hin als unüberwindlich kennzeichnet und so die grundsätzliche Inkongruenz von menschlicher Welt und metaphysischer Sinnbezogenheit zum Bewußtsein bringt. Aber auch für den Mann vom Lande gilt, daß ihn das einmalige Wagnis des Eintritts in das Gesetz noch nicht endgültig ans Ziel gebracht hätte, daß er vielmehr noch weitere und schrecklichere Türhüter hätte passieren müssen, daß also nicht nur ein einmaliges, sondern das täglich wiederholte und gesteigerte Wagnis gefordert ist. Nur wird s e i n Scheitern deutlich als ein Versagen gekennzeichnet. Ihre konsequenteste Verwirklichung findet Kafkas Thema der mißlungenen Ankunft im Bild des Labyrinths, das sich mit Goethes tragischer Sicht von des ,Lebens labyrinthisch-irrem Lauf' im Faust berührt und die dort aus weiter Distanz verkündete Weisheit: ,Es irrt der Mensch, solang er strebt' bedrückend konkret vergegenwärtigt.

JORGE LUIS BORGES, der große argentinische Dichter und Denker, den ANA MARIA BARRENECHEA als „the labyrinth maker" apostrophiert[38], sieht ähnlich wie Kafka im Labyrinth ein adäquates Bild menschlicher Existenz. Immer wieder lockt es ihn, existentielle Problematik in der Statik einer labyrinthischen Architektur zu verbildlichen: „Borges ... makes profuse use of labyrinths in his work and often stirs an inevitable uneasiniss merely by making a simple reference to corridors, stairways, or interminable streets, to doors, salons, or patios that are repeated, or simply to the doubt of returning to the same place; besides, it is constantly suggested by symmetries, reflections, divisions, and cyclical or tangled paths ..."[39]

---

[38] *Borges the Labyrinth Maker.* By ANA MARÍA BARRENECHEA. Edited and Translated by Robert Lima, New York University Press 1965, (vgl. die Titelformulierung von HERMANN PONGS: Franz Kafka. Dichter des Labyrinths, Heidelberg 1960).
[39] Ebd. 60.

In *The Aleph* sagt Borges selbst: „A labyrinth is a house designed to confuse men; its architecture, abundant in symmetries, is subordinated to that end ... Most abundant were the corridors without exit, the unreachably high windows, the elaborate doors leading to a cell or a well, incredibly inverted stairways with upside-down steps and balustrade. Other stairways ... died in the uppermost darkness of the turrets, leading nowhere after two or three turns."[40] Übereinstimmung beider Dichter besteht auch insofern, als für Borges in gleicher Weise wie für Kafka die labyrinthische Welt der Protagonisten jeweils deren eigene innere Situation reflektiert.[41] Hier wie dort symbolisiert das Labyrinth die Not des Menschen, der in heilloser Blindheit durch die Welt irrt, ohne einen Sinn seines Lebens erfassen zu können. Nirgendwo hat er sicheren Boden unter den Füßen, noch kann er absehen, wohin die Wege führen.[42] Was hingegen bei Borges fehlt, ist die für Kafka fundamentale Idee der Schuld und dessen in altbiblischen Traditionen wurzelnde Religiosität.[43] Gemeinsam aber ist beiden Dichtern die immer wieder sich aufdrängende Vision des endlosen, doch zu keinem Ziel führenden Weges.

Auch in der *Legende* hat die Vorstellung, daß der zurückzulegende Weg des Helden unabsehbar und unübersichtlich ist, zentrale Bedeutung. Warnend sagt der Türhüter zu dem um Eintritt in das Gesetz bittenden Mann vom Lande, daß er selber nur erst der unterste Türhüter sei, daß aber von Saal zu Saal immer neue und mächtigere Türhüter die Eingänge bewachen. Das seien so gewaltige und furchterregende Männer, daß selbst er, der erste Türhüter schon den Anblick des dritten Türhüters nicht mehr ertragen könne. Das aber ist die entscheidende Situation aller Helden des Dichters, nämlich ihre unerwartete, plötzliche Konfrontation mit unlösbar scheinenden Schwierigkeiten und die daraus resultierende Konsequenz, daß sie — erschreckt durch die Größe der an sie gestellten Forderungen — das rettende Risiko nicht wagen, sondern ausweichen und — in Verkennung der

---

[40] *The Aleph* = *El Aleph*, Buenos Aires 1949, 15.

[41] *El Alpeh*, Buenos Aires ²1952, 121: „What is important is the profound correspondence of the monstrous house to its monstrous inhabitant. The Minotour amply justifies the existence of the labyrinth."

[42] Nicht nur Häuser und Paläste — mit ihren Korridoren, Galerien, Patios, Zirkelsälen, Lichtschächten, Treppenhäusern, Kellergeschossen, Wendeltreppen — werden bei Borges zu bedrohlichen Labyrinthen, sondern auch Straßen, Plätze, Städte, Wüstenlandschaften, Wasserstraßen und die weiten geographischen Räume überhaupt. „Kafkaesk" wirkt die als labyrinthischer Monsterbau dargestellte „Bibliothek von Babel", deren zahllose Gänge in allen Richtungen auseinanderlaufen und so gleichermaßen den Eindruck von mathematisch geordneter Unendlichkeit und Chaos suggerieren.

[43] Doch liegt auch Borges' Universalsicht von Chaos und Kosmos letztlich ein religiöser Glaube zugrunde. In der *Religio Medici*, Part One, XLIII stehen folgende Sätze, die auch Kafka geschrieben haben könnte: „our ends are as obscure as our beginnings, the line of our days is drawn by night, and the various effects therein by a pencil that is invisible wherein, though we confess our ignorance, I am sure we do not err if we say it is the hand of God."

Situation — auf Wegen, die gar nicht zum Ziel führen können, ihr Ziel zu erreichen suchen. Sie frustrieren in Sackgassen und müssen daher scheitern. Denn was sie angesichts einer solchen Entscheidung Entweder/Oder wagen müßten, wäre — mit einem Ausdruck Kierkegaards — nichts Geringeres als der ,Sprung auf eine neue Daseinsebene'. Statt dessen haften sie am Status quo und verbrauchen sich in Auseinandersetzungen mit inkompetenten Instanzen, kommen infolgedessen auch nicht weiter, sondern drehen sich im Kreis, verirren sich im Labyrinth ihrer fehlgeleiteten Vorstellungen. Weil sie aber infolgedessen im entscheidenden Augenblick den notwendigen Schritt versäumt haben, ist ihr Irren im Labyrinth zugleich ein moralisches Irren. Wenn z. B. der Mann vom Lande den Türhüter vor dem Gesetz mit allen ihm verfügbaren Mitteln zu „bestechen" sucht, so beleuchtet das die Fragwürdigkeit seines gesamten Lebensverhaltens. Aber auch die Helden der Romane suchen auf befremdlichen Wegen und ebenso erfolglos zum Ziel zu kommen.

Es beleuchtet die gestalterische Meisterschaft Kafkas, daß es ihm sogar in der Kurzform einer Parabel gelang, eine Vorstellung von der variationenreichen Extensität der lebenslangen Frustrationserfahrungen seines Helden einzuprägen.[44] Der Mann vom Lande, der, nachdem er sich durch den Türhüter vom Eintritt in das Gesetz hatte abhalten lassen, ,viele Versuche' macht, ,eingelassen zu werden, und ,den Türhüter durch seine Bitten' ermüdet, demonstriert mit diesen fruchtlosen Anstrengungen beispielhaft das Sich-Erschöpfen, ja Verirren der Kafkaschen Helden in Nichtigkeiten und Unzuständigkeiten. Infolgedessen verengt sich sein Sichtfeld, verliert er jeglichen Überblick und verausgabt schließlich sein ganzes Kapital in Fehlinvestitionen[45]: ,Während der vielen Jahre beobachtet der Mann den Türhüter fast ununterbrochen. Er vergißt die andern Türhüter und dieser erste scheint ihm das einzige Hindernis für den Eintritt in das Gesetz.' Er täuscht sich also über seine Lage, weil er an einer falschen Stelle hängen geblieben ist und etwas nur Beiläufiges für die Hauptsache hält. Mit ,jahrelangem Studium des Türhüters' vertut er sein Leben und wird über all dem inadäquaten Verhalten ,kindisch'.

Diesen Demoralisationsprozeß, den der Mann vom Lande durchläuft, die fundamentale Tatsache also, daß nicht der Türhüter, sondern er selber sein Scheitern verschuldete, hat in jüngster Zeit Jürgen Born eindringlich gekennzeichnet.[46] Offenbar versagt ja der Mann deshalb, weil er sein eigenes Vorhaben nicht ernst und wichtig genug nimmt und daher um so leichter den Einschüchterungen des Tür-

---

[44] Für Kafkas *Legende*, in der der Modellfall als Realfall vergegenwärtigt wird und umgekehrt Konkret-Spezifisches zugleich als Generell-Gültiges erscheint, gilt in besonderem Maße, daß „Reduktion" das bestimmende „Erzählprinzip" des Dichters ist. Vgl. neuerdings: KLAUS RAMM: Reduktion als Erzählprinzip bei Franz Kafka, Athenäum, Frankfurt a. M. 1971.

[45] Alles, womit er sich für seine Reise ausgerüstet hatte, ,verwendete er . . ., und sei es noch so wertvoll, um den Türhüter zu bestechen. Dieser nimmt zwar alles an, aber sagt dabei: ,Ich nehme es nur an, damit du nicht glaubst, etwas versäumt zu haben'."

[46] Kafka's Parable, Mosaic III/4, 1970, 153—162.

hüters erliegt. Schon dessen erste Worte vermögen ihn aufzuhalten und von einer planmäßigen Weiterverfolgung des Zieles abzubringen. Ja, er verliert sogar das Ziel selbst mehr und mehr aus den Augen, weil er — völlig kleinmütig geworden — nur noch auf die Gestalt des furchterregenden Türhüters blickt.[47] Um ihn allein, nicht mehr um den Eintritt in das Gesetz, kreisen seine Gedanken. Seine Person wird ihm zu einem Gegenstand exklusiven Studiums. Sogar die banalsten Nichtigkeiten in der Erscheinung des Türhüters — z. B. die Flöhe in seinem Pelzkragen — erscheinen ihm schließlich als höchste Wichtigkeiten.

Das Absinken eines Menschen, der mit hohem Anspruch begann, sein Abkommen vom Wege können nicht drastischer demonstriert werden als in diesen Bildern, die den moralischen Selbstverlust des Mannes vom Lande als einen stufenweise verlaufenden Prozeß in dinglichen Vorgängen vergegenwärtigen. Daß er — durch die Person des Türhüters entmutigt — seinen Weg zum Ziel nicht mehr fortsetzt und dadurch das fundamentale Vorhaben seines Lebens zu einem völligen Stillstand kommt[48], — dieses moralische Versagen wird auch als Geste sichtbar gemacht: er läßt sich auf einem Schemel neben dem Eingang nieder und wartet der Dinge, die da kommen werden. Über dem Türhüter, der ihn in furchtvoller Unterwürfigkeit hält, vergißt er sein Ziel und starrt wie gebannt nur noch auf Trivialitäten. Auch diese Kapitulation des Mannes, sein völliges Hörigwerden gegenüber der Vorzimmerfigur des Türhüters werden als ein Vorgang sinnenfällig gemacht, nämlich durch die frappante Veränderung des gegenseitigen Größenverhältnisses der beiden Gestalten: der Mann vom Lande wird immer kleiner und schwächer, der Türhüter immer größer und mächtiger. Protokollarisch nüchtern vermerkt der Dichter: „... der Größenunterschied hat sich sehr zuungunsten des Mannes verändert.‘

Wie sehr man auch mit dem Helden der Parabel als einer armen, überforderten Kreatur sympathisieren mag, die Bilder, die sein Verfallen und Nichtigwerden in aller Form als einen Schrumpfungs- ja Schwundprozeß vor Augen stellen, dokumentieren seine moralische Schwäche, sprechen ihn schuldig. Lassen sie doch erkennen, daß es der Mann selber ist, der den Türhüter so mächtig macht und in seiner Macht noch immer stärker werden läßt. Denn nur weil der Mann vom Lande so entschluß-los und schwach ist, ist der Türhüter so stark. Dessen Macht ist ja keine absolute, sondern hängt ganz von der Moral seines Gegenübers ab.[49] Er wird in dem Maße größer, in dem der Mann kleiner und hinfälliger wird. Wenn sich seine Gestalt ins

---

[47] Ebd. 161: „He soon gives up the idea that the Law is ‚accessible to everyone and at all times‘ ... In a word, he does not remain unwavering in his faith ...“ Ferner: ebd. 155: „Like one mesmerized he gazes at the first doorkeeper, thus losing more and more the wider perspective, as does Josef K. in *The Trial* ... He hardly dares any longer think of the entry into the Law.“

[48] Ebd. 156: „... his ... progress toward the Law comes to a complete standstill ...“

[49] Ebd. 158: „His power (or lack of it) depends totally on the inner stance of the one desiring entrance.“

Riesenhafte auswächst, so reflektiert sich darin das wachsende, ja endgültige Versagen des Helden, der völlige Zerfall seiner Moral.[50]

Aber nicht nur die Tatsache, auch der Grund dieses moralischen Scheiterns werden gekennzeichnet. Der Mann läßt sich deshalb vom Türhüter aufhalten und in einen fruchtlosen Wartestand drängen, weil er die Absolutheit des an ihn gestellten Anspruchs verkennt und damit sein Ziel aufgibt: „The man should never have questioned ... the idea (or belief), that the Law was ‚accessible to every one and at all times'. In a word he should have entered in defiance of all the discouragements from the doorkeeper."[51] Tatsächlich ist es ja auch gar nicht der Türhüter, der ihm den Zugang verweigert, sondern seine eigene Furcht und innere Unsicherheit lassen seine Initiative erlahmen. Aber eben darin lag seine Aufgabe, diese lähmende Furcht und Unentschiedenheit, diesen Zweifel an der eigenen Sache zu überwinden und — trotz der Abschreckungsmaßnahmen des Türhüters — den Eintritt in das Gesetz zu wagen. Denn — wie zum Schluß programmatisch verkündet wird — war dieser Eingang für ihn, und nur für ihn, bestimmt. Das aber beleuchtet zugleich die Funktion des Türhüters in der Legende. Dieser ist nicht um seiner selbst willen da, sondern hat nur den einzigen Zweck, den Ernst und die Entschiedenheit des Mannes, der Einlaß in das Gesetz begehrt, zu erproben.[52] Die Auseinandersetzung mit dem Türhüter ist der Prüfstein des Gelingens oder Scheiterns.[53]

---

[50] Ebd. 161: „We see the dilemma of the man from the country in the fact that he stopped half way. He had neither the courage to enter into the Law on independent initiative, nor the faith to persist in unwavering patience until entrance should be granted him."

[51] Ebd. 157.

[52] Ebd. 159: „The sole purpose of the doorkeeper is, by his fearful presence and his discouraging words, to test the man seeking admittance."

[53] Was JÜRGEN BORN (a.a.O. 159 ff. und 162) aus tiefenpsychologischer Sicht („from the perspective of depth psychology") auch an Autobiographischem in Kafkas Legende zu finden glaubt, ist überzeugend. Cum grano salis reflektiert auch diese Geschichte, wenn auch in objektivierter (und stark verfremdeter) Parabelform, zugleich den unbewältigten Vaterkonflikt des Dichters. In Analogie zu dem jahrelangen Studium, das der Mann vom Lande auf den Türhüter konzentriert, kann auch Kafkas *Brief an den Vater* (aber auch viele seiner Erzählungen wie z. B. *Das Urteil* und *Die Verwandlung*) als Produkt eines solchen vieljährigen, ja lebenslangen und nie bewältigten Vater-Studiums angesprochen werden. Unter diesem Blickwinkel erscheint also der Türhüter, an dem der Mann scheitert, als eine Spiegelung der Vaterfigur, an der Kafka nach eigenen Worten infolge seiner Schwäche gescheitert ist. Wie für den Türhüter gilt auch für die Vatergestalten Kafkas, daß sie — in Korrespondenz zur Verzagtheit ihres Gegenübers — ins Erdrückend-Große, ja Riesenhafte auswachsen. Dasselbe Gefühl der Ohnmacht, das Kafka gegenüber seinem Vater empfand (‚daß ich so ein Nichts für Dich war'), paralysiert den Mann vom Lande angesichts der bedrohlich und mächtig wirkenden Gestalt des Türhüters. „This fearfulness, Kafka's sworn enemy, stood as the invisible ally of the doorkeeper before the door of Kafka's life." (Ebd. 162) Daß darüber hinaus die Gestalt des Türhüters auch noch ein Symbol der Stadt Prag darstellt, die den Dichter nicht losließ, und daß sie in ihrer äußeren Erscheinung sogar als „a direct reflection of the porters of Prague" zu identifizieren ist (ebd. 162), duldet kaum einen Zweifel und verweist auf die Multivalenz des Kafkaschen Gestaltens.

In der *Legende* und im *Prozeß*, aber auch im *Schloß*, im *Urteil*, in der *Verwandlung*, ja im gesamten Werk Kafkas geht es um Schuld als zentralen Tatbestand des Daseins in der Welt, um jene unsichtbare, doch zugleich unabweisliche Schuld, die den Menschen mit Gericht und Strafe bedroht und sein Leben zunehmend mit Angst und Scham belastet. Unmerklich läuft dieser Prozeß, ehe er im „kritischen Augenblick" akut wird und „in das Urteil übergeht, oder, wie es im Tagebuch heißt, bis der Verurteilte es aufgibt, sich gegen das Urteil zu wehren (T 508)".[54] Das Schlußwort des Türhüters ist nichts anderes als die Verurteilung des Mannes vom Lande. Und diese Verurteilung erfolgt zu Recht, da wir — nach Kafkas Überzeugung — „mit dem Wissen von Gut und Böse geboren sind ... und ... es nur an uns liegt, diese Erkenntnis auf uns zu nehmen".[55] Diese Chance hat der Mann der *Legende* nicht genützt und daher den einzigen Zugang zur Wahrheit des Gesetzes, nämlich die Einsicht in die eigene Schuld, verfehlt.[56] Nur ein kompromißlos strenges Schuldbewußtsein hätte ihn retten können. Indem er aber wie Josef K. jeglicher Gewissenserforschung auswich, wurde er immer tiefer seiner Schuld verhaftet und demoralisierender Angst als dem Symptom unbekannter oder verdrängter Schuld ausgeliefert.[57]

Daraus erhellt der Sinn, der der Parabel *Vor dem Gesetz* innerhalb des *Prozeß*-Romans zukommt. Sie besagt: Josef K. könnte seine Krise bewältigen, wenn er sich ihr in voller Wahrhaftigkeit stellt und sich — in Anerkennung seiner Schuld — freiwillig dem Gericht unterwirft. Da er aber statt dessen in „Motivationen" und Rechtfertigungsversuche ausweicht, hat er am Ende nicht die Kraft, das ihm zugefallene Strafurteil wie Georg Bendemann selbst zu vollziehen, sondern läßt sich willen- und widerstandslos — ‚wie ein Hund' — exekutieren.[58] Beide, Josef K. und der Mann vom Lande, scheitern deshalb, weil sie das Hindernis ihres Weges nicht in sich selber suchen, sondern äußere Instanzen wie den aufwendigen Behördenapparat des Gerichts oder den bombastischen Türhüter für ihre Katastrophe verantwortlich machen. Schonungslos wird ihr Versagen bloßgestellt. Und der Dichter selbst schließt sich in diese Verurteilung seiner Helden mit ein.[59]

Nicht nur in Inhalt und Aussage, sondern auch in der sprachlich-stilistischen Gestaltung repräsentiert die *Legende* das Dichtertum Kafkas in exemplarischer Weise

---

[54] HENEL: Türhüterlegende a.a.O. 64.

[55] Ebd. 63.

[56] Ebd. Anmerkung 11 spricht INGEBORG HENEL von „Kafkas Verwandtschaft mit dem biblischen Prophetentum, mit dem Kant der *Praktischen Vernunft*, mit Kierkegaard, dem Existentialismus und der Theologie der Krise.

[57] Ebd. 64: Die Angst ist es zum Teil, die Josef K. schließlich umbringt: Das Erdrosseltwerden ist bei Kafka immer ein Ausdruck für Angst, und aus Angst sterben ist ‚sterben wie ein Hund'. Auch für Kierkegaard hat die Angst als das Akzidens der Schuld, als Signal des unausweichlich kommenden Gerichts zentrale Bedeutung.

[58] Ebd. 67: Entsprechend gilt für den Mann in der *Legende*, daß er „elend verwest und nicht in das Gesetz gelangt".

[59] Ebd. 69: „Im Gegensatz zu den meisten Bekenntnisromanen sind Kafkas Werke weder eine Apologie des Helden noch des Verfassers, sondern ein Selbstgericht."

und beleuchtet das für ihn charakteristische Wechselverhältnis von **Thematik und Sprache**. In parabelhafter Verkürzung entwickelt sie das Kernthema des Dichters: Das Irren und Scheitern des Menschen, die fatale Verkettung von Nichtwissen und Versagen und damit die Identifizierung von Verhängnis und Schuld, insgesamt also die Erhellung der condicio humana als tragische Existenz. Dieser großen Thematik korrespondiert eine ungemein schlichte, in ihrer Schmucklosigkeit fast eintönig wirkende Sprache. Wie in einer Chronik wird das erregende Geschehen nur berichtet, nicht kommentiert. Es gibt keine schmückenden Beiwörter und keinen emotional wirkenden Wortschatz. Das Ungeheuerliche wird in einem scheinbar gleichförmigen Stil erzählt. Aber es ist — bei aller Nüchternheit des Vokabulars — gleichwohl kein Alltagsidiom, keine Mangelsprache, sondern der lapidare kraftvolle Stil einer Legende. In diesem altehrwürdigen Kontext erscheint jedes Wort gewichtig und kostbar. Es besteht noch ein ungebrochenes Verhältnis zwischen Wort und Sache, Zeichen und Ding. Die Sparsamkeit der Sprache Kafkas ist also Ausdruck seines Vertrauens in die Zuverlässigkeit der Sprache, in ihre Fähigkeit zu treffsicherer Wiedergabe komplizierter Vorgänge und Gegebenheiten mit einfachen Worten.[60] Im Gegensatz zum Usus der Umgangssprache ist Genauigkeit die oberste stilistische Forderung, Genauigkeit als Voraussetzung inhaltsreicher Kürze der Darstellung. Zugrunde liegt die zugleich ästhetische und moralische Überzeugung, daß nur äußerste Präzision des Ausdrucks der Größe des Gegenstandes gerecht werden kann. Hinzukommt die gleichsam historische Würde eines an alte Erzählgattungen wie Legende oder Märchen erinnernden Stils. All das vermittelt den Eindruck, daß hier Wissen und Weisheit der Vorzeit zu uns sprechen, verbürgte alte Überlieferung und nicht lediglich poetische Fiktion.

Dieses ehrwürdige Vorbild der Kafkaschen *Legende* (und seiner Parabeln überhaupt) läßt sich noch genauer bestimmen. Offenbar waren die durch Martin Buber erneuerten chassidischen Legenden das nach Inhalt und Form und gerade auch im stilistischen Tenor der Sprache recht genau befolgte Modell des Dichters.[61] Vergleicht man etwa den Eingang der chassidischen Legende *Der besondere Weg* mit dem Beginn der Parabel *Vor dem Gesetz*, so tritt die gattungstypische Ähnlichkeit beider und die Übereinstimmung ihrer Erzählformen klar zutage:

‚Rabbi Bär von Radoschitz bat einst seinen Lehrer, den Seher von Lublin: „Weiset mir einen allgemeinen Weg zum Dienste Gottes!“ Der Zaddik antwortete: „Es geht nicht an, dem Menschen zu sagen, welchen Weg er gehen soll . . .“‘[62]

---

[60] Infolge der Spannung zwischen Simplizität des Ausdrucks und Macht des Gegenstandes besitzt dieser Stil — trotz des ebenmäßigen Erzählflusses — latente Dynamik.

[61] Martin Buber: Der Weg des Menschen nach der chassidischen Lehre, Heidelberg ⁶1972. Kafka war 1913 mit Buber zusammengetroffen. Am 29. 11. 1915 schrieb er an ihn: „. . . jenes Beisammensein wird mir immer gleich gegenwärtig bleiben. Es bleibt für mich die in jeder Hinsicht reinste Erinnerung, die ich von Berlin habe.“

[62] Buber ebd. 14 f.

,Vor dem Gesetz steht ein Türhüter. Zu diesem Türhüter kommt ein Mann vom Lande und bittet um Eintritt in das Gesetz. Aber der Türhüter sagt, daß er ihm jetzt den Eintritt nicht gewähren könne ...'

Die Ähnlichkeit der Diktion ist keineswegs nur äußerlich, sondern gründet in einer verwandten geistigen Haltung, in der hier wie dort begegnenden Neigung zum scheinbar Widersprüchlichen, in der Liebe zum dialektischen Spiel. Auch in den chassidischen Erzählungen kann der Eindruck des Paradoxen oder gar Absurden entstehen, weil „die Antwort ... auf einer anderen Ebene gegeben [wird] als die, auf der die Frage gefragt worden ist".[63] Vor allem aber geht es immer wieder um Situationen, wie sie für die Helden Kafkas typisch sind. Was Buber zur Erläuterung der Legende *Selbstbesinnung* ausführt, gilt für Josef K. im *Prozeß*-Roman:

„Adam versteckt sich, um nicht Rechenschaft ablegen zu müssen, um der Verantwortung für sein Leben zu entgehen. So versteckt sich jeder Mensch, denn jeder Mensch ist Adam und in Adams Situation. Um der Verantwortung für das gelebte Leben zu entgehen, wird das Dasein zu einem Versteckapparat ausgebaut. Und indem der Mensch sich so ,vor dem Angesicht Gottes' versteckt und immer neu versteckt, verstrickt er sich immer tiefer und tiefer in die Verkehrtheit. So entsteht eine neue Situation, die von Tag zu Tag, von Versteck zu Versteck immer fragwürdiger wird. Diese Situation kann genau gekennzeichnet werden: dem Auge Gottes [also dem Gericht, das nach Kafka ,ein Standrecht' ist] kann der Mensch nicht entgehen, aber indem er sich vor ihm zu verstecken sucht, versteckt er sich vor sich selber."[64]

Bubers Auslegung der Legende *Der besondere Weg* ist zugleich ein Kommentar zu Kafkas Parabel *Vor dem Gesetz*, im besonderen zu deren entscheidendem Satz: ,... dieser Eingang war nur für dich bestimmt...' Er bezieht sich auf die chassidische Lehre von der Wesensungleichheit der Menschen, von ihrer jeweils ganz individuellen Prägung: „Alle Menschen haben Zugang zu Gott, aber jeder einen andern. Gerade in der Verschiedenheit der Menschen, in der Verschiedenheit ihrer Eigenschaften und Neigungen liegt die große Chance des Menschengeschlechts."[65] Daher führe es in die Irre, wenn einer nur darauf schaut, wie weit es ein anderer gebracht hat ... denn dabei entgehe ihm, „wozu er und nur er allein berufen ist".[66] Aber auch die Erklärung Bubers zu der Legende *Entschlossenheit* könnte direkt auf die Parabel Kafkas bezogen werden, nämlich auf das Versagen des Mannes vom Lande, der zwar Großes sich vornahm, aber sein Ziel nicht erreichen konnte, weil er nicht den vollen Einsatz leistete:

„Nur mit geeinter Seele wird er [ein ungewöhnliches Werk] zu tun imstande sein, daß es nicht Flickarbeit, sondern Arbeit aus einem Guß wird." Eben daran scheiterte

---

[63] Ebd. 8.
[64] Ebd. 10 f.
[65] Ebd. 16.
[66] Ebd. 17.

der Mann in der Kafkaschen Legende, „daß er sein Wagnis mit ungeeinter Seele unternommen hat".[67] Ja, überhaupt alle Helden Kafkas scheitern eben daran.

So stark das Vorbild der chassidischen Legenden auf Kafkas Dichtung gewirkt hat, muß doch andererseits gesagt werden, daß er über dieses Vorbild auch hinausgeschritten ist. Die sprachliche Kunst der Verdichtung, die er gerade in der Parabel *Vor dem Gesetz* erreichte, hat kaum ihresgleichen.

Im knappen Raum von kaum einer ganzen Druckseite hat er sein implikationsreiches Thema durchsichtig klar und vollgültig entwickelt. Statt der extensiven Fülle einer in zahllosen Einzelaktionen sich auseinander breitenden Lebensgeschichte erzählt er — unter Aussparung langer Zeiträume — gleichsam nur einen einzigen, gut überschaubaren Vorgang. Er reduziert also die Vita des Mannes vom Lande auf wenige Stationen, die zudem in einem einheitlichen Zusammenhang stehen. Solche Konzentration konnte aber nur deshalb gelingen, weil sein Reduzieren nicht lediglich ein Weglassen, sondern recht eigentlich ein Integrieren bedeutet. Spart er doch auf eine Weise aus, daß der Leser zum spontanen „Assoziieren und Supplieren" des Ausgesparten angereizt wird. Im Bilde des ,seitwärts von der Tür‘ auf einem ,Schemel‘ sich niederlassenden, dort ,Tage und Jahre‘ eine unbefristete Wartezeit absitzenden und den Türhüter mit immer neuen Bitten um Einlaß ermüdenden Mannes vom Lande wird das Ganze dieses in Banalitäten und Halbheiten verschwendeten Lebens konkret gegenwärtig. Die extensive Vielfalt konkreter Lebenswirklichkeit ist hier in der Dichte eines exemplarischen Bildes nicht nur eingefangen, sondern auch gesteigert.

Dem Zug zur Verdeutlichung durch Aussparen und Weglassen kontrastiert andrerseits eine Tendenz zur Heraushebung bestimmter Phänomene, die mit fast naturalistischer Detailbeflissenheit beschrieben werden. Beides ist für Kafkas Darstellung charakteristisch, sowohl das großzügig zusammenfassende Reduzieren als auch — in bestimmten Fällen — das genau beschreibende Spezifizieren. Dieser Zug zu den Einzelheiten entspringt dem Bedürfnis des Dichters zur Konkretisierung des Abstrakten, seinem gestalterischen Ehrgeiz, die Modellsituation in der Lebendigkeit einer Realsituation nahe zu bringen. So wird z. B. der Türhüter — an sich eine reine Abstraktion, nämlich die Personalisierung der subalternen, aber raumgreifenden Schwierigkeiten und Hindernisse im Leben des Mannes vom Lande — als eine konkret menschliche Figur vor Augen gestellt: im Pelzmantel, mit großer Spitznase und einem langen, dünnen, schwarzen, tatarischen Bart. Das Aufzählen so vieler Attribute zur Charakterisierung dieser einen Gestalt — allein der Bart des Mannes ist mit vier Beiwörtern bedacht — und all das innerhalb eines Kontextes, in dem sonst Attribute strikt vermieden werden, kann kein Zufall sein; es bestätigt vielmehr eine in Bildern sich konzentrierende Seh- und Denkweise, für die der Gegensatz von konkret und

---

[67] Ebd. 26. Bemerkenswert ist, daß Kafka das abfällige Wort „Flickarbeit" aus dieser chassidischen Legende herausgegriffen und zur Abwertung seines eigenen dichterischen Werkes gebraucht hat.

abstrakt letzthin aufgehoben ist, für die das Konkret-Einzelne Gleichnischarakter besitzt und über sich selbst hinausweist.

„Naturalistische" Detailschilderung ist hier zugleich „Existenzerhellung", nämlich Konkretisierung der moralischen Situation des Mannes, drastische Demonstration seines Versagens, ja Verkommens und Hinabsinkens in die Niederungen der Trivialität — und dies im Kontrast zu einem Ziel höchsten Anspruchs: Der Mann, der in das Gesetz eintreten will, hat so völlig die Orientierung verloren, daß er sogar das Ungeziefer im Pelzkragen des untersten Türhüters angeht, ihm auf den Weg zu dem hohen Ziel zu helfen. In diesem scheinbar naturalistischen Detail wird augenfällig, daß der Mann vom Lande scheitern muß, weil er den Sinn seines Unternehmens nicht begriffen (oder aufgegeben) hat.

Betrachten wir die Sprache der ‚Legende' noch genauer, so zeigt sich, daß alle entscheidenden Sätze und Formulierungen Abstraktes konkretisieren und die beschriebenen dinglichen Gegebenheiten und Vorgänge daher jeweils Ideelles bedeuten. Schon der erste Satz: ‚V o r d e m G e s e t z s t e h t e i n T ü r h ü t e r' meint einen rein ideellen Tatbestand. Gibt es doch kein sinnlich faßbares und örtlich festzulegendes Gesetz noch gar einen Türhüter, der vor der Türe des Gesetzes steht. Auch die Wendung ‚E i n t r i t t i n d a s G e s e t z' verbildlicht einen moralischen Vorgang. Zugleich ist deutlich, daß solche Verbildlichung eine eminente Verkürzung, ja eine verlustlose Reduktion darstellt; denn die Formulierung ‚E i n t r i t t i n d a s G e s e t z' impliziert die volle Summe der Bemühungen, die dieser Schritt von einem Menschen fordert, bezeichnet das Ganze des anspruchsvollen Geschehens, ohne es in die Vielfalt seiner Spezifika zu entfalten. Das Gleiche gilt von dem lapidar formulierten Satz: ‚D a s T o r z u m G e s e t z s t e h t i m m e r o f f e n.' Daß — wie es heißt — ‚v o n S a a l z u S a a l' immer neue ‚T ü r h ü t e r' stehen, ‚e i n e r m ä c h t i g e r a l s d e r a n d e r e', verdeutlicht die unabsehbare Schwere und Problematik moralischer Lebensmeisterung im Bild stetig wachsender Bedrohung. Wenn aber der Mann vom Lande, der ‚in das Gesetz eintreten' wollte, schon nach dem ersten Hinweis auf die Gefahren des Unternehmens das Ziel nicht länger direkt angeht, sondern sich völlig dem Türhüter unterwirft und auf dessen Weisung sich ‚s e i t w ä r t s v o n d e r T ü r' ‚a u f e i n e n S c h e m e l' niedersetzt, um ‚T a g e u n d J a h r e' nur noch zu warten und darüber das Ziel selbst mehr und mehr zu vergessen, so könnte keine noch so wortreiche psychologische Analyse das Inadäquate, Unwürdige, ja Fruchtlos-Läppische seines Verhaltens eindringlicher verdeutlichen als dieses Bild totaler Erschlaffung, — ein Bild, in dem das Nichtwissen des Mannes nicht als mildernder Umstand, sondern im Gegenteil als eine moralische Katastrophe erscheint. Denn sein Nichtwissen ist die Folge seines Nichtdenkens. Statt ernsthaft zu überlegen und sinnvolle Entschlüsse zu fassen, begibt er sich kurzerhand jeder eigenen Initiative und verzettelt seine Kräfte in stupidem Kleinkram. Sein Resignieren ist also in Wirklichkeit ein Herabsinken, ein Verkennen, ja ein Verleugnen des Zieles. Das allmähliche Kindischwerden, das nur die letzte Konsequenz seiner Gedankenlosigkeit ist, spiegelt diesen gesamtmenschlichen Niveauverlust; es demonstriert die Überzeugung des Dichters, daß intellektuelle und moralische Minderwertigkeit identisch sind und erhärtet damit die Unabweislichkeit der Schuld.

Auch die letzten Worte der *Legende* halten den konkreten Bildzusammenhang des Ganzen fest. Ja, sie knüpfen direkt an die Eingangssituation an: ‚Vor dem Gesetz steht ein Türhüter‘. Aus dessen Mund erfährt jetzt der Mann vom Lande, daß er Weg und Ziel verfehlt und die Chance seines Lebens vertan hat. Dieser moralische Tatbestand ist — in Konsequenz des vorgegebenen Kontextes — zu einem dinglichen Vorgang verbildlicht, der das Brutale und Endgültige der Schuldigsprechung so zwingend einprägt, daß sich jeder kommentierende Zusatz verbietet. Um das ‚vergehende Gehör‘ [des Verlorenen] noch zu erreichen, ‚b r ü l l t . . . ihn [der Türhüter] an‘: „. . . dieser Eingang war nur für dich bestimmt. Ich gehe jetzt und schließe ihn.“[68]

Indessen zeigt der Stil der *Legende,* daß Kafka sehr wohl zwischen Bild und Bild unterscheidet. So ist z. B. das Gesetz selbst (oder das Absolute) einer rohstofflichen Verdinglichung entzogen. Als Licht ‚im Dunkel‘, als ‚unverlöschlicher Glanz‘ wird seine Transzendenz sichtbar. Gleichwohl erscheint auch hier sprachliche Sparsamkeit als oberstes stilistisches Prinzip des Dichters. Ein einziger knapper Satz genügt, um auszusagen, daß ‚das Unzulängliche hier . . . Ereignis‘ geworden ist. Vergleicht man, mit welch pathoserfüllter, reich instrumentierter Sprache Goethe im *Prolog im Himmel* die Transzendenz des Absoluten als Chor der Engel oder als ‚Brudersphären Wettgesang‘ hörbar zu machen suchte, so wird die Weite des Abstandes zur nüchternen Sachlichkeit der Sprache Kafkas fast erschreckend deutlich. Hier wird eine Sprache gesprochen, die nicht umschreiben oder illustrieren, nicht stellvertreten oder emotionalisieren will, eine Sprache, die vielmehr nur den einen Ehrgeiz kennt, klar und wahr zu sein, eine direkt aussagende, griffsichere Sprache also, keine stimmungsmachende Begleitmusik, eine selbstlos dienende Sprache, ein unverfälscht reines Medium, in dem Kürze und Genauigkeit der Formulierung sich wechselseitig bedingen und stilistische Entsagung ein Gebot der Wahrheitsliebe ist.[69] In der Ehrlichkeit dieser Sprache ist der Zwiespalt zwischen Schein und Sein aufgehoben. Was den oberflächlichen Leser als Dürftigkeit anmuten könnte, ist in Wirklichkeit letztmögliche Dichte und Deutlichkeit des Ausdrucks, restlose Realisierung der Aussage. Kafkas Stil ist ein untrüglicher Spiegel: die Wahrheit seiner Dichtung ist die Wahrheit seiner Sprache.

---

[68] Das erinnert auffällig an die Situation im *Prozeß,* wo die Frau an der Tür, die zum Gerichtshof führt, Josef K. erklärt, daß sie diese Tür hinter ihm schließen müsse, da niemand sonst hier eintreten dürfe.

[69] Kurt Tucholsky (Der Prozeß. In: Deutsche Literaturkritik a.a.O. 402) rühmte die Parabel mit Recht „ein Muster reiner Prosa“.

‚In der Strafkolonie‘

„Nach der *Verwandlung* ist *In der Strafkolonie* die der Seitenzahl nach längste Erzählung novellistischen Inhalts aus Kafkas besten Jahren. Ihrer äußeren Form nach ist sie auch die abgeschlossenste".[1] In ihrer schockierenden Thematik und in der Unerbittlichkeit der Durchführung stellt sie eine der charakteristischsten Schöpfungen des Dichters dar. Andererseits nimmt sie insofern eine Sonderstellung in seinem Werk ein, als sie das früheste Beispiel einer parabolischen Erzählung ist und die für Kafka bezeichnende subjektiv einsinnige Perspektive nicht kennt. Einiges, was unabdingbar zu seiner Gestaltungsweise zu gehören scheint, fehlt in dieser Geschichte.[2] Zwar findet sich auch hier — zumindest der Wirkung nach — das Alpdruckhaft-Beklemmende der Kafkaschen Epik, aber nicht das Traumhaft-Irreguläre in der erzählerischen Ausbreitung der Vorgänge. Es gibt keine assoziativen Abschweifungen und Auswucherungen nach Art eines Traumgeschehens. Alles stellt sich — realistisch folgerichtig — als ein zielstrebig eindeutiger Ablauf dar. Auch ist die *Strafkolonie* mehr als die andern Erzählungen dem Bereich privater Psychologie entrückt und daher eine der objektiviertesten Gestaltungen der eigentümlichen Thematik Kafkas.

Und noch etwas läßt sich an der *Strafkolonie* zeigen, daß nämlich Kafkas Denken und Dichten nicht allein aus sich selbst gedeutet werden kann, sondern „mit der europäischen Erzähltradition in Verbindung" steht und „auch in den Erzählstoffen Vorgängern verpflichtet" ist, wobei er freilich diese Traditionen zugleich immer auf eigene Weise modifiziert.[3] So hat er die Bauform seiner Erzählung *In der Strafkolonie* zum Teil von Octave Mirbeaus sadistischem Roman *Le Jardin des Supplices* übernommen und ist auch in einigen Details dieser Vorlage gefolgt.[4] Wie in der Strafkolonie werden im *Garten der Qualen,* der im fernen China liegt, Verurteilte durch raffiniert ausgedachte Folterungen qualvoll langsam exekutiert. Der Ich-Erzähler entspricht cum grano salis dem Forschungsreisenden, ist wie dieser mit einem

---

[1] Politzer a.a.O. 156. Nach Malcolm Pasley und Klaus Wagenbach (DVjs. 38, 1964 149 ff.) wurde die *Strafkolonie* bereits im Oktober 1914 geschrieben, aber erst im Mai 1919 veröffentlicht.

[2] Weil die *Strafkolonie* nicht recht ins vorgegebene Schema der Kafkaauffassung passen will, wird sie von einigen Interpreten ausgespart oder nur mit allgemeinen Bemerkungen abgefunden. Als typisch kann gelten, daß in Kurt Weinbergs rund 500 Seiten umfassendem Kafkabuch, in dem die meisten Werke des Dichters eingehend besprochen werden, *Die Strafkolonie* außer Betracht bleibt. In jüngster Zeit hat Ingeborg Henel eine eindringliche Interpretation veröffentlicht: Kafkas *In der Strafkolonie.* Form, Sinn und Stellung der Erzählung (Festschrift für Benno von Wiese: Untersuchungen zur Literatur als Geschichte, Berlin 1973, 480—504), die — bewunderungswürdig wie ihre früheren Kafka-Studien — zu fruchtbarer Auseinandersetzung herausfordert.

[3] Hartmut Binder: Motiv und Gestaltung bei Franz Kafka, Bonn 1966, V, 169, 260 und 395.

[4] W. Burns: In the Penal Colony: Variations on a theme by Octave Mirbeau, Accent 17, 1957, H. 2, 45 ff. Indessen wird sich zeigen, daß es in Kafkas *Strafkolonie* nicht wie in Mirbeaus Roman um sensationell Sadistisches geht.

Empfehlungsschreiben ausgestattet und erreicht den Strafort ebenfalls durch eine Seereise. Die Rolle des kommentierenden Gerichtsoffiziers übernimmt eine Frau, die dem Besucher den Garten der Qualen eingehend beschreibt. Nach der Besichtigung verläßt der Erzähler den Garten in einem Boot. Hier wie dort haben die Verurteilten wenig oder nichts verbrochen; ihre Hände und Füße sind mit Ketten gefesselt. Den Handzeichnungen des alten Kommandanten über die Foltermaschine der Strafkolonie entsprechen im *Garten der Qualen* bildliche Darstellungen der mathematisch ausgeklügelten Hinrichtungsarten. „Man trifft einen ‚tourmenteur', der gerade die außerordentliche Arbeit einer Exekution hinter sich hat. Er reinigt seine Instrumente, gibt Auskünfte über den Verurteilten und über den Hinrichtungsmechanismus..., den [Kafka], durch eine große Hinrichtungsmaschine ersetzend, ins Zentrum seiner Erzählung gestellt hat. Dabei bleibt der Hinrichtungsmodus, nämlich möglichst langsames, qualvolles Sterben, beide Male gleich ... Es ist erstaunlich, wie Kafka wirklich noch die unbedeutendsten Einzelheiten ... wie z. B. die Erwähnung eines Teehauses, des Reises, einer Münzverteilung, aufgreift."[5]

Kein Zweifel, Kafka hat die *Strafkolonie* nicht völlig frei erfunden, sondern ist stofflich und auch in Einzelmotiven einer Vorlage gefolgt.[6] Dennoch kann von einer modellhaften Übereinstimmung mit Mirbeaus *Le Jardin des Supplices* keine Rede sein. Mit Recht betont Ingeborg Henel, daß gerade im Entscheidenden die beiden Erzählungen auseinandergehen. Geht es im *Garten der Qualen* um rein sadistische Prozeduren, durch die das Opfer „auf die entsetzlichste Weise" entstellt, ja „der letzten Spuren der Menschlichkeit beraubt" wird, so soll in der *Strafkolonie* der exekutierte Schuldige die Gnade der ‚Verklärung' erlangen. Wertet der Gerichtsoffizier sein Amt als „Dienst am Gesetz", so betrachtet der ‚tourmenteur' Mirbeaus seine Funktion lediglich als eine raffinierte Kunst, die jetzt „zu seinem Bedauern ... zugunsten neuer, aus Europa importierter Methoden des Massenmordes" vernachlässigt wird — „eine ganz andere Situation also als die des Offiziers, der den Untergang des alten Strafverfahrens zu verhindern sucht, nicht weil roher Massenmord, sondern weil falsche Milde an seine Stelle treten soll".[7]

---

[5] BINDER a.a.O. 169. Erwähnt sei, daß der *Garten der Qualen* und noch zwei weitere Bücher Mirbeaus in Kafkas Handbibliothek standen.

[6] Ebd. 395: „Es zeigt sich..., daß [auch sonst] Kafka seine Erzählformen oft gleichzeitig mit stofflichen Elementen seinen Vorlagen verdankt: Die Entwicklung aus eigenen Ansätzen ist jedenfalls nicht die Regel." Sie war freilich auch bei Sophokles und Shakespeare nicht die Regel.

[7] Ingeborg Henel a.a.O. 500 f. (Anm. 3): „Daß der sadistische Roman als Gesellschaftssatire gemeint war, rückt ihn dem *Strafkolonie* [auch] nicht näher." Dieser Zusatz trifft einen wichtigen Punkt. Denn grundsätzlich gilt, daß Kafka primär am Individuum interessiert war und darum auch „keine Theorie der Gesellschaft entwickelt" hat. (Vgl. Lawrence Ryan a.a.O. 171) Eine Gesellschaftssatire zu schreiben, lag mithin nicht in seiner Tendenz. Gleichwohl fehlt es gerade in der Strafkolonie nicht ganz an gesellschaftssatirischen Einschlägen. Vor allem die durch den Nachfolger des alten Kommandanten in der Kolonie eingeführten neuen Gesellschaftsformen, im besonderen das starke Hervortreten des weib-

Das sind gewichtige Einwände gegen die (auch von Hartmut Binder a.a.O. 169 ff. übernommene) Behauptung Burns', daß eine „direkte Abhängigkeit der *Strafkolonie* von dem sadistischen Roman Mirbeaus" bestehe. Und sicher geht es in Kafkas Erzählung letzthin um anderes als im *Garten der Qualen*. Gleichwohl bestehen aber nicht nur oberflächliche Berührungspunkte zwischen beiden. Auch in der *Strafkolonie* erscheint die Marterprozedur als eine aufwendig dargebotene „raffinierte Kunst", ja so sehr als Kunst, daß über der Bewunderung, die das großartige Schauspiel fordert, der brutale Folterungsakt nicht mehr wahrgenommen wird. Das heißt, nicht die Folterung als solche, sondern ihre kunstvolle Durchführung zieht die Aufmerksamkeit auf sich. „Mit der Sakralisierung der Hinrichtungsprozedur verbindet sich die Ästhetisierung des Exekutionsvorgangs."[8] Im Blick auf das technische Raffinement des Strafapparates hegt der Gerichtsoffizier geradezu ästhetische Ambitionen. Der Apparat ist ihm nicht nur ein Heiligtum, sondern auch ‚a thing of beauty', dem er die bestmögliche Pflege angedeihen läßt.

Diese „perverse Verbindung ... eines ... subtilen Schönheitssinnes mit ... barbarisch grausamen Folterungsvorgängen"[9] rücken Kafkas *Strafkolonie* und Mirbeaus *Le Jardin des Supplices* einander nahe. Gewiß ist Kafkas Erzählung eine Dichtung und keine „psycho-pathologische Studie," aber ebenso sicher ist, daß sie sadomasochistische Assoziationen herbeiruft.[10] Das trifft zwar nicht den ganzen Kafka, wohl aber einen tiefeingewurzelten Zug seines Wesens, der sich in vielfältigen Spielarten äußert und den man nicht ausklammern kann, ohne sein Bild zu verfälschen. Auch Ingeborg Henels Bezeichnung der Strafkolonie als „Märchen" verharmlost die hintergründig multivalente Geschichte[11], deren parabolischer Charakter nicht übersehen werden sollte. Gewiß ist die Strafkolonie a u c h ein allegorisches Märchen, aber nicht nur. Und wenn die darin begegnenden „überwirklichen, rätselhaften Figuren und Vorgänge" als „nicht geheimnisvoll wie in einem echten Märchen", sondern als allegorisch restlos deutbar gekennzeichnet werden, so stellt diese einlinig direkte Festlegung des (allegorischen) „Sinns der Fabel" eine Simplifizierung dar, die die Fülle des Mitgemeinten als nichtexistent außer Betracht läßt. Wer aber solchermaßen das grundsätzlich Vieldeutige und Mehrdimensionale in glatte Eindeutigkeit und Eindimensionalität überführt, nimmt der Ge-

---

lichen Elements (Der neue Kommandant mit seinem Anhang aufdringlicher Damen und Dämchen) werden offenbar satirisch beleuchtet. Doch auch die Kennzeichnung der früheren Männergesellschaft unter der Führung des alten Kommandanten zeigt satirische Züge.

[8] Bert Nagel: *Jud Süß* und *Strafkolonie*. Das Exekutionsmotiv bei Lion Feuchtwanger und Franz Kafka. In: Festschrift f. Hans Eggers, Tübingen 1972, 616.

[9] Ebd. 617.

[10] Heinz Politzer: Franz Kafka, der Künstler, Frankfurt a. M. 1965, 115.

[11] Kafkas In der Strafkolonie a.a.O. 480: „Als ‚Märchen' in diesem Sinn, das nichts mit irgendwelchen konkreten Vorgängen zu tun hat, müssen wir auch die Strafkolonie betrachten, und zwar ist sie wie die meisten Kunstmärchen ein allegorisches Märchen."

schichte das eigentümlich Kafkasche Element. Was Ingo Seidler über Das Urteil sagt, daß nämlich diese Erzählung „mit e i n e r Wortreihe zwei [oder mehr] Geschichten" erzähle, gilt auch für die Strafkolonie. Wenn sich Kafka selbst ange-strengt bemühte, der Erzählung einen anderen Schluß zu geben, bei diesem Be-mühen aber zu keinem Ergebnis kommen konnte, so wird man mit Grund daran zweifeln müssen, daß die Strafkolonie — im Sinne Ingeborg Henels — als eine strikt einheitlich eindeutige Allegorie aufzufassen ist, deren Sinn vollständig in ein Bild übersetzt sei und daher auch ohne Rest und Geheimnis aus diesem wieder zurückübersetzen könne. Wie das Scheitern der Kafkaschen Bemühungen um eine andere (ihn besser befriedigende) Lösung der Geschichte zwingend zeigt, handelt es sich vielmehr um ein mehrdimensionales Gebilde, das seinen Sinn eben in der Vielzahl der dadurch ausgelösten Assoziationen besitzt und seinen Aussage-reichtum einbüßte, wenn man es zur Einsinnigkeit einer Allegorie verkürzen würde.

Entscheidend ist jedoch, daß — trotz der offenkundigen Zusammenhänge der Strafkolonie mit Mirbeaus Le Jardin des Supplices — die Kafkasche Erzählung etwas Neues, Eigenes darstellt, worin die Ferne des Grauens, wie diese im Garten der Qualen erscheint, als bedrückende Nähe enthüllt wird.

Das Absurde der Begebenheiten zeigt sich nicht in der distanzierten Form einer Parabel, sondern tritt — unverfremdet, wenn auch Entsetzen weckend — als ein Stück möglicher Wirklichkeit vor Augen. Es wird keine abseitige Schreckensvision entfaltet, auch liegt nicht — wie sonst häufig bei Kafka — das Zwielicht eines Erwachens über der Situation, sondern alles vollzieht sich im hellen Tageslicht und auf eine konkret vorstellbare Weise. Diese realistische Verfremdung des Absurden gelingt ohne Bruch, in erzählerischer Vollkommenheit.[12] Die sich aufdrängende Aktualität des speziellen Themas der Strafkolonie kommt noch verschärfend hinzu. Was den Menschen bedroht, ist hier nicht etwas hinter den Dingen Verborgenes, das auf einmal unerwartet hervorbrechen kann, sondern etwas selbstverständlich Gegebenes und Permanentes. Selbst die „skurrile technische Perfektion" bzw. die „sadistische Ungeheuerlichkeit"[13] der aufwendig beschriebenen Hinrichtungsmaschine wollen als real respektiert werden. Der vorgeführte ‚Apparat‘ steht nicht für etwas anderes. Er ist durchaus identisch mit sich selbst, deckt sich mit seiner Funktion.[14] Darum fehlt hier auch der Unwirklichkeitscharakter einer imaginierten Traumwelt. Andrerseits aber macht diese wirklichkeitsgerechte Natürlichkeit des Geschehnis-ablaufs das Ungeheuerliche noch ungeheuerlicher und steigert so den spezifischen Kafkaeffekt. Das Entsetzliche „überrumpelt" keinen ahnungslosen Betroffenen,

---

[12] KASSEL a.a.O. 87 sieht in dem „Gegensatz von grauenhaftem Geschehen und pedan-tisch sachlichem Schildern dieses Geschehens . . . [eine] Form grotesker Perversion".

[13] INGO SEIDLER: Zauberberg und Strafkolonie. Zum Selbstmord zweier reaktionärer Absolutisten, GRM 19, 1969, 101.

[14] Zum Symbol wird er erst durch einen Akt zusätzlicher Deutung. Er ist ein „Real-symbol" in der vollen Paradoxie des Wortes.

sondern ist als das Übliche mitten unter uns. Das Grauen, das Kafka vergegenwärtigt, hat nichts zu tun mit jener spukhaften Phantastik, wie sie sonst in okkulti-
stischen Novellen begegnet, es ist vielmehr ganz hier und jetzt, integrierender
Bestandteil einer erfahrbaren normalen menschlichen Lebenswelt. Das Atemberau-
bende und Unmenschliche der *Strafkolonie* sind das Gewohnte und Alltägliche, das
gedankenlos Akzeptierte und Praktizierte. Was in dieser Geschichte schockiert, ist
also kein Bruch der üblichen Ordnung, sondern ein Routinefall.[15] Das aber deckt
sich mit Kafkas eigenster Zielsetzung, gerade das immer und überall Geschehende
als das Gespenstisch-Unheimliche, Aggressive und Unfaßliche vor Augen zu stellen.

Andrerseits unterscheidet sich die *Strafkolonie* in ihrer epischen Form auffällig
von anderen Werken Kafkas. Hier gibt es nämlich durchaus den außerhalb stehenden, aus der Distanz des Beobachters berichtenden (und sogar reflektierenden
oder kommentierenden) Erzähler[16], der sonst in Kafkas Epik keinen Platz und
keine Funktion hat. Hier fehlt also die im Innenleben des Helden gründende einheitlich einsinnige Erzählperspektive. Ja, es fehlt überhaupt eine eindeutige Hauptgestalt in dieser Geschichte. Gewiß spielt der Offizier eine wichtige Rolle, und durch
seinen Freitod gewinnt er zum Schluß sogar „die Dimension des Tragisch-Heroischen".[17] Aber der Forschungsreisende, wenn auch durch keinerlei Märtyrerglanz
erhöht, macht ihm die Rolle der Mittelpunktsgestalt streitig; denn er ist es, der
die Wendung der Dinge auslöst und mit dessen Abreise die Geschichte schließt.
Eine Hauptrolle spielen nicht zuletzt auch zwei Gestalten, die zwar nicht eigens
auftreten, aber dennoch jederzeit wirkend gegenwärtig sind, ja, als die großen
Antagonisten die ganze Episode überdauern: der alte Kommandant und der neue
Kommandant. Mit keiner dieser tragenden Gestalten identifiziert sich der Dichter.

---

[15] Nur die bestürzende Schlußwendung in der Strafprozedur, die Selbstexekution des
Gerichtsoffiziers, überschreitet die Realität (oder doch die Wahrscheinlichkeit) durch das
allegorisierende Kunstmittel der drastischen Demonstration, indem sich hier Ideologie
als konkreter Vorgang präsentiert.

[16] Deutlich erscheint der kommentierende Erzähler in folgenden Sätzen:
„Nun lagen aber hier [nämlich für ein änderndes Eingreifen in das Gerichtsverfahren]
die Dinge allerdings sehr verführerisch. Die Ungerechtigkeit des Verfahrens und die
Unmenschlichkeit der Exekution war zweifellos. Niemand konnte irgendeine Eigen-
nützigkeit des Reisenden annehmen, denn der Verurteilte war ihm fremd, kein
Landsmann und ein zum Mitleid gar nicht auffordernder Mensch."
Hier gibt der Erzähler selbst ein Urteil ab und spricht von dem Reisenden in der
dritten Person, aus einer Stellung außerhalb und oberhalb. HARTMUT BINDER a.a.O. 333
nennt die *Strafkolonie* „die erste Erzählung Kafkas..., der einen Außensichtstandort
einnimmt, und die einzige, die dies in der Er-Form tut." Der grobe Leseeindruck, „daß der
Standort im Reisenden liegt", täusche, obwohl dessen Inneres ausführlicher dargestellt wird
und die Gedanken des Verurteilten offensichtlich in der Sicht des teilnehmend beobachtenden Reisenden erscheinen. Gehe man aber in die Details, so ergebe sich ein anderes
Bild. Auch das, „was von den Gedanken des Offiziers gesagt wird, ist f o r m a l nicht...
als Interpretation des Reisenden erkennbar". (Ebd. 332)

[17] SEIDLER a.a.O. 96.

Nur in gewissem Umfang stimmt er mit dem Forschungsreisenden zusammen und vergegenwärtigt das Geschehen aus dessen Sicht. Doch wird diese Perspektive nicht festgehalten. Auch der Forschungsreisende selbst erscheint als Beobachtungsgegenstand des Erzählers.[18] Kafkascher Eigenart entspricht aber die epische Darbietung insofern, als der Erzähler in keinem Augenblick mit seinem Wissen dem Geschehen voraus ist. Was berichtet wird, geschieht jeweils in diesem Augenblick, vor Augen und Ohren des zum Mitvollzug angeregten Lesers.

Ein typischer Kafka ist die *Strafkolonie* vor allem auch von der Thematik her. Aber nicht nur deshalb, weil sie Ungeheuerliches zum Inhalt hat, sondern zugleich in ganz spezifischem Sinn. Wie in den andern Werken des Dichters[19] geht es auch in dieser Erzählung um die für ihn zentrale Frage von Schuld, Gericht und Strafe. Kafka ist überhaupt „der Dichter des großen Strafgerichts“.[20] Insofern besitzt die *Strafkolonie* Symptomcharakter für sein gesamtes Werk. Direkter thematischer Zusammenhang besteht insbesondere zu dem Roman *Der Prozeß*, den Politzer durch den Hinweis erhärtet, daß die Maschine in der *Strafkolonie* das verborgene Gerichtsverfahren im *Prozeß* äußerlich manifest mache.[21]

Es ist für das Verständnis der *Strafkolonie* nicht unwichtig, welche Aufnahme sie bei ihrem ersten Erscheinen[22] gefunden hat, zumal sich in dem Pro und Contra der Beurteilung und vor allem in der unreflektiert einhelligen Ablehnung durch die konventionelle Presse die Bedeutung dieser Erzählung, ihr künstlerisch Neues und Umstürzendes, ihr literaturgeschichtlicher Stellenwert in der Epik des 20. Jahrhunderts spiegeln. Die meisten Rezensenten[23] fühlten sich durch die *Strafkolonie*

---

[18] POLITZER a.a.O. 162 warnt davor, „den Erzähler mit dem Reisenden zu identifizieren“. Denn „Kafka verbirgt sich ebensowenig — und ebensosehr — in ihm wie in seinem Gegenüber, dem Offizier; im Grunde steht er dicht hinter beiden und gewinnt manch eine ironische Wendung der Distanz ab, die ihn, allem Augenschein zum Trotz, immer noch und immer wieder von ihnen trennt“.

[19] Markante Beispiele sind u. a. *Das Urteil, Die Verwandlung, Der Prozeß*.

[20] WLADIMIR WEIDLÉ: Die Sterblichkeit der Musen, Stuttgart 1958, 16. Kafka selbst faßte die Erzählungen *Das Urteil, Die Verwandlung* und *In der Strafkolonie* unter dem Titel ‚Strafen‘ zusammen. MAX BROD hebt „die furchtbare Strenge“ hervor, mit der Kafka ins Gericht geht. „Überall in seiner Dichtung stehen Richterthrone, werden Exekutionen vollzogen. Die *Verwandlung* — der Mensch, der nicht vollkommen ist, Kafka erniedrigt ihn zum Tier, zum Insekt.“ Oder der Sohn wird vom Vater zum Tod des Ertrinkens verurteilt. Oder der Roman *Der Prozeß* vergegenwärtigt den „Verzweiflungskampf eines Menschen gegen einen unsichtbaren Gerichtshof, der ihn mit seinen geheimnisvollen Vorladungen, mit einem geradezu unübersehbaren Apparat von Beamten, Vorschriften, Einrichtungen an sich lockt, festhält, verurteilt und tötet“. (In: HANS MAYER, Hrsg.: Deutsche Literaturkritik 356 f. und 358.)

[21] A.a.O. 104.

[22] Bereits im November 1916 hat Kafka die noch ungedruckte Erzählung in München öffentlich vorgelesen. Erst im Mai 1919 erschien sie im Druck.

[23] Münchener Neueste Nachrichten (11. November 1916), Münchener Zeitung (12. November 1916) und München-Augsburger Abendzeitung (13. November 1916).

„stofflich abgestoßen"; sie erschien ihnen als eine „Groteske" und insgesamt „als eine wenig günstige Probe eigenen Schaffens". Der Stoff — so wird beanstandet — hätte knapper behandelt werden müssen, um die Erzählung „nicht so endlos lang verebben" zu lassen. Keiner dieser Kritiker macht den Versuch, die Intention des Dichters zu erkennen und — zumindest theoretisch — ernstzunehmen. Kafka wird abgelehnt, weil er in das vorbestehende Konzept der Literaturkritik und Literatur-ästhetik nicht paßt. Er wird als „unbequeme Literatur" kurzerhand beiseite ge-schoben. Das ästhetische Postulat, daß Dichtung (und Kunst überhaupt) ein wohl-tuender Schmuck des Lebens sei, steht auch hinter der schroffen Ablehnung, die 1920 und 1921 die gedruckte Erzählung fand. Kafkas enthüllende Darstellungen werden als pathologisch qualifiziert. Was er „als Selbstverständlichkeit berichtet", sei eine „Scheußlichkeit" und könne „nur Ekel erzeugen".[24] Man könnte nicht recht erkennen, ob das etwa „eine psychologische Studie" sein soll, „da das Buch zu lang-weilig ist, um zum Nachdenken oder Einfühlen anzuregen".[26] Wo in solchen Kate-gorien gedacht wurde, mußte Kafka — auch als Dichter — „die Ankunft miß-lingen".

Einzig Kurt TUCHOLSKY schrieb bereits damals eine adäquate künstlerische Würdigung über „Kafkas ‚Traum' von der Strafkolonie".[26] Er erkannte die scho-nungslose Wahrhaftigkeit des Dichters, die Kleistische Zucht seines treffsicheren Stils und zugleich das Bedrängend-Ungeheuerliche seines ‚traumhaften inneren Lebens': „So unerbittlich hart, so grausam objektiv und kristallklar ist dieser Traum von Franz Kafka ... Dieses schmale Buch ... ist eine Meisterleistung ... Seit dem *Michael Kohlhaas* ist keine deutsche Novelle geschrieben worden, die mit so bewußter Kraft jede innere Anteilnahme anscheinend unterdrückt, und die doch so durchblutet ist von ihrem Autor."[27] Auch Kafka selbst hat die *Strafkolonie* — bis auf den Schluß, den er verwarf — künstlerisch geschätzt (T 444) und neben dem ‚Heizer' als positive Leistung beurteilt (T 463). Daß er sie — wie schon erwähnt — öffentlich vorgelesen hat, verdeutlicht, wie sehr er sich als Autor zu diesem Werk bekannte.

Schon der erste Satz der Erzählung bringt das erhellende Stichwort: „‚Es ist ein eigentümlicher Apparat', sagte der Offizier zu dem Forschungsreisenden und überblickte mit einem gewissermaßen bewundernden Blick den ihm doch wohl-bekannten Apparat.' Die zweimalige Nennung des Stichwortes ‚Apparat' hat pro-

---

[24] Zeitschrift für Bücherfreunde (März/April-Heft 1921, Sp. 59—60).

[25] Literarischer Jahresbericht des Dürerbundes, München 1920—21, 118.

[26] Berliner „Weltbühne" (3. Juni 1920): „dieses Kunstwerk ist so groß, daß es keiner Entschuldigung bedarf."

[27] Ebd.: „Und all das ist so maßlos kühl und unbeteiligt erzählt. Der Dichter hat noch Zeit, ganz, ganz kleine Einzelheiten auszupinseln, so wie man ja manchmal im Leben wie im Traum bei katastrophalen Geschehnissen einen eingerissenen Fingernagel oder ein Blumenblatt auf dem Teppich als das Charakteristikum dieses Geschehnisses vor allem im Gedächtnis behält."

grammatische Bedeutung. Sie stellt von Anfang an klar, daß es in dieser Geschichte erstlich und letztlich um einen A p p a r a t geht. Und zwar um eine besondere Art von Apparat, nämlich um eine vollautomatische Hinrichtungsmaschine, die — mit genau zwölf Stunden Laufzeit — die straffälligen Soldaten der Kolonie exekutiert. Das Raffinement in Ausstattung und Prozedur dieses Apparates ist so phantastisch ausgeklügelt, daß er die menschliche Vorstellungskraft überschreitet und zu etwas Spukhaft-Gespenstischem wird, trotz aller realistisch sinnenfälligen Vergegenwärtigung der Details, zu etwas zugleich Symbolischem, nämlich zum Sinnbild der bedrohlichen Macht jedes Apparates überhaupt, also auch jenes geheimen Terrors, mittels dessen der Mensch von seinen selbstgeschaffenen Einrichtungen, eben durch den aufwendigen Apparat seiner Lebens- und Arbeitskonventionen täglich und stündlich vergewaltigt wird. Vor allem aber ist es ‚ein eigentümlicher Apparat', dessen Faszination durch den Gebrauch nicht nachläßt, der vielmehr — wenn auch ‚wohlbekannt' — immer von neuem wieder Bewunderung weckt.

Die Faszination des Apparates beruht also auf seiner kontrastreichen Doppeldeutigkeit. Einerseits ist er sich selbst genug und völlig eins mit seiner Funktion, andererseits hat er zeichenhafte Bedeutung weltweiten Ausmaßes. Er besitzt „Modellcharakter als vollkommenes Bild des Absolutismus".[28] Kafka zielt nämlich „nicht auf dieses oder jenes bestimmte System des Absolutismus, sondern... auf alle je möglichen Absolutismen bzw. das Absolutistische schlechthin", und er erreicht das „durch Abstraktion und metaphorische Darstellung ihres gemeinsamen Kerns".[29] Wie die sorgfältig ausgeführten T i e r m e t a p h e r n in Kafkas Dichtung zeigt auch die eingehende Beschreibung des Apparates in der *Strafkolonie,* wie sehr sich der Erzähler zur bildhaften Gestaltungsweise gedrängt fühlte. „In unendlich ökonomischer Verkürzung" erfindet er „eine Situation, die seine universale Einsicht und seine ambivalente persönliche Einsicht in ein Bild zu bannen vermag".[30] Ein so umfassender Machtanspruch, wie er in dem Apparat der Strafkolonie erhoben wird, bedarf aber eines spektakulären Effektes, um sich glaubhaft zu machen. Gehört es doch zum Wesen absolutistischer Herrschaftsformen, daß sie sich durch glanzvolle Repräsentation zu beweisen suchen. In gleichem Sinn dient die Hinrichtungsmaschine zur pompösen Selbstdarstellung eines diktatorischen Regimes. Ihr perfektes Funktionieren soll die zweifelsfreie Richtigkeit des geltenden Prinzips

---

[28] Seidler a.a.O. 101: „Die altgewohnte Teilung der Gewalten in eine gesetzgebende, anklagende, verteidigende, urteilende und vollziehende ist in dieser Maschine rückgängig gemacht: sie verbindet alle diese Funktionen."

[29] Ebd. 102.

[30] Ebd. 103. Ein modernes Beispiel solcher abstrahierend metaphorischen Darstellung ist Renate Rasps Roman ‚Ein ungeratener Sohn', vergleichbar in der allegorisierenden Realistik der Darstellung und in der Koinzidenz von Bild und Idee, nicht zuletzt auch darin, daß ein unbewältigter V a t e r k o m p l e x die Thematik dieses Romans zu bestimmen scheint.

ad oculos demonstrieren. Der Eindeutigkeit des totalitären Systems entspricht, daß nur ein einziges Gesetz nötig und möglich ist, nämlich jenes Gesetz, „das dem Opfer auf den Leib geschrieben wird": ‚Ehre deinen Vorgesetzten!'[31] Worum es geht, ist also die bedingungslose Unterordnung unter die (im Vorgesetzten verkörperte) Absolutheit des Gesetzes. Indem die Exekution dem Uneinsichtigen zu dieser Einsicht verhilft, ist sie nicht nur Strafakt, sondern auch Erziehungsvorgang. Denn in der sechsten Stunde der Tortur kommt ‚auch dem Blödesten' die Erleuchtung, „daß ... [er] sich endlich als Glied eines ihn umgreifenden Systems erkennt und sich ihm, um seiner Erlösung willen, unterzuordnen lernt".[32]

Die thematische Bedeutung des Apparates kommt auch äußerlich zur Geltung: 36 von insgesamt 38 Seiten gelten seiner Erklärung, im besonderen der Beschreibung seines Aufbaus und seiner Arbeitsweise, der Würdigung seines bisherigen Wirkens und der Verteidigung seines Fortbestehens. Liebevoll ausführlich und akkurat schildert der Gerichtsoffizier der Strafkolonie die präzis grausame Hinrichtungsprozedur, während er die zugrundeliegende (barbarische) Rechtspraxis überhaupt nicht erwähnenswert findet und keine Zeit mit solchen „überflüssigen" Erklärungen verlieren möchte. Die Frage des an der hier bestehenden Rechtssituation interessierten Forschungsreisenden, ob der Verurteilte sein Urteil kenne bzw. überhaupt wisse, daß er verurteilt sei, und welche Möglichkeit der Verteidigung er gehabt habe, erscheinen dem Offizier als gegenstandslos, da es hier einzig um die Vollkommenheit des Apparates, um die einmalige Funktionstüchtigkeit dieses Instrumentes exakter Strafjustiz geht. Für solche „kleinlichen" Juristenfragen hat er kein Verständnis; außerdem sind sie eine lästige Störung, die ihn im Wichtigsten, nämlich ‚in der Erklärung des Apparates', allzu lange aufhalten und so die problemlos einfache Folgerichtigkeit des Gesamtablaufs zu verunklären drohen.[33]

Die Tatsache, daß es in der Justiz der Strafkolonie weder eine ordnungsgemäße Anklage noch die Möglichkeit einer Verteidigung gibt, ficht den Offizier nicht an, weil hier nämlich von vornherein und immer die Schuld als zweifellos gilt.[34] Um so überzeugter und begeisterter kann er den Apparat als ein Instrument der Gerechtigkeit preisen. Mit fast zärtlicher Bewunderung rühmt er die geniale Konstruk-

---

[31] Ebd. 101.
[32] Ebd.
[33] Die problemlose Einfachheit dieser Strafjustiz erläutert der Offizier kurz und bündig am Beispiel des wegen Ungehorsams gegen seinen Hauptmann verurteilten Strafgefangenen: „Der Hauptmann kam vor einer Stunde zu mir, ich schrieb seine Angaben auf und anschließend gleich das Urteil. Dann ließ ich dem Mann die Ketten anlegen. Das alles war sehr einfach." Die kommentarlos knappen Sätze verdeutlichen, wie zweifelsfrei und selbstverständlich das unmenschliche Strafverfahren hier erscheint, wie sehr hier Promptheit des Vorgehens mit Gerechtigkeit gleichgesetzt wird.
[34] Wörtlich erklärt er: „Der Grundsatz, nach dem ich hier entscheide, ist: Die Schuld ist immer zweifellos." Das besagt, daß jedes kleine Vergehen immer zugleich die Totalschuld impliziert und daher die Todesstrafe fordert.

tion der vollautomatisch arbeitenden Maschine und hofft, gleichen Enthusiasmus für dieses Wunderwerk auch in dem Forschungsreisenden erwecken zu können, der der bevorstehenden Exekution eines Strafgefangenen beiwohnen soll. Er erklärt dem Gast den zeitlich genau geregelten Vollzug einer solchen Hinrichtung, in deren ausgedehntem Verlauf vielerlei kleinere und größere Nadeln dem Verurteilten den Urteilsspruch, den er gar nicht kennt, nach und nach in den Körper einritzen, so daß er sich dann im Todesaugenblick aus den blutenden Wunden seines Leibes — mittels eines oberhalb angebrachten Spiegels — sein Urteil selber entziffern kann[35]: mit dieser ‚Verklärung', wie der Gerichtsoffizier diesen Augenblick des Innewerdens nennt, darf er dann sterben und wird sogleich automatisch und termingerecht von den scharfen Spitzen der Egge des Apparates aufgespießt und in die daneben ausgehobene Grube geworfen.

Kafka erspart dem Leser nichts, um ihn erkennen zu lassen, daß es sich bei diesem Apparat um eine höllische Hinrichtungsmaschine handelt, die aber gleichwohl die fanatische Liebe des amtierenden Gerichtsoffiziers besitzt. Denn dieser ist keineswegs entsetzt über das grauenvolle Amt, das ihm obliegt, im Gegenteil, es ist ihm ein erfüllender Lebensinhalt, und er vollzieht es hingebungsvoll wie eine kultische Handlung. Ja, er kämpft mit der sittlichen Überzeugung eines Idealisten für die Erhaltung dieses technisch so perfekten Strafverfahrens, das — wie er klagt — jetzt in Gefahr sei, abgeschafft zu werden. Er selber sieht also in diesem unmenschlichen Strafvollzug eine schöne und gute Sache, für die er bis zum Letzten zu kämpfen und sogar zu sterben bereit ist. Aber der Forschungsreisende versagt dem Offizier die erbetene Fürsprache für die weitere Verwendung des Apparates. Er spricht offen aus, daß er dieses Strafverfahren insgesamt als menschenunwürdig ablehnt Das aber ist zugleich ein Todesurteil für den Offizier, da sie dessen Lebensinhalt aufhebt. Folgerichtig unterbricht er daher den Gang der schon laufenden Todesfolter, befreit den Sträfling und spannt sich selbst in den Apparat ein, um sich von den tödlichen Nadeln den Urteilsspruch „Sei gerecht" in den Leib ritzen zu lassen. Indem er dabei als letztes Opfer, aber bezeichnenderweise ohne die Anzeichen der Erlösung verscheidet, geht die Maschine selbst Rad für Rad in Trümmer.[36]

---

[35] POLITZER a.a.O. 158: Indem die Aufgabe der Hinrichtungsmaschine darin besteht, „dem Verurteilten die Sünden, die ihm angelastet sind, mit unzähligen Nadeln einzuschärfen ... entpuppt sich [die Exekution] ... als die in ein Sprachbild übersetzte Redensart: ‚Wer nicht hören will, muß fühlen'". Vor allem aber demonstriert sie auf schockierend konkrete Weise, welche zentrale Bedeutung dem „Symbol der Wunde" in Kafkas Werk zukommt. Vgl. BLUMA GOLDSTEIN: A Study of the Wound in Stories by Franz Kafka, Germanic Review 41, 1966, 202—217.

[36] INGO SEIDLER: *Zauberberg* und *Strafkolonie*. Zum Selbstmord zweier reaktionärer Absolutisten. GRM 19, 1969, 101: „Eine pluralistische Gerichtsbarkeit" mit verschiedenen kooperierenden und sich korrigierenden Gewalten wird für eine solche totalitäre Maschine „keine Verwendung mehr haben". So ist es nur folgerichtig, daß sie sich auch bei der Exekution ihres letzten Anhängers Stück für Stück in ihre Bestandteile auflöst.

Wenn der Offizier — trotz seiner eindringlichen Fürsprache für die Erhaltung des Strafapparates — den Reisenden nicht zu überzeugen vermochte, so war es nur konsequent, daß ihm bei seiner eigenen Exekution auch das Erlebnis der Erleuchtung, das die früheren Opfer erlöst und verklärt hatte, nicht zuteil werden konnte. Mit dem fatalistischen Ausruf: „Dann ist es Zeit" hatte er vielmehr selbst die hier eingetretene Wendung der Dinge angekündigt, nämlich den Anbruch einer neuen „Ära, die nicht mehr nach dem totalitären Motto: ‚Ehre deinen Vorgesetzten!' richten wird, sondern nach dem pluralistisch-humanistischen Grundsatz: ‚Sei gerecht!'."[37] Humane Gerechtigkeit aber fordert, „zwischen verschiedenen real-menschlichen Ansprüchen ausgleichend zu vermitteln"[38] und darum — statt der Voraussetzung einer einzigen absoluten Instanz — eine Trennung der verschiedenen Gerichtsgewalten durchzuführen.

So grauenvoll sich die Geschichte liest, so eindeutig positiv scheint doch ihr Ausgang zu sein: die Todesfolter in der Strafkolonie ist abgeschafft; die Humanität — so scheint es — hat über die Barbarei gesiegt. Max Brod, der Freund und Nachlaßverwalter Kafkas, zitiert auch deshalb die *Strafkolonie* als ein Beispiel dafür, daß Kafka doch nicht nur die Verlorenheit und Ausweglosigkeit darstelle, sondern letzthin zum Positiven, Sinnvollen strebe. Ob freilich dieser Ausgang unserer Geschichte wirklich positiv zu deuten ist, wird uns noch beschäftigen müssen. Zunächst gilt es, die rätselhafte Person des Exekutionsoffiziers zu begreifen, d. h. zu erklären, wie ein solcher Mensch überhaupt möglich ist, der voll ehrlicher Begeisterung, ja mit beglückter Teilnahme des Herzens das unmenschliche Folteramt einer solchen Strafjustiz ausübt und in seinem Vollzug sowie in seiner Erhaltung ein Ideal zu sehen vermag. Die Gestalt dieses Offiziers ist um so unbegreiflicher, als alle plausiblen Erklärungen versagen. Denn dieser Mann ist kein Sadist, was sein Verhalten als krankhaft und so als einen Fall von Perversion erklärlich machen könnte. Er läßt die Maschine nicht deshalb so gerne laufen, weil er Freude am Quälen, am Leiden der Opfer empfindet. Die Menschen selbst sind ihm vielmehr völlig gleichgültig; er sieht an ihnen vorbei bzw. er registriert sie nur im Blick auf den technischen Ablauf der Prozedur. Sein Interesse gilt einzig dem Funktionieren des Apparates.[39]

Aber er ist nicht nur kein Sadist, der aus perverser Lust von dieser Strafjustiz angetan ist, er ist zweitens auch kein abgestumpfter Rohling, so daß sich sein Verhalten auch nicht aus Gefühllosigkeit oder einer noch halbtierischen Brutalität erklären läßt. Im Gegenteil, dieser Mann weist sogar Züge einer fast weiblich wei-

---

[37] Ebd.

[38] Ebd.

[39] Schon KURT TUCHOLSKY (a.a.O. und wiederabgedruckt in: Gesammelte Werke, Bd. 1, Reinbek 1960, 664 ff.) betonte, daß dieser Offizier, der „jede Zuckung des Gefolterten mit sachverständigen Bemerkungen" begleitet, „beileibe kein Sadist" sei; er „quält nicht, er ist nicht roh oder grausam, er ist etwas viel Schlimmeres. Er ist amoralisch".

chen Sensibilität auf. Er ist taktvoll liebenswürdig und nicht ohne Charme im Gespräch mit seinem Gegenüber und trägt feine Seidentüchlein im Kragenausschnitt. Von der Foltermaschine — wir hörten es schon — spricht er fast zärtlich wie ein Liebhaber von seiner Braut.[40] Für den alten Kommandanten, den geistigen Vater dieser Strafprozedur, hegt er eine überschwengliche Liebe. Die von diesem stammenden Entwürfe des Apparats trägt er — als ein kostbares Vermächtnis — jederzeit in einer Tasche oberhalb seines Herzens. Ja, er vergießt Tränen im Gedenken an den geliebten früheren Kommandanten. Dieser Offizier ist also echter und starker Gefühle fähig.

Doch auch die dritte sich anbietende Deutung versagt: man kann den Offizier nämlich auch nicht der geistigen Stumpfheit zeihen. Intellektuelle Minderwertigkeit, die so oft mit moralischer Minderwertigkeit gekoppelt ist, scheidet als Erklärung gleichfalls aus. Denn sein Intellekt ist hellwach, und der psychologische Scharfsinn, mit dem er die Situation in der Strafkolonie durchschaut, die entstehenden Komplikationen vorausberechnet und die Mittel zu ihrer Überwachung planvoll vorbereitet, erweist sogar einen hohen Grad von Assoziationsvermögen und Lebensklugheit.

Das Bestürzendste ist die geradezu „beklemmende und empörende Wohlanständigkeit“, die Kafka dem Offizier gegeben hat, so daß dieser durchaus „als Ehrenmann wirkt“, „und in furchtbar pervertierter Weise als ‚Idealist‘ spricht“, der „von der Menschlichkeit seines Verfahrens ehrlich überzeugt“ ist.[41] Nichts stört die Ruhe

---

[40] Es ist sicher abwegig (wenn auch nicht ganz unbegreiflich), daß manche Leser die im Tenor einer Liebeserklärung gehaltenen Beschreibungen des Apparates als pervers, ja obszön empfinden und daß interpretationseifrige Studierende in den aufwendigen Bemühungen des Offiziers um die Maschine sogar Pornographisches vermuten. Wenn dieser, wie es heißt, „bald unter den tief in die Erde eingebauten Apparat kroch, bald auf eine Leiter stieg, um die oberen Teile zu untersuchen“, so mag sich eine in solcher Richtung stimulierte Phantasie zu pornographischen Assoziationen angeregt fühlen. Tatsächlich liegt auch in dem Verhältnis des Offiziers zum Apparat (sowie in seiner totalen Hörigkeit gegenüber dem alten Kommandanten) insofern eine gewisse Perversion, als man sich infolgedessen gar nicht vorstellen kann, daß im Leben dieses Mannes Raum für eine Frau vorhanden ist. In die gleiche Richtung weist, daß er immer so wegwerfend und feindselig von den „Damen“ im Kreis des neuen Kommandanten spricht. Es ist schon so: im Leben des Offiziers vertritt der Apparat die Stelle der Braut. Und im Blick auf diesen Tatbestand könnte man vielleicht pervertiert Pornographisches in die *Strafkolonie* hineingeheimnissen. Einen „perversen“ Zungenschlag mag man schließlich auch darin sehen, wenn der Offizier darüber klagt, daß — infolge des Ersatzes des gerissenen Riemens durch eine Kette — „die Zartheit der Schwingung … für den rechten Arm … beeinträchtigt“ werde. Im Zusammenhang einer grausamen Marteraktion von „Zartheit der Schwingung“ zu reden, ist ungeheuerlich und kann fast als sprachliche Obszönität gewertet werden. Aber es ist nicht Kafka selbst, es ist der ‚beschränkte‘ Offizier, der diese pervers kontrastierende Wendung gebraucht. Vgl. ferner: „Und die Leiche fällt zum Schluß noch immer in dem unbegreiflich sanften Flug in die Grube …“

[41] RICHTER a.a.O. 125 und 120. Vgl. KASSEL a.a.O. 87: „Die ehrliche Entzückung, mit der der Offizier diese Strafprozedur schildert, ist in ihrer Echtheit eine ‚unschuldige‘.“

des Gewissens; er lebt in der „unerschütterlichen Gewißheit, im Recht zu sein".[42] Auch der Forschungsreisende kann die persönliche „Ehrenhaftigkeit" des Mannes nicht in Zweifel ziehen; er räumt ein: „Ihre ehrliche Überzeugung geht mir nahe, wenn sie mich auch nicht beirren kann." Was die Person dieses Offiziers so entsetzlich macht, ist eben die paradoxale Verbindung von Wohlanständigkeit und Unmenschlichkeit, jene unzweifelhafte subjektive „Ehrenhaftigkeit", die erkennen läßt, daß er nicht eigentlich aus Bosheit, sondern durch allzu eifriges Mitläufertum zu dem wurde, was er ist. Kafka selbst gibt das Stichwort, um durchsichtig klar zu machen, daß das moralische Versagen des Offiziers letzthin ein intellektuelles Versagen ist, ein Mangel an kritischem Bewußtsein. Der Forschungsreisende, den „die Mitteilungen über das Gerichtsverfahren... nicht befriedigt" hatten, erkennt ‚den beschränkten Kopf dieses Offiziers', dem „ein neues Verfahren... nicht eingehen konnte". Also nicht Dummheit, sondern kurzschlüssige Fixiertheit des Intellekts machen diesen „Ehrenmann" zum Verbrecher, lassen ihn ideologisch erstarren, so daß er „gar nicht mehr fühlen und begreifen [kann], was andere vor der Erfindung eines solchen Marterinstrumentes schaudern macht".[43] Da die Untaten, die hier begangen werden, im Einklang mit einer vorgegebenen Ideologie stehen, gibt es keine Schuld, zumindest kein Bewußtsein einer Schuld. Der Offizier lebt „im Zustand ‚moralischer Anästhesie'", er ist „ein Täter mit ‚gutem Gewissen'".

Kafka hat diese ideologische Fixierung des Offiziers eindringlich gekennzeichnet. Die Treue gegenüber dem alten Kommandanten ist Bekenntnis zu einer asketisch strengen, männerharten Kultur, Bekenntnis zu Führerprinzip und Gefolgschaftsethos. Sie kennzeichnet eine Moral, der Härte als etwas Großes, ja als ein autonomer Wert gilt. Was auf den Planskizzen des alten Kommandanten steht, ist daher nichts für dekadente Weichlinge, „keine Schönschrift für Schulkinder". Aus solcher harten Männerhaltung heraus kämpft der Offizier gegen „die neue milde Richtung" und für die Erhaltung der alten strengen Zucht, der strikten militärischen Ordnung. Folgerichtig ist er ein Gegner und Verächter der Frauen, deren verweichlichenden Einfluß er für das Hauptübel in der Strafkolonie hält. Er schwärmt von der Vergangenheit, in der ausschließlich Männer die Regeln des Daseins bestimmten und den Frauen noch keine Rolle zukam. Deshalb geht sein Hauptvorwurf gegen den neuen Kommandanten dahin, daß dieser zu sehr von „seinen Damen" beeinflußt werde und infolgedessen die altsoldatischen Ideale der Härte und Entschiedenheit mehr und mehr einer empfindsamen und untüchtigen Lebensordnung weichen müßten. Dieser ideologisch begründete Haß gegen alles Weibliche äußert sich fast in den Formen eines Antifrauenkomplexes. So läßt der Offizier keine Gelegenheit

---

[42] Ebd. 123. Ferner KASSEL a.a.O. 88: „Die Handlungs- und Bewußtseinswelt des Offiziers grenzt fast an religiösen Fanatismus."

[43] Ebd. 123. Der Offizier der *Strafkolonie* erhärtet die These Jean Paul Satres, daß es zwischen Menschen und Ideologen zu unterscheiden gelte.

aus, seine Feindschaft gegen die Damen des neuen Kommandanten auszudrücken. Zum Beispiel rät er dem Reisenden: „Legen Sie die Hände für alle sichtbar hin, sonst fassen sie die Damen und spielen mit den Fingern." Oder: „Sie kommen gar nicht auf den Balkon, der schon voll Damen ist; Sie wollen sich bemerkbar machen; Sie wollen schreien; aber eine Damenhand hält Ihnen den Mund zu — und ich und das Werk des alten Kommandanten sind verloren." Oder: „ich sehe seine Damen, wie sie ihm [nämlich dem neuen Kommandanten] nachströmen, ich höre seine Stimme — die Damen nennen sie eine Donnerstimme ..." usw. All das weist darauf hin, daß es im männerhaft totalitären Weltbild des Offiziers für Frauen keinen Platz gibt.

Wie aber macht Kafka die Person dieses Mannes begreiflich, der einerseits liebenswürdiger Kulturmensch, andererseits entseelter Unmensch ist? In welchem Bild verdichtet er den fatalen Widerspruch von intellektueller Wendigkeit und Beschränktheit, von zarter, ja zärtlicher Empfindungsfähigkeit und völliger Gefühllosigkeit? Wodurch läßt er den Sadismus eines Nichtsadisten, das Teuflische einer an sich kindhaften Unschuld glaubhaft werden?

Die Antwort liegt in der schon zitierten Feststellung, mit der der Offizier die Erzählung programmatisch eröffnet: „Es ist ein eigentümlicher Apparat." Das aber besagt: „Hauptperson" der Geschichte ist nicht der Offizier (und auch nicht der Forschungsreisende), sondern der gleich zu Beginn als der Träger des Ganzen vorgestellte Apparat.[44] Er ist der Herr und der Offizier sein Diener. Als ein Wunderwerk der Technik demonstiert dieser Apparat, was menschlicher Erfindungsgeist zu leisten vermag. Von vornherein liegt also der Akzent nicht auf dem Verwendungszweck der Maschine als Todesfolter, sondern auf jenem Höchstmaß an technischer Vollkommenheit, die in ihr erreicht worden ist.[45] Nicht die grausame Exekution, die der Apparat vollzieht, sondern die technische Perfektion, wie er funktioniert, zieht den Blick an. Infolgedessen darf die Wundermaschine auch nicht stillstehen. Wo es um einen solchen Triumph technischen Gelingens geht, zählen die Opfer nicht. Im Gegenteil, es wäre ein Verbrechen, diesem Götzen der Vollkommenheit nicht jederzeit willig zu opfern. Denn Vollkommenheit solchen Grades ist sich selbst genug und muß sich dartun, koste es, was es wolle.

Aber auch in moralischer Sicht erscheint der Apparat gerechtfertigt. Denn da er als ein mathematisch einwandfrei arbeitendes Instrument automatischer Gerechtig-

---

[44] Auch POLITZER (a.a.O. 156 und 178) sieht in dem ,eigentümlichen Apparat' „den wahren Helden dieser Geschichte", der „seinen eigenen Untergang, unbesiegt und unbesiegbar" überlebe. Die Hinrichtungsmaschine beherrsche das Ganze „in so unentrinnbarer Gegenwärtigkeit, daß die menschlichen Figuren, die sie umgeben, zu Komparsen relegiert sind; nicht einmal das Vorrecht, einen Eigennamen zu führen, hat Kafka ihnen eingeräumt".

[45] HEINZ POLITZER: Franz Kafka: Parable and Paradox, New York 1962, 104: This machine „combined the streamlined glamour of technology with the barbarous primitiveness of a divinely justified martial law".

keit in sich selbst vollkommen ist, kann er niemals irren, macht er alles richtig. Die Promptheit und Perfektion des Verfahrens sind die Gewähr der Gerechtigkeit. Die technische Vollkommenheit begründet zugleich die totalitäre Geltung. Infolgedessen entfällt auch die Notwendigkeit einer ordnungsgemäßen Anklage und Verteidigung, zumal dieses Gerichtssystem auf dem Grundsatz der vorgegebenen zweifellosen Schuld der Verurteilten beruht.[46] Entsprechend „sind höhere Berufungsinstanzen überflüssig und Begnadigungsdekrete hinfällig, fordert das inappellable Urteil für jedes Vergehen die Todesstrafe".[47] Hier gibt es keine pluralistische Gerichtsbarkeit mit verschiedenen kooperierenden und sich korrigierenden Gewalten. Denn der Apparat als vollautomatische Gerechtigkeitsmaschine nimmt das alles ab. Eben darin liegt seine Idealität, daß er selbsttätig alles einkalkuliert und vorprogrammiert und somit jegliches Nachdenken, aber auch jede Art von Gewissensskrupeln überflüssig macht. Fast scheint es, als habe Kafka in diesem Bild vom totalitären Terror des Apparates schon die unbehagliche Vorstellung vom elektronischen Ersatz der sittlich freien Denkarbeit des Menschen vorweggenommen.[48]

Für den Gerichtsoffizier gilt jedenfalls, daß er sich — im Blick auf die Vollkommenheit des Apparates, den er bedient — der Gerechtigkeit seines Tuns unbedingt sicher ist. Das heißt: er sieht das Unmenschliche seines Wirkens nicht. Wie könnte er auch — im Dienst einer solchen Wundermaschine — ein Unmensch sein? Im Gegenteil: nach dem alten Grundsatz, daß „vornehmer Dienst adelt", erscheint ihm sein Amt als Bediener dieser Idealmaschine als eine Tätigkeit besonderen Ranges, ja als eine Funktion moralischen Wertes und kultischer Weihe. Es ist sein fester Glaube, daß, wo immer dieser Apparat läuft, G e r e c h t i g k e i t geschieht und daß er daher gar nicht oft genug in Tätigkeit gesetzt werden kann. Denn was dieser Apparat leistet, ist Gerechtigkeit in reinster, nämlich mechanisch exakter Form. Da aber in solcher Sicht der Dinge die t e c h n i s c h e   P e r f e k t i o n des Mittels zugleich die s i t t l i c h e   L e g i t i m a t i o n des Zweckes ist, kann der Offizier aus tiefster Überzeugung die Ungeheuerlichkeit aussprechen, daß die Hinrichtungsmaschine zu feierlicher Vorführung — gerade auch vor Kindern — besonders

---

[46] Ebd. 102: „The monolithic simplicity of this system of justice rests on the basic assumption that ‚guilt is never to be doubted'." Ebd. 107: „a world guilty by its very existence."

[47] SEIDLER a.a.O. 101.

[48] Sicher ist der Apparat ein bildgewordenes Trauma des Dichters, das freilich durch seine konkret realistische Vergegenwärtigung über alle Allegorie hinausgeht. Walter SOCKEL (Franz Kafka. Tragik und Ironie, München 1964, 114) glaubt sogar, Kafka habe hier „den irrationalistischen, totalitären Machtkult unseres Jahrhunderts, also Faschismus und Kommunismus stalinscher Prägung, ‚vorausgeahnt'". Wenn einer, so war gerade Kafka gewiß ein seherischer Dichter; aber seine Schau ist recht eigentlich z e i t l o s ; sie zielt nicht auf etwas, was genau in diesem oder jenem Jahrhundert hier oder dort sich ereignen wird, sondern auf etwas, „das der ganzen Menschheit zugeteilt ist", also auf immer schon Gewesenes und immer wieder Seiendes und auch in Zukunft immer wieder Kommendes. Das allezeit und überall Drohende ist der Gegenstand von Kafkas Visionen.

geeignet sei, die auf diese Weise das erhebende Schauspiel einmaliger technischer Präzision im Vollzug der Gerechtigkeit genießen könnten. Die Verfremdung des Strafvollzugs zu einer Schau, ja zu einem Fest ist voll makabrer Ironie: Was hier zutage tritt, ist eine Ästhetisierung der Grausamkeit:[49] Das Unmenschliche präsentiert sich als ein Labsal für die Augen. Mit den Worten „Und nun beginnt d a s S p i e l" beschreibt der Offizier die Eröffnung des Folteraktes und fügt hinzu, daß in diesem Stadium der Exekution der Verurteilte „n u r Schmerzen leidet". Zugleich rühmt er schwärmerisch die ‚zarte Schwingung' der Marterwerkzeuge und den ‚unbegreiflich sanften Flug', mit dem zuletzt die Leiche des Hingerichteten in die Grube fällt. Dieser Offizier ist also beileibe kein brutaler Henker, sondern im Gegenteil ein Mann von subtilem Schönheitssinn.

Die Anomalie in Haltung und Verhalten des Offiziers ist deutlich geworden. Das natürliche Verhältnis zwischen Mensch und Maschine ist ins Gegenteil verkehrt. Der Apparat erscheint als ein autonomer Zweck, der den Menschen unter seine Herrschaft zwingt und sich mit dem Geltungsanspruch eines totalitären Prinzips verwirklicht. Alle Absonderlichkeit, aller Wahnwitz des Gerichtsoffiziers resultieren aus seinem Besessensein von der Maschine, aus seinem Beherrschtwerden vom Apparat. Dieses fanatische Verfallensein bedeutet jedoch Verlust des Menschseins, Aufgabe der sittlichen Entscheidungsfreiheit. Denn der Apparat entscheidet hier für den Menschen, stellt ihn in seinen Dienst und funktionalisiert ihn zum reinen Ausführungsorgan.[50] Wohl w i l l der Offizier, was durch den Apparat geschieht, und setzt alle Kräfte zum Gelingen der Prozedur ein; aber dieser so fanatisch bekundete Wille ist letzthin doch ein ihm aufoktroyierter Wille, nämlich der Eigenwille, der in der Sache als solcher, im Totalitätsstreben jedes Apparates liegt, mit dem sich der „beamtete" Mensch in fanatischer Selbstaufgabe identifiziert. In solcher Situation wird der Mensch zum plastisch formbaren Material entpersönlicht und kann so — nach Roboterweise — sowohl zum Heiligen wie auch zum entmenschten Scheusal geprägt werden. Die Geschichte aller Zeiten und Zonen kennt Beispiele, an denen die fatale Gefährdetheit des Menschen durch Absolutsetzung eines Prinzips, einer Einrichtung, einer Ideologie oder Utopie sichtbar geworden ist. Das Entsetzliche ist, daß Menschen — wie dieser Offizier in der Strafkolonie —

---

[49] Vgl. BERT NAGEL: *Jud Süß* und *Strafkolonie*. Das Exekutionsmotiv bei Lion Feuchtwanger und Franz Kafka. In: Festschrift für Hans Eggers, Tübingen 1973, 616.

[50] Schon im *Gespräch mit dem Beter* artikuliert Kafka den Gedanken, daß jeder Mensch in einer Welt, in der sich die Technik selbständig gemacht hat und ihm eine technizistische Denkweise aufzwingt, nichts mehr wert ist. Je mehr die Dinge herrschend werden, desto mehr gehe der Mensch seines Wesens verlustig, werde hinfällig und abhängig und unterwerfe sich völlig sinnentleerten Lebens- und Denkformen. Vgl. RICHTER a.a.O. 124. Die gleiche Besorgnis, daß nämlich „ein technisches Meisterwerk zum menschlichen Desaster werden" kann, äußerte neuerdings ARNOLD TOYNBEE in seinem Artikel „Sind die Meister der Technik verrückt?" (‚Die Zeit' vom 6. April 1971): „Wir revoltieren heute dagegen, daß wir von der Technik um der Technik willen gequält werden, und eben dies ist eine sinnvolle Revolte."

ihren Anlagen nach durchaus keine Unmenschen sein müßten, daß sie vielmehr — unter einem anderen Vorzeichen — ebenso konsequent die Edelsten der Edlen sein könnten, daß also die Unmenschlichkeit, die in ihnen zutage tritt, in der Tat eine Roboter-Unmenschlichkeit ist, die makabre Ausgeburt ihres Selbstverlustes.

Eben darum geht es in Kafkas Erzählung, daß nämlich auch ein an sich guter Mensch, ja jeder Mensch überhaupt vom Apparat her gefährdet, in seinem Menschsein bedroht ist und so zur Bestie werden k a n n. In solcher Aufweisung der tödlichen Gefahr des Selbstverlustes demonstriert Kafka zugleich eine Moral — wenn auch ohne lehrhaft erhobenen Zeigefinger — nämlich die Moral, daß Menschlichkeit und Freiheit untrennbar sind, daß also das Freiwerden von der totalitären Herrschaft des Apparates als eine Existenzfrage des Menschseins zu gelten hat.

Tatsächlich ist es einzig die Herrschaft des Apparates, die den Offizier unserer Erzählung in einem grauenhaften Paradox teuflisch in aller Unschuld macht. Die perfektionierten Mittel, die seinen Blick bannen, heiligen ihm kurzerhand den verruchten Zweck bzw. hindern ihn, diesen Zweck überhaupt zu sehen. Er ist b l i n d — weil geblendet durch die Vollkommenheit des Apparates — s e l b s t g e r e c h t, weil gedeckt durch ein totalitäres Prinzip, alles in allem: Gefangener einer fixen Idee.

Die Blindheit des Offiziers, der nicht wirklich sieht, was er doch offenen Auges selber tut, ist als die eigentliche Gefahr des Menschen vergegenwärtigt. Jener nimmt ein Gegenstand rein sachlicher Bewunderung sein kann. Verzückten Eifers verfolgt er alle technischen Details des Vorgangs, registriert sorgfältig, wie tief die verschiedenen Nadeln jeweils in den Körper des Verurteilten einstechen und wie — auf das wirkliche Geschehen so wenig wahr, daß ihm das Infernalische der Folterungen die Sekunde genau — die variationenreiche Hinrichtungsprozedur abläuft. Da es nur um die In-Betriebnahme des Apparates, also um die rein technische Leistung geht, sind die Menschen, die dabei getötet werden, für den Exekutor nicht eigentlich Menschen, stehen vielmehr außerhalb jeder menschlich brüderlichen oder auch nur kreatürlichen Gemeinschaft. Menschenleben ist hier wirklich nur Maschinenfutter, Treibstoff, damit der Wunderapparat laufen und seine Wunderhaftigkeit präsentieren kann. Vollends für unseren Offizier ist der Apparat zu einem Heiligtum geworden, dem er mit der Süchtigkeit eines Rauschgiftverfallenen dient und dem er sich zum Schluß konsequenterweise auch selbst zum Opfer bringt, damit diese Maschine mit der Exekution ihres letzten Anhängers eine letzte Möglichkeit erhalte, das Wunder ihrer Vollkommenheit vor Augen zu stellen. Für den Offizier ist dieses Selbstopfer keine Folterung, sondern ein letzter krönender Akt der Gefolgschaftstreue gegenüber dem Apparat, der der vergötterte Herr seines Lebens war und dessen Ende der Gefolgsmann nicht überleben darf.

Was diese Erzählung enthüllt, ist also nicht so sehr ein Sonderfall menschlicher Perversion, als vielmehr die g r u n d s ä t z l i c h e Gefährdetheit des Menschen, seine Anfälligkeit für affektive Trübungen und kollektive Setzungen, seine Kapitulationsbereitschaft vor den selbstgeschaffenen Institutionen. Die beschriebene Foltermaschine ist nur ein extremes Beispiel für die Vergewaltigung des Menschen durch den Apparat oder in der Sprache Goethes: ein Symbol unserer Abhängigkeit von ,Kreaturen, die wir machten', ein Symbol also jeder institutionellen Macht, die den Menschen zur freiwilligen Selbstaufgabe zwingt. Sie demonstriert die Entmenschung des Menschen durch den Zwang der Mittel, den Verlust der Freiheit unter dem Terror eines bereitwillig angenommenen totalitären Prinzips.

Infolgedessen ist in diesem Zusammenhang auch noch an andere Apparate zu denken, größere und kleinere, noch verderblichere und harmlosere, überhaupt an alle Einrichtungen, die den Menschen, der sich ihrer bedient, geistig und sittlich entmündigen, an alle jene Geräte, über die wir frei zu verfügen glauben, die uns aber in Wirklichkeit unmerklich gewaltsam zu ihrem Gebrauch zwingen. Die Skala solcher heimlichen Zwangswirkungen reicht von relativ glimpflichen Formen der Vergewaltigung durch die Unterhaltungs- und Bildungsmaschinen oder andere lebensstandardbedingte Apparaturen des täglichen Gebrauchs bis zu dem entmannenden Terror der Bürokratie, die heute auf die totale Verwaltung aller Lebensbereiche hinzielt, zum aufgeschwellten Staatsapparat diktatorischer Systeme und endlich bis zu jener globalen Schreckensherrschaft, die der weltweite A p p a r a t der Atom- und Raketenwaffenrüstung ausübt. Auch die Atombombe ist ein Wunderwerk von gefährlicher Faszination, das die märchenhaft anmutende Möglichkeit, ganze Völker auf einmal zu vernichten, in die Hand gibt und natürlich auch zur Demonstration der in ihr investierten Macht drängt. Denn Sensationelles will sich um seiner selbst willen verwirklichen im Großen wie im Kleinen, im Nützlichen wie im Verderblichen.

Kann etwa ein Pilot dem sensationsbedingten Sog widerstehen, sein überschallschnelles Flugzeug zu vergötzen? Muß nicht ein Bombenschütze der Faszination erliegen, die von der grandiosen technischen Ausstattung seines Massenmordapparates auf ihn ausgeht? Und wie soll er — bei solchem Anspruch des Wunderapparates an seine Aufmerksamkeit — auch nur e i n e n Blick noch frei haben für das höllische Vernichtungswerk, das er als gedankenlos perfekter Bediener seiner so großartigen Hebel- und Schaltanlage vollbringt? Wie kann er in solcher Situation einen anderen Wunsch hegen, als seine ingeniöse Tüchtigkeit in der Handhabung des Apparates zu beweisen. Und muß er nicht, um diesem Wichtigkeitsgefühl genüge zu tun, daran interessiert sein, diesen seinen Apparat so oft wie möglich und so wirksam wie möglich zu betätigen?[51]

---

[51] Die (nach Bericht der Wochenschrift ,Die Zeit' vom Februar 1969) vorliegenden Dokumentationen über den Krieg in Vietnam bestätigen auf fatale Weise, wie sehr — rein von der technischen Funktion her — der Apparat den Menschen beherrscht und verständnislos macht für die in seiner Maschinenarbeit implizierten Fragen des Rechtes, der Moral und der Menschlichkeit überhaupt.

Es ist offensichtlich, daß die hier aufgezeigte Gefahr heute ungleich größer ist als zur Zeit Kafkas, ja daß sie sich überhaupt erst heute in ihrer ganzen Schwere und Vielfältigkeit enthüllt. Denn wo ist der heutige Mensch nicht mit Maschinen und Fließbändern umgeben, die ihn funktionalisieren und zu gedankenloser Bedienungsarbeit zwingen? In einer technologisch bestimmten Gesellschaft ist „Humanverantwortung" zu einem ernsten Problem geworden, und man fragt nicht ohne Skepsis, ob die Philosophie die Gefahr zu meistern vermag, daß „der Mensch als mächtig Planender zugleich zu einem ohnmächtig Verplanten wird".[52] Sicher ist, daß sich die Technik bereits zur Technokratie entwickelt hat. Fest steht ferner, daß in einer technokratisch geprägten Gesellschaft die Möglichkeiten der Technik irrational überschätzt werden. Die weltweite Anbetung des Computers ist ein Symptom dieses (scheinbar rationalen) ‚Irrationalismus'. Die Hauptgefahr liegt darin, daß eine technizistisch verengte Vernunft den Menschen verhindern könnte, auf die Herausforderung der Technik human und souverän zu antworten. Denn worum es geht, ist souveräne Handhabung der Technik, Beherrschung und sinnvolle Nutzung des Apparates. Zu den bedrohlichen Erscheinungen solcher Art gehört nicht zuletzt der geistige Terror, der Zwang, der von der glatten Folgerichtigkeit utopischer Systeme, von der logischen Kurzschlüssigkeit einer Ideologie, vom Begriffsapparat einer totalitären Weltanschauung ausgeht. Denn dem T o t a - l i t a r i s m u s des Apparates korrespondiert — auf Seiten der Anhänger — der F a n a t i s m u s, ein Fanatismus, der in sich völlig zweifelsfrei und zu jedem Einsatz bereit ist.

Kehren wir zu Kafkas Erzählung zurück und suchen jene erstaunliche Schlußwendung zu erklären, derzufolge der Offizier, weil die Tage des Apparates gezählt sind, sich selber zu der letzten noch möglichen Hinrichtung in die Maschine einspannt und exekutieren läßt. Realistisch im wörtlichen Sinn ist diese Lösung zwar kaum[53], wohl aber verdeutlicht sie die letzte Wirklichkeit dessen, was hier in Frage steht, vergegenwärtigt sie in der Eindeutigkeit eines Bildes, was als unausweichliche Konsequenz aus dem Sinn der Sache gefordert ist, erweist sie diesen naturalistisch dargestellten letzten Strafvollzug als ein Symbol der S e l b s t v e r s t ü m m e - l u n g d e s M e n s c h e n. Und der Apparat selbst, der die Sträflinge ohne Kenntnis ihrer Verurteilung exekutiert, ihnen das Urteil vielmehr erst im Zuge der Hinrichtung zum Abschluß bekannt gibt, erscheint als eine teuflische Parodie auf den Lebensablauf des Menschen überhaupt, der i m m e r schuldig ist und erst im Tod den Sinn des ihm zugefallenen Henkerspruchs erfährt.

---

[52] Claus Günzler: Die Philosophie vor dem Anspruch des technokratischen Futurismus, Vortrag auf der Erziehertagung vom Februar 1972 in Eberbach.

[53] Nach Tucholsky (a.a.O.) steht es „in einem Kausalnexus, der n u r d u r c h d i e T a t s a c h e d e s T r a u m s v e r s t ä n d l i c h w i r d", wenn „der Offizier den Verurteilten frei"-läßt, „und weil seine Maschine nicht leerstehen kann ..., sich selbst darunter [legt] und ... sich rasch zu Tode peinigen", läßt (Sperrung vom Vf.)

Eine solche Deutung greift jedoch über den Inhalt der Erzählung hinaus, fügt
der Fabel einen neuen, eigenständigen Sinn hinzu und hebt so die Eindeutigkeit
der geschilderten Vorgänge auf. Die hell beleuchteten, konkreten Tatbestände geraten ins Zwielicht. Was völlig klar zu sein schien, verwirrt sich. Die Unterscheidung
von gut und böse, recht und unrecht wird zweifelhaft. Nicht nur verschiedene, auch
widersprüchliche Deutungen drängen sich auf: das Positive erscheint nicht mehr
fraglos positiv, das Abwegige ist nicht ganz ohne Sinn. Sakrales und Banales sind
eine unentwirrbare Mischung eingegangen. Die Versuchung liegt nahe zu bekennen:
Credo, quia absurdum est.

EMRICH und TAUBER haben dieses Bekenntnis abgelegt und rechtfertigen das Gerichtsverfahren des alten Kommandanten. Sein gewalttätiges Strafsystem gilt ihnen
nicht als ungerecht und brutal, sondern als ethisch-religiös begründet. Im Blick auf
die a priori gegebene existentielle Schuld jedes Menschen erscheint ihnen diese
radikale Strafjustiz als einzig angemessen. RICHTER betont dagegen mit Recht, daß
die Erzählung selbst nicht den geringsten textlichen Anhalt für eine solche religiös-
philosophische Glorifizierung primitiver Rechtsbarbarei bietet, sondern im Gegenteil „das provokatorisch Inhumane“ der Strafkolonie breit herausstellt und dadurch
„reine Spekulationen“ solcher Art ausschließt.[54] Tauber argumentiert theologisch
und sieht die Schuld des Verurteilten nicht als eine einzelne Schuld, sondern — wie
die Erbsünde — „als Ausdruck dafür, daß das Menschengeschlecht überhaupt im
Argen liege und nichts von Gerechtigkeit wissen könne ... Durch Leiden lernt es
den Spruch kennen, das Leiden bringt die Reife zur Erfahrung der — göttlichen
— Gerechtigkeit. Die ganze Exekution ist eine Wiederholung des Daseins, unter
religiösen Bestimmungen“.[55]

Auch Emrich geht davon aus, daß „Schuld und Sein ... identisch“ sind, daß sich
also „der Delinquent ... mit seiner Schuld identifizieren“ muß und „nur mit seinen
Wunden, seinen Leiden ... die Schuld“ erkenne. Hier werde nämlich „die Schuld
... bis in ihre Wurzel zurückverfolgt“. Das Gerichtsverfahren des alten Kommandanten sei „das Verfahren, das jeder Mensch durchmachen muß, der zur vollgülti-
gen Erkenntnis seines Daseins, zur inneren Freiheit und Erlösung gelangen will“.[56]
In dieser vom konkreten Inhalt der Erzählung radikal abstrahierenden Sicht muß
Emrich die unmenschliche Strafjustiz des alten Kommandanten folgerichtig als die

---

[54] A.a.O. 318, Anmerkung 26.
[55] HERBERT TAUBER: Franz Kafka. Eine Deutung seiner Werke, Zürich 1941, 64.
[56] EMRICH a.a.O. 222. Man kann in der gleichermaßen barbarischen und banalen Prozedur der zwölfstündigen Exekution ein „Sinnbild des ganzen Lebens [sehen], das mit
der zwölften Stunde endet“. Solche assoziativen Bezugnahmen liegen bei Kafka nahe, in
dessen Gestaltungen — wie in Traumgeschehnissen — Nebenbedeutungen gelegentlich übermächtig werden. Das Beunruhigende seiner Dichtung liegt eben darin, daß so vieles und
sogar Gegensätzliches m i t gemeint sein können. Um so mehr bedarf man des Augenmaßes,
um das allenfalls Mitgemeinte nicht zum totalitären Prinzip der Deutung zu machen. Ein
t r a v e s t i e r t e r Mythos ist kein Mythos mehr.

eigentlich gottgewollte, höhere Rechtsordnung verteidigen. Und für Tauber ist der alte Kommandant geradezu „ein Aspekt des allmächtigen Gottes, der den Menschen durch das Leiden zur Anerkennung seiner Ohnmacht und damit zur Erkenntnis der göttlichen Autorität bringt".[57] Infolgedessen seien die Verurteilten der Strafkolonie „Erwählte".[58]

Man fragt sich freilich, ob man einen solchen ungeheuren Schluß ziehen kann, wenn man Kafkas Erzählung aufmerksam liest und ihren Wortlaut ernstnimmt. Nicht nur, daß sich kein einziges Wort findet, das auch nur den Anflug eines solchen Gedankens erlaubt, auch die Kennzeichnung, die der Dichter von diesem „Erwählten" gibt, führt die theologische Spekulation göttlicher Erwähltheit ad absurdum.[59]

Andrerseits gehört es zur grundsätzlichen Vieldeutigkeit Kafkascher Dichtung, daß auch Religiös-Theologisches und Philosophisches darin angesprochen sind, nur eben nicht so direkt und totalitär, wie Emrich und Tauber oder z. T. auch Weinberg unterstellen, sondern auf assoziative Weise und zudem meist in ambivalenten und paradoxalen Verbindungen wie z. B. in der Erzählung *Das Urteil,* wo der durch seine hinterhältige Bosheit moralisch fragwürdige Vater für den Sohn gleichwohl zum Anlaß fundamentaler Schulderkenntnis werden kann. Das schockierend Makabre Kafkas liegt ja gerade in solch absurder Verquickung von Wesentlichem und Unwesentlichem, in dem Neben- und Gegeneinander überzeitlicher und nichtiger Augenblicksaspekte. Mit der miserablen Gerichtspraxis der Strafkolonie verbindet sich gleichwohl auch die theologisch relevante Vorstellung des großen Strafgerichtes. Und die Hinrichtungsmaschine ist daher nicht nur ein barbarisches Instrument primitiver Rechtsauffassung, sondern zugleich Träger eines geheimen höheren Sinnes, Ausdruck übergeordneter legitimer Macht, Realsymbol unanfechtbarer Autorität: „Das Geheimnis, das die Hinrichtungsmaschine offenbarend verhüllt, ist das Mysterium des Gesetzes."[60]

---

[57] TAUBER a.a.O. 65.

[58] Ebd. 65.

[59] Der Verurteilte ist „ein stumpfsinniger, breitmäuliger Mensch mit verwahrlostem Haar und Gesicht... [er] sah so hündisch ergeben aus, daß es den Anschein hatte, als könnte man ihn frei... herumlaufen lassen und müsse bei Beginn der Exekution nur pfeifen, damit er käme". Auch alles, was sonst über Aussehen und Verhalten des Verurteilten mitgeteilt wird, verweist auf primitivsten moralischen Status. Nicht einmal als Parodie wäre diese Charakteristik auf einen „Erwählten" Gottes anwendbar.

[60] POLITZER a.a.O. 159. Aus dem assoziativen Ineinanderspielen mehrerer und z. T. gegensätzlicher Bedeutungen folgert Politzer den Sinn des Strafapparates als eines „universalen Symbols". Zum einen versinnbildlicht er ihm das „unvermeidliche Schicksal", das wie die Exekutionsmaschine mit langsamer Genauigkeit seinen Gang geht, zum andern aber auch die „selbstzerstörerische menschliche Erfindungsgabe" (a.a.O. 163), den stetig fortschreitenden Prozeß der Entmenschlichung. Nicht zuletzt jedoch sieht Politzer in diesem Apparat auch das traumatische Bild für die Martern, denen sich der Dichter zeitlebens selbst unterwarf.

Dazu stimmt, daß unter dem alten Kommandanten das Strafverfahren „als eine Art Gottesdienst der höchsten Gerechtigkeit gefeiert wurde, „an dem alle Bewohner der Insel mit freudiger Andacht teilnahmen".[61]

Aber es bleibt das Ärgernis der absurden Vermischung des religiös Transzendenten mit dem fragwürdig Diesseitigen, der bestürzenden Ineinssetzung des göttlich Erhabenen mit dem menschlich Gemeinen und Nichtigen, der Entwertung, ja Aufhebung ewiger Wahrheiten im Unrat der Zeitlichkeit. Die *Strafkolonie* ist vielleicht das drastischste Beispiel dieser Paradoxie. Die ethisch-religiös begründbare These von der a priori gegebenen zweifelsfreien Schuld des Menschen im Gegenüber zu einer absoluten Richterinstanz, diese Grundbeziehung zwischen dem per se sündhaften Menschen und dem allmächtigen gerechten Gott erscheint hier pervertiert, indem das perfekte Funktionieren eines selbsterfundenen Automaten zum Absolutum göttlicher Gerechtigkeit erhoben wird. Eine Maschine tritt an die Stelle Gottes. Ihre ingeniöse Vollkommenheit läßt sie als eine absolute (und damit transzendente) Instanz erscheinen — vergleichbar der kritiklosen Anbetung, die heute dem Computer als dem Götzen der modernen Industriegesellschaft gezollt wird. Der Gebrechlichkeit und Fehlbarkeit des Menschen steht hier respektgebietend die Perfektion und (scheinbare) Unfehlbarkeit eines kunstvoll konstruierten Apparates gegenüber, dem Fragwürdig-Vieldeutigen das mathematisch Eindeutige, das zur Vergötzung herausfordert und so auf exemplarisch einprägsame Weise das Verhältnis des hinfälligen sündigen Menschen zur Vollkommenheit und Gerechtigkeit Gottes spiegelt.

Was aber das Ganze zu makaber tragischer Groteske werden läßt, ist das Mißverhältnis echter und unechter Größen in diesem Gegeneinander von Bedingtem und Unbedingtem. Auch in dieser Hinsicht geht es also um „mißlingende Ankunft" oder „verfehltes Ziel". Gegeben ist zwar für Kafka die „Existentialschuld" des Menschen, die der „Selbsterhellung und Sühnung" bedarf[62] und das „Selbstgericht als Erlösung" erscheinen läßt, aber diese Schuld trifft nicht auf den zugehörigen göttlichen Richter, sondern auf eine Instanz, deren Göttlichkeit und Zuständigkeit lediglich angemaßt ist. Statt göttlichen Gerichtes begegnet brutaler Folterterror, hybrider menschlicher Macht- und Rechtsmißbrauch, der sich absolut gesetzt hat. So werden zwar die Verurteilten gerichtet, aber die richtenden Henker sind schuldiger und schlimmer als die Gehenkten. Es geht um das in allen Diktaturen praktizierte Prinzip perfekter Gerechtigkeit, um das konsequent erprobte System der erpreßten Geständnisse, das alle notwendigen Schuldbeweise erbringt. Was der Offizier über den ‚ganz einfachen' und hundertprozentig erfolgreichen Abschluß der Hinrichtungsprozedur erzählt, ist ein Analogon zum Folterakt der Geständniserpressung:

---

[61] Richter a.a.O. 120.
[62] MARTIN BUBER: Schuld und Schuldgefühle, Heidelberg 1957, 36.

Wie still wird dann aber der Mann um die sechste Stunde! Verstand geht dem Blödesten auf ... Ein Anblick, der einen verführen könnte, sich mit unter die Egge zu legen. Es geschieht ja weiter nichts, der Mann fängt bloß an, die Schrift zu entziffern ... Es ist allerdings viel Arbeit; er braucht sechs Stunden zu ihrer Vollendung. Dann aber spießt ihn die Egge vollständig auf und wirft ihn in die Grube.

Es gehört jedoch zur Wahrheit Kafkas, daß auch das Groteske eine Erscheinungsform tiefen Ernstes ist, daß also selbst der krasse Widersinn des Gerichtsverfahrens der Strafkolonie nicht eines höheren Sinnes entbehrt, vielmehr eine ethisch-religiöse Denkweise spiegelt, wie sie Hans Joachim SCHOEPS in späten biblischen und talmudischen Schriften festgestellt hat. Seine Sätze aus dem Kapitel über „Franz Kafka oder der Glaube in der tragischen Position" treffen genau diesen Kern jüdischer religiöser Ethik, der die Konzeption der *Strafkolonie* bestimmt:

> Wenn das Gesetz zu einer unendlich fernen Größe geworden ist, das in die Transzendenz verrückt gleichwohl die Erde weiterregiert in Form einer unheilvollen Drohung, dann muß auch das Problem des Gesetzverstoßes, das heißt der Sünde und Vergebung, der Verschuldung und Entsühnung in der unheilsgeschichtlichen Theologie des Judentums eine ganz neue Gestalt annehmen. Denn wenn das Gesetz nicht mehr erkennbar ist, dann läßt sich auch das Wesen der Verschuldung nicht mehr erkennen. Nur ihr Faktum bleibt bestehen, und die Bestrafung erfolgt. Dem Menschen, den das Strafunheil trifft, bleibt nunmehr als einziges und letztes übrig, aus der Strafe als solcher, aus ihrem Charakter und ihren Formen, auf das Wesen der Verschuldung Rückschlüsse zu ziehen, da er sie unmittelbar nicht erkennen und begreifen kann.[63]

Indessen scheint der Verlauf der Erzählung, die mit der Abschaffung der barbarischen Strafjustiz endet, den Sieg eines aufgeklärt humanitären Denkens, den Beginn einer neuen menschlicheren Gesittung und damit die grundsätzliche Möglichkeit kulturellen Fortschritts anzuzeigen. Die Tatsache, daß es dem Forschungsreisenden so leicht, ja fast ohne Einsatz möglich war, eine Wende zum Besseren zu bewirken, drängt die Frage auf, ob vielleicht in seiner Gestalt eine reale Chance des Menschen verkörpert ist. Ein solcher fortschrittsgläubiger Optimismus würde jedoch auf ein Mißverständnis des Dichters hinauslaufen.

Im Grunde ist ja auch der Forschungsreisende kein anderer und darum auch kein zweifelsfrei besserer Mensch als der Offizier. Die Rolle, die er in der Strafkolonie spielt, ist nicht eindeutig positiv; sie bleibt in manchem fragwürdig und zwielichtig. Daß er durch Geburt und Herkunft einer moderneren Zivilisation angehört und daher eine aufgeklärte Denkweise vertritt, kann nicht als sein persönliches Ver-

---

[63] HANS JOACHIM SCHOEPS: Was ist der Mensch? Philosophische Anthropologie als Geistesgeschichte der neuesten Zeit, Göttingen 1960 (Kafka-Kapitel). Worum es bei Kafka (und in der religiösen Ethik des Judentums) immer geht, ist die Absolutheit und Göttlichkeit des Gesetzes und die daraus folgende Forderung bedingungsloser Unterwerfung unter das Gesetz. Was ihn aber von der Tradition abhebt, ist die Tatsache, daß er diese Göttlichkeit des Gesetzes zugleich mit der Götzenhaftigkeit des Gesetzes konfrontiert und so das Eindeutige zum Ambivalenten verunklärt.

dienst gebucht werden. Gleichwohl hat es den Anschein, als ob sich Kafka mit seiner Auffassung identifiziere. Auf weite Strecken deckt sich die Erzählperspektive mit der Sicht des Forschungsreisenden. Und die Leser fühlen sich versucht, in ihm ihre eigene Gesinnung vertreten zu sehen. Daß er — im Gegensatz zum ,beschränkten Kopf' des Offiziers — vom Terror des Apparates frei bleibt, stellt ihn von vornherein auf die Seite der Guten und Vernünftigen. Sein vorgegebener Standort läßt ihn als einen Mann wohlmeinender Gesinnung und Gesittung erscheinen. Wie aber steht es um seine eigene Leistung, die er zu dieser Mitgift hinzubringt?

Offenbar erliegt der Forschungsreisende nur deshalb nicht der Faszination des Apparates, weil ihn — im Unterschied zum Gerichtsoffizier — die technischen Finessen der Konstruktion dieses Automaten nicht so stark interessieren. Es ist ja sicher kein Zufall, daß er die Pläne, nach denen die Maschine gebaut ist, nicht zu lesen versteht, daß sie für ihn nur nichtssagende Linien darstellen. Weil ihm aber diese technische Welt ingeniöser Planung im Grunde unzugänglich ist, kann er auch nicht dem Terror des Wunderapparates verfallen, der den Exekutionsoffizier in Bann schlägt, sondern besitzt er die Distanz des Außenstehenden, der Zweck und Wirkung des Apparates realistisch sieht und sie, wie es sich für einen zivilisierten Menschen geziemt, verabscheut. Seine Menschlichkeit und Freiheit werden also durch d i e s e n Apparat nicht angefochten. Offen bleibt jedoch, ob er damit als grundsätzlich ungefährdet gelten darf.

Nähere Betrachtung ergibt, daß diese Frage verneint werden muß. Bleibt er doch sogar gegenüber der abscheulichen Foltermaschine nicht völlig unansprechbar. Denn „kaum hat der Offizier mit der Vorführung des Instruments begonnen, als der Reisende ,schon ein wenig für den Apparat gewonnen' ist. Wenn dann der Mechanismus zur Probe in Bewegung gesetzt wird, vergißt ... [er] völlig den tödlichen Zweck, den der Apparat verfolgt; was ihn stört, ist lediglich ein Fehler im Arbeitsablauf: ,Hätte das Rad nicht gekreischt, es wäre herrlich gewesen.'"[64] Daß auch an dem Forschungsreisenden eine solche Faszination des Apparates fühlbar wird, ist ebenso vielsagend wie erschreckend. Aber freilich durchschaut er den Gegensatz zwischen der technischen Brillanz des Apparates und der Rechtsbarbarei des Verfahrens und ist ein Gegner dieser Strafjustiz. Doch erst, als er sieht, daß es keiner Anstrengung bedarf, um die längst fällige Änderung im Gerichtsverfahren der Strafkolonie durchzusetzen, ringt er sich zu einer klaren Stellungnahme durch:

---

[64] POLITZER a.a.O. 172. Wenn ferner der Reisende vor dem Grabstein des alten Kommandanten niederkniet, um die Inschrift zu lesen, so hat er dafür zwar einen evidenten praktisch-technischen Grund; aber zugleich fühlt der Leser den Doppelsinn dieser symbolstarken Geste, mit der der Niederkniende dem Geist des alten Kommandanten unwillkürlich seinen Respekt erweist. Es ist, wie Politzer (Franz Kafka: Parable and Paradox a.a.O. 113) feststellt, „the respect of the relativist toward the absolutist".

Die Antwort, die er zu geben hatte, war für den Reisenden von allem Anfang an zweifellos; er hatte in seinem Leben zu viel erfahren, als daß er hier hätte schwanken können; er war im Grunde ehrlich und hatte keine Furcht. Trotzdem zögerte er jetzt im Anblick des Soldaten und des Verurteilten einen Atemzug lang. Schließlich aber sagte er, wie er mußte: „Nein."

Das klingt fast heroisch. Denn obwohl er hatte erkennen können, daß ‚die Aufgabe so leicht war, die er für so schwer gehalten hatte‘, war er bis dahin den um Beistand werbenden Bemühungen des Offiziers feige ausgewichen:

> Sie überschätzen meinen Einfluß; der Kommandant hat mein Empfehlungsschreiben gelesen, er weiß, daß ich kein Kenner der gerichtlichen Verfahren bin. Wenn ich eine Meinung aussprechen würde, so wäre es die Meinung eines Privatmannes, um nichts bedeutender als die Meinung eines beliebigen anderen, und jedenfalls viel bedeutungsloser als die Meinung des Kommandanten ...

Dieses Sichwinden und Hinauszögern der Entscheidung zeigt an, daß die innere Festigkeit des Reisenden der kämpferischen Energie, mit der der Offizier seine Sache vertritt, nicht gewachsen war. Es nötigt in der Tat Achtung ab, wie dieser mit gesammelter Kraft für die Erhaltung des alten Gerichtsverfahrens kämpft und dadurch den Forschungsreisenden in hinhaltende Defensive zwingt, so daß er — angerührt durch die „ehrliche Überzeugung" des fanatisch kämpferischen Idealisten — sich zu strikter Neutralität entschließt. Er beruhigt sich mit der Ausflucht, daß es ihm als Ausländer nicht zukomme, hier einzugreifen. Der Forschungsreisende ist im Gegensatz zu dem Gerichtsoffizier, der sich einer absoluten Norm verpflichtet weiß, ein Relativist, der erst handelt, wenn der Einsatz problemlos geworden ist. Es ist kein Kämpfer. Entsprechend blieb er während seines Besuches der Strafkolonie lediglich ein Zuschauer, der mehr verwundert und befremdet, als persönlich engagiert auf das hier gebotene Schauspiel anachronistischer Barbarei herabblickte. So wurde zwar der Verurteilte durch sein Nein vom Tod errettet, aber er selbst zeigte danach kein weiteres Interesse an dem Geretteten. Diese Teilnahmslosigkeit vergleicht Politzer sogar mit der kalten Grausamkeit der Hinrichtungsmaschine. Die Unmenschlichkeit erscheine nur in einer anderen Maske.[65]

Es geschieht wohl auch nicht ohne Absicht, wenn am Schluß der Erzählung die Gestalt des Reisenden, die für die Heldenrolle eines edlen Befreiers, eines Wohltäters der Menschheit prädestiniert zu sein schien, ins Zwielicht gerät. Nicht nur Trägheit des Herzens, auch abweisend kalter Egoismus werden ihm vorgeworfen: er hält den Soldaten und den Verurteilten, die mit auf das Schiff wollen, „durch Drohungen vom rettenden Sprunge ab". (Seidler a.a.O. 165) Sich nicht belasten

---

[65] POLITZER: Kafka: Parable and Paradox a.a.O. 110: [He] „remains unmoved, and ... reveals a sluggishness of heart which parallels the premeditated cruelty expressed by the torture machine; man does not matter in either case".

und alles, was belasten könnte, rasch wieder von sich abschütteln erscheinen als die Maximen seines Handelns. Seine zivilisierte Unmenschlichkeit sei kaum besser als die barbarische. Auch müsse es befremden, daß er so gar kein persönliches Interesse an dem vom Tod erretteten Strafgefangenen nimmt. Ungerührt verweigerte er sich seiner Bitte um Hilfe und lasse ihn fallen. Er denke nicht daran, „die Humanität, deretwillen er ... die Hinrichtungsmaschine verurteilt hat, [auch] in praktische Tat umzusetzen".[66] Der Mensch als solcher gelte ihm im Grunde ebensowenig wie dem alten Kommandanten. Hatte diesem die Idee der Humanität überhaupt noch nicht gedämmert, so „repräsentiert [er] den Prozeß der Entmenschlichung, der die Zivilisation in der Stunde vor ihrem Verfall untergräbt".[67] Wohl ist er „bereit, den Ideen des Fortschritts und der Freiheit Lippendienst zu leisten ..., doch unfähig, sie auf eine menschliche Grundsituation anzuwenden".[68] Die Greuel der Strafkolonie werde er rasch und gern vergessen. Der Gedanke, daß der einzelne auch eine gesamtmenschliche Verantwortung trägt, werde den glücklich Heimgekehrten nicht ernstlich beunruhigen. Hinzu kommt, daß der Forschungsreisende — im Gegensatz zu dem Offizier — „keine absolute Norm besitzt, an der er ‚hängt' und durch die er sich gebunden fühlt".[69] Da er vielmehr alles als relativ wertet, ist auch „die Menschlichkeit selbst für ihn teilbar". Was er in dieser Strafkolonie vorfindet, sei ihm kaum mehr als ein exotisches Schauspiel, ein schauerliches Ritual, wie es nun einmal dem hier geltenden Brauch entspricht.

Verglichen mit solcher Dürftigkeit im mitmenschlichen Verhalten gewinnt die Gestalt des Offiziers an Gewicht. Mag er auch in einem grauenhaften Irrtum befangen sein, die Tatsache, daß er hinter seiner Überzeugung steht, für sie zu kämpfen und sogar das eigene Leben zu opfern bereit ist, hebt ihn als „Idealisten" von der kühlen Reserve seines Gegenspielers ab, erweist ihn als „den dramatisch Überlegenen", der mit der Selbstvernichtung seinen „Sieg" bezahlt und so „die Dimension des Tragisch-Heroischen" gewinnt.[70] Mit seinem Freitod wird „einer verlorenen Sache ‚nicht ohne Seelengröße' ein letztes Mal das Wort" gesprochen.[71] Dieser Offizier besitzt eben das, was wir an dem Forschungsreisenden vermissen: kämpferische Einsatzbereitschaft für die gehegte Überzeugung. Er besitzt jene Faszination, die die Unbedingten und Eindeutigen, die heroisch Konsequenten auszeichnet. Offenbar lag Kafka „daran, zu zeigen, daß der tragischen, auf absoluter Hingabe beruhenden Haltung ... des Offiziers eine ... Größe eignet, die

---

[66] POLITZER a.a.O. 173: „er enthüllt eine Trägheit des Herzens, die in ihrer Weise durchaus an die vorsätzliche Grausamkeit heranreicht, die den ‚eigentümlichen Apparat' ersonnen hatte."
[67] Ebd.: „Protohumanität und Posthumanität stoßen in dieser Strafkolonie aufeinander. Das wortlos-verwirrte Menschenkind, der Soldat, wird auf jeden Fall übersehen."
[68] Ebd.
[69] Ebd.
[70] SEIDLER a.a.O. 96.
[71] Ebd. 98.

... Bewunderung verdient", „eine heroische Selbstüberwindung und amor fati ..., die man dem Reisenden und dem neuen Kommandanten nicht zutrauen würde".[72]

Gleichwohl bleibt die Heroisierung des Offiziers problematisch. Zwar hebt ihn sein märtyrerhafter Freitod positiv von der egoistisch wirkenden Distanziertheit des Gegenspielers ab, aber sein ‚beschränkter Kopf‘ wird durch diesen spektakulären Schlußeffekt doch kein erleuchteter. Im Gegenteil, auch sein Tod, und gerade sein Tod, zeigt ihn als engstirnigen Fanatiker, der, wo er nicht zu überzeugen vermag, zur „übersprachlichen Geste" der „drastischen Demonstration" greift.[73] Schließlich ist es der durch den Handlungsablauf suggerierte Sinn der Erzählung, die Idealität des absoluten Prinzips, das in der Hinrichtungsmaschine vergegenständlicht erscheint, ad absurdum zu führen.

Infolgedessen kann man den Offizier der Strafkolonie auch nicht ohne Vorbehalt mit dem Jesuiten Naphta aus Thomas Manns *Zauberberg* vergleichen.[74] Wenn dieser Sinn und Richtung des Daseins „allein in der Erfüllung eines transzendenten und absoluten Anspruchs" sieht, so läßt sich diese philosophisch anspruchsvolle Welt- und Lebensanschauung mit der ideologischen Enge der Konzeptionen des Gerichtsoffiziers keineswegs auf die gleiche Stufe stellen. Vor allem aber bietet der Text selbst keinen Anhalt, um dem Dichter die ihm von Seidler unterstellten „Sympathien für die absolutistischen Vertreter des alten Gesetzes" zuzuschreiben.[75] Was man feststellen kann, ist lediglich dies, daß ihm auch das Neue, das im Zeichen des humanitären Fortschritts an die Stelle des Alten treten will, fragwürdig erscheint, daß also nach seiner Auffassung die Änderung des Systems noch keine Garantie für eine Besserung bedeutet.[76] Zugrunde liegt der Pessimismus des Dichters, daß man dem Übel als solchem nicht beikommen, daß man es nur raffinieren und umfunktionieren kann. Wenn Kafka Moses als strengen Richter rühmt und betont, daß der Mensch „nur durch ein hartes unerbittliches Richten" geführt werden könne, so entspricht das gewiß seiner Überzeugung. Doch ist es abwegig, von dieser Laudatio des strengen Richters Moses auf eine positive Bewertung der barbarischen Gerichtspraxis des Offiziers zu schließen. An einen Vergleich dieses irren Fanatikers mit dem großen Gesetzesbringer ist überhaupt nicht zu denken. Denn Kafka hätte Moses niemals einen ‚beschränkten Kopf‘ genannt, wie er den Offizier in der Strafkolonie apostrophiert. Und eben darum,

---

[72] Ebd. 99 und 97.
[73] Ebd. 96.
[74] INGO SEIDLER: *Zauberberg* und *Strafkolonie* a.a.O. 94 ff.
[75] Ebd. 116.
[76] Vgl. Kafkas Notiz (H 325 *Fragmente*): „Aus der alten Geschichte unseres Volkes werden schreckliche Strafen berichtet. Damit ist allerdings nichts zur Verteidigung des gegenwärtigen Strafsystems gesagt." SEIDLER (a.a.O. 177) betont mit Recht, diese Äußerung beziehe sich auf denselben Grundsachverhalt wie die Erzählung *In der Strafkolonie* „mit ihrem ambivalenten Gegenüberstellen verschiedener Strafsysteme".
[77] J 114.

nämlich um die fanatische Irrung eines ‚beschränkten Kopfes' geht es in dieser Erzählung, nicht aber um den von Kafka vielberufenen „Sinn des Sich-Unterordnens unter das Gesetz".[77]

Blickt man auf den Ausgang der *Strafkolonie,* so könnte man den Eindruck gewinnen, als ob der Dichter für die in dieser Erzählung ausgebreiteten Greuel mit einem glücklichen Ende entschädigen wollte. Max Brod unterstellt auch eine solche positive Lösung des Ganzen, insofern hier zum Schluß das Gute siege und die alte unmenschliche Strafjustiz durch eine moderne humanere Gerichtsbarkeit abgelöst werde. Nähere Betrachtung ergibt jedoch, daß auch über dem Ende dieser Geschichte der Schatten der Unerlöstheit liegt. Der Soldat und der Sträfling, die sich an den Forschungsreisenden klammern, um mit ihm zu Schiff aus der Strafkolonie zu entkommen, müssen hoffnungslos zurückbleiben. Auch scheint noch nicht endgültig entschieden zu sein, ob die Gefahr wirklich gebannt ist und ein neuer Geist die alte barbarische Gesittung überwunden hat. Gewiß zerbricht die Hinrichtungsmaschine, als der Offizier seine Selbstexekution vollzieht. Indem sie das Opfer ihres letzten Anhängers zurückweist, gibt sie sich zugleich selber auf. Da der Offizier sich die Worte ‚Sei gerecht!' in den Leib ritzen läßt, bezeichnen „sein Tod und der Zusammenbruch der Maschine ... das Ende jener Gerechtigkeit, die der Offizier verwaltet hatte".[78] Nun zeigt sich aber, daß der Reisende, obwohl er Augenzeuge des Geschehens gewesen war, von diesem Sieg des Neuen nicht überzeugt ist. Er verläßt vielmehr die Insel in fluchtartiger Eile, wie gejagt von der Furcht „vor dem Untergründigen, das er nicht erkennen und beherrschen kann".[79] Infolgedessen bleibt als letztes der befremdliche Eindruck, daß „die an sich überwundene Gefahr [noch immer] eindeutig die Szene beherrscht".[80] Tatsächlich gibt die Erzählung selbst keine volle Klarheit darüber, wie es mit der Zukunft dieser Strafkolonie bestellt sein wird. Abgesehen davon, daß der neue Kommandant in vager Distanz gehalten ist und die Durchschlagskraft seiner Befehlsgewalt in Frage gestellt erscheint, begegnet zum Schluß die Prophezeiung, daß der alte Kommandant auf die Insel zurückkehren und sein strenges Regiment wieder aufrichten wird — eine Prophezeiung, die der Reisende in demonstrativer Weise e r n s t n i m m t. Seine Reaktion ist unmißverständlich: Er ‚verließ das Teehaus und ging zum Hafen'. Angesichts dieser fortwirkenden Drohung gibt es für ihn nur eines: die Insel verlassen und sich in Sicherheit bringen. Das Grausen vor der als unüberwindlich empfundenen Macht des Alten läßt kein Vertrauen in die Kraft des Neuen aufkommen. Der lebende neue Kommandant erscheint wirkungsloser als der tote alte.

---

[78] POLITZER a.a.O. 163. Ferner ebd. 169: „Das Gebot ‚Sei gerecht!', an dem er selbst verendet, kann nur ... heißen: ‚Vollziehe an dir jene Gerechtigkeit, die du an anderen vollzogen hast!'"

[79] RICHTER a.a.O. 125.

[80] Ebd.

Die als Schlußlicht fungierende Prophezeiung der Wiedereroberung der Kolonie durch den alten Kommandanten (und damit zugleich der Wiederherstellung des zu Bruch gegangenen ‚eigentümlichen Apparates‘) „reopens the story of ‚In the Penal Colony‘ and extends it into an infinite future".[81] Das trifft genau den paradoxalen Sinn dieser Erzählung, daß nämlich der grausame Apparat — trotz der erfolgten Zerstörung — fortbestehen oder erneut erstehen wird, ja daß er letztlich unausrottbar ist. Auch die *Strafkolonie* führt also zu keiner positiven Lösung; sie demonstriert vielmehr in gleicher Eindringlichkeit wie die anderen Dichtungen Kafkas die Permanenz des Mißlingens. Die Verheißung der siegreichen Wiederkehr des alten Kommandanten haftet als bleibende Drohung.

Indessen kommt noch etwas hinzu, was das Verständnis der Geschichte kompliziert. Es ist nämlich nicht so, daß dem Dichter der eindeutige Sieg der neuen Strafjustiz als ein zweifelsfreies Positivum gegolten hätte. Darum hat er auch die beiden Systeme nicht in Schwarz-Weiß-Manier als richtig und falsch einander konfrontiert. Obwohl er die Brutalität der Gerichtspraxis der Strafkolonie bloßstellt, findet er zugleich Faszinierendes in der Konsequenz und Exaktheit des rigorosen Verfahrens. Vor allem aber steht er der neuen Humanität voll ironischer Skepsis gegenüber. Seine Darstellung spiegelt die pessimistische Überzeugung, daß man die menschlichen Dinge überhaupt nicht wirklich bessern kann. Entsprechend erscheinen die Fürsprecher der humanen Justizreform, also der neue Kommandant mit seinen Damen und der Forschungsreisende, durchaus nicht in der Gloriole des zweifelsfrei Guten, sondern in einem problematischen Licht. Sicher ist es auch kein Zufall, wenn — gerade zum Schluß der Erzählung — „die Gestalt des Reisenden verkleinert"[82], die des Offiziers hingegen heroisch erhöht wird.[83] So wenig Kafka das Strafsystem des alten Kommandanten bejahen wollte, so wenig traf er eine klare Entscheidung für die neue Humanität. Im Gegenteil, er hat sie kritisch beleuchtet und in ihren Repräsentanten zum Teil sogar lächerlich gemacht. In alledem zeigt sich die Absicht des Dichters, die Positiva und Negativa b e i d e r Seiten gegeneinander auszuspielen. Und es duldet keinen Zweifel, daß in diesem ambivalenten Gegenüberstellen der verschiedenen Strafsysteme „Kafkas persönliche Ambivalenz" zum Ausdruck kommt.[84] Hierher gehört auch, was er am 11. Oktober 1916 über die *Strafkolonie* an seinen Verleger Kurt Wolff geschrieben hat: ‚Zur Erklärung dieser letzten Erzählung füge ich nur kurz hinzu, daß nicht nur sie peinlich ist, daß vielmehr unsere allgemeine und meine besondere Zeit gleichfalls sehr pein-

---

[81] POLITZER: Franz Kafka. Parable and Paradox a.a.O. 115.
[82] SEIDLER a.a.O. 97.
[83] Vgl. KASSEL a.a.O. 86: „Die ganze idealistische Leidenschaft und Besessenheit vom ‚gerechten‘ Werk liegt nicht beim Vertreter der neuen Humanität, sondern bei dem der alten, aber höchst fragwürdigen und unmenschlichen Gerechtigkeit."
[84] SEIDLER a.a.O. 176.

lich war und ist.‘ Das aber heißt: „Keine Zeit erhält vor der anderen von dem Dichter einen wertenden ‚Vorrang‘.“[85]

Dieses Sich-nicht-entscheiden-können Kafkas zeigt, wie unüberwindlich sein Pessimismus war, wie skeptisch er den Sirenenrufen des Fortschrittsglaubens gegenüberstand. Es ist von makabrer Ironie, wenn die „mildtätigen Begleiterinnen“ des neuen Kommandanten dem Verurteilten, ‚ehe er abgeführt wird, den Hals mit Zuckersachen voll‘stopfen und mit solchen Gesten eines pseudohumanen Zartgefühls menschlichen „Fortschritt“ demonstrieren. „Beide Zeiten und ihre sie repräsentierenden Welten erscheinen tatsächlich als ‚peinlich‘.“[86] Peinlich wirkt nicht zuletzt, daß das weibliche Element unter dem neuen Kommandanten eine so aufdringliche Rolle spielt und dadurch „die klaren Konturen des männlichen Standrechtes verwischt“.[87] Es fällt schwer, den neuen Kommandanten mit seinen wichtigtuerischen Damen und Dämchen ernstzunehmen.[88] Was sich hier als Humanität aufspielt, schwimmt lediglich auf der ideologischen Welle der modernen Zeit und hat nichts mit persönlichem Einsatz und menschlichem Bedürfnis zu tun. Es ist ein im voraus akzeptiertes Programm, das keine Entscheidung fordert, im Grunde also eine meinungslose und damit unmenschliche Menschlichkeit.

Selbst der Forschungsreisende macht keine Ausnahme. Auch er ist kein Ritter ohne Furcht und Tadel, der für erkannte gute Ziele eine Tat wagen würde. Vor allem aber vermag auch er sich der Faszination des alten Kommandanten und seines absolutistisch geradlinigen Regimentes nicht ganz zu entziehen. Es verlangt ihn, das Grab des verstorbenen Zuchtmeisters der Strafinsel zu sehen. Dabei gerät er unwillkürlich „in den Bannkreis ‚einer historischen Erinnerung‘ und fühlt ‚die Macht der früheren Zeiten‘“.[89] Wenn er niederkniet, um die Grabinschrift zu entziffern, so erscheint das zugleich als eine symbolische Gebärde der Respekterweisung gegenüber dem alten Kommandanten. Denn im Teehaus, das die sterblichen Überreste des Despoten birgt, „scheinen wir uns in einer Krypta, einer Andachtsstätte, zu befinden“.[90] Hinzu kommt die fortwirkende Suggestion des ‚eigentümlichen

---

[85] KASSEL a.a.O. 93. Ebenso betont POLITZER (a.a.O. 170), daß „das Ende dieses Prozesses weder die Aufhebung des alten Gesetzes noch den Sieg der neuen Zeit“ herbeiruft; denn Kafka „hält von dem neuen Kommandanten eine ebenso sorgfältig-ironische Distanz wie von dem alten“.

[86] KASSEL a.a.O. 94.

[87] POLITZER a.a.O. 170.

[88] Ebd. 171: „Auch an anderen Stellen hat Kafka Frauengestalten eingeführt, wenn er zeigen wollte, wie die Ordnung des Gesetzes durch Versuchungen des Geschlechts gestört und in Verwirrung gebracht wird. So ist die Gesellschaft, in der ... sich [der neue Kommandant] befindet, danach angetan, ihn ... zu diskreditieren. Sogar wenn [er] nach dem Ende der Erzählung der unbestrittene Meister dieser Kolonie bleiben sollte, ist sein Regime doch durch seine Anhängerinnen ins Lächerliche gezogen und in Frage gestellt.“

[89] Ebd. 175.

[90] Ebd. 177.

Apparates', der „alle Brillanz eines auf Hochglanz polierten technischen Fort-schritts mit der barbarischen Primitivität [und Eindeutigkeit] eines göttlichen Standrechtes vereinigt".[91] Als ein Instrument, „das... zugleich Gesetze erläßt, Anklage führt, unappellierbar Urteil spricht und die Hinrichtung vollzieht", trifft diese Maschine „den gemeinsamen Kern verschiedener, je historisch möglicher tota-litärer Systeme"[92] und scheint mit der schlechthinnigen Vollkommenheit seines Funktionierens den absolutistischen Anspruch zu rechtfertigen. Dieser rundum per-fekte ,Apparat' suggeriert die Unbedingtheit und Göttlichkeit des Gesetzes. Er ist menschlicher Unzulänglichkeit enthoben und fordert willige Unterwerfung. Dem entspricht die Sakralisierung des Strafautomaten[93], seine Vergötzung zum eigent-lichen Helden der Geschichte.

Dieser Sakralisierung der Hinrichtungsmaschine entspricht der selbstzerstörerische Zug des Dichters, der das Interesse des Lesers mit Vorzug auf die grausige Exe-kutionsprozedur lenkt. Zusammensetzung und Zusammenbruch der Maschine hat er „mit der Liebe des Fachmanns und der Schärfe des Satirikers beschrieben".[94] Wenn gesagt wird, daß der Verurteilte während der ,ersten sechs Stunden' der Exekution ,fast wie früher' lebe, nämlich ,nur Schmerzen leide', so entspringt dieses ,nur' „Kafkas grundsätzlich masochistischer Weltanschauung; da er keine Liebe zum eigenen Leib besaß, konnte er hochmütig körperliche Schmerzen bagatellisieren".[95] Die *Strafkolonie* bestätigt Politzers Urteil über den Dichter: „Wenn Kafka... eine ,wegweisende Gestalt' war, dann führte der Weg, den er zeigte, durch das Tal des Todes. Er war ein Mystiker des Masochismus."[96]

Wir wollen die Erörterungen über die *Strafkolonie* nicht abschließen, ohne zu einigen Punkten der jüngsten Interpretation der Erzählung Stellung zu nehmen.[97] Schon das Motto, das Ingeborg Henel ihrer Deutung vorangestellt hat: ,Selig ist der Mensch, den Gott strafet.' (Hiob 5, 17), ruft Zweifel wach. Man fragt: Ist es in dieser Strafkolonie wirklich Gott, der strafet? Sind der biblische Hiob und Kafkas Sträfling überhaupt vergleichbare Gestalten? Werden wir hier mit der Absolutheit des Göttlichen oder nicht vielmehr mit der Unzulänglichkeit, ja dem Wahnwitz des Menschlichen konfrontiert? Muß das Geschehen in der Strafkolonie nicht unter mehr

---

[91] Ebd. 183.
[92] SEIDLER a.a.O. 179.
[93] POLITZER a.a.O. 167: „Das Bett der Hinrichtungsmaschine ist ein Opfertisch, auf dem ein Mensch zu Ehren des Götzen Gesetz geschlachtet wird."
[94] Ebd. 165.
[95] Ebd. 158.
[96] Vgl. Kafkas Tagebucheintrag vom 21. Juni 1913: „die ungeheure Welt, die ich im Kopfe habe. Aber wie mich befreien und sie befreien, ohne zu zerreißen. Und tausendmal lieber zerreißen, als sie in mir zurückhalten oder begraben. Dazu bin ich ja hier, das ist mir ganz klar."
[97] Ingeborg Henel: Kafkas *In der Strafkolonie*. In: Festschrift für Benno von Wiese a.a.O. 480—504.

als nur e i n e m Aspekt gesehen werden? Liegt der Sinn dieser Erzählung nicht gerade in ihrer Mehrdeutigkeit, in dem erregenden Neben- und Gegeneinander verschiedener Gesichtspunkte?

Fragen solcher Art fechten jedoch die Verfasserin nicht an. Mit der Unterstellung, daß die *Strafkolonie* „ein allegorisches Märchen" sei und somit nicht wörtlich genommen werden dürfe, schafft sie sich den Freiraum für eine großzügig einheitliche Deutung. Man dürfe nicht länger in den Fehler verfallen, „die unwirkliche Welt der Erzählung mit Zuständen in der wirklichen Welt in Verbindung zu bringen". Gerade für das Kernstück der *Strafkolonie*, für den Apparat, gebe „es in der Wirklichkeit kein Äquivalent". Der Vorgang der Verklärung, der sich hier aus der Marterprozedur ergibt, widerspreche „allen Erfahrungen der Physiologie und Psychologie". Infolgedessen könne „der Vergleich mit Vorgängen in der wirklichen Welt offensichtlich nicht zum Verständnis" der Geschichte führen.[98]

Aber Ingeborg Henel irrt, wenn sie Äquivalente zu den in der Kolonie geübten Strafpraktiken schlechthin in Abrede stellt. Die zu allen Zeiten, in allen Kulturkreisen und auch in der jüngsten Gegenwart ausgiebig erprobten Prozeduren der Gehirnwäsche, der Geständniserpressung und erzwungenen Selbstbezichtigung, die die Schuld der Angeklagten stets „zweifelsfrei" an den Tag bringen und ihnen gleichzeitig zu dem wahren Glück des reuigen Selbstopfers verhelfen, gegen das sie sich in ihrer Verblendung allzu lange gesträubt haben, vergleichen sich genau den Exekutionsmethoden der Strafkolonie, die ebenfalls expressis verbis auf das Heil des Verurteilten gerichtet sind. Hier wie dort wird der Anspruch erhoben, daß die Martern nach Sinn und Bestimmung gute Werke sind und zum Besten des Gemarterten dienen. Auch bei den Hexenverbrennungen und den qualvollen Prozeduren der Teufelsaustreibung ging es erklärtermaßen darum, die Seelen der Verirrten zu retten. Je grausamer die Vernichtung durchgeführt wird, desto entschiedener wird sie als eine Erziehungs- oder Erlösungstat proklamiert. Und zum Rechtfertigungszeremoniell solcher Strafaktionen gehört, daß auch der Geschändete selbst seine ihm einsichtig gewordene Schuld bekennt, daß er also „freiwillig und freudig" widerruft und den brutalen Gewalttäter dankbar als seinen Wohltäter preist. Wie könnte bei einem so zielsicher programmierten Strafverfahren der Vorgang der Verklärung ausbleiben? Ob aber und in welcher Weise mit solch makabrem Menschenwerk auch Gotteswerk verbunden sein kann, ist eine offene Frage, auf die Kafkas Strafkolonie keine Antwort gibt.

Nach Ingeborg Henel geht es in der Geschichte um den Akt der Verklärung des Verurteilten, nicht um den grausamen Vorgang der Folterung. Wenn aber dies der Sinn des Ganzen ist, daß die Strafe den Menschen zur Verklärung führt, so fragt sich, wozu dann die ausführliche Erklärung des raffiniert konstruierten Apparates und die aufwendige Beschreibung des Exekutionsvorgangs dienen sollen. Warum

---

[98] Ebd. 480.

schwelgt die Erzählung so detailbeflissen in einer hymnischen Lobpreisung der technischen Perfektion des Strafvollzugs, wenn das alles etwas nur Beiläufiges ist und es im Grunde nur auf die Sichtbarmachung der Verklärung des Exekutierten ankommt? Im Blick auf die strenge Arbeitsökonomie Kafkas als Schriftsteller ist es unvorstellbar, daß er fast den ganzen Umfang der Erzählung für die Mitteilung von Nebensächlichem verbraucht haben sollte. Es kann also kein Zweifel daran bestehen, daß der Apparat und die Folterungsprozedur hier durch sich selber interessieren und gleichermaßen allegorische und realistische Bedeutung besitzen. Alle Vorgänge in der Strafkolonie müssen unter diesem doppelten Aspekt gesehen werden. Wer wie Ingeborg Henel die Erzählung zu einer reinen Allegorie reduziert und jeden Bezug zur Wirklichkeit leugnet, tut sich zwar leicht, das Ganze geradlinig einheitlich zu deuten, klammert aber zu vieles aus, was mitgemeint und zur vollen Sinnerfassung unentbehrlich ist.

Wenn in der Strafkolonie auch schon für das kleinste Vergehen jeweils die schwerste Strafe, nämlich die Todesstrafe, verhängt wird, so zeigt das, wie die Verfasserin treffsicher formuliert, „daß es sich nicht um Strafe für ein spezifisches Vergehen handelt, sondern um eine Strafe für eine immer vorhandene, mit dem Menschsein gegebene Schuld, die sich in dem besonderen Vergehen nur aktualisiert".[99] Daß „das übertrieben lächerliche Vergehen des Verurteilten" eine so „übertrieben schwere Strafe" findet[100], hat aber andrerseits doch nicht nur „transzendente Bedeutung", sondern auch einen realistischen Sinn, demzufolge die Disproportion von Vergehen und Strafe als höchst konkret und charakteristisch aufzufassen ist, als charakteristisch nämlich für den notorischen Terror totalitärer Systeme und Praktiken. Hier wird also mit der Erhellung der metaphysischen Schuldsituation des Individuums zugleich ein sehr reales Übel der menschlichen Lebenswelt vor Augen gestellt. Dieser Bezug zur Wirklichkeit, — nicht zu einer historisch genau bestimmten Wirklichkeit, sondern zur *condicio humana* an sich[101] —, darf nicht ausgeklammert werden. Im Gegenteil, die Komplexität der Kafkaschen Dichtung fordert ein möglichst vollständiges Assoziieren alles Einschlägigen, auch des vermeintlich Nebensächlichen und Widersprüchlichen.

Daß Strafe den Menschen zur Verklärung führt, diese religiöse Glaubenswahrheit stellt, wie betont, nach Ingeborg Henel den Kern der Erzählung dar. In der

---

[99] Ebd. 483. Ferner ebd. 485: Das jeweilige Vergehen sei „nur der Anlaß, nicht der Grund für die Strafe". Aus dem Mißverhältnis zwischen Vergehen und Strafe ergebe sich die „transzendente Bedeutung" der Strafe. Das heißt, die Schuld ist gleichsam „ein Stigma der Endlichkeit oder eine Art Erbsünde". Es geht um eine ‚immer zweifellose' vorgegebene Schuld, die der Schuldige büßen muß, auch wenn er sie — wie das Tier im *Bau* — gar nicht kennt.

[100] Ebd. 483.

[101] In solchem Sinn hat Hannah Arendt (Franz Kafka. Von Neuem gewürdigt. In: Die Wandlung 1946) Kafka „eine prinzipielle Erkenntnis gesellschaftlicher Grundstrukturen" zugeschrieben.

Darstellung Kafkas erscheint das aber keineswegs so eindeutig, wie sie annimmt. Diese Vorgänge stehen vielmehr in einem eigentümlichen Zwielicht. Auch kann man zweifeln, ob gerade die infernalischen Hinrichtungspraktiken der Strafkolonie geeignet seien, den Opfern das Erlebnis der Verklärung zuteil werden zu lassen. Vor allem aber wird der Vorgang selbst gar nicht gestaltet. Wir h ö r e n nur von ihm durch den Offizier, der jedoch seinerseits Partei ist[102] und in einem ideologisch fanatisierten Bericht dieses Strafverfahren sogar als ‚das menschlichste und menschenwürdigste‘ rühmt. Ist also die Verklärung vielleicht nur eine wahnhafte Unterstellung des Offiziers? Und ist es ferner nicht voll makabrer Ironie, daß der Offizier selbst, dieser überzeugteste Anhänger des Apparates, bei der einzigen Exekution, die beschrieben wird, die vielgerühmte ‚Verklärung‘ n i c h t erlebt? Auch diese Ambivalenz steckt in der Geschichte drin.

Folgerichtig deutet Ingeborg Henel auch die Teilnahme der Kinder an den Exekutionen in ihrem Sinn, nämlich als eine ‚Übertreibung ins Schlimme‘, die darauf hinweise, „daß nicht die Hinrichtung das wichtige Ereignis ist, sondern die Verklärung, an der die Zuschauer in ähnlicher Weise teilnehmen wie die Gläubigen an der Transsubstantiation in der Messe“.[103] Aber auch dies erfahren wir nur aus der Schilderung des auf Werbung für die Erhaltung des alten Strafverfahrens bedachten Offiziers, der infolgedessen kein gültiger Zeuge sein kann. Ist also der von diesem gepriesene Vorgang der Verklärung überhaupt ernst zu nehmen? Geht es nicht vielmehr nur um eine ‚ins Schlimme übertreibende‘ Demonstration eines Wahns? Sollte aber die Exekution in der Strafkolonie wirklich als ein „Heilverfahren“ aufzufassen sein, so erscheint es abwegig, daß nur stumpfsinnige Primitive, die sich etwas haben zuschulden kommen lassen, eines solchen Heilverfahrens durch den Apparat gewürdigt werden. Warum — so fragt sich — bleibt den andern, die gegen kein Gesetz verstoßen haben, das Heil vorenthalten?[104]

Daß der Offizier bei seinen Ausführungen Partei und mithin befangen ist, räumt Ingeborg Henel ein. Da aber auch der Reisende, obwohl Kontrahent des Offiziers, diesem Glauben schenke und sogar dessen kühnste Behauptung für wahr halte, dürfe „auch der Leser dem Offizier glauben und alles, was er sagt, als objektive Wahrheit verstehen“.[105] Wieso das? Die Erzählung zeigt doch, daß auch der Reisende für die suggestiven Reden des Offiziers und den *genius loci* der Kolonie nicht

---

[102] Henel a.a.O. 483: „... der Offizier steht der Strafkolonie nicht gegenüber, sondern ist ein Teil von ihr.“

[103] A.a.O. 501, Anm. 12.

[104] Es ist schon so: Kafka interpretieren heißt: die gefunden geglaubten Antworten immer wieder in Frage stellen. Gewiß hat Kafka selbst ein Verlangen nach erlösender Strafe, nach befreiender Sühne gekannt. Es war ihm sogar ein lebenslanges Bedürfnis. Aber dem Verurteilten in der Strafkolonie und auch dem Forschungsreisenden war es fremd. Ihnen scheinen die inneren Voraussetzungen zu fehlen, durch Strafe jene „Verklärung ... zu erreichen, die die höchste Vollendung des Menschen bedeutet“. (Henel a.a.O. 489)

[105] Henel a.a.O. 484.

unansprechbar ist und daher ebenfalls — zum mindesten teilweise — als befangen gelten muß.

Auch bezweifle ich, daß der Offizier sich deshalb zuletzt selbst hinrichtet, weil er das negative Urteil des Reisenden für „berechtigt" hält. Er tut es vielmehr in dem ungebrochenen Glauben, im Recht zu sein, aber nicht Recht bekommen zu haben. Hielte er jedoch den Standpunkt des Reisenden für richtig, was könnte ihn hindern, sich diesem anzuschließen und — ebenso rasch wie seine Selbstexekution — die gebotene Wende von Saulus zu Paulus zu vollziehn? Er aber tritt ab, weil er nicht weiterleben will in einer Welt, die nach seiner Überzeugung nicht mehr in Ordnung ist. Darum erscheint es auch nicht als eindeutig und positiv, sondern als ambivalent, ja absurd, wenn der Offizier „das Gesetz, das er in den Zeichner legt und nach dem der Verurteilte gerichtet werden soll, als ,die Schrift' [bezeichnet und damit] auf die ,Heilige Schrift' ... und die Absolutheit des Gesetzes" anspielt.[106] Daß nur er, dessen Kopf als ,beschränkt' apostrophiert wird, die ,Schrift' lesen kann und nur er der Eingeweihte ist, der das Gesetz kennt, ist von typisch Kafkascher Ironie. Liegt hier doch eine ähnliche Parodie vor wie im *Urteil*, wo sich der widerliche, hinterhältige Vater Bendemann komödiantisch würdelos als eine Art Jahwe-Gestalt produziert.[107]

Die positive Eindeutigkeit von Ingeborg Henels religiös tendierender Interpretation ist — wie betont — an die Voraussetzung geknüpft, daß die Strafkolonie eine Allegorie, also eine „reine Konstruktion" darstellt, die „immer eindeutig" ist und „in jedem Punkt der Idee [entspricht], die sie [verkörpert]".[108] Infolgedessen sei sie auch „keine Spiegelung der Wirklichkeit", keine Parabel und vermittle weder direkt noch indirekt eine Lehre oder Erkenntnis. In Wahrheit aber ist die Strafkolonie ein mixtum compositum, nämlich allegorisches Märchen u n d parabolische Erzählung, „reine Konstruktion", aber gleichwohl mit Vorgängen in der wirklichen Welt verbunden und Grundbefindlichkeiten des menschlichen Daseins erhellend.[109]

---

[106] Ebd. 485.

[107] Ebd. 497 spricht Henel „von der zufälligen Autorität eines halb tyrannischen, halb senilen Menschen wie dem Vater".

[108] Dem entspricht die Auffassung, daß „die Hinrichtung ... keiner äußeren Macht, sondern dem Heil des Hingerichteten selbst" diene. (Ebd. 487) Beide Behauptungen sind jedoch zu bezweifeln. Die Kennzeichnung des ,eigentümlichen Apparates', der Bedienungsaufwand, der mit ihm getrieben wird, lassen keinen Zweifel daran, daß er in der alten Strafkolonie als ein Selbstzweck galt. Ob aber die Exekutionen zum Heil des Exekutierten dienten, ist eine unentscheidbare Frage. Man mag es glauben, aber ebenso mag man annehmen, daß aus solch heillos pervertierten institutionellen und personellen Gegebenheiten, wie sie das moralische Niveau der Strafkolonie bestimmen, kein Seelenheil erwachsen kann. Auch die fluchtartige Eile, mit der der Reisende zum Schluß die Kolonie verläßt, läßt diese Insel als einen Ort der Verdammten erscheinen, für den das Dantewort gilt: ,Lasciate ogni speranza, voi ch'entrate.' (Hölle 3, 9)

[109] Henel selbst verweist a.a.O. 486 auf einen solchen parabolischen Wirklichkeitsbezug, wenn sie sagt, die langsame Arbeitsweise des Apparates demonstriere die „Schwierigkeit

Ein Hauptargument für die positive Auslegung der Erzählung geht dahin, daß der Mensch nicht aus freien Stücken zur Erkenntnis seiner Schuld gelange und deshalb „zwangsmäßig der Strafe unterworfen werden" müsse, da er andernfalls wie Josef K. im Prozeß ‚sterben [müsse] wie ein Hund‛.[110] Aber auch der durch den Apparat exekutierte Offizier der Strafkolonie stirbt wie ein Hund, ja noch elender als ein Hund. Das verunsichert denn doch die religiös moralische Wertung des Apparates als eines Heilsbringers, auch wenn man einwenden könnte, daß bei der Selbstexekution des Offiziers ein Mißbrauch des Apparates vorliege. Hinzu kommt, daß Kafka selbst in einem seiner Fragmente zur Strafkolonie von der ‚glatten maschinenmäßigen Widerlegung [spricht], welche die Meinung des Offiziers‛ in seinem eigenen Tod gefunden habe.[111] Insofern dieser Tod alles widerlegt, wofür der Offizier gelebt hat, ist er ein tragischer Tod. Und es unterstreicht noch die Tragik des Scheiterns, daß er wissend in diesen echolosen Untergang geht. Für die Überlebenden aber signalisiert sein Tod: Ein Wahn ging zu Ende.[112]

Gleichwohl ist damit kein Ausweg ins Freie gewonnen. Das Ende d i e s e s Wahnes bedeutet ja noch nicht das Ende jedes Wahnes. Und die Erzählung klingt aus in die skeptische Frage: Was wird aus der Strafkolonie? — eine Frage, deren Beantwortung dem Leser überlassen bleibt.[113] Wie Ingeborg Henel betont, soll mit dem Sieg der moderneren Auffassung des Reisenden über die archaischere des Offiziers „kaum ihre prinzipielle Überlegenheit ausgedrückt werden, sondern eher die Zustimmung, die sie in der Welt gefunden hat".[114] Bezeichnend ist vielmehr die „Angst und Ratlosigkeit des Reisenden angesichts des Zusammenbruchs der alten Ordnung", über den er doch rückhaltlos befriedigt sein sollte. Doch im Gegenteil zeigt seine schroffe Distanzierung von dem Soldaten und dem befreiten Sträfling wie auch von den Männern im Teehaus, daß ihm die hier erreichte „Befreiung von der Strafe nicht als der eindeutige Segen [gilt], als den der Soldat und der Verurteilte sie betrachten".[115] Und die Verfasserin betont mit Recht, daß nicht lediglich „Trägheit des Herzens" den Reisenden zum Schluß so unzugänglich mache, son-

---

seiner Aufgabe", was denn doch als ein Analogon zur Schwierigkeit der Schuld- und Rechtsfindung im realen Leben anzusprechen ist.

[110] Ebd. 488.

[111] T 527.

[112] Auch Hexenverbrenner haben *bona fide* und mit dem vollen Einsatz ihrer Person einem solchen Wahn gelebt, den sie ebensowenig wie der Offizier durch den eigenen Tod verifizieren oder rechtfertigen könnten.

[113] Henel a.a.O. 496.

[114] Ebd. 489.

[115] Ebd. 496. In dieser ängstlichen Reserve des Reisenden spiegelt sich wohl auch etwas von Kafkas eigener Befürchtung, die er Janouch gegenüber geäußert hat: ‚Durch den Abfall von dem formgebundenen Gesetz‛ werde die Menschheit ‚zur grauen formlosen und darum namenlosen Masse‛. (J 231) Ebd. 498 stellt Henel die (rhetorische?) Frage: „Wollte Kafka, nachdem er die *Strafkolonie* geschrieben hatte, im *Prozeß* zeigen, wozu das Vermeiden der Strafe führt?"

dern „die Schwierigkeit des Problems..., vor das die so plötzlich Befreiten den Befreier stellen: Sie laden ihm eine Verantwortung auf, der er sich nicht gewachsen fühlt und deshalb entzieht".[116] Wenn der Reisende die neue Verantwortung ablehnt, so ist das in der Tat „nicht nur ein Zeichen von Feigheit", es zeigt vielmehr auch, daß er die Problematik der hier entstandenen Lage bereits in ihrer vollen Schwere begriffen hat „und sich nicht für berufen hält, sie zu lösen".[117] Diese (längst fällige) Ehrenrettung des Besuchers der Strafkolonie liegt gewiß auch im Sinne des Dichters.[118]

---

[116] Ebd. 493.

[117] Ebd.

[118] Ausdrücklich heißt es in der Erzählung: ‚er war im Grunde ehrlich und hatte keine Furcht.‘

‚Der Bau‘

Diese in Kafkas letztem Lebensjahr (1923/24) entstandene Erzählung kann als das letzte Wort des Dichters gelten, ähnlich wie *Das Urteil* (1912) als der eigentliche Beginn seines Schreibens, als seine „Durchbruchsgeschichte" angesprochen wird. Die zugrundeliegende Metapher des Baues hatte schon in der Erzählung *Beim Bau der chinesischen Mauer* (1917) thematische Bedeutung, und auch das Motiv des (auf ein Gericht hinweisenden) bedrohlich warnenden Geräusches begegnete ähnlich bereits in den *Fürsprechern*. Überhaupt finden sich in dieser späten Geschichte die für Kafkas Dichten und Denken kennzeichnenden Elemente noch einmal (fast vollzählig) zusammen. *Der Bau* ist also eine Art Schwanengesang, in dem der Dichter rückblickend die Summe seiner Existenz zieht. Er ist Bekenntnis und Selbstgericht, aber ins Medium der Kunst überführt, ins Parabolische erhöht und darum zugleich mehr als nur Autobiographie. Nicht zuletzt bestimmt eben dies den künstlerischen Rang der Erzählung, daß sie ihre Herkunft transzendiert und den Rohstoff des persönlich Erlebten und Erlittenen ungeschwächt und ohne Rest in Literatur verwandelt hat. *Der Bau* Kafkas repräsentiert im konsequentesten Sinn des Wortes „Dichtung und Wahrheit".

„Dichtung und Wahrheit" in autobiographischen Werken meint, daß die Selbstdarstellung eine Sinngebung erfährt, die im Lebenslauf selbst — infolge der verdrängenden Fülle disparater Einzelheiten — noch nicht erkannt werden konnte, die sich vielmehr erst aus rückblickender Überschau, als Produkt verarbeiteter Erfahrung, ergab.[1] Der Sinn erscheint also nicht vorgegeben, er wird erst gefunden oder gesetzt. Das heißt: er beruht auf moralischer Entscheidung und ist somit nachträgliche Zutat. In der Spannung zwischen solcher Setzung eines Sinnes und der Wertfreiheit des konkreten Geschehens liegt eine Mehrzahl von Deutungsmöglichkeiten. Der Ausdruck „Dichtung und Wahrheit" impliziert somit die Vieldeutigkeit des Dargestellten. Er zielt auf die Mehrdimensionalität des Lebens, das gleichzeitig auf verschiedenen Ebenen abläuft: als realer Vorgang, als parabolisches Geschehen, als transzendentes Mysterium; er unterstellt die Multivalenz aller Phänomene. Die hierin aufscheinende Weite des Deutungsspielraums befreit aber den Interpreten nicht von kritischer Prüfung der Befunde. Im Gegenteil, sie verpflichtet ihn zu um so strengerer Bindung an den Text und duldet keine Assoziationen, die nicht durch den gegebenen Wortlaut begründet oder wahrscheinlich gemacht werden können. Wer sich nicht an dem der Dichtung selbst eigenen Kompaß

---

[1] Entsprechend sah Goethe in der ‚E r i n n e r u n g‘ ein die Einheit des Lebenszusammenhangs sicherndes, Sinn und Halt gebendes Vermögen des Menschen. ‚Erinnerung‘ ist es daher auch, die den verzweifelnden Faust ‚vom letzten, ernsten Schritt‘ des Freitodes zurückhält. Aber auch Kafka selbst ist wesentlich ein sich ‚erinnernder‘ Dichter. Seine Darstellungen sind aus den Quellen nie verstummender, weit zurückreichender Erinnerung gespeist. Introversion ist ja nichts anderes als konsequentes Sich-erinnern, Konzentration auf das, was sich im Innern als das Bleibende bewahrt hat.

orientiert, verspielt die Chance, die der weite Spielraum bietet. Kafka-Interpretation kann daher geradezu ein Test dafür sein, daß Willkür der Todfeind der Freiheit ist.

Zur Vieldeutigkeit Kafkas gehört, daß er einerseits immer über sich selbst schreibt[2], andererseits aber nicht selten Einkleidungsformen wählt, die diesen autobiographischen Zusammenhang nur schwer, zumindest nicht auf den ersten Blick, erkennen lassen. Komplizierend tritt hinzu, daß er, wie er selbst sagte, nichts anderes war noch sein konnte als Literatur und daß infolgedessen seine Selbstdarstellung auch in erster Linie Erhellung seiner dichterischen Existenz, also Auseinandersetzung mit der Problematik (ja Unmöglichkeit) des Schreibens bedeutete. Es handelt sich somit um eine auf sein Dichtertum konzentrierte Autobiographie. Das Scheitern seiner Helden spiegelt sein (von ihm als solches empfundenes) Scheitern als Schriftsteller.

Zu dieser Spezialisierung kontrastiert jedoch der zugleich allgemein menschheitliche Aspekt der Kafkaschen Dichtung. Er ergibt sich aus der Grundthese des Dichters, daß sich genaue Erfassung des Individuellen und universelle Sicht nicht ausschließen, sondern im Gegenteil sich wechselseitig bedingen. Nur indem ich mich ganz durchschaue und dadurch in meiner Geschöpflichkeit und gattungsbestimmten Bedingtheit erkenne, kann ich den Menschen als solchen wahrnehmen. Nur durch mich selbst, in der individuellen Verwirklichung also, kann ich das Menschliche an sich, das ,was uns alle bindet, das Gemeine‘ wirklich erfahren. Nach Kafkas Überzeugung ist es daher gerade die konsequent durchgeführte Autobiographie, die möglichst vollständige Auslotung der Individualität, die den Blick auf den Menschen und die Menschheit erschließt. Wenn er sich rückhaltlos selbst enthüllt und auch diese Selbstenthüllung noch auf seine literarische Existenz einschränkt, so wird, wie er glaubt, gerade aus dieser äußersten Spezialisierung eine um so genauere Einsicht in die menschliche Existenz als solche gewonnen werden können. Hier verwirklicht sich für Kafka die ,coincidentia oppositorum‘, die Transparenz des Universellen im Individuellen, das Sichtbarwerden des allgemeingültigen Gesetzes im Singulären.[3]

Die in der Individualität erschlossene Universalität bedingt und ermöglicht die grundsätzliche Vieldeutigkeit der Kafkaschen Gestalten. Indem sie von ihm selbst, von seinen Nöten in der ihm ungemäßen Welt und im besonderen von den Fatalitäten seines Schriftstellerdaseins handeln, handeln sie zugleich vom Menschen überhaupt. Denn der Kafkasche Held ist sowohl der einmalige Kafka als auch ein Jedermann. Und der dargestellte Konflikt ist gleichzeitig der spezielle Konflikt des Dich-

---

[2] Daß Kafkas Werk grundsätzlich Selbstdarstellung ist, betonte neuerdings vor allem EDUARD GOLDSTÜCKER in seinem im April 1972 an der University of California, Los Angeles gehaltenen Vortrag über Kafkas Erzählung ,The Stoker‘ (,Der Heizer‘). Vgl. auch sein Kafka-Buch (Caliban Press, London 1973).

[3] Man denkt in diesem Zusammenhang an die Weigerung Goethes, die (von ihm „geschaute") Urpflanze zu einer bloßen „Idee" verblassen zu lassen, an sein entschiedenes Bestehen auf ihrer konkreten Realität.

ters und der generelle Lebenskonflikt aller. Das als einmalig dargestellte Geschehen erweist sich zugleich als ahistorisch und parabolisch. Singuläres wird so transparent vergegenwärtigt, daß es alles überhaupt Mögliche einschließt und dadurch universale Relevanz besitzt. Diese universale Relevanz läßt selbst weitgespannte Assoziationen als legitim erscheinen. So wird z. B. in der *Strafkolonie* zwar ein Sonderfall erzählt, der voll durch sich selbst zu interessieren vermag, aber gleichzeitig geht es dabei um parabolische Darstellung menschlicher Grundsituationen, um das Neben- und Gegeneinander absolutistischer und liberaler Rechts- und Gesellschaftsordnungen, um die ‚immer zweifellose Schuld‘ des Menschen als eine Vorgegebenheit seiner Existenz. Infolgedessen erscheint die Strafkolonie als ein Bild der Welt überhaupt, in der jeder a priori schuldig ist und seinen Henker findet, als ein Gleichnis der ‚condicio humana‘, unter welch umfassendem Aspekt noch viele weitere Assoziationen impliziert werden können. Aus alledem folgt, daß man den Sinn der Kafkaschen Dichtungen verfehlen würde, wenn man sich jeweils auf nur e i n e n Sinn festlegen wollte und sich nicht offen hielte für ihren vielstimmigen Reichtum, insbesondere für die Mehrdeutigkeit ihrer Metaphern und Gleichnisse und damit für das vollberechtigte Nebeneinander realistischer, parabolischer, historisch und aktuell assoziierender (und vielleicht auch metaphysischer) Auslegungen.

Wenden wir uns jetzt zu Kafkas später Erzählung zurück, so kann kein Zweifel darüber bestehen, daß die ihr zugrundeliegende Metapher des Baues vieldeutig ist. „Like all of his [Kafka's] stories of any length, it [*The Burrow*] deals with many subjects and touches upon many more ...“[4] Um so wichtiger ist es, sich an die erkennbaren Hauptlinien der Erzählung zu halten und sich nicht in (scheinbar vielversprechende) Seitenlinien zu verirren.[5] Henel kennzeichnet das Gesamtthema mit folgenden Formeln: „An animal needs a burrow for his safety, but it is also a trap.“ Oder: „A man's home is his castle, but what use is a castle if it is not a home?“[6] Er gibt aber auch noch genauere Umschreibungen des zugrundeliegenden Problems:

---

[4] HEINRICH HENEL: Kafka's ‚Der Bau‘, or How to escape from a Maze. In: The Discontinuous Tradition (Stahl-Festschrift), Oxford 1971, 224. Diese Multivalenz im Blick zu behalten, sei daher eine Hauptforderung an den Interpreten: „What the critic must realize is that there is no one key word or key sentence but many.“ (Ebd. 238)

[5] Wenn der Protagonist den Feind, durch den er sich bedroht fühlt, als „Verderber“ bezeichnet, so weckt dieser Ausdruck biblisch-religiöse Vorstellungen und könnte dazu verführen, die Geschichte insgesamt als eine religiöse Parabel oder — noch spezieller — als poetische Illustration einer Bibelstelle zu deuten. Mit Recht weist HENEL (a.a.O. 238) das als eine „simplification“ zurück, „which disregards the multivalence both of Kafka's metaphors and symbols and of his stories as a whole“. Er fügt hinzu: „His mazes are equipped with many signposts, traffic lights, and alarm bells, and while each of them, when properly heeded, yields an important insight, none yields a wholly adequate insight and thus leads out of the maze.“

[6] HENEL a.a.O. 226. Eine andere Umschreibung lautet:... the reader ... declares that all the animal does is paradoxical, and that his paradoxical existence is a parable for man's ...“ (Ebd.).

„... the emphasis in both parts [of the story] is on the animal's tremendous effect to solve his problems and on the ironic fact that they become the more insoluble the harder he tries. Rationality is used to dispel fear, but actually makes it worse, for in devising defences against danger the mind constantly discovers new dangers."[7] Wie für alle Helden Kafkas gilt für den Protagonisten des *Baues*, daß er erhebliche Mühe zur Lösung der selbstgestellten Aufgabe aufwendet. Tatsächlich hat das Tier im Bau sogar meisterliche Arbeit geleistet. So ist diese Geschichte recht eigentlich die Geschichte des s c h e i t e r n d e n P e r f e k t i o n i s t e n.[8]

Daß der minutiös beschriebene Bau zugleich auf das literarische Werk Kafkas anspielt und somit — wie auch die anderen späten Erzählungen des Dichters — als „Künstlernovelle" anzusprechen ist, liegt nicht in Henels Blick. Entsprechend weist er die These Politzers, daß der *Bau* „auf beinahe allegorische Art und Weise" mit Kafkas dichterischem Lebenswerk „identisch" sei, entschieden zurück.[9] Wenn Politzer das Labyrinth im Bau als Metapher für Kafkas frühe Erzählung *Das Urteil* anspricht oder den kurzen Hinweis des Protagonisten auf eine ihm unbekannte Schuld als substantiellen Bezug auf den Roman *Der Prozeß* wertet oder gar das „playing and somersaulting" des Tieres im Bau mit Gregor Samsas „excursions across the walls" in der *Verwandlung* in eins setzt, so werden solche weithergeholten Identifikationen mit Recht bezweifelt. Das sind in der Tat höchst vage Unterstellungen, und Politzer selbst bekennt seine Unsicherheit, wenn er fragt, ob das Labyrinth sich nicht eher auf *Das Schloß* als auf *Das Urteil* bezieht. Solche direkten Assoziationen lassen sich nicht überzeugend verifizieren, abgesehen davon, daß — bei solcher Auffassung des *Baues* „as the most appropriate cipher for [Kafka's] work" — die Geschichte ihren eigentlichen Inhalt verlöre und zu einem bloßen „catalogue of Kafka's output" degenerierte. In Wahrheit ist aber der *Bau* eine Dichtung, die durch sich selbst interessiert und eine kohärente Situation und Handlung entfaltet.[10]

---

[7] Ebd. 227. Die im Titel von Henels Aufsatz implizierte Frage „How to escape from a Maze?" findet also eine negative Antwort. Die Geschichte demonstriert, daß es keinen Ausweg aus dem Teufelszirkel gibt.

[8] Ebd. 228. „Abstract reasoning, experimentation, observation—all are discredited in turns. In searching for improvements of his burrow the animal loses himself in technical considerations and dreams the dream of an absolutely perfect structure. He knows this, and he knows also that while technical achievements are not to be despised, they cannot satisfy all the needs of life."

[9] HENEL a.a.O. 237: „I reject Heinz Politzer's assertions that ,in an almost allegorical way *The Burrow* is identical with Kafka's own work' und that it ,contains highly significant statements concerning Kafka's own creative paradox: the conflict which existed in his aims as a writer and a human being'."

[10] Ebd. 237: „But even if all [these identifications] were accepted, we should have discovered nothing more than allusions, metaphorical overtones, that would enrich the passages in which they occur, but would not explain the story."

Aber auch wenn man Politzers Argumentation nicht in allen Einzelheiten folgt und die Kennzeichnung der Geschichte als „Allegorie" ablehnt[11], so rührt seine Deutung gleichwohl an den Kern der Sache, nämlich an den autobiographischen Ursprung auch dieser Erzählung. Das heißt, die aufwendige Herstellung des Baues, die als die Lebensleistung des Protagonisten charakterisiert wird, bezieht sich auf die Lebensleistung des Dichters. Dieser Bau ist also zugleich fiktive Realität und Metapher für das Ganze von Kafkas literarischem Schaffen. An diesem prinzipiellen Zusammenhang kann nach Kafkas eigenen Zeugnissen kein Zweifel bestehen. Das Problematische der Deutung Politzers betrifft daher nicht die Sache als solche; sie ergab sich vielmehr erst daraus, daß er übers Ziel hinausschoß und einen prinzipiellen Bezug allzu spezifisch konkretisierte.

Kafka selbst hat seine grundsätzliche Identität mit dem Protagonisten im *Bau* mehrfach bestätigt. Eine erschütternde Parallele zum definitiven Rückzug des gealterten Tieres in das Innerste seines Baues enthält sein Brief an Max Brod vom 5. Juli 1922, in dem er seine Absage eines ihm vorgeschlagenen Reiseplans begründet und sich zu der gleichen (negativen) Alternative entschlossen zeigt, wie der Protagonist seiner Erzählung:

> Damit ist dann entschieden, daß ich aus Böhmen nicht mehr hinausfahren darf, nächstens werde ich dann auf Prag eingeschränkt, dann auf mein Zimmer, dann auf mein Bett, dann auf eine bestimmte Körperlage, dann auf nichts mehr.[12]

Schon im Juni 1920 hatte er an Max Brod geschrieben, daß literarische Arbeit eine ‚ungeheure Festung' bilden könne. Wenn er ferner beim Bericht über die Arbeiten am Bau Vokabeln wie ‚Erstlingswerk' und ‚Exemplar' verwendet, so kennzeichnet er damit ebenfalls den literarischen Charakter des Ganzen. Aber auch die Tiermethapher, durch die sich der Erzähler „als gestalt- und namenloses Waldtier" vorstellt[13], ist ein für Kafka typischer Ausdruck seines Hanges zur Selbsterniedrigung und verweist somit direkt auf seine Person. Hat er sich doch selbst wiederholt mit einem unterirdisch grabenden oder in seinem Bau sich verborgen haltenden Waldtier verglichen. Am 12. August 1922, also nicht lange vor der Abfassung der Erzählung, schrieb er an Max Brod: ‚Eben laufe ich herum oder sitze wie versteinert, so wie es ein verzweifeltes Tier in seinem Bau tun müßte.' (B 390) Die gleiche Selbstbeschrei-

---

[11] Die Definition des *Baues* als Allegorie verkennt seinen Charakter als „reine Literatur", als eine nur sich selbst verpflichtete Dichtung. Indessen sei nicht unterschlagen, daß auch Politzer selbst nur von „b e i n a h e allegorischer Art und Weise" spricht.

[12] Daß diese Briefstelle als autobiographisches Rohmaterial zu *Der Bau* anzusprechen ist, dürfte außer Zweifel stehen. An das Tier im *Bau* erinnert ferner, wenn sich Kafka folgende zwei Aufgaben stellt: ‚Deinen Kreis immer mehr einschränken und immer wieder nachprüfen, ob du dich nicht irgendwo außerhalb deines Kreises versteckt hältst.' Auch die Äußerung zu Max Brod: ‚Der Weg zum Nebenmenschen ist für mich sehr lang' gehört hierher.

[13] Ebd. 453.

bung gibt das Tier in der Erzählung. In einem Brief an Milena hatte Kafka denselben Tiervergleich schon früher und detaillierter angeführt: ‚Ich, Waldtier, war ja damals kaum im Wald, lag irgendwo in einer schmutzigen Grube... im Grunde war ich doch nur das Tier, gehörte doch nur in den Wald... Du mußtest... Sonderbarkeiten erkennen, die auf den Wald deuteten, auf diesen Ursprung und diese wirkliche Heimat... und ich mußte zurück ins Dunkel, ich hielt die Sonne nicht aus, ich war verzweifelt, wirklich wie ein irregegangenes Tier, ich fing zu laufen an, wie ich nur konnte... so also lebe ich.‘ (BM 223 f.)

Es ist erstaunlich, wie genau in dieser Selbstcharakterisierung Kafkas „die elementaren Wirklichkeiten des Tiers, das sich im *Bau* verborgen hält", vorweggenommen sind.[14] Von besonderer Wichtigkeit aber ist, daß sich diese makabren Bilder und Vergleiche gerade auch auf die schriftstellerische Tätigkeit beziehen.[15] Wenn das Tier auf den selbsterrichteten Schutzbau nicht zu verzichten vermag, dabei aber auch nicht restlos darin leben kann und somit die volle Unabhängigkeit seiner Eigenwelt nicht erreicht, so ist das „ein selbstkritisches Sinnbild der Besessenheit, mit der Kafkas Werk den Schriftsteller in seinen Fängen hielt".[16] Die Äußerung: ‚Zuviel beschäftigt mich der Bau‘ präludiert das pessimistische Fazit der Erzählung, daß hier nämlich ein großer Einsatz verloren wurde. Schon der Eingangssatz: ‚Ich habe den Bau eingerichtet und er s c h e i n t wohlgelungen‘ deutet auf das (vielleicht nur) Scheinhafte der vollbrachten Leistung hin, auf die Möglichkeit einer Selbsttäuschung, die sich einmal bitter rächen könnte. Und tatsächlich zeigt sich dann am Ende, daß der Bau die in ihn gesetzten Erwartungen nicht erfüllt, daß er die erhoffte Geborgenheit nicht bietet, sondern im Gegenteil, statt zur sicheren Zuflucht, zur tödlichen Falle seines Erbauers wird. Das Tier im *Bau* endet als der Gefangene seines selbstgeschaffenen Gefängnisses.[17]

---

[14] Ebd. 454. Bereits 1904 gebrauchte Kafka die gleiche Tiermetapher in einem Brief an Max Brod. ‚Wir durchwühlen uns wie ein Maulwurf und kommen ganz geschwärzt und sammethaarig aus unseren verschütteten Sandgewölben.‘ Daß dieses seltsame Bild immer wieder begegnet und in der „letzten" Erzählung sogar zum voll ausgestalteten Thema des Ganzen wird, schließt jede Möglichkeit, es als bloße Zufallsprägung aufzufassen, aus, erweist vielmehr die leitmotivische Bedeutung gerade dieser Metapher für Leben und Werk des Dichters.

[15] Wie POLITZER a.a.O. 454 hinweist, hat freilich auch Thomas Mann — schon 1909 — seine literarische Produktion mit einem ‚klugen Fuchsbau‘ verglichen. Dabei sollte man aber den Unterschied im scheinbar Gleichen nicht übersehen und den augenzwinkernden Humor, der die Mannsche Metapher umspielt, mit dem schwerblütigen Fatalismus der Kafkaschen Bildprägung nicht in eins setzen.

[16] Ebd. 458.

[17] Noch viele Äußerungen Kafkas, die die Identität seiner eigenen Situation mit der des Tieres im Bau erhellen, könnten herangezogen werden, so z. B. sein kritischer Selbstvergleich mit Flaubert und Kierkegaard, die — im Gegensatz zu ihm — genau gewußt hätten, wie es mit ihnen stand, da sie „den geraden Willen" hatten: „das war nicht Berechnung, sondern Tat." Bei ihm hingegen sei es „eine ewige Folge von Berechnungen, ein ungeheuerlicher Wellengang von... Jahren". Diese Selbstcharakteristik des Dichters trifft genau die Seelenlage des Protagonisten im *Bau*.

Was die Geschichte mit qualvoller Konsequenz ausbreitet, ist also der unerbittlich sich vollziehende Prozeß der Desillusionierung des Dichters, der in eben dem Zeitpunkt, in dem er das gesteckte Ziel erreicht haben sollte, das endgültige Scheitern seiner Bemühungen erfahren muß. Lebenslang hat er seinen ,Traum eines ganz vollkommenen Baues' geträumt und stellt jetzt erwachend fest, daß alles ein Irrtum war: ,Ich verstehe plötzlich meinen früheren Plan nicht. Ich kann in dem ehemals verständigen nicht den geringsten Verstand finden.' Ja, das genaue Gegenteil dessen, was er hatte verwirklichen wollen, ist eingetreten: ,Eine völlige Umkehrung der Verhältnisse im Bau.' Gerade der Ort, der ihm bislang als der sicherste galt, der ,Burgplatz', erscheint jetzt als der unsicherste, ,hineingerissen in den Lärm der Welt und ihrer Gefahren'. Angesichts der Nutzlosigkeit aller seiner Unternehmungen erkennt er, was ,die notwendige Arbeit' gewesen wäre, ,für die es [aber], nebenbei gesagt, natürlich viel zu spät ist'. Es gibt überhaupt nichts, das er richtig gemacht hätte: ,Nicht den kleinsten Anlauf . . . habe ich gemacht . . .' Die hier ausgesprochene Selbstverurteilung ist vollkommen und entspricht Kafkas letztwilliger Verwerfung seines gesamten dichterischen Werkes. *Der Bau* spiegelt also in abschließender Form die Selbstauffassung und Selbstkritik des Dichters. Was für seine Helden gilt, gilt auch für ihn selbst. Trotz aufwendiger Bemühungen steht er zuletzt mit leeren Händen da, mit dem schuldhaft drückenden Bewußtsein, gerade das Richtige nicht getan zu haben. Das Recht zur Selbstbehauptung ist darum verspielt. Bedingungslose Kapitulation erweist sich als der Weisheit letzter Schluß. Die Erzählung enthüllt den radikalen Lebensirrtum: der kunstvoll durchgeführte Bau versagt am Ende seinen Dienst. Er ist nicht die feste Burg, als die er gedacht war, nicht das „Schloß im Innern", das die Erfüllung des Erträumten gewährt. Die Flucht in die Dichtung war auch nur ein Wahn, ein tödlicher Selbstbetrug. Im Blick auf dieses letzte Scheitern erscheint alles Geleistete als ärgerliche ,Flickarbeit', als nutzlos aufwendige ,Bastelei'.[18]

Als nutzlos aufwendige Bastelei sieht Kafka zuletzt sein gesamtes Werk, obwohl die Arbeit am Bau den Einsatz des Lebens gefordert und „das Tier sein kostbarstes Eigentum" dabei „aufs Spiel gesetzt [hatte] . . .: die eigene Stirn diente ihm als Stampfhammer".[19] Dieses Bild der planmäßigen harten Arbeit mit der Stirn ist

---

[18] Dem entspricht die abfällige Kritik, mit der das Tier sein ,Erstlingswerk', das Labyrinth, bedenkt: „. . . ich begann halb spielerisch an diesem Eckchen und so tobte sich dort meine Arbeitsfreude in einem Labyrinthbau aus, der mir damals die Krone aller Bauten schien, den ich aber heute wahrscheinlich richtiger als allzu kleinliche, des Gesamtbaues nicht recht würdige Bastelei beurteile, die zwar theoretisch vielleicht köstlich ist . . ., in Wirklichkeit aber eine viel zu dünnwandige Spielerei darstellt, die einem ersten Angriff . . . kaum widerstehen wird.' Und noch ein Versagen muß sich der inzwischen altgewordene Baumeister (= Schriftsteller) vorwerfen: „. . . ich habe in meinem Leben immer zu viel Arbeitspausen gemacht.'
[19] POLITZER a.a.O. 456. Vgl. dazu Kafkas düsteren Ausspruch: ,Sein eigener Stirnknochen verlegt ihm den Weg, an seiner eigenen Stirn schlägt er sich die Stirn blutig.' (BK 292)

gewiß nicht zufällig gewählt. Es besagt: auch (ja gerade) der Kopfarbeiter scheitert an und in sich selbst. Die Arbeit der Stirn ist als solche keine Gewähr für wertbeständige Leistung. Im Gegenteil, sie dient der Selbsttäuschung, verführt dazu, sich in Sicherheit zu wiegen und zu übersehen, daß ‚manche List... so fein [ist], daß sie sich selbst umbringt‘. Entsprechend gab sich das Tier immer wieder gefährlichen Illusionen hin und vertraute auf die Leistungskraft seiner Stirn: ‚Mit der Stirn also bin ich tausend- und tausendmal tage- und nächtelang gegen die Erde angerannt, war glücklich, wenn ich sie mir blutig schlug, denn dies war ein Beweis der beginnenden Festigkeit der Wand, und habe mir auf diese Weise, wie man mir zugestehen wird, meinen Burgplatz wohl verdient ... Es gab glückliche Zeiten, in denen ich mir fast sagte, ... daß die Macht des Baues mich heraushebe aus dem bisherigen Vernichtungskampf.‘

Aber er mußte erleben, daß er auch mit der aufopferungswilligsten Arbeit der Stirn die angestrebte (absolute) Sicherheit nicht erringen konnte. Die Autarkie einer völlig introvertierten Existenz erwies sich als unrealisierbar. Es war nicht möglich, von der Welt, aus der er sich in seine selbstgeschaffene Festung zurückgezogen hatte, wirklich frei zu werden. Als Verteidigungsanlage blieb der Bau schon von seiner Funktion her auf die Außenwelt bezogen. Das Leben, das er in diesem Bau führt, ist daher keine ganz in sich selbst ruhende, autonome Existenz, nicht Aktion, sondern Reaktion. Die Unabhängigkeit, die er sich geschaffen zu haben scheint, ist in Wahrheit Unfreiheit, Gefangenschaft. Furcht bestimmt sein gesamtes Lebensverhalten. Nur in Augenblicken nachlassender Aufmerksamkeit kann er sich der trügerischen Vorstellung von Freiheit und Sicherheit erfreun. Sonst aber ist sein ganzes Dasein ein Auf-derLauer-liegen im Blick auf mögliche Angriffe: ‚in steter Notwehr gegen arge List.‘ Auch im Innersten seiner unterirdischen Festung liegt das Tier „noch immer in bitterer Fehde mit der Welt“.[20]

Deutlich ist, daß die Metapher des Baues zugleich Spezifisches und Generelles, Kafkas Schriftstellerdasein und die menschliche Existenz als solche meint. Aber gewiß ist das Bild des labyrinthischen Baues ein sprechendes Symbol für das Werk des Dichters im ganzen. „Bau, Labyrinth und Turm ... tauchen in Kafkas späteren Schriften immer wieder auf“. „Im Fragment ‚Beim Bau der chinesischen Mauer‘ (1917) vergleicht ein Gelehrter den asiatischen Wall mit dem biblischen Turm von Babel.“[21] Wie sich aus einem Kafkaschen Fragment ergibt, geht es auch bei dem komplizierten Bau des Waldtieres um eine ähnlich anspruchsvolle Unternehmung. Hier heißt es nämlich: ‚Was baust du? — Ich will einen Gang graben. Es muß ein Fortschritt geschehen. Zu hoch oben ist mein Standort.‘ Als nächste Eintragung folgt: ‚Wir graben den Schacht von Babel.‘ (H 386 f.) Auch dies, daß sich hier „das

---

[20] Ebd. 463.
[21] Ebd. 454. „Der Turm von Babel — eine labyrinthische Ur-Architektur und ein Archetypus menschlichen Sich-Aufreckens gegen die Unnahbarkeit des Absoluten — wirft seinen Schatten über das Haupt- und Titelsymbol von Kafkas *Schloß*.“

Bild vom babylonischen Turm . . . in das Bild von der Grube, dem Grab verwandelt" hat[22], verweist auf die definitive Resignation des Dichters. *Der Bau* ist „die Erzählung von Kafkas Leben und Kafkas Werk im Augenblick seines Hinscheidens"[23], sein letztes Selbstgericht.

Im Blick auf den ,Endspiel'-charakter dieser Geschichte erscheint es nicht abwegig, in dem ,Erstlingswerk', das das Waldtier kritisch zitiert, nicht unbedingt ein Frühwerk Kafkas, sondern paradoxerweise vielleicht gerade seine letzte große Dichtung, *Das Schloß*, zu vermuten. Würde es doch sehr genau dem selbstkritischen Radikalismus des Dichters entsprechen, „wenn er auch *Das Schloß*, sein reifstes und undurchdringlichstes Werk, noch als einen Erstling und als ,Bastelei' betrachtet hätte".[24] Denn vor dem Anspruch der Vollkommenheit, den er stellte, mußte das *Schloß*-Fragment ebenso wie seine früheren Versuche als eine Schüler- und Flickarbeit gelten. Ist „aber das labyrinthische Schloß mit dem Eingang zum Bau identisch . . ., dann stellen die Schächte und Gänge die noch ungeschriebenen Werke Kafkas dar, von denen er wohl wußte, daß sie bald mit ihm in die Grube fahren sollten; dann bedeutete der Bau in seiner Gesamtheit ein Versprechen, von dem der Dichter überzeugt war, er werde es nicht mehr einlösen können; dann war dieser Bau das Grab, das seine unerfüllbaren Hoffnungen endgültig vor ihrer Verwirklichung bewahrte. Abschiedsstimmung liegt über der Darstellung dieses Baus."[25]

Unabhängig davon, ob man dieser Deutung Politzers bis zu Ende folgen will, am Symbolzusammenhang zwischen dem kunstvoll ausgeklügelten unterirdischen Festungsbau des Waldtieres und dem dichterischen Werk Kafkas kann kein Zweifel bestehen. Entsprechend bedeutet die Endkatastrophe des Tieres in seinem Bau das letztgültige Scheitern des Dichters in seinem Werk. Darüber hinaus aber meint sie das Scheitern überhaupt. Offen bleibt dabei die Frage, ob die Feinde, gegen die sich das Tier so aufwendig schützen zu müssen glaubt, nur eingebildete Feinde sind.[26] In jedem Fall realisieren sie die Weltangst Kafkas, die ihn nie frei werden ließ und sogar seine radikale Introversion noch feindlich bedrohte.[27] So ist der *Bau* die vielleicht konsequenteste Verbildlichung der Lebensproblematik des Dichters (und seiner Helden). Auch in den einzelnen Zügen der Darstellung ist diese Erzählung für Kafkas episches Gestalten charakteristisch.

---

[22] Ebd. 455.

[23] Ebd.

[24] Ebd. 459.

[25] Ebd. 459.

[26] Dagegen spricht jedoch, was Dora Dymant, „Kafkas Lebensgefährtin in diesen späten Jahren", mitgeteilt hat, daß nämlich in dem fehlenden kurzen Schlußteil der Erzählung eine wirkliche Begegnung des Tieres mit seinem Feind stattgefunden habe, in welchem Entscheidungskampf es unterlegen sei. Diese Niederlage des Tieres ist eine im Sinne Kafkas unausweichliche Lösung: alle Mühe, das Leben zu meistern, ist letzthin vergebens.

[27] Ebd. 465: „Der Feind ist so groß und so unsichtbar, wie sich das Schloß auf der ersten Seite des Romans dem Landvermesser darstellt. Nur ist hier die Drohung von einem toten Stück Bauwerk auf ein lebendes Wesen [ein ,großes Tier'] übertragen."

Dadurch daß das Tier selbst seine Geschichte erzählt, wird eine e i n s i n n i g e
E r z ä h l p e r s p e k t i v e suggeriert. Seiner introvertierten Existenz entspricht
die monologische Darbietung. Infolgedessen scheint alles mit den Augen des Protagonisten gesehen. Doch gilt auch hier, was schon Sokel festgestellt hat, daß „wer
die Perspektive des Protagonisten für den ganzen Kafka hält, ... [selber] der
geschickten Täuschung zum Opfer [fällt], die durch eben diese Perspektive verursacht
wird".[28] „Der Autor verständigt sich manchmal mit dem Leser über den Kopf
seines Helden hinweg"[27], oder aber der Held selbst kann — über seine eigene Perspektive hinaus — als Erzähler fungieren. Wenn z. B. im ersten Teil der Erzählung
das Tier seinen Bau beschreibt und „dabei den zentralen Burgplatz, die zehn von
ihm ausgehenden Gänge [und] die etwa fünfzig kleinen, runden Plätze [erwähnt],
die es in den Gängen und Querverbindungen angelegt hat"[30], so teilt es Dinge mit,
die es sich selbst nicht zu sagen braucht, die aber dem Leser bekannt gemacht werden
müssen. „Es spricht hier fast wie ein Archäologe oder ein Fremdenführer."[31] Sogar
seine Reflexionen über die Stärken und Schwächen des Baues, die sich als innere
Monologe darstellen, „sind oft so gefaßt, als ob ein Zuhörer anwesend sei".[32] Erst
im zweiten Teil der Erzählung verschwindet der Bericht aus dem inneren Monolog:
„Das Tier weiß sich jetzt allein und spricht nur mit und für sich selbst. [Seine Aus-
sage] hält jetzt Schritt mit den dargestellten Ereignissen, und das Präsens, das [es]
gebraucht, bezeichnet an jedem Punkt der Erzählung eine andere, spätere Gegenwart."[33]

Außer diesem Zug zur subjektgebundenen Erzählperspektive begegnet in der Geschichte auch die für Kafka charakteristische d e t a i l b e f l i s s e n e R e a l i s t i k
der Darstellung. So wird die Anlage des Baues, den sich das Tier in jahrelanger
Mühsal ergraben und befestigt hat, mit geradezu technischer Akkuratesse beschrieben.[34] Hinzu kommt die konsequente Identifizierung mit der sinnlichen Natur des
Tieres, das nicht als ein allegorisches Wesen erscheint, sondern sich „naturgetreu",
in den ihm eigenen Instinkten, Begierden und Gewohnheiten präsentiert. Das heißt:
das Tier ist als Tier ernstgenommen; der *Bau* ist keine Fabel, sondern eine echte
Tiergeschichte. M. a. W., es handelt sich nicht um eine didaktische (also künstliche)

---

[28] WALTER H. SOKEL: Franz Kafka, New York und London 1966, 12.
[29] HEINRICH HENEL: Das Ende von Kafkas ‚Der Bau‘, GRM 22, 1972, 3.
[30] Ebd. 4.
[31] Ebd. 5.
[32] Ebd.
[33] Ebd. 6. Vgl. ebd. 7: „Dieser Übergang von dem im ersten Teil vorherrschenden
iterativen Präsens deutet auf die Einmaligkeit des beschriebenen Vorganges." Hier ist also
jene Einheitlichkeit der Blickrichtung erreicht, die keinen Platz mehr läßt für einen besser
wissenden Autor.
[34] Die gleiche Lust an der ingeniösen Perfektion einer komplizierten Anlage, die an
BORGES' geometrisch exakt ausgebaute (und zugleich labyrinthische) „Bibliothek zu Babel"
denken läßt, begegnet auch in der präzisen Beschreibung des ‚eigentümlichen Apparates‘
und seiner Arbeitsweise in der *Strafkolonie*.

Parallelisierung von Menschlichem und Tierischem, sondern um eine vollgültige Transposition, um dichterische Schöpfung. Das Waldtier im *Bau* besitzt die gleiche Realität wie das ‚ungeheure Ungeziefer', in das Gregor Samsa verwandelt worden ist. Und wie der Käfer der *Verwandlung* lebt das Tier des *Baues* auf zwei Ebenen, einer menschlichen und einer tierischen. „His wants and needs are strictly those of an animal. However, his power of abstract reasoning and introspection and the sensitive differentiation of his emotional life are on a high human level."[35] Gerade seine Tiernatur wird mit „naturalistischer" Präzision vergegenwärtigt. Es äußert Angst, ‚daß ich nicht etwa, während ich ... verzweifelt grabe, ... plötzlich die Zähne meines Verfolgers in meinen Schenkeln spüre'. Von sich selbst sagt es, daß es das Kleintier, dessen Rascheln es hört, ‚dann gleich auch zwischen meinen Zähnen zur Ruhe bringe' oder daß es ‚willkürlich' fasse, ‚was mir unter die Zähne kommt'. Oder es erwähnt, daß es ‚beim Erwachen ... etwa noch eine Ratte an den Zähnen hängen habe'.

Kein Zweifel, es liegt Kafka daran, die Realität des Geschehens sinnenfällig zu machen. Neben dem Gebiß[36] ist es vor allem der Geruchssinn, in dem sich die Tiernatur äußert. Die Mengen des Fleisches, die im Bau als Vorrat aufgehäuft sind, erregen die Lust seines Bewohners; er schwärmt von der ‚Mischung der vielen Gerüche', die ‚bis in die äußersten Gänge' dringen und ‚von denen jeder in seiner Art mich entzückt und die ich aus der Ferne genau zu sondern imstande bin'. Ja, er bekennt die Übermacht der dadurch angereizten Begierde, daß ‚ich ... [nämlich] immer tiefer in die Gerüche tauche, bis ich es nicht mehr ertrage und eines Nachts auf den Burgplatz stürze, mächtig unter den Vorräten aufräume und bis zur vollständigen Selbstbetäubung mit dem Besten, was ich liebe, mich fülle'. Die naturalistische Vergegenwärtigung tierhafter Sinnlichkeit ist offenbar ein Ziel der Darstellung.[37] Sie gipfelt in dem raubtierhaften Furor, in den das Tier beim Gedanken an einen etwaigen Eindringling verfällt": „... wenn er sich doch für mich hineinzwängte und schon darin soweit wäre, daß mir sein Hinterer für einen Augenblick gerade noch auf-

---

[35] HERMANN J. WEIGAND: Franz Kafkas „The Burrow" (‚Der Bau'): An Analytical Essay, PMLA 87, Nr. 2, March 1972, 152. Hier wird der Protagonist der Erzählung als ein Zwitter zwischen Mensch und Tier bezeichnet: „a hybrid of man and animal." In Wahrheit ist er jedoch ein E i g e n w e s e n , eine Gestalt der Dichtung und a l s s o l c h e r e a l , auch wenn sie, so wie sie erscheint, nirgends sonst möglich wäre. Vgl. auch Heinrich Henel, a.a.O. 224, Anm. 1: „Kafka was precise in use of realistic detail, but his purpose was not to reproduce nature. His animal [in *The Burrow*] is a construct, a symbolic collage of attributes found in real animals—and in men."

[36] Vgl. den Panther im *Hungerkünstler*, dessen Freiheit, wie es dort heißt ‚irgendwo im Gebiß ... zu stecken' schien.

[37] Das Waldtier schwelgt in der Vorstellung, daß es ‚oben auf der eingebrachten Beute [liege], umflossen von Blut und Fleischsäften'. „Auf dem Burgplatz wähle ich ein schönes Stück enthäuteten roten Fleisches aus ... Ich lecke und nasche am Fleisch ...' Dieser „Naturalismus" ist um so krasser, als er aufs äußerste zur Sensitivität Kafkas kontrastierte und von diesem ein Höchstmaß an Selbstüberwindung forderte.

tauchte ..., damit ich endlich in einem Rasen hinter ihm her ... ihn anspringen könnte, ihn zerbeißen, zerfleischen, zerreißen und austrinken ...'[38]

In diesen Zusammenhang gehören auch jene Stellen der Geschichte, die (vielleicht) sexuelle Anspielungen enthalten und von denen Weigand nicht weniger als sieben feststellen zu können glaubt.[39] Der Betonung des Tierhaften korrespondiert die Betonung des Sexuellen. Dadurch wird die angestrebte „naturalistische" Stimmigkeit der fingierten Lebenswelt des Protagonisten zusätzlich verdeutlicht. Wenn dieser sagt, ... ‚daß es wirklich unmöglich ist [in den Bau] hinabzusteigen, ohne das Teuerste, was ich habe, allen ringsherum, auf dem Boden, auf den Bäumen, in den Lüften wenigstens für ein Weilchen offen preiszugeben', so legt die Formulierung eine sexuelle Bedeutung nahe: „The fear of indecent exposure, and exhibitionism as its counterpart, beset him as manifestations of a libido that torments him. They add an emphatic note of sexual anxiety to (those) other sources of guilt."[40] Solche Scham vor Preisgabe der Nacktheit, also Sexualphobie, liegt vielleicht auch noch einer anderen Äußerung des Waldtieres zugrunde: ‚... mir ist manchmal, als verdünne sich mein Fell, als könnte ich bald mit bloßem, kahlem Fleisch dastehen und in diesem Augenblick vom Geheul meiner Feinde begrüßt werden.' Sexuelles vermutet Weigand außerdem in den Erwägungen des Protagonisten, daß es eine erhebliche Verbesserung der Situation bedeuten würde, statt nur eines Eingangs zwei nahe beieinander liegende Eingänge zu haben und dadurch größere Möglichkeit für unbemerktes, gefahrloses Verlassen und Wiederbetreten des Baues zu erlangen. Doch das Waldtier verwirft schließlich den Gedanken mit ebenso entschiedenen wie erstaunlichen Argumenten. Die Vorteile einer solchen Erweiterung der Anlage seien zwar nicht zu leugnen, ‚aber doch nur als technische Errungenschaften, nicht als wirkliche Vorteile, denn dieses ungehinderte Aus- und Einschlüpfen, was soll es? Es deutet auf unruhigen Sinn, auf unsichere Selbsteinschätzung, auf unsaubere Gelüste, schlechte Eigenschaften, die noch viel schlechter werden angesichts des Baues ...' Diese betont moralische Ablehnung des als technisch vorteilhaft qualifizierten Projektes ist verwunderlich, ja recht eigentlich sinn- und beziehungslos. Unter sexuellem Aspekt hingegen bekommt die Äußerung einen Sinn. Auf diesen Sinn spielt Weigand an: „... can there be any doubt that the two entrances, very close to each other, easy to slip into and out of, suggest to the speaker specific forms of libido? Not long ago he had

---

[38] Die hierin deutliche Intention zu „naturalistisch" glaubhafter Beschreibung, wie sie sich auch in der Schilderung des zum Käfer verwandelten Gregor Samsa zeigt, hat selbstverständlich nichts mit wirklichem „Naturalismus" zu tun. Im Gegenteil, es geht für Kafka um die restlose V e r w a n d l u n g von Metapher und Gleichnis in „reine" Literatur, in eine Dichtung „jenseits von Allegorie und Symbol". Was als „Naturalismus" anmuten könnte, ist Mittel, nicht Zweck.

[39] A.a.O. 161.

[40] Ebd. 159. Gewiß kann das hier angesprochene ‚Teuerste' auch lediglich den sorgsam verborgen gehaltenen Eingang in den Bau bezeichnen und die geäußerte Furcht sich auf die beim Einstieg riskierte Preisgabe dieses lebenswichtigen Geheimnisses beziehen. Aber der Wortlaut der Äußerungen ruft sexuelle Assoziationen wach.

allowed himself to be sucked into the vortex of lustful, murderous aggression. Now that he has himself in hand again, he definitely rejects easy lubricity as a way of life."[41]

Insgesamt gilt also, daß der *Bau* als T i e r g e s c h i c h t e die für Kafka kennzeichnende Neigung zu präzis detaillierter Beschreibung zeigt. Das heißt: die Vertiefung in die Tiernatur geht bis zur völligen Identifizierung. Die Verwandlung in die Tiergestalt erfolgt ohne Rest. Aber das geistige und seelische Verhalten des Tieres, seine Argumentationen und Motivationen erweisen sich als rein menschlich. Ob als ,ungeheures Ungeziefer' auf dem Boden kriechend oder als ,Waldtier' unter der Erde wühlend, ist es doch immer der ,homo sapiens', dessen Leiden und Scheitern vor Augen gestellt werden. Auch in dieser „letzten" Erzählung Kafkas[42] zeigt sich also der das gesamte Werk des Dichters durchziehende Masochismus der Selbsterniedrigung, die Degradation des Humanen zum Animalischen, ja die Identifikation von Menschheit und Tierheit, als der bestimmende Zug der Gestaltung. Aber wie in den anderen Tiergeschichten Kafkas kontrastieren auch in dieser die minutiöse Realistik der Darstellung und die P a r a b o l i k des Dargestellten. Ja, die Geschichte lebt aus dem kunstvoll getarnten Spannungsgegensatz, daß der so ausführlich beschriebene Bau als Faktum ernstgenommen wird und doch nicht nur sich selber meint, sondern zugleich ein multivalentes Bild darstellt. Obwohl er einer (als wirklich suggerierten) Geschichte integriert ist und daher (fiktive) Realität besitzt, bezeichnet er die Summe eines Lebens, die Vita des Dichters im besonderen, den Ertrag seines Tuns und die menschliche Situation überhaupt, die Unausweichlichkeit des Irrens und Schuldigwerdens, die Fatalität des Scheiterns.

Ein typischer Kafka ist *Der Bau* auch im Blick auf den Protagonisten der Erzählung. Wie alle Helden Kafkas ist er auf sich selbst zurückgezogen, ja introvertiert bis zur letzten Konsequenz.[43] Die degradierende Tiermetapher, die ihn gleichwohl als ein menschlich denkendes und planendes Wesen auf humaner Ebene leben läßt, verschärft noch die Isolierung. Er ist ein Gregor Samsa, der zugleich resigniert und

---

[41] Ebd. 160. Es bleibt ein Rest von Zweifel, ob hier sexuelle Assoziationen solcher Art zu unterstellen sind. Doch gewinnen sie im Blick auf Kafkas eigene Ambivalenz im sexuellen Bereich eine gewisse Wahrscheinlichkeit. Ablehnung des Sexuellen als niedrig, schmutzig, tierisch entsprach der Grundhaltung des Dichters. Zugleich litt er lebenslang unter dem Neben- und Gegeneinander von Sexualphobie und plötzlich aufflammender Lustbegier. Er verwarf das Geschlechtliche, ohne jedoch darüber zu stehen. Auf Grund dieser unreinen Mischung von Verlangen und Abscheu war auch sein Schuld- und Sündenbewußtsein zugleich sexuell affiziert.

[42] Das dem Datum nach allerletzte Werk Kafkas, die im März 1924 geschriebene Erzählung ,Josefine, die Sängerin oder Das Volk der Mäuse', ist bezeichnenderweise auch eine „Tiergeschichte".

[43] HENEL: Das Ende von Kafkas *Der Bau* a.a.O. 4: „Die Strukturen, die Hillmann (auf Walser fußend und seinerseits Sokel anregend)... herausgearbeitet hat, lassen sich oft im *Bau* wiedererkennen, wie z.B. die Isolierung des Helden, seine Unfähigkeit, die ihm gestellte Aufgabe zu lösen, und der Mangel jeglicher Hilfe durch andere."

ü b e r l e b t hat und nicht mehr wie dieser um seine Reintegration ringt: „all social contacts have ceased to exist for him."[44] Er hat sein Fremdsein in der Welt akzeptiert[45] und die Folgerung daraus gezogen: sein Ausgeschlossensein ist ein bewußtes Sich-selbst-ausschließen, eine gewollte totale Isolierung, die er durch aufwendige Schutzmaßnahmen gegen die Welt zu sichern sucht: „he is totally devoid of curiosity or imagination concerning anything except himself and his burrow ... Without clan, family or overt sex life, he is asocial and antisocial. Engrossed entirely in his own problems, he has no rapport with any possible audience. Society as a complement and self-fulfillment ist replaced by the burrow, the product of his brain and muscle."[46] Wie K. im *Schloß* ist er ‚kein Hiesiger‘ und daher für ein Leben im normalen Miteinander nicht gerüstet. Aber im Gegensatz zu den anderen Kafkaschen Figuren w i l l er sich auch nicht mehr adaptieren, sondern meidet furchtsam jeden Kontakt. Flucht vor und Verteidigung gegen die Welt ist sein Programm. Er spricht von der ‚Gegnerschaft der Welt gegen mich‘ und hofft auf die Macht des Baues gegen den (von der Welt) ihn bedrohenden ‚Vernichtungskampf‘.

Wie überall in Kafkas Dichtung erscheint die Welt als eine feindlich aggressive Gegenwelt. Es ist daher der fundamentale Ausgangspunkt aller Überlegungen und Unternehmungen des Helden der Geschichte, daß er von allen Seiten, von außen und von innen, von sichtbaren und unsichtbaren Feinden permanent bedroht ist und infolgedessen alle Kraft und allen Verstand aufbieten muß, um sich gegen diese vielfältigen Bedrohungen zu schützen. Aber trotz dieser strikten Isolation muß er — wie die anderen Helden Kafkas und gerade auch K. im *Schloß* — aus einer Welt geselligen Zusammenlebens hergekommen sein: „must have sprung from a social background".[47] Denn so sehr er sich auch abschließt, hat doch die gesellschaftliche Lebenswelt außerhalb seines kunstvoll entworfenen Baues nicht aufgehört, für ihn zu existieren: „Its presence ... constantly makes itself felt. It is perhaps never wholly absent from his consciousness ... generating a state of tension within him."[48] Und auch das ist typisch für Kafka, daß die Gründe für jenen totalen Rückzug des Protagonisten nicht genannt werden.[49] Sie lassen sich allenfalls erschließen oder erahnen.[50]

---

[44] WEIGAND: „The Burrow" a.a.O. 153.

[45] Beim Eintreten in die Oberwelt ist er, wie er selbst sagt: ‚in der Fremde.‘

[46] WEIGAND a.a.O. 153.

[47] Ebd.

[48] Ebd.

[49] Nirgendwo in Kafkas Erzählungen und Romanen wird der Grund für die fatale Wende, die im Leben der Helden eintritt, dargelegt oder auch nur genannt. Die ‚immer zweifellose Schuld‘ ist eine Vorgegebenheit, die hingenommen werden muß.

[50] WEIGAND (a.a.O. 153) vermutet, daß die im Protagonisten des ‚Baues‘ aufgespeicherte mörderische Aggressionslust gegen ‚irgendeinen seiner Art‘ auf ein traumatisches Erlebnis zurückweist, auf „some hostile encounter with one of his fellows". Und er zieht daraus folgenden, als rhetorische Frage formulierten Schluß: ‚Was it this, perhaps coupled with a humiliation too painful to avow to himself, that made him decide to go it alone

Was aus dem Scheitern des Helden an und in der Welt resultiert und sein Leben
bestimmt, ist also einerseits die fortbestehende Spannung zur Lebenswelt außerhalb
seines Baues und andrerseits sein unabweisliches Schutz- und Isolationsbedürfnis.
Infolgedessen erscheint der lebenslange Kampf, den die Kafkaschen Helden mit
der übermächtigen Gegenwelt führen, hier auf reine Abwehrmaßnahmen reduziert.
Der Bau repräsentiert somit die letzte Phase eines negativen Weltverhaltens: Nicht
mehr kämpfen, sondern nur noch sich in acht nehmen.[51] Während andere sich in der
Welt einrichten und sich in der kollektiven Sicherheit der Gemeinschaft — nicht
selten als einem Schutz vor dem Alleinsein mit sich selbst — geborgen fühlen, wagt
der Bewohner des Baues die Auseinandersetzung (oder auch nur den Kontakt) mit
der Welt nicht mehr. Seine Antwort auf das Scheitern in der Welt ist der Versuch
einer vollkommenen Autarkie, ein ehrgeiziges Unternehmen, das auch nur scheinbar
gelingt. Was ihm gelingt, ist allenfalls die Flucht aus der Welt, nicht aber die glückliche, vollgültige Selbstfindung. Denn das Sich-Verbergen im Bau, die dauernden
Bemühungen um die Sicherheit des Baues, das Neuordnen oder Umordnen der
Schutzvorrichtungen, das ständige Verändern und (scheinbare) Verbessern der Ver-
teidigungsanlagen gestatten niemals ein Ruhen in sich selbst, sind vielmehr ein fort-
laufendes Bezugnehmen auf mögliche und befürchtete Aktionen von außen. Alles
Arbeiten am Bau und im Bau ist immer nur Reagieren auf vermutete Gefahren,
niemals freies Handeln. So zeigt sich, daß der Protagonist, obwohl er endgültig in
den eigenen Bau zurückgekehrt ist, sich nicht selbst zu genügen vermag. Auch noch
im Innersten des Baues bestimmt die Spannung zur Außenwelt sein gesamtes Lebensverhalten. Die vermeintlich perfekte Autarkie hebt diese angstvolle innere Abhängigkeit nicht auf. Wenn er grundsätzlich jedem Kampf ausweicht, so deshalb,
weil er sich als Kämpfender schon von vorn herein auf verlorenem Posten weiß. Das
heißt, er ist bereits völlig gescheitert, hat jedoch seine Niederlage überlebt. Gleichwohl bleibt diese Niederlage sein Schicksal und kann auch durch vollkommenen
Rückzug nicht ungeschehen gemacht werden. Er kommt von der Welt, in der er gescheitert ist, nicht los. Wenn sein Überleben daran hängt, daß er jede Berührung
mit ihr vermeidet, so zeigt das, wie vital er an diese Welt gebunden bleibt. Darum ist
er auch — trotz der technisch vorzüglichen Anlage seiner Schutzfeste — nicht wirklich
der Herr, sondern der durch permanente Furcht verunsicherte Gefangene seines
Baues. Er lebt darin kein Leben aus erster Hand, sondern das Leben eines ,outcast‘,
eines Wesens also, das verworfen worden ist und aufgegeben hat. Auch wenn der
großangelegte und scheinbar ,wohlgelungene‘ Bau seinem Selbstgefühl schmeichelt,
bleibt er ein Surrogat, und der Erbauer weist selbst auf den nicht zu überwindenden

---

for the rest of his life?“ Eine solche Motivation ist nicht unwahrscheinlich. Dennoch sollte
man mit Psychologisierungen bei Kafkas existentiellen Fragestellungen vorsichtig sein. Sie
laufen auf Simplifizierungen hinaus.

[51] Ebd. 166, Anm. 39: „a wholly non-aggressive loner, who thinks only of security
in terms of concealment, delaying devices, precipitous flight or, at worst, a defensive
fight at the death . . .“

wunden Punkt hin: „. . . dort an jener Stelle im dunklen Moos bin ich sterblich' — ein Eingeständnis, daß trotz aller ingeniösen Sorgfalt, die er beim Bau seines Lebenshauses aufgewandt hat, die angestrebte volle Autarkie, der gesuchte absolute Schutz nicht erreicht worden sind.

Eben dies, daß sich die vermeintlich vollkommene Sicherheit als Utopie erweist, führt in den Kern der Kafkaschen Thematik: die Vergeblichkeit der Bemühungen, die Unerreichbarkeit des gesteckten Zieles. Der kunstvolle Bau, der sich als ‚Schacht von Babel' dem utopischen Unternehmen des ‚Turmbaus von Babel' vergleicht und dessen labyrinthische Anlage auf das grundsätzliche Nichtankommenkönnen verweist, demonstriert recht eigentlich das Überspitzen der Spitze und damit das Ad-absurdum-führen der Perfektion.[52] Infolgedessen hat es den Helden auch nicht fortdauernd in dem als rundum vollkommen empfundenen Bau gehalten, er hat ihn immer wieder zu kleinen Exkursionen in die Oberwelt verlassen, bis er sich — resigniert und ermüdet — endgültig in seine Festung zurückzog. Weigand deutet sein Verhalten sogar als ambivalent: Seine Furcht vor einer Konfrontation halte seinem Wunsch, entdeckt zu werden, genau die Waage.[53] Aber auch dann, als er den Bau nicht mehr verläßt, gewinnt er nicht die volle Autonomie, sondern verbleibt in der Abhängigkeit einer reinen Fluchtexistenz. Das erklärt sich nicht zuletzt daraus, daß der Bau selber, wie sich nun zeigt, nicht jene Vollkommenheit besitzt, die er vortäuscht, und daher auch nicht die vom Helden erträumte ideale Lebensform gestattet: Ein unangenehmes Zischen und Pfeifen, von dem sich nicht feststellen läßt, woher es kommt, trübt das ursprünglich so selbstsicher glückliche Gefühl der Geborgenheit. Was zuerst ‚wohlgelungen' schien, erweist sich als fragwürdig. Statt ungetrübten Behagens bietet der Bau ein durch unerwartete Störungen verunsichertes Leben. Die sorgenvollen Überlegungen des Protagonisten, sein Abwägen der Vor- und Nachteile der verschiedenen möglichen Anlagen des Baues ergeben, daß die Frage, was das Zweckmäßigste wäre, nicht entschieden werden kann und somit das Problem der Sicherung letzthin unlösbar ist.[54] Gäbe es aber optimale Bauplanun-

---

[52] Vgl. u. a. die Bemerkungen des Protagonisten, daß ‚manche List so fein [sei], daß sie sich selbst umbringt', oder daß ‚die Freude des scharfsinnigen Kopfes an sich selbst . . . manchmal die alleinige Ursache dessen [ist], daß man weiterrechnet'. Auch der perfekte ‚eigentümliche Apparat' in der *Strafkolonie* ist ein einschlägiges Beispiel. Und schließlich vergleicht sich das Labyrinthische des Baues dem labyrinthischen Behördenapparat des Gerichtes im *Prozeß* und der undurchschaubaren Verwaltungsbürokratie im *Schloß*.

[53] WEIGAND a.a.O. 156: „Fear of confrontation neatly balances his wish to be discovered. This ambivalence is the field of force in which the whole story has its being."

[54] ‚Ich mache die verschiedensten Erfahrungen guter und schlimmer Art, ein allgemeines Gesetz oder eine unfehlbare Methode . . . finde ich aber nicht', stellt das Tier im Bau resignierend fest.

[55] Es geht hier um die gleiche ausweglose Vergeblichkeit, der der umsonst sich abmühende Bote in *Eine kaiserliche Botschaft* sich konfrontiert sieht, daß nämlich ‚nichts gewonnen' wäre, auch wenn er zehn große Hindernisse erfolgreich überwände, weil hinter diesen immer noch weitere und größere Hindernisse auftauchen ‚und so weiter durch die Jahrtausende'.

gen, so wären sie gleichwohl nichts nütze, da die Kraft fehlt, sie durchzuführen.[55] Eben in dem Augenblick, da der Held die Ruhe und Sicherheit genießen will, für die er lebenslang gearbeitet hat, muß er erkennen, daß man auch im raffiniertest ausgeklügelten Schutzbau keine Geborgenheit findet, ja daß gerade der am konsequentesten angelegte Sicherungsbau zum Gefängnis wird, aus dem es kein Entrinnen gibt.

Das Leben der Angst hört also im Bau nicht auf. Im Gegenteil, es erreicht hier sein akutestes Stadium. Denn erst jetzt unter dem Schirm des Hauses erkennt das Tier, daß es u n b e k a n n t e G e f a h r e n sind, die sein Leben bedrohen[56], daß es ,nur Halb- und Zehntelversuche‘ zu seinem Schutz unternommen hat, unzureichende Maßnahmen, ,geeignet, mich zu beruhigen und durch falsche Beruhigung zu gefährden‘. Abgesehen davon, daß die Baupläne ohne Berücksichtigung der schon in der Jugend empfangenen Mahnungen und Warnungen durchgeführt wurden, wird es sich der fatalen Selbsttäuschung bewußt, in der es dahinlebt: ,Ich lebe im Innersten meines Hauses im Frieden, und inzwischen bohrt sich langsam und still der Gegner von irgendwoher an mich heran.‘ Erschreckt stellt es fest: ,Nein, ich beobachte doch nicht, wie ich glaubte, meinen Schlaf, vielmehr bin ich es, der schläft, während der Verderber wacht.‘[57] Äußerlich durch eine (scheinbar) feste Burg geschützt, ist es gleichwohl dem verborgenen Verderber ausgeliefert, belastet durch eine ihm unbekannte, aber zweifellose Schuld[58] und damit eines unausweichlichen Strafgerichtes gewärtig. Und der Protagonist weiß auch, ,daß mich . . . jemand zu sich rufen wird, dessen Einladung ich nicht werde widerstehen können‘. Aber auch der Satz des Helden ,Es kommt jemand heran‘, gesprochen in angstvoller Erwartung eines den Bau immer enger umkreisenden Ungeheuers aus dem Innern der Erde, klingt wie die Ankündigung des kommenden Gerichtes: „The symbolism of this projection as the inescapable doom of death is obvious.“[59] Kafkas zentrale Thematik von Schuld, Gericht und Strafe liegt also — expressis verbis — auch dieser Erzählung zugrunde.

Im Blick auf diese letzthin metaphysische Problematik fragt sich, ob das Tier, wie Henel unterstellt, erst durch „die Absage an das Leben im Freien“ seine Katastrophe

---

[56] WEIGAND a.a.O. 155: „. . . he has learned that there are sinister, irrational forces within the earth too powerful for any individual to cope with, they annihilate without a trace of warning.“ Mit Recht sagt Henel (a.a.O. 9): Kafka „hat das Leben in der Angst durchforscht wie kein Dichter vor ihm“.

[57] Es ist ein panikartiges Erwachen; verzweifelt fragt das verängstigte Tier: ,Wie kam es nur, daß so lange Zeit alles still und glücklich verlief? Wer hat die Wege der Feinde gelenkt, daß sie den großen Bogen machten um meinen Besitz? Warum wurde ich so lange beschützt, um jetzt so geschreckt zu werden?‘ Die Verfehltheit des ganzen Lebens tritt im Rückblick zutage.

[58] ,ich . . . werfe mich mit Absicht in ein Dornengebüsch, um mich zu strafen für eine Schuld, die ich nicht kenne.‘

[59] Nicht zufällig klingt dieser Satz an die aus dem frühen Mittelalter überkommene Formel: ,Muspilli kommt heran‘ an, die seit dem ahd. Gedicht dieses Namens als ein Topos der deutschen Literatur durch das ganze Mittelalter bis in die jüngste Vergangenheit im Sprachgebrauch blieb, wobei ,Muspilli‘ das ,Jüngste Gericht‘ bezeichnet.

endgültig besiegelt, indem es diesem „negativen Entschluß" keinen „entsprechenden positiven ..., nämlich das Leben im Bau rückhaltlos zu bejahen", entgegensetzt.[60] Anders gefragt: Ist sein Entschluß, sich für immer in seine Schutzfestung zurückzuziehen, nur ein halbherziger Entschluß? Und würde es sich nicht mehr ängstigen, wenn es sich nur eindeutig genug „zu der einmal gewählten Lebensweise bekennt"?[61] Ist es also die mangelnde Entschiedenheit oder gar Gebrochenheit des Willens, an der der Protagonist scheitert? Versagt er somit auf die gleiche Weise wie der Mann vom Lande in der *Legende,* der zwar das Richtige (nämlich den Eintritt in das Gesetz) wollte, es aber nicht entschieden genug wollte und daher dann auf halbem Wege aufgab?

Ich glaube nicht, daß es sich hier um ein so klar unterscheidbares Richtig oder Falsch handelt. Vielmehr ergibt sich aus der Darstellung, daß der im *Bau* geschilderte „endlose Zustand" der Frustration auf der schlechthinnigen Ausweglosigkeit der Situation beruht, also gerade darauf, daß auch der klar gewollte Rückzug in den Bau keine positive Alternative bedeutet. Auch Konsequenz vermöchte das Tier nicht zu erlösen. Vielmehr scheitert es, o b w o h l es sich eindeutig entschieden hat. Worum es hier geht, ist also die grundsätzliche Unlösbarkeit des Problems der Lebensgestaltung. Am guten Willen und an positiven Erwartungen gegenüber dem Bau hat es dem Tier keineswegs gefehlt. Und es war durchaus nicht nur „Angst vor der Welt", sondern auch „Liebe zur Einsamkeit", die seinen Entschluß zum Rückzug in den Bau motivierten. Ja, es äußert diese „Liebe zur Einsamkeit" sogar mit emphatischen Worten: „Endlich auf meinem Burgplatz! Endlich werde ich ruhen dürfen." „Euretwegen, ihr Gänge und Plätze, ... bin ich ja gekommen, habe mein Leben für nichts geachtet, nachdem ich lange Zeit die Dummheit hatte, seinetwegen zu zittern und die Rückkehr zu euch zu verzögern. Was kümmert mich die Gefahr, jetzt, da ich bei euch bin. Ihr gehört zu mir, ich zu euch, verbunden sind wir, was kann uns geschehen." Mit wiederholender Eindringlichkeit betont das Tier, daß „ich und der Bau ... zusammengehören". „Weiß ich [doch] genau, daß hier meine Burg ist, die ich durch Kratzen und Beißen, Stampfen und Stoßen dem widerspenstigen Boden abgewonnen habe, meine Burg, die auf keine Weise jemandem anderen angehören kann und die so sehr mein ist, daß ich hier letzten Endes ruhig von meinem Feind auch die tödliche Verwundung annehmen kann, denn mein Blut versickert hier in meinem Boden und geht nicht verloren ... Und die kleinen Plätze, jeder mir wohlbekannt, ... sie umfangen mich friedlich und warm, wie kein Nest seinen Vogel umfängt. Und alles, alles ist still und leer."

Obwohl im *Bau* das Geschlechtliche keine Rolle mehr spielt, sondern nur beiläufige Erwähnung findet, erscheint es doch auch hier in der für Kafka typischen negativen Sicht.[62] Wie selbstverständlich wird in seiner Dichtung das Weibliche mit dem Sexu-

---

[60] HENEL: Das Ende vom *Bau* a.a.O. 10.

[61] Ebd. 10.

[62] Vgl. WEIGAND a.a.O. 159 ff. und speziell 160: „... the heroes of Kafka's long novels yield to sexual lust under conditions to be described as unsavory by any standards."

ellen gleichgesetzt. Frauen sind zu bloßen Lustwesen entwürdigt, auf eine seelenlose Sexualrolle reduziert. Nicht einmal die Mütter besitzen hier auszeichnende Würde. All das spiegelt Kafkas eigene sexuelle Problematik, „his unbalanced sexuality". Eine natürliche Wertung des Geschlechtlichen, eine positive Integration des Sexuellen in das Leben oder gar eine Sublimierung sind ihm nicht geglückt. Seine Darstellungen der Frauen- und Mutterrollen bilden daher den äußersten Gegensatz zu Goethes Traum vom „Ewig-Weiblichen". So verwundert es nicht, daß das einzige weibliche Geschöpf, von dem im *Bau* einmal die Rede ist, höchst verächtlich als ‚ein widerliches kleines Wesen‘ oder als ‚eine beliebige kleine Unschuld‘ apostrophiert wird.

Nicht zuletzt erweist sich die Erzählung *Der Bau* auch dadurch als eine typisch Kafkasche Dichtung, daß sie unvollendet überliefert ist. Das Fragmentarischbleiben seiner Werke, das Nichtabschließen oder nicht vollbefriedigende Abschließen sind ja fast konstitutive Merkmale von Kafkas Schreiben. Die Romane *Der Verschollene* (= *Amerika*) und *Das Schloß* sind nicht vollendet, und die Schlußpartien der großen Erzählungen *Die Verwandlung* und *In der Strafkolonie* hat der Dichter als mißlungen verworfen. Daß der *Bau* schon zu Ende geführt war, darf als sicher gelten, und inhaltlich ist uns dieses Erzählungsende sogar durch eine authentische Zeugin, Dora Dymant, die Lebensgefährtin Kafkas in seinen letzten Jahren, überliefert worden. Kafka selbst hat aber den bereits geschriebenen Schlußteil der Geschichte wieder getilgt. Das ist sicher kein Zufall, sondern verweist auf eine fundamentale Problematik. Vor allem ergibt sich daraus die Frage, was für einen Erzählungsausgang der Dichter letztgültig beabsichtigt hatte. Diese Frage stimuliert um so stärker, als sie in jüngster Zeit von zwei berufenen Kennern gegensätzlich beantwortet worden ist.[63] Wir müssen uns ihr stellen, weil sie für diese Dichtung und das Kafkasche Werk überhaupt zentrale Bedeutung besitzt.

Nach der Mitteilung Dora Dymants hatte die Erzählung einen tödlichen Ausgang: Der Protagonist wurde von dem in den Bau eindringenden mächtigen Tier im Kampf vernichtet.[64] Das ist eine Lösung, die genau dem auch in anderen Dichtungen Kafkas zugrundeliegenden Konzept entspricht. Der *Bau* bestätigt somit Hillmanns Feststellung: „Der Tod steht prinzipiell am Ende des Prozesses, der das Leben bedeutet."[65] Tatsächlich handeln die Werke des Dichters immer von einer Schuld, die nur mit dem Tod gesühnt werden kann. Ferner gehört zu diesem Konzept, daß der

---

[63] HEINRICH HENEL: Kafkas *Der Bau*, or How to escape from a Maze a.a.O. Ders.: Das Ende von Kafkas *Der Bau* a.a.O. HERMANN J. WEIGAND: Franz Kafkas *The Burrow* (*Der Bau*) a.a.O.

[64] Vgl. die Bemerkungen Max Brods im Nachwort seiner Edition: „Die Arbeit war vollendet; es fehlt in den erhalten gebliebenen Blättern nicht mehr viel bis zum Schluß gespannter Kampfstellung in unmittelbarer Erwartung des Tieres und des entscheidenden Kampfes, in dem der Held unterliegen wird. (Diese Angaben verdanken wir der liebenswürdigen Mitteilung von Dora Dymant, der hinterlassenen Lebensgefährtin des Verstorbenen.)"

[65] HILLMANN I a.a.O. 159, Anm. 98.

Held zuletzt seine ihm lebenslang verborgene Schuld begreift und den herannahenden Tod als Strafe akzeptiert. Aber auch die gnadenlose Fatalität dieses Ablaufs im Bild einer langsam, aber gleichmäßig und unaufhaltsam sich zuziehenden Schlinge ist in Kafkas Vorstellung allezeit gegenwärtig. Dem entspricht im *Bau* die systematische Einkreisung des Protagonisten durch ein unbekanntes mächtiges Tier.[66]

Obwohl diese Lösung zur Grundthematik Kafkas stimmt und auch in der Konsequenz der ganzen Geschichte liegt, ja vom Dichter selbst bereits gestaltet worden war, bezweifelt Henel den letalen Ausgang des *Baues*. Nach ihm gehe es hier nicht um den Tod des Helden, nicht um ein sühnendes Ende mit Schrecken, sondern um einen Zustand endloser Angst und Qual, um einen Schrecken ohne Ende, um eine Lösung also, die schlimmer ist als der Tod, um Athanasie.[67]

Ging es Kafka wirklich um diese schlimmere Lösung des Schreckens ohne Ende und nicht um Gericht und Strafe? Hat er deshalb den bereits geschriebenen Schluß mit dem Tod des Protagonisten wieder fallen lassen? Oder war es — wie so oft — der künstlerische Selbstzweifel, der ihn das bereits Geschriebene wieder verwerfen ließ? Hat ihn also die dichterische Gestaltung des letalen Ausgangs nicht befriedigt? Oder hat er den Schluß deshalb wieder gestrichen, weil er sich zwischen den beiden Lösungen nicht entscheiden konnte und daher das Ende offen ließ?

Verfolgen wir zunächst Henels Begründung seiner Auffassung, daß die Geschichte nicht tödlich endet, daß also kein mächtiges Tier den Protagonisten im Kampf vernichtet, dieser vielmehr nach wie vor „ratlos und ziellos grübelnd in seinem Bau sitzen" wird. Diese These geht von der Voraussetzung aus, daß der Bewohner des Baues nur sich selbst konfrontiert und damit ohne Gegenwelt ist, daß infolgedessen das große Tier, durch das er sich bedroht fühlt, nicht wirklich existiert, sondern lediglich als ein Hirngespinst in seiner Einbildung lebt und ihn daher auch nicht töten kann: „What the animal really fears is himself and the emptiness of his life."[68] Als der Gefangene seiner eigenen Ängste hat es der Protagonist demnach mit keiner realen Gegenwelt, sondern ausschließlich mit sich selbst zu tun. Henel bezieht sich dabei auf eine Äußerung Kafkas, daß, wenn ein Haus nicht Sicherheit und Frieden bietet, dies „nicht an dem Haus, sondern an dem Besitzer" liege.[69]

Daß die Protagonisten Kafkas — und so auch das Tier im *Bau* — in nicht geringem Maß an sich selber scheitern, ist nicht zu bestreiten. Sie sind nicht so gerüstet,

[66] WEIGAND a.a.O. 163: Am Ende stehe „the conversion (das Insichgehen) of the repentant sinner, humbly acknowledging the error of his ways in having turned a deaf ear to divine guidance".

[67] Das Ende von Kafkas *Der Bau* a.a.O. 18.

[68] HENEL: Kafkas *Der Bau* a.a.O. 232.

[69] HENEL: Das Ende von Kafkas *Der Bau* a.a.O. 14. Auch INGEBORG HENEL (Die Deutbarkeit von Kafkas Werken, ZfdPh. 86, 1967, 255—266) und weithin auch WALTER SOKEL sind der Auffassung, daß die „Gegenwelt", an der das Tier im *Bau* und die Kafkaschen Helden überhaupt zugrunde gehen, nicht wirklich existiere, sondern ausschließlich in ihnen selbst liege und sie mithin an ihren eigenen „Hirngespinsten" scheitern.

um sich in die Welt zu schicken und mit ihren Schwierigkeiten fertig zu werden, sie sind monoman und leicht verwundbar. Kleinigkeiten, die andere nicht einmal bemerken, werden ihnen zu gefährlichen Fallstricken. Was die meisten Menschen verkraften, richtet sie zugrunde. Sie sehen die Dinge so anders, daß sie geradezu anderes sehen als ihre Mitmenschen. Aber nach der Deutung Kafkas geht es dabei in Wahrheit um ein genaueres Sehen, um ein Sehen mit Mikroskopaugen, wie er sagte. Nach seinem Selbstverständnis erdichtet er nichts, gestaltet er nichts hinzu, noch deformiert er, sondern zeichnet lediglich auf, was ist.

Sicher ist richtig, daß die Katastrophen der Kafkaschen Helden in hohem Maße individuell bedingte und persönlich verschuldete Katastrophen sind, wie sie in solcher Art nur Menschen ihrer Prägung erleiden können. Das heißt aber nicht, daß es sich um ausschließlich innere Vorgänge handelt und keine außerhalb gegebenen realen Ursachen mitwirken. Sie scheitern nicht an einem Nichts, nicht an bloßen Hirngespinsten oder Hypothesen, sondern an der Welt, die sie als Gegenwelt erleben, an den bestehenden Gegebenheiten des Daseins, mit denen sie nicht ins reine kommen können. Gewiß verzerrt sich in ihrer Sicht die Wirklichkeit ins Negative und was sie wahrnehmen, mag daher von ihrem objektiven Gegenüber bis zum Nichtwiedererkennen verschieden sein, aber ihre Gegenwelt ist nicht lediglich erdichtet, sie hat mit der realen Welt zu tun. Mögen sich auch in ihren Augen die Dimensionen der Dinge (scheinbar) grotesk verschieben, die Dinge selbst sind nicht ihre Erfindung, sondern vorgegeben. Und Kafka selbst betonte wiederholt, daß das vom „normalen" Sehen Abweichende seiner Darstellungen gerade nicht auf pathologischer Verzerrung, sondern auf genauerer Beobachtung beruht. Im gleichen Sinn rechtfertigte und rühmte er die (vermeintlichen) Deformationen in den Gestaltungen Picassos. ‚Ich erfinde nichts, ich zeichne nur auf', stellte er programmatisch fest.

Diese Selbstbestimmung Kafkas verbietet es, die so stark autobiographisch fundierte Erzählung Der Bau lediglich als die Selbstanalyse eines Verfolgungswahnsinnigen zu sehen.[70] Textnahe Deutung ergibt vielmehr, daß der Dichter hier ein letztes, ernstes Wort in eigener Sache spricht, und daß es sich bei diesem vermeintlichen Verfolgungswahn nicht um die Ausgeburt einer (an sich gegenstandslosen) Psychose, sondern um das vitalste aller Probleme und um die realste aller Tatsachen handelt. Als rein psychiatrische Studie wäre Der Bau ohne tieferes literarisches Interesse und nicht viel mehr als die Phantasien im Bremer Ratskeller von Wilhelm Hauff. Hirngespinste eines Irren (oder Trunkenen) mögen zwar faszinieren, aber als Aussagen sind sie nicht ernstzunehmen. Und um lediglich Sensationelles war es dem Dichter gewiß nicht zu tun.

---

[70] Henel: Kafkas Der Bau a.a.O. 231: „Anyone as wrapped up in himself as the animal must necessarily suffer from a persecution complex."
Ders.: Das Ende von Kafkas Der Bau a.a.O. 14: „... der Feind im Bau ist nur ein Hirngespinst — eine Ausgeburt seiner Angst ..."

Kafka selbst hatte sich seinen Vaterkomplex, der ihn lebenslang peinigte, auch nicht aus dem Nichts erschaffen; sein erdrückend vitaler Vater war eine reale, keine erdichtete Gestalt, eine wirkende Wirklichkeit, keine Ausgeburt seiner Angst. Aber freilich lastete der Machtdruck dieses Mannes um so stärker auf dem Dichter, als er keine entsprechend robuste Natur entgegensetzen konnte. Seine Sensitivität steigerte noch die niederdrückende Wirkung. Infolgedessen hätte ein anders veranlagter Mensch in Kafkas Situation dessen Sohntragödie vielleicht überhaupt nicht, zumindest nicht so intensiv und folgenschwer durchlitten. Ebenso wäre aber auch Kafkas Jugend mit einem anderen Vater sicher anders verlaufen. Die Persönlichkeit dieses Vaters gehört also als auslösende reale Ursache zu dieser Tragödie; es ist nicht allein die Individualität des Dichters, die den Gang seiner Entwicklung bestimmte.

Wenn er sich ferner wiederholt verlobte und wieder entlobte, weil er vor der ehelichen Bindung zurückschreckte und das intime Miteinander mit einer Frau nicht glaubte ertragen zu können, so mag das zwar als seltsam anmuten, Tatsache aber ist, daß die Frauen, die ihm diese Flucht in die Schriftstellereinsamkeit nahelegten, keine fingierten Figuren, sondern seine Verlobten waren, mit denen er nahen Umgang gepflogen hatte. Auch seine panische Mäusefurcht war real; er fürchtete sich vor wirklichen Mäusen, nicht vor geträumten. Diese Furcht mag man als hysterisch qualifizieren; daß sie aber eine objektive Ursache hatte, ist unbestreitbar. Das Gleiche gilt von seinen Helden. Ihre Fürchte, ihre Unternehmungen mögen absonderlich und übertrieben sein, sie sind doch immer R e a k t i o n e n auf reale Gegebenheiten, sie beziehen sich nicht auf ein Nichts.

Auch das Tier im Bau hat real begründete Angst. Muß es doch am Ende feststellen, daß der so mühevoll angelegte Bau seine Schutzfunktion nicht zu erfüllen vermag. Die Lebensrechnung, auf die es alles gesetzt hatte, erweist sich auf einmal als falsch. Es geht also um tödliche Fatalität, nicht lediglich um psychotische Zustände. Die Gefahr, vor der es sich ängstigt, ist nicht eingebildet, sondern akut und kommt unaufhaltsam näher: ‚es kommt jemand heran.‘ Angesichts dieser Ausweglosigkeit ist Flucht in die Panik der einzige Ausweg.

Sowohl in Charaktertragödien wie in sogenannten Schicksalstragödien muß jeweils beides zusammenkommen, damit die Katastrophe so ablaufen kann, wie sie abläuft, nämlich eine ungewöhnliche („zu fürchtende") Situation und ein ungewöhnlicher Charakter. In *Hamlet* haben wir gewiß von vornherein eine katastrophenträchtige Situation: der Vater und regierende König stirbt völlig unerwartet unter verdächtigen Umständen; die Mutter heiratet ‚in schnöder Hast‘ den unverzüglich auf den Thron folgenden, verhaßten Onkel. Gleichwohl hätte sich ein Prinz mit weniger ‚prophetischem Gemüt‘ als Hamlet nach der üblichen Trauerzeit, genau wie alle anderen, allmählich wieder beruhigt und nicht weiter nachgeforscht. Damit die Tragödie zustande kam, bedurfte es dieses besonderen Hamlet-Charakters. Auch in *Michael Kohlhaas* liegt eine stark provozierende Situation vor.

Aber nur weil Kohlhaas Kohlhaas ist, nämlich ein Mann ,mit einem Rechtgefühl, das einer Goldwaage glich', eskalierte sie zu einer Katastrophe riesenhaften Ausmaßes. Andere hätten sich — in realistischer Einschätzung der Machtverhältnisse — mit dem ihnen gespielten üblen Streich abgefunden und damit das kleinere Übel gewählt. Und selbst die Ödipustragödie, also die paradigmatische Schicksalstragödie, setzt das heftige, jähzornige Temperament des Ödipus voraus. Erst seine persönliche Reaktion auf die fatale Situation bringt die Katastrophe in Gang.

Gehen wir davon aus, daß Kafka — wenn auch nicht direkt, so doch grundsätzlich — ein autobiographischer Dichter ist, insofern stets Selbsterlebtes (im weitesten Sinn des Wortes) den Rohstoff seiner Gestaltungen ausmacht, so erweist sich auf dem Hintergrund seiner Vita das Zusammentreffen der beiden Faktoren, nämlich der individuellen Bedingtheit des Helden und der ihm konfrontierten, ja feindlichen Wirklichkeit, als die eigentliche Thematik seiner Dichtung. Geht es hier doch immer um diesen letzthin unlösbaren Konflikt zwischen subjektiver Situation und objektiver Konstellation, wobei das Sich-nicht-einfügen-können des Protagonisten gleichermaßen als Fatalität und Schuld gewertet wird.[71] Das Wort Schuld signalisiert mehr als nur ein Versagen in und gegen sich selbst, es bezeichnet objektives moralisches Versagen im Blick auf eine außerhalb und oberhalb gegebene letzte Instanz.[72] Es verweist auf die permanente Gerichtssituation des Lebens, auf die These Kafkas, daß das Jüngste Gericht in Wahrheit ein Standrecht ist. Was hier in Frage steht, ist also nicht lediglich ein immanent psychologisches Problem, — ohnehin stand Kafka der Psychologie mit starken Zweifeln, ja grundsätzlichen Vorbehalten gegenüber[73] —, sondern eine metaphysische Situation, eben die Beziehung zwischen Gott und Mensch, das Gegenüber des Angeklagten zu seinem unsichtbaren, allgegenwärtigen Richter.

Im Gegensatz dazu reduziert Henel die Geschichte auf das Psychologische. Indem er sie solchermaßen säkularisiert, raubt er ihr die spezifisch Kafkasche Substanz. Er übersieht, daß es im *Bau* um die letzte und ernsteste Konfrontation überhaupt geht, nämlich um die Konfrontation mit dem Tod, der kein Hirngespinst, sondern das Allerrealste ist. In Verkennung dieser Thematik will er auch nicht wahrhaben, daß — wie in den anderen Werken Kafkas — der fundamentale Zusammenhang von Schuld, Gericht und Strafe hier zur Erörterung steht. Das Tier im *Bau* fürchte im

---

[71] Das Tier im Bau, das sich ängstlich in die Welt hinein begibt, stellt fest: „ich bin in der Fremde."

[72] Der Protagonist des *Baues* verweist selbst auf eine fundamentale Schuld, die er freilich nicht kennt und nennt auch die über ihn befindliche letzte Instanz des Richters: „Ich weiß, daß meine Zeit gemessen ist, daß ich nicht endlos hier jagen muß, sondern daß mich ... jemand zu sich rufen wird, dessen Einladung ich nicht werde widerstehen können."

[73] Vgl. Lawrence Ryan: „Zum letztenmal Psychologie". Zur psychologischen Deutbarkeit der Werke Franz Kafkas. In: Psychologie in der Literaturwissenschaft, Heidelberg 1971, 157 ff.

Grunde nur sich selbst und die Leere seines Lebens.[74] Im Kontext dieser strikt psychologischen Deutung glaubt Henel, auch den Fehler des Protagonisten genau bezeichnen zu können:

> Die Absage an das Leben im Freien ist ein negativer Entschluß, der einen entsprechenden positiven verlangt, nämlich das Leben im Bau rückhaltlos zu bejahen. Das ist die Lösung, die von dem Tier nicht gefunden wird. Wenn ich also bisher die Angst des Tieres vor der Stummheit und Leere des Baus betont habe, so ist das nur die halbe Wahrheit. Die andere Hälfte ist, daß es sich n i c h t ängstigen würde, wenn es sich zu der einmal gewählten Lebensweise bekennte . . .[75]

Diese Deutung widerspricht dem Grundgedanken der Erzählung, daß es nämlich überhaupt keine Chance des Entrinnens gibt, daß vielmehr auch der kunstvollste Bau in der Stunde der Entscheidung versagt, weil eben, wie Goethe gesagt hat, die Gedanken Gottes und die Gedanken der Menschen zweierlei Dinge sind. Mit anderen Worten, in Henels Säkularisierung der „universellen Thematik" der Erzählung sehe ich einen grundsätzlichen Irrtum. Es geht hier nicht (oder noch nicht) um das restlos sich selbst anheimgefallene Individuum, sondern (noch immer) um die Beziehung des Einzelnen zu seinem (unbekannten) Gott. Und d i e s e s Gegenüber ist nicht ein Nichts, sondern das einzig Wirkliche, das Bleibende, das Übergeordnete. In der psychologischen Deutung Henels gibt es aber kein Gegenüber mehr. Auch das mächtige Tier, vor dessen bedrohlichem Näherkommen der Bewohner des Baues zittert, existiert danach nicht wirklich, ist vielmehr nur eine Ausgeburt seiner Angst, eine bloße Hypothese also, die es zum Schluß wieder aufgebe.[76] Da aber ein

---

[74] HENEL: Kafkas *Der Bau* a.a.O. 232: „. . . what the animal really fears is himself and the emptiness of his life." Entsprechend hat er die für Kafka grundlegende metaphysisch-religiöse Gerichtsthematik als für diese Geschichte irrelevant abgewertet: „„Guilt' and ‚punishment' . . . are indeed keys, but not master keys, not the pillars on which *Der Bau* is erected . . . they add a dimension to the story, although its meaning would not be vitally affected if they were absent." (ebd. 240)

[75] HENEL: Das Ende von Kafkas *Der Bau* a.a.O. 10. Ebd. 15 wird jedoch festgestellt, daß auch der konsequente Rückzug in den Bau keine Lösung bringt, sondern ebenfalls zum Scheitern führt, nämlich zum ‚Verkümmern durch Nichtanderskönnen, durch starres Festhalten an der eigenen Wesensart'. Nur zu gut habe Kafka diese Art des Scheiterns durch radikalen Rückzug auf sich selbst gekannt und „in der *Verwandlung* und im *Hungerkünstler* dargestellt".

[76] Das Zischen, durch das sich das herankommende große Tier dem Protagonisten im Bau bemerkbar macht, sei — wie Henel a.a.O. 7 ausführt — lediglich der Ausdruck der Angst, die dieser „vor seinem Dasein in der Einsamkeit, Leere und Öde des Baus empfindet". Auch die Tatsache, daß er dieses Geräusch permanent und an allen Stellen des Baus gleich stark höre, erweise es als etwas, das nicht von außen kommt, sondern im Protagonisten selbst liegt. Dem widerspricht jedoch die „realistische" Beschreibung, die Kafka von der Arbeitsweise des feindlichen Tieres gibt. Er bemerkt nämlich, daß das Zischgeräusch wiederholt auch aussetzt, je nachdem wie das Tier arbeitet: ‚Ich kann mir das Zischen nur so erklären, daß das Hauptzwerkzeug des Tieres nicht seine Krallen sind . . ., sondern seine

nichtexistentes Tier den Protagonisten nicht töten kann, kann es nach dieser Auffassung auch nicht den (allgemein angenommenen und durch ein authentisches
Zeugnis bestätigten) letalen Ausgang geben. Die Geschichte müsse vielmehr einen
offenen Ausgang haben, demzufolge der Held „ratlos und ziellos grübelnd in seinem Bau" weiterlebt.[77]

Die Deutung des *Baues* steht und fällt mit der Auffassung vom Ende der Geschichte. Daß die letzten Worte auf dem letzten erhaltenen Blatt der Handschrift:
,aber alles blieb unverändert, das ...' nicht der Schluß sein können, ist eindeutig.
Unsicher ist nur, was und wie viel noch fehlt.[78] Nach Dora Dymant, die den getilg-
ten Schluß der Erzählung gekannt hat, war es zuletzt zum entscheidenden Kampf
des Helden mit dem eindringenden Tier gekommen, wobei der Protagonist unter-
lag. Henel, in dessen Konzept Dora Dymants Aussage nicht paßt, „mißtraut"
dieser Mitteilung, da, wie er argumentiert, der Protagonist, der „seine eigene Geschichte in der ersten Person erzählt", seinen eigenen Tod „nicht mehr berichten,
sondern höchstens vermuten" könnte. „Undenkbar" erscheint ihm auch, daß
„Kafka, wie Goethe im *Werther*, am Schluß einem anderen Erzähler das Wort erteilt hätte".[79] Hinzu kommt die entschiedene Abneigung des Dichters, seine Darstellungen über den Tod des Helden hinauszuführen, weshalb er die Schlußteile
sowohl der *Verwandlung* als auch der Strafkolonie als ,unlesbar' bzw. ,mangel-
haft' verworfen hat.[80] Andrerseits hat er jedoch seine (von ihm selbst künstlerisch
hoch bewertete) Erzählung *Das Urteil* mit einem solchen Stilbruch, nämlich mit
einem aus veränderter Perspektive gesprochenen Satz beschlossen: ,In diesem Augenblick ging über die Brücke ein geradezu unendlicher Verkehr.'

Hier erlaubt er sich also einen solchen Zusatz, der über den Tod des Helden hinausweist und die durch diesen bestimmte epische Perspektive der Erzählung abschließend aufhebt. Unbedingt zwingend ist Henels Argumentation somit nicht,
auch nicht im künstlerischen Sinn. Und Weigand hat mit seinen der Erzählung hin-
zugefügten, selbstverfaßten Schlußsätzen eine Möglichkeit angedeutet, die uns nicht
zwingt, über die überlieferte Mitteilung einer Augen- und Ohrenzeugin hinwegzugehen.[81] Alles spricht dafür, daß, wie Politzer vermutet hat, Kafka die bereits
geschriebenen Schlußsätze deshalb wieder tilgte, weil ihn diese Gestaltung des
Erzählungsendes künstlerisch nicht befriedigte.[82] So hätte sich auch an dieser späten

---

Schnauze oder sein Rüssel, die allerdings abgesehen von ihrer ungeheuren Kraft, wohl
auch irgendwelche Schärfen haben. Wahrscheinlich bohrt es mit einem einzigen mächtigen
Stoß den Rüssel in die Erde und reißt ein großes Stück heraus, während dieser Zeit höre
ich nichts, das ist die Pause, dann aber zieht es wieder Luft ein zu neuem Stoß.'

[77] Henel: Das Ende von Kafkas *Der Bau* a.a.O. 18.
[78] Nach allgemeiner Überzeugung fehlen nur wenige Sätze.
[79] Henel: Das Ende von Kafkas *Der Bau* a.a.O. 15 und 16.
[80] Im Brief an seinen Verleger Kurt Wolff vom 4. September 1917 spricht er von
einem ,tieferen Mangel', speziell im Schlußteil der *Strafkolonie*.
[81] Weigand: *The Burrow* a.a.O. 165.
[82] Politzer a.a.O. 467.

Geschichte noch einmal jene spezifische gestalterische Schwäche des Dichters gezeigt, derzufolge es ihm nicht gelingen will, ein Werk adäquat abzuschließen. Nach Henel habe das gerade im *Bau* auch mit der Thematik bzw. mit einer nicht bewältigten thematischen Zwiespältigkeit zu tun. Der von Dora Dymant bestätigte letale Ausgang sei zwar von Kafka zunächst vorgesehen und auch schon gestaltet, zuletzt aber wieder gestrichen worden. Das Ausbleiben einer letzten Entscheidung besiegle die Endlosigkeit der Qual. Dieses Thema der permanenten Frustration werde geradezu leitmotivisch im zweiten Teil der Erzählung immer wieder angeschlagen. So begegne das letzte vollständige Sätzchen der Handschrift: ‚... alles blieb unverändert‘ fast wörtlich schon an drei früheren Stellen: ‚Alles ist unverändert.‘ ‚... hier hat sich nichts verändert ...‘ ‚nichts hat sich geändert.‘

Ich räume ein, daß das Thema der Endlosigkeit der Qual zumindest anklingt, andererseits aber nicht programmatisch artikuliert ist. Zuletzt sehen wir das Tier in peinvoll ungewisser Erwartung der letzten entscheidenden Konfrontation mit seinem unbekannten mächtigen Widersacher. Es selbst kennzeichnet seine Situation: ‚Ich lebe im Innersten meines Hauses im Frieden, und inzwischen bohrt sich langsam und still der Gegner von irgendwoher an mich heran.‘ Dieser Muspillisituation angstvoller Gerichtserwartung[83] entspricht der stilistische Tenor einer archaisch geprägten Gerichtssprache. Der variierten Formel ‚nichts hat sich verändert‘ steht eindringlicher noch und durchgängiger — als das eigentliche Leitmotiv — der Topos ‚es kommt jemand heran‘ gegenüber. Das aber verweist auf die Situation aller Kafkaschen Helden, auf den Status der ‚immer zweifellosen Schuld‘, die — hier in der Gestalt des herankommenden großen Tieres — unausweichlich ihr Strafgericht findet.

Wer ist dieses große Tier, dessen bedrohliches Näherkommen der Bewohner des Baues fürchtet? Existiert es, wie Sokel, Heinrich und Ingeborg Henel annehmen, nur in der Vorstellung des Protagonisten? Besteht mithin die These Wilhelm Emrichs zu Recht, daß das Zischen, das den Helden so tief ängstigt, aus seinem eigenen Inneren kommt und der gefürchtete Feind also in ihm selber steckt? Sicher steckt der Gegner zu einem nicht geringen Teil a u c h in ihm selbst. Aber zugleich steht der (für den Lebenskampf unzureichend ausgerüstete) Protagonist einer Welt gegenüber, die einem Menschen seiner Art als eine feindliche Welt erscheint, mit der er sich nicht arrangieren kann, vor der er sich schützen muß. Daß er weder die Welt noch sich selbst ändern kann, ist sein Verhängnis, kein nur imaginiertes, sondern ein wirkliches und wirkendes. Das Tier im Bau mag sich mehr ängstigen als nötig, aber seine Angst hat eine objektive Ursache; sie entspringt aus dem realen Mißverhältnis, in dem es sich zur Welt befindet. Henel glaubt darin, daß „das arme Tier" den vermuteten Feind nie gesehen hat, einen Beweis für die Nichtexistenz dieses Feindes sehen zu dürfen. Das ist ein Trugschluß. Im Gegenteil, das Nichtsehen des Feindes, also das Unbekanntsein der eigentlichen Gefahren und entsprechend das Nicht-

---

[83] ‚Muspilli kommt heran‘ = ‚es kommt jemand heran‘.

wissen und Unerklärtbleiben der Schuld machen den Kern der Kafkaschen Thematik aus. Während einer Eisenbahnfahrt mitten im Tunnel sein, wo man das Helle hinter sich gelassen und die (vielleicht) wiederkommende Helle noch nicht sehen kann, ist nach Kafkas eigenen Worten das adäquate Bild für die Situation des Menschen. Daß er solchermaßen dem Nichtsehenkönnen und Nichtwissen ausgeliefert ist, erweist seine Schuld und mit dieser die Realität des auf ihn zukommenden Strafgerichtes.[84] Das einkreisende große Tier repräsentiert die unausweichliche strafende Vernichtung, das tödliche Gericht, das den immer Schuldigen zur gegebenen Stunde erreicht. Wie die *Strafkolonie* exemplarisch zeigt, gibt es in diesem Dreiklang: Schuld-Gericht-Strafe grundsätzlich nur die Todesstrafe. Häufig ist dieses Schema auch konsequent durchgeführt, so im *Urteil*, im *Prozeß*, in *Vor dem Gesetz*, in der *Verwandlung*, im *Hungerkünstler* und tendenziell in allen Kafkaschen Dichtungen überhaupt, u. a. gerade auch in der Erzählung *Der Bau*.[85]

Wie jedoch das Nichtzuendeführen der Romane und mehrerer Erzählungen erkennen läßt, stand der folgerichtigen Realisierung dieses inhaltlichen Schemas noch eine andere Tendenz des Dichters entgegen. Seine auffällige Scheu, das Ende seiner Dichtungen darzustellen, erklärt sich gewiß in erster Linie aus künstlerischen Gründen. Wie Kafka selbst klagte, waren seine gestalterischen Kräfte rasch erschöpft und reichten daher oft nicht hin, ein Werk so zum Abschluß zu führen, wie es seinen künstlerischen Forderungen entsprach.[86] Infolgedessen befriedigten ihn die Schlußpartien sehr häufig nicht oder wurden überhaupt nicht ausgeführt bzw. nachträglich wieder gestrichen. Aber auch thematische Gründe können bei diesem Ausweichen vor den programmatisch geforderten Schlüssen mitgewirkt haben. Mitunter mag er auch deshalb auf die Darstellung des abschließenden Strafgerichtes verzichtet haben, weil es in seiner heillos pessimistischen Sicht eine solche bereinigende Sühnung der Schuld durch Strafe, eine solche Erlösung also, gar nicht geben konnte. Dem klaren Konzept: Schuld-Gericht-Strafe, das auf letalen Ausgang hinausläuft, damit aber zugleich einen Endpunkt des Leidens setzt, stand die bedrückende Vorstellung der Endlosigkeit von Schuld und Strafe, der Permanenz der Katastrophe entgegen. Wie er selbst sagte, sei es nur unser Zeitbegriff, der uns vom Jüngsten Gericht sprechen lasse. In Wahrheit handle es sich um ein Stand-

---

[84] Man vergleiche die banal klingenden, aber tiefernsten Formeln, daß Nichtwissen nicht vor Strafe schützt und daß gegen den Tod kein Kraut gewachsen ist.

[85] Die Schuld-Gericht-Strafe-Thematik ist in Kafkas Dichtungen so fundamental, daß man versucht sein könnte, sein Werk insgesamt als Thema mit Variationen aufzufassen. Doch hat Ingo Seidler (Das Urteil: „Freud natürlich?" a.a.O. 175 f.) mit Recht betont, daß man über dem Grundständig-Gleichen in Kafkas Dichtungen die Vielfältigkeit seiner Fragestellungen und Darstellungstechniken nicht vergessen sollte. Kafka ist ein experimentierfreudiger Erzähler, und seine „Lust zu fabulieren" ließ auch inhaltlich keine Monotonie aufkommen.

[86] In den gleichen Zusammenhang gehört Kafkas Äußerung, daß nur ein in gedrängtem zeitlichen Zusammenhang geschriebenes Werk vollgültig gelingen könne, womit er die gerade ihn betreffende künstlerische Problematik großepischer Gestaltungen berührte.

recht und damit um einen immerwährenden Prozeß. Wenn aber nicht einmal der Tod ein Ende setzt, wenn auch er nicht sühnen und erlösen kann, dann ist das Thema des Dichters grundsätzlich nicht zu Ende zu führen. Das an sich Endlose enden zu lassen, übersteigt die menschliche Gestaltungskraft.

Kafkas künstlerische Selbstverurteilung beruhte vielleicht eben darauf, daß sein Thema: Schuld-Gericht-Strafe nicht in einem solchen umfassenden Sinn bewältigt werden konnte und daß daher die Schlüsse z. B. der *Verwandlung* oder der *Strafkolonie* ihn enttäuschen mußten. Der Ausflug der Familie Samsa ins Grüne oder die Abschaffung der Strafjustiz des alten Kommandanten sind doch nur Verharmlosungen, aber keine Lösungen. Die Welt ist ja nicht wirklich anders geworden. Die Verwandlung Gregor Samsas ist nach seinem Tod nicht einfach wie ein Spuk weggewischt, sondern wird sich auch in Zukunft immer wiederholen. Und auch gegen die Wiederkehr des alten Kommandanten gibt es keine zuverlässige Sicherung. Hier einen thematisch und künstlerisch überzeugenden Schluß zu gestalten, war in der Tat eine Überforderung an den Dichter, die zudem seinen schwachen Punkt traf. Zugleich aber ist einzuräumen, daß bei einer in sich selbst widersprüchlichen Thematik, die einerseits auf ein abschließendes Strafgericht zielt, andererseits aber die Endlosigkeit von Schuld und Strafe unterstellt, die Vollendung einer geschlossenen Form kaum erreicht werden kann. Gleichzeitig gilt jedoch, daß große Thematik und „Unendlichkeit" weithin zusammen gehören und einander nicht unbedingt ausschließen müssen. Henel betont mit Recht: „Auch ein literarisches Perpetuum mobile kann, wie die musikalischen von Mendelssohn und Johann Strauß, zum Stehen gebracht werden, denn die Endlosigkeit des Themas verlangt kein endloses Weiterschreiten. Ein solcher Abschluß wird durch die Form zustandegebracht, durch eine Veränderung im Tonfall beim wiederholten Vortrag des Hauptthemas ..."[87] Daß in Analogie dazu die letzten erhaltenen Worte des *Baues*: ‚... alles blieb unverändert' das Perpetuum mobile dieser Geschichte zum Stehen bringen, kann ich Henel nicht zugeben. Die Erzählung ist — in der überlieferten Form — unabgeschlossen. Weil aber, wie sich zeigen wird, aus dem klar artikulierten Sinn des Ganzen der letale Ausgang gefordert (und auch bereits gestaltet worden) war, darf als sicher gelten, daß es vor allem künstlerische Bedenken waren, die Kafka zur Streichung des Schlusses veranlaßt haben. Entsprechend bricht das überlieferte Manuskript mitten im Satz ab: ‚Aber alles blieb unverändert, das ...' Offenbar fand der Dichter nicht mehr die Kraft, die Geschichte in einer ihn befriedigenden Form zu beschließen.

Es ist nicht müßig, über das verlorene Ende des *Baues* zu reflektieren. Geht es hier doch um ein für Kafkas Gestalten zentrales Problem. Er gehört zu jenen Dich-

---

[87] Henel: Das Ende von Kafkas *Der Bau* a.a.O. 19. Auch an Bachs Präludien und Fugen mit ihren an sich unendlichen Melodien ist hier zu denken, die endlos fortfließen könnten und die doch die musikalische Formkunst des Komponisten mit einem den Fluß der Bewegung stauenden Akkord zum Halten bringt.

tern, die uns durch die suggestive Kraft der Vergegenwärtigung wie selbstverständlich in den Bann ihrer „unerhörten Begebenheiten" ziehen und den Ablauf der Dinge
rasch in eine solche Höhe treiben, daß es schwer (oder gar unmöglich) wird, einen
angemessenen Schluß zu setzen. Doppelt schwer für einen Autor seiner Art, dessen
Wahrheitswille keinen rhetorischen oder gar theatralischen Effekt zuließ. Da sich
seine gestalterische Energie in der Darstellung des laufenden Geschehens — ‚im
Feuer zusammenhängender Stunden‘ — fast restlos aufzehrte, blieb ihm am Ende
fast nur noch die Kraft zu einem ‚Nachwort‘, in dem der Dichter nicht mehr ganz
er selber ist, sondern gleichsam als ein posthumer Herausgeber fungiert.[88]

Die Frage nach dem Ende des *Baues* ist aber auch insofern akut, als sie — wie
betont — verschieden beantwortet wurde.[89] Henel glaubt, daß Kafka aus inhaltlichen Gründen den schon geschriebenen Schluß der Geschichte wieder gestrichen
hat. Die Vernichtung des Helden durch den Feind (dessen reale Existenz er bezweifelt) widerspricht nach seiner Auffassung der eigentlichen thematischen Zielsetzung. Deute doch „die ganze Anlage der Erzählung ... auf einen stumpfen oder
offenen Ausgang".[90] „Der erhaltene Text jedenfalls handelt nur von dem lebenslangen Sterben und einem verscherzten Tod. [Es verbleibe daher nur] das ‚Weiter-
verfolgen einer vergeblichen Suche‘, das ‚Nie nach Hause kommen‘, die „Karikatur
der Unsterblichkeit‘, die Kafka auch im *Landarzt* (1916/17), im *Jäger Gracchus*
(1917), im *Schlag ans Hoftor* (1917) und in den *Fürsprechern* (1922) dargestellt
hat." Auch der *Bau* gehöre zu diesen „Dramen ohne Ende", die „grundsätzlich
zeitlos und endlos" seien.[91] Entsprechend erscheine das Präsens des Icherzählers im
Bau „als Zeitform eines Lebens, das sich aus einer unbewältigten Vergangenheit in
eine endlose Zukunft erstreckt", und „die einzige Tat" des Protagonisten, nämlich
sich endgültig in seinen Bau zurückzuziehen, entspringe einem bloß negativen Entschluß" und könne „deshalb den ewigen Zweifeln und Sorgen kein Ende" machen,
weil sich das Tier lediglich „aus Angst vor der Welt und nicht aus Liebe zur Einsamkeit" zurückziehe: „all das bildet eine Linie, die sinngemäß ins Unendliche
fortlaufen muß und nicht durch einen Gewaltakt abgebrochen werden kann. Das
Tier, so glaube ich, wird am Ende nicht sterben, sondern in seiner Angst verharren ... und ... ratlos und ziellos grübelnd in seinem Bau sitzen.[92]

So suggestiv Henel argumentiert und so wichtig seine einzelnen Hinweise sind[93],
sprechen doch die stärkeren Gründe für den letalen Ausgang der Geschichte. Daß

---

[88] Ähnliches gilt von den großen Romanen Dostojewskijs oder auch dem mhd. Nibe-
lungenepos, Dichtungen, die eine hochgespannte, vielstimmige Handlung entfalten und
sie zum Schluß in steilem Abfall ins Leere auslaufen lassen.
[89] S. Anm. 63.
[90] HENEL: Das Ende von Kafkas *Der Bau* a.a.O. 17.
[91] Ebd. 18.
[92] Ebd. 17 f.
[93] Besonders wichtig ist der Hinweis auf die Erzählungen *Ein Landarzt, Jäger Gracchus, Schlag ans Hoftor* und *Fürsprecher*, für die Hillmanns These des prinzipiell „letalen

Dora Dymant, an deren Glaubwürdigkeit nicht zu zweifeln ist, diesen (verlorenen) tödlichen Ausgang bestätigt hat, ist allein schon ein kaum zu entkräftender Gegengrund. Denn wenn Kafka selbst die Erzählung bereits mit dem gewaltsamen Tod des Helden hatte enden lassen, so entsprach dieses Ende auch seiner Absicht. Etwas Anderes (und bei Kafkas strenger Selbstkritik sogar Naheliegendes) ist, daß er diesen Schluß als künstlerisch unzureichend wieder tilgte. In jedem Fall erscheint es problematisch, über ein authentisches Zeugnis wie die Mitteilung Dora Dymants hinwegzugehen und ein völlig anderes Ende an die Stelle des überlieferten zu setzen. Ein weiterer schwacher Punkt der Interpretation Henels liegt darin, daß er — im Gegensatz zu Kafkas Intention — die Geschichte des Protagonisten als die Geschichte eines Verfolgungswahnsinnigen deutet, als etwas Sensationelles und Exzeptionelles also, nämlich als eine psychiatrische Angelegenheit, in der es um irreale, ja nichtexistente Phänomene geht. Genau das wollte Kafka aber nicht. Er stellte nichts Abseitiges oder Unwirkliches dar, nichts, das nicht jeden Menschen betraf. Die Irrungen eines Wahnsinnigen liegen nicht in seinem Konzept. Okkultistische Phänomene interessieren ihn nicht, und er mißtraut der Psychologie.

Das Hauptargument aber gegen einen offenen Schluß stammt aus der Erzählung selbst, aus ihrer ganzen Anlage und der klar erkennbaren Zielrichtung des Geschehens. Offenbar folgt nämlich auch der *Bau* jenem Konzept, das die meisten Dichtungen Kafkas bestimmt, nämlich der fast schematisch eindeutigen Stufenfolge von Schuld, Gericht und Strafe. Diesem Schema entspricht ferner, daß die Schuld nicht eigentlich begangen wird, sondern vorausliegt. Sie ist so selbstverständlich, daß sie weder analysiert noch auch nur diskutiert, sondern lediglich im Nebenbei erwähnt wird. Hingegen läuft das Leben des Protagonisten als eine Art Gerichtsprozeß ab, der sich in seiner totalen Verunsicherung äußert. In einer solchen fundamentalen Krise befinden sich Josef K. nach seiner Verhaftung, K. bei seiner Ankunft im Dorf, Blumfeld angesichts des nicht mehr zu stoppenden störenden Spiels der Zelluloidbälle und — schon von allem Anfang an — auch das Tier im Bau. Das Urteil aber in dem auf so vielerlei Weise ablaufenden Gerichtsprozeß lautet immer auf Tod, und die Vollstreckung des Todesurteils ist der letzte Akt, in dem sich die Handlung folgerichtig vollendet. Man kann nicht gut übersehen, daß auch im *Bau* die Vernichtung des Helden durch den in seinen Bau eingedrungenen Feind die letzte Konsequenz ist, auf die der Gang der Handlung hindrängt.

Das Ziel aller Bemühungen des Protagonisten war es gewesen, sich durch eigene Leistung einen absoluten Schutz zu sichern. Was aber dann als Sinn dieses parabolischen Geschehens zutage tritt, ist eben das Mißlingen dieser kunstvollen Anstren-

---

Ausgangs" nicht gilt, in denen vielmehr die Endlosigkeit der Qual das Thema darstellt. Auch ging der Pessimismus Kafkas mitunter so weit, daß ihm sogar der grausamste Tod noch als zu positiv, nämlich als ein sühnender Gnadenakt der Erlösung, erscheinen mochte. Die Unerlösbarkeit des Helden macht recht eigentlich den Kern seiner Tragik aus.

gungen: der eigentliche Feind, vor dem sich das Tier in seinem Bau schützen wollte und den es, wie sich zeigt, nicht einmal richtig kannte und daher an falscher Stelle vermutete, erreicht ihn am Ende doch. Das Nichtentrinnenkönnen ist das eigentliche Thema. Daraus folgt jedoch, daß — wie in der Geschichte gezeigt wird — der in seinen Schutzbau Geflüchtete von dem Verfolger systematisch eingekreist und schließlich in seiner eigenen Festung gestellt und vernichtet wird. Erst die Tötung des Protagonisten in seinem Bau bestätigt das Mißlingen des Gewollten, demonstriert die Sinn- und Nutzlosigkeit des Geleisteten. Ein in seiner Festung „ratlos und ziellos grübelndes", aber die von außen drohenden Gefahren sicher überlebendes Waldtier wäre zwar gewiß auch kein glückliches Wesen, doch träfe eine solche Endlösung nicht den Sinn der Metapher. Sie ließe gerade das nicht erkennen, worauf es in dieser Geschichte einzig ankommt, nämlich zu zeigen, daß der so aufwendig angelegte Bau letztlich doch zu nichts nütze ist, daß er nämlich seinen Erbauer nicht vor der Vernichtung durch den Feind zu schützen vermochte, ja daß er vielmehr — gerade durch seine kunstreiche Anlage — diese Vernichtung zum Teil sogar mitverursachte.[94] Worum es hier geht, ist also das Versagen des Baues, die grundsätzliche Verfehltheit dieses ganzen so anspruchsvollen Unternehmens, die schrittweise Enthüllung, daß auch ein vermeintliches Meisterwerk am Ende nur Stück- und Flickwerk ist. Infolgedessen muß aber dieses Versagen der so mühsam gebauten Schutzfestung auch direkt vor Augen gestellt werden, und zwar eben dadurch, daß der Feind zuletzt in den Bau eindringt und das Tier tötet. Eine Deutung jedoch, die — wie diejenige Henels — den Bau unzerstört bestehen ließe[95], beträfe im Grunde eine andere Geschichte als sie Kafka geschrieben hat.[96] Wenn Kafkas Erzählung an ihr Ziel kommen soll, muß sie die Nutzlosigkeit des Baues gegenüber dem eigentlichen Feind, das Ausgeliefertsein seines Bewohners an den unheimlichen, durch keine Mauern abzuhaltenden großen Gegner exemplarisch vergegenwärtigen. Dieses vernichtende Fazit des Lebens bis zur letzten Konsequenz zu enthüllen, war aber, da es unmittelbar die eigene Situation betraf, doch wohl zu furchtbar, als daß Kafka nicht davor hätte zurückschrecken müssen. Man begreift, daß ein Dichter seiner Art, der tiefer als andere die Todesängste des Schriftstellers durchlitten hat[97],

---

[94] Nicht ohne Grund hat man diesen labyrinthartig angelegten unterirdischen Bau mit dem Turm von Babel verglichen, auch einem Werk der scheiternden Hybris. Und Kafka selbst äußerte: ,Wir graben den Schacht von Babel.'

[95] Würde das Tier in seinem Bau vor allen von außen drohenden Gefahren geschützt und somit lediglich seinen eigenen Hypochondrien ausgeliefert sein, so wäre die ganze Metapher des Baues überflüssig und sinnlos.

[96] Ich räume ein, daß Kafka eine Geschichte, wie sie in Henels Interpretation unterstellt wird, a u c h geschrieben haben könnte. Doch dürfte diese andere Erzählung nicht durch die Metapher des Baues bestimmt sein, weil sie dann als eine Geschichte der ad absurdum geführten Hybris, eben als eine ferne Variation zum Turmbau von Babel bzw. zum Schacht von Babel festgelegt wäre und damit sowohl die Zerstörung des Baues als auch die Vernichtung des Erbauers fordern würde.

[97] Vgl. seinen Brief an Max Brod vom 5. Juli 1922.

außer künstlerischen Bedenken auch eine persönliche Scheu empfand, das ernstgenommene schreckliche Ende dieser Erzählung in Worte zu fassen und das Grauenvolle auszusprechen, dem er sich selber ausgeliefert wußte.[98]

Der *Bau* endete nicht nur tödlich, sondern er ist auch — streng wörtlich genommen — eine Geschichte vom Tod.[99] Ja, sie vergleicht sich in vielem mit Tolstois Erzählung *Der Tod des Iwan Iljitsch,* die Kafka gekannt, gelegentlich zitiert und sehr geschätzt hat. Wie Iwan Iljitsch peinlich prüfend immer wieder auf die leise signalisierenden Schmerzsymptome des mit der fortschreitenden Krankheit unaufhaltsam näherkommenden Todes achtet, registriert auch das Tier in seinem (von dem mächtigen ‚Verderber‘ schon eingekreisten) Bau alle Bewegungen und Geräusche in seiner Umgebung als Anzeichen der kommenden Katastrophe. Beide, Iwan Iljitsch in seiner tödlichen Krankheit und das Waldtier in seiner zur Falle gewordenen Festung, sind bereits Gefangene des Todes. Und das große mächtige Tier, das den Bau umzingelt, ist nichts anderes als der Tod. Es ist also kein Alp- und Angsttraum des Protagonisten, sondern das Realste, das es überhaupt gibt, eben der Tod, gegen den keine Abwehrmaßnahmen schützen, der sich nicht verharmlosen noch gar manipulieren läßt, an dem vielmehr alle Organisationskünste zuschanden werden und der immer das letzte Wort behält. Genau so erscheint das unheimliche Tier im Bau, nämlich als ein Gegner, vor dem man wehrlos ist, dessen allmächtige Gegenwärtigkeit man lebenslang übersieht, der sich nicht zum Kampf stellen läßt, sondern selbst über die Stunde des Kampfes bestimmt und gegen den es nur Niederlage geben kann.

Alles, was den Tod kennzeichnet, gilt auch für das große starke Tier: es arbeitet unermüdlich und scheitert nie; sein Werk gelingt immer und überall mit der gleichen Planmäßigkeit und Perfektion. Die parabolische Identität des Tiers mit dem Tod wird eindringlich nahegebracht:

> Tag und Nacht gräbt es, immer in gleicher Kraft und Frische, seinen eiligst auszuführenden Plan vor Augen, den zu verwirklichen es alle Fähigkeiten besitzt.[100] Nun, einen solchen Gegner habe ich nicht erwarten können. Aber abgesehen von seinen Eigentümlichkeiten ereignet sich jetzt doch nur etwas, was ich eigentlich immer zu befürchten

---

[98] Wir wissen, daß Mozart über dem Requiem, das er auf dem Totenbett komponierte, immer wieder schmerzüberwältigt in Tränen ausbrach, wohl wissend, daß er hier sein eigenes Requiem gestaltete.

[99] Schon Malcolm Pasley (Franz Kafka MSS: Description and Select Inedita, The Modern Language Review LVII, 1962, 29 f.) hat das richtig gesehen und den mächtigen Gegner des Tieres mit dem nahenden Tod identifiziert. Die Erzählung breche kurz vor dem Augenblick ab, in dem dieser in den Bau einbricht und das Tier vernichtet.

[100] Kafka gebraucht hier zur Kennzeichnung des Todes das alte Bild aus der durch Friedrich Rückert bekannten Parabel, daß abwechselnd eine weiße und eine schwarze Maus, nämlich ‚Tag und Nacht‘, in einem permanenten Arbeitsprozeß die Lebenswurzel des Menschen Stück für Stück abgraben.

gehabt hätte, etwas, wogegen ich hätte immer Vorbereitungen treffen sollen: Es kommt jemand heran![101]

Der Hinweis auf den Tod und die mit ihm kommende Stunde des Gerichts ist unüberhörbar. Er äußert sich auch in der reuigen Klage über die törichte Vergeßlichkeit des Lebenden gegenüber dem allgegenwärtigen Tod, über die lebenslange Illusion, sich für immer hier einrichten und jenes Traumhaus bauen zu können, das keinen Wunsch offen läßt und in dem man sich sorglos dem Behagen des Selbstgenusses hingeben kann. Um das unsanfte Erwachen aus dieser Vergessenheit in Selbstgenuß und (vermeintlicher) Selbstsicherheit geht es in dem inneren Monolog des Protagonisten, der die Tatsache der bevorstehenden Konfrontation mit dem Tod nicht länger zu verdrängen vermag„

> Wie kam es nur, daß so lange Zeit alles still und glücklich verlief? Wer hat die Wege der Feinde gelenkt, daß sie den großen Bogen machten um meinen Besitz? Warum wurde ich so lange beschützt, um jetzt so geschreckt zu werden? Was waren alle kleinen Gefahren, mit deren Durchdenken ich die Zeit hinbrachte, gegen diese eine! Hoffte ich als Besitzer des Baues die Übermacht zu haben gegen jeden, der käme? Eben als Besitzer dieses großen empfindlichen Werkes, bin ich wohlverstanden gegenüber jedem ernsteren Angriff wehrlos.

Der Rückblick auf das nutzlos vertane Leben und der immer noch stimulierende Wunsch, an den alten Irrtümern und Illusionen festzuhalten, verschärft die Sicht auf die Schrecken des Todes. Das Tier klammert sich noch lange an die Vorstellung der Geborgenheit in den schwer zugänglichen Innenräumen seines Baues:

> Was kümmert mich die Gefahr, jetzt, da ich bei euch bin. Ihr gehört zu mir und ich zu euch, verbunden sind wir, was kann uns geschehen.

Es verfällt in den Schlaf des Sünders, der den warnenden Wächterruf verschläft:

> mir gelingt es nicht, mich loszureißen, ich bleibe hier im tiefen Schlaf.

Alsbald aber stellt das Tier fest, daß ‚der Schlaf ... nun schon leicht sein [muß], denn ein an sich kaum hörbares Zischen weckt mich‘. Daß es zunächst nicht erkennen kann, woher dieses Zischen kommt und daß es ein Warnsignal ist, zeigt, wie sehr es in seinen Lebensirrtümern befangen bleibt. Es bezieht das Geräusch auf die

---

[101] Ähnlich heißt es in der Legende *Vor dem Gesetz:* ‚Solche Schwierigkeiten hatte der Mann vom Lande nicht erwartet.‘ Die Parallele ist nicht nur zufällig, sondern grundsätzlich. Beide Protagonisten haben sich mit großem Aufwand für alle nur denkbaren Möglichkeiten gerüstet, müssen dann aber erkennen, daß sie gerade für den Ernstfall nicht gerüstet sind. Dieser kommt überraschend und hatte so nicht erwartet werden können. Der Held wird „überrumpelt“, so (scheinbar) vollständig er sich auch vorgesehen hatte.

vielen Kleintiere in seiner Umwelt, auf ‚das Kleinzeug‘, das irgendeinen neuen Weg gebohrt haben mag und durch die darin sich verfangende Luft das Zischgeräusch verursache. Und es verliert viel Zeit mit diesem Irrtum:

> Viel Zeit, viel Zeit, die besser verwendet werden könnte, kostet mich das kleine Volk.

Obwohl schon längst offenkundig ist, daß das peinigende Geräusch aus einer anderen, gefährlicheren und mächtigeren Quelle stammen muß, will das Tier noch immer nicht wahrhaben, daß es der nahende Tod ist, der sich ihm hier ankündigt. Und es sucht den tödlichen Ernst der Situation zu verharmlosen:

> Nun, es ist ein Geräusch, erzeugt durch die Grabungen irgendwelcher nichtiger Tiere, die die Zeit meiner Abwesenheit in infamer Weise ausgenützt haben . . ., jedenfalls liegt ihnen eine gegen mich gerichtete Absicht fern.

Andererseits stellt es fest, daß das Geräusch überhaupt nicht geortet werden kann, da es überall in gleicher Art und Stärke zu hören ist:

> wo ich horche, hoch und tief, an den Wänden oder am Boden, an den Eingängen oder im Innern, überall das gleiche Geräusch . . . Es wird auch nicht stärker . . ., wenn ich, ohne direkt an der Wand zu horchen, mitten im Gange lausche. [Und] gerade dieses Gleichbleiben stört mich am meisten.

Was hier störend in das wohlgeordnete Leben des Protagonisten einbricht, ist die nicht mehr zu überhörende Allgegenwart und überall gleiche Nähe des Todes. Weil es aber um das metaphysische Problem des Lebens geht, läßt sich das Phänomen des rätselhaften Zischgeräusches auch nicht lediglich physikalisch, nach den Gesetzen der Akustik erklären. Infolgedessen verfangen die Verharmlosungen und Verdrängungen nicht auf die Dauer. Der Protagonist verhehlt sich nicht länger, daß er vor einem ihm noch unvertrauten und unerklärlichen Faktum steht:

> Vor dieser Ersckeinung versagen meine ersten Erklärungen völlig. Aber auch andere Erklärungen, die sich mir anbieten, muß ich ablehnen.

Ja, er ist bereit, etwas Unbekanntes (und daher nicht Manipulierbares) als Ursache der Störung in Erwägung zu ziehen:

> aber vielleicht . . . handelt es sich hier um ein Tier, das ich noch nicht kenne. Möglich wäre es.

Daraus folgt sein Entschluß zur Konfrontation mit dem Unbekannten und bezeichnenderweise auch schon das Einkalkulieren seines Scheiterns an einer Übermacht[102]:

---

[102] An sich hatte der Protagonist schon immer um diese permanente tödliche Bedrohung gewußt, sie aber nicht wahrhaben wollen und daher erfolgreich verdrängt:

> Das schönste an meinem Bau ist . . . seine Stille. Freilich, sie ist trügerisch. Plötzlich einmal kann sie unterbrochen werden und alles ist zu Ende. Vorläufig aber ist sie noch nicht da.

Oder: Und wenn ein großer Angriff kommen sollte, welcher Grundriß des Eingangs könnte mich retten?

Ich werde in der Richtung zum Geräusch hin einen großen Graben bauen und nicht eher zu graben aufhören, bis ich, unabhängig von allen Theorien, die wirkliche Ursache des Geräusches finde. Dann werde ich sie beseitigen, wenn es in meiner Kraft ist, wenn aber nicht, werde ich wenigstens Gewißheit haben.

Doch angesichts dieser Konfrontation mit dem zugleich Unbekannten und Übermächtigen überkommt ihn ‚das Gefühl, als hätte man den Bau niemals eigentlich zur Verteidigung gegen einen Angriff eingerichtet'. ‚Die Absicht hatte man, aber entgegen aller Lebenserfahrung schien einem die Gefahr eines Angriffs ... fernliegend.' Zu ergänzen ist: „eines solchen Angriffs, gegen den es keine Verteidigung gibt." ‚Aber wer denkt schon an den Tod, solange er mitten im Leben steht?' Indem das Tier zugibt, daß es die ‚Einrichtungen für ein friedliches Leben [waren], denen man im Bau überall den Vorzug gab', spielt es wieder auf die so wichtig genommene wohlorganisierte Komfortexistenz an, um deren willen es das eigentliche und letzte Lebensproblem, nämlich die Bewältigung des Todes, verdrängt hatte, als ob es nicht wirklich existierte. So klagt es mit Recht, daß die wichtige Vorbereitung auf die entscheidende Auseinandersetzung ‚in einer unverständlichen Weise versäumt worden' sei. Auch die Ursache des Versäumnisses teilt es mit: ‚Ich habe viel Glück gehabt in allen diesen Jahren, das Glück hat mich verwöhnt.' Infolgedessen sei es aber jetzt für die ‚notwendige Arbeit ... natürlich viel zu spät'. Weil die eigentliche Bedrohung nicht gesehen worden war, als der Bau geplant wurde, verfehlt dieser seinen Zweck, wenn wirkliche Gefahr droht. Und diese Gefahr ist eben jetzt akut geworden:

> ich halte tatsächlich dabei zu glauben, — es ist zwecklos, sich das selbst abzuleugnen —, das Zischen stamme von einem Tier, und zwar nicht von vielen und kleinen, sondern von einem einzigen großen. [Es] bleibt nur die Annahme der Existenz des großen Tieres [d. h. der nicht wegzumanipulierenden Realität des Todes], zumal das, was der Annahme zu widersprechen scheint, bloß Dinge sind, welche das Tier nicht unmöglich, sondern nur über alle Vorstellbarkeit hinaus gefährlich machen. Nur deshalb habe ich mich gegen die Annahme gewehrt. Ich lasse von dieser Selbsttäuschung ab ... es liegt vielmehr ein Plan vor, dessen Sinn ich nicht durchschaue, ich nehme nur an, daß das Tier mich einkreist, wohl einige Kreise hat es schon um meinen Bau gezogen ...

Ja, der Held erkennt, daß der Tod schon immer auf ihn zuging, er selbst aber, eingehegt in seine kunstvoll geschaffene, Behagen und Sicherheit vortäuschende Lebenswelt, an dieser fundamentalen Tatsache vorbeigesehen hatte. Und angesichts der so lange nicht erkannten eigentlichen Gefahr verurteilt er sein gesamtes vergangenes Leben als ein Leben der Versäumnisse:

> leichtsinnig wie ein Kind bin ich gewesen, meine Mannesjahre habe ich mit kindlichen Spielen verbracht ... an die wirklichen Gefahren wirklich zu denken, habe ich versäumt. Dabei habe es ‚an Mahnungen nicht gefehlt', aber auf seine Baupläne, d. h. auf die Gestaltung seiner Lebensordnung, hätten sie ‚kaum einen Einfluß gehabt'.

All das sind Besinnungen des Helden auf die Fehlleistungen seines Lebens im Blick auf den Tod, der seinerseits das Gericht über sein Leben bedeutet.[103]

Daß aber dieser Held zugleich den Dichter selbst meint, erhellt aus Kafkas Brief an Max Brod vom 5. Juli 1922, der das Thema der Erzählung präludiert, ja als ein autobiographischer Kommentar zum *Bau* anzusprechen ist.[104] Im Licht dieser brieflichen Äußerung spiegelt das Leben des Tieres im Bau die Entscheidung des Dichters für die zum künstlerischen Schaffen notwendige Einsamkeit, darüber hinaus aber auch die genüßliche Anmaßung des Künstlers, ein ganz auf sich selbst bezogenes Leben, also ein Leben der künstlichen Abschirmung, zu führen. Wenn Kafka in diesem Brief mitteilt, daß er sich nunmehr entschieden habe, sich ganz auf sein Zimmer, ja auf sein Bett einzuschränken und daß er sich, weil er Schriftsteller sei, niemals mehr ,vom Schreiben entfernen' dürfe, sondern sich ,mit den Zähnen' daran festhalten müsse, so ist das ein deutlicher Hinweis darauf, daß die Metapher des Baues die konsequent auf sich selbst konzentrierte Schriftstellerexistenz meint.[105]

Vor allem aber enthüllt dieser Brief, daß die Angst des Tieres im Bau Kafkas eigenen Zustand angstvoller, hilfloser Verlorenheit reflektiert. Die Parallele ist eindeutig. Wie der kunstvoll ausgeführte Bau seinem Bewohner die erwartete absolute Sicherheit nicht bieten konnte, so gab auch die Literatur, mit der Kafka sein ganzes Sein identifizierte, dem Dichter keinen festen Boden unter die Füße. Er muß vielmehr eingestehen: ,Ich habe mich durch das Schreiben nicht losgekauft.' Der Schutz, den der Bau und das Schreiben gewährten, beruhte auf Schein und Selbsttäuschung. Was Kafka verzweifelt ausspricht, nämlich ,auf was für einem schwachen oder gar nicht vorhandenen Boden ich lebe, über einem Dunkel, aus dem die dunkle Gewalt nach ihrem Willen herkommt und, ohne sich an mein Stottern zu kehren, mein Leben zerstört', kennzeichnet genau die heillose Situation des Tieres im Bau, das — durch einen aus dem Dunkeln kommenden, unbekannten, mächtigen Feind in Panik versetzt — seine völlige Wehrlosigkeit erkennen muß. Das Illusorische des vollen Schutz versprechenden Baues spiegelt das Illusorische des wahre Erfüllung vortäuschenden Schreibens. Schonungslos verkündet Kafka als seine ,mit der Deutlichkeit kindlichen Anschauungsunterrichtes' ihm klar gewordene, letztgültige Erkenntnis, daß ,das Schreiben [zwar] ein süßer wunderbarer Lohn, aber ... für Teufelsdienst ist'. Und das Teuflische daran sei ,die Eitelkeit und die Genußsucht [des Schriftstellers], die immerfort um die eigene oder auch um eine fremde Gestalt schwirrt und sie genießt'.

---

[103] Auch leitmotivisch wird der nahende Tod des Protagonisten, sein Ereiltwerden durch den ,Verderber' und das kommende Gericht unüberhörbar angekündigt, und zwar nicht nur durch die signalisierende Formel ,es kommt jemand heran', sondern auch durch steigernde Variationen: ,Es wird stärker', ,Es kommt näher'.

[104] Vgl. den im Kapitel ,Selbstverständnis des Dichters' S. 52 ff. mitgeteilten Wortlaut dieses Briefes.

[105] Zugleich ergibt sich daraus, daß — wie die anderen späten Erzählungen Kafkas: *Hungerkünstler, Erstes Leid* und *Josefine* — auch der *Bau* eine „Künstlernovelle" ist.

Aus dieser komödiantisch verspielten Existenz der Schriftstellereitelkeit komme am Ende ,eine schreckliche Todesangst'. Weil er noch nicht gelebt habe, sondern in äthestischem Selbstgenuß die Forderungen eines Lebens im täglichen Miteinander übersah, habe der Schriftsteller zuletzt doppelte Todesangst zu leiden und müsse einen um so schrecklicheren Tod sterben: ,Was ich nur gespielt habe, wird wirklich geschehen.' Im Tod als dem Test des Lebens werde sich das Nichtgelebthaben bitter rächen. Denn gerade das, was zum Leben nötig ist, nämlich ,auf Selbstgenuß zu verzichten', habe der Schriftsteller nicht geleistet. Er sei nicht eingezogen in das Haus, sondern habe es nur bewundert und bekränzt. Der Moralist Kafka ist also nicht gewillt, das Spiel des Schreibens als gültige Lebensleistung zu akzeptieren. Im Blick auf den Tod als die letzte Instanz erscheint ihm alles, was er geleistet hat, als Irrung und Selbstbetrug, als ,ein großer Aufwand ... umsonst vertan'. Indem dieser späte Brief die autobiographischen Elemente der Erzählung enthüllt[106], erhellt er zugleich Kafkas im konkretesten Wortsinn „letztes" und ernstestes Thema: D e r S c h r i f t s t e l l e r   u n d   d e r   T o d und damit das noch unbewältigte Problem seines eigenen Todes.

Der letale Ausgang der Geschichte war also durch das Thema selbst gegeben. Die tödliche Auseinandersetzung des Helden mit seinem allmächtigen Widersacher war Bestandteil des zugrundeliegenden Konzepts. Aber der ungeheure emotionale Anspruch dieses letzten und persönlichsten Themas, die Forderung, im tödlichen Untergang des Tieres im Bau die eigene Vernichtung darzustellen, ließen den Dichter resignieren und aus Ungenügen an der Gestaltung des letzthin Unsagbaren das bereits geschriebene Ende wieder vernichten. Angesichts dieser Resignation Kafkas mag es als kühn erscheinen, selber die Feder des Dichters zu ergreifen, wie es Weigand gewagt hat[107], und den vermuteten Schluß der Erzählung mit Sätzen eigener Prägung hinzuzufügen:

> Da, was ist das? Ein Geräusch, das mich aufschreckt und mich zwingt, die Augen aufzuschlagen. Aus der zerschlissenen Wand hervor, mir entgegen, schiebt sich ein riesiges Gebiß, und indem ich den Abgrund seines dunklen Schlundes hinuntergleite, höre ich noch das Knacken meiner Kniescheiben und Knöchel zwischen seinen Kiefern.

Wie skeptisch man auch über ein solches selbständiges Zu-Ende-dichten unvollendet überlieferter Dichtung denken mag, man wird Weigand zugestehen müssen, daß er die aus der Analyse des Werkes sich ergebenden i n h a l t l i c h e n Konsequenzen gezogen und sich auch sprachlich um Angleichung an den stilistischen Tenor der Erzählung bemüht hat. Seine Beschreibung bewegt sich in den durch

---

[106] Auch die Briefstelle: ,Als ich heute in der schlaflosen Nacht alles immer wieder hin- und hergehn ließ zwischen den schmerzenden Schläfen, wurde mir ... bewußt', korrespondiert genau der unruhigen Bewegtheit und verzweifelnden Unschlüssigkeit des in seinen Bau zurückgezogenen, angstvoll meditierenden Tieres.

[107] WEIGAND a.a.O. 165: „Seizing Kafka's pen, we have the temerity to write: ...!

den Dichter suggerierten Bildern und Assoziationen: aufschreckende Geräusche, die jetzt zerschlissene (vordem als fest gerühmte) Wand, der als ‚Hauptwerkzeug des Tieres‘ gekennzeichnete, abgründige „Schlund", dessen macht- und geräuschvolles, zerstörerisches Arbeiten in der Geschichte schon früher eingehend beschrieben worden war. Auch der Zug zu einer quasi-naturalistischen Beschreibung der parabolischen Vorgänge ist festgehalten.

Man könnte vielleicht einwenden, daß die emotional geladene, ja mit Stabreimen spielende Sprache in Weigands Schlußsätzen eher an expressionistische Prosa als an Kafkas unexpressiven, asketisch spröden Stil erinnern. Dagegen steht jedoch, daß gerade im *Bau* sprachlich-stilistisch ein anderer Kafka begegnet als in seinen übrigen Dichtungen. Tatsächlich ist in dieser Erzählung seine Sprache spürbar erregt und an manchen Stellen von fast expressionistischem Überschwang. Selbst aufdringliche Assonanzen und Alliterationsmanierismen finden sich. Weigands „K n acken [der] ... K n iescheiben und K n öchel" korrespondiert Kafkas „Kratzen und Beißen, S t ampfen und S t oßen", mit dem das Waldtier seinen Festungsbau dem widerspenstigen Boden abgewonnen hat, oder auch „das K r atzen der K r allen k n app unter der Erde".[108] Denkt man gar an die wortreich wilden Beschreibungen animalischer Begierden in dieser Geschichte, zum Beispiel an den sprachlichen Ausbruch, mit dem das Tier seinen blutrünstigen Furor gegen ein verhaßtes anderes Tier seinesgleichen verlautbart:

> damit ich endlich in einem Rasen hinter ihm her, frei von allen Bedenken, ihn anspringen könnte, ihn zerbeißen, zerfleischen, zerreißen und austrinken und seinen Kadaver gleich zur anderen Beute stopfen könnte ...

so drängt sich hier die Frage nach expressionistischen Elementen in Kafkas Dichtertum auf.[109] Zwar geht es sicher nicht an, ihn ohne Vorbehalt als Expressionisten zu werten. Und auch seine künstlerische Selbstauffassung läßt eine solche Klassifizierung nicht zu. Gleichwohl zeigt die Sprache in der Erzählung *Der Bau*, daß das Verhältnis des Dichters zum Expressionismus neu durchdacht werden sollte. Denn wie der hier — wenn auch überraschend — zutage tretende stilistische Gestus erkennen läßt, steckt auch in Kafka etwas von der expressionistischen Erregtheit der

---

[108] Hier begegnet Worthäufung statt des sonst für Kafka charakteristischen Untersprechens. Vergleiche ferner: ‚d a n n e i l e i c h, d a n n f l i e g e i c h, dann habe ich keine Zeit zu Berechnungen ... fasse willkürlich, was mir unter die Zähne kommt, s c h l e p p e, t r a g e, s e u f z e, s t ö h n e, s t o l p e r e ... Das sind Formulierungen, die schon fast an die stilistischen Eskapaden Lion Feuchtwangers erinnern. (S. oben S. 98 ff. im Kapitel „Verhältnis zur Sprache".)

[109] Vgl. PAUL RAABE: Franz Kafka und der Expressionismus, ZfdPh. 86, 1967, 161—175. Im Gegensatz zu Sokel, der Kafka im zentralen Sinn dem Expressionismus zuordnet, schränkt Raabe dieses Verhältnis auf bloße Zeitgenossenschaft ein. Weitere Forschung wird vielleicht ergeben, daß unterschwellig doch mehr Gemeinsames vorhanden war, als man heute anzunehmen geneigt ist.

Literatur der Zehner- und Zwanzigerjahre dieses Jahrhunderts. Was ihn von den Expressionisten trennt, ist, daß er ihre Emotionen durch die Zucht der Form gebändigt und zu strenger Klarheit geläutert hat. In seiner Thematik und Problematik jedoch stand er ihnen nicht unbedingt fern. Das Mißverhältnis zwischen dem Emotionalen und Rationalen, das ihre Dichtung verunklärt, ihren zu stilistischem Prassen tendierenden, ekstatischen Worttaumel lehnte er freilich entschieden ab. Das theatralisch Laute und Ungezügelte der expressionistischen Sprache waren ihm zuwider. Auch in seinen erregendsten Gestaltungen hat er niemals einen „O Mensch"-Ruf ausgestoßen. Implicite aber begegnet dieser Ruf in manchen seiner Dichtungen. Ja, man könnte sogar sagen, daß dieser Ruf, weil er so konsequent verschwiegen wird, um so stärker und fordernder wirkt. Ist nicht sein Werk als Ganzes ein solcher Appell an alle, ein einziger machtvoll stummer Anruf „O Mensch"?

Um noch einmal zu den von Weigand suggerierten Schlußsätzen zurückzukommen, so vermag gewiß niemand zu sagen, ob Kafka sie in solcher Weise formuliert hätte oder formuliert wissen wollte. Feststeht nur, daß sie sich sprachlich und inhaltlich, aber auch in ihrem Stimmungsgehalt ohne Bruch in die Konzeption des Ganzen einfügen und so eine nicht unglaubhafte Vorstellung vermitteln, wie die Geschichte im Sinne des Dichters geendet haben könnte. Eine Kafkasche Lösung enthält dieser Schluß auch insofern, als im Untergang des Helden Vernichtung und Selbstzerstörungsdrang koinzidieren.

Auch der *Bau* handelt also über das Grundthema Kafkas, gestaltet es aber in so einzigartiger Weise, verwandelt es so vollkommen in ein eigenständiges Bild, daß ihm eine zentrale Bedeutung im Gesamtwerk des Dichters zukommt. Fassen wir daher zusammen, was diese Erzählung heraushebt und weshalb wir mit ihrer Deutung unsere Darstellung beschließen. Sie ist gleichzeitig „Künstlernovelle" und Tiergeschichte, reine Fiktion und persönliche Konfession, ja die am stärksten autobiographische Dichtung Kafkas überhaupt. Wie für das Tier, das sich vor den Bedrohungen der Welt in seinen unterirdischen Bau flüchtet, war auch für Kafka der volle Rückzug zu gesicherter ungestörter Arbeit in seinem selbstgeschaffenen Kreis das lebenslange, von ihm selbst immer wieder angesprochene, aber nie gelöste (und gewiß auch unlösbare) Problem.[110] Die Parallele zur Situation des Tieres im Bau ist eindeutig. Die Briefe und Tagebücher des Dichters enthüllen, daß es auch ihm nicht gelang, die „Kluft zwischen intellektueller Überlegenheit und existentieller Not" zu überbrücken. „Dabei ist es bezeichnend, daß er bald das Leben, bald sein Dichtertum für seine Not verantwortlich macht, und daß er sich bald durch den Ausbruch ins Freie, bald durch völligen Rückzug in die Einsamkeit zu erlösen hoffte."[111] Ge-

---

[110] Weigand a.a.O. 152 betont gleichfalls diesen autobiographischen Charakter. „Every reader of *The Burrow* who is even moderately familiar with Kafka's life and work cannot fail to be struck by the realization that there is an intimate relation, often amounting to identity, between the author and the persona of his story.

[111] Henel: Das Ende von Kafkas *Der Bau* a.a.O. 9.

nau das ist aber auch das Dilemma des Tieres im Bau, das lebenslang auf keines von beiden, weder auf den (gelegentlichen) „Ausbruch ins Freie" noch auf den „Rückzug in die Einsamkeit" verzichten kann. Indessen liegt seine Tragik doch nicht lediglich darin, daß es sich nicht zu entscheiden vermag, sondern darin, daß keine der möglichen Entscheidungen eine positive Alternative bedeuten würde. Denn als es am Ende den definitiven Rückzug wirklich vollzieht, zeigt sich, daß auch solche Konsequenz es nicht zu erlösen vermag. Das Tier scheitert vielmehr i n s e i n e m B a u , obwohl es sich eindeutig für diesen Rückzug entschieden hat.[112] Worum es hier geht, ist also die Kafkasche Tragik schlechthin, eben ‚die Unmöglichkeit zu leben'.

Autobiographisch ist *Der Bau* auch insofern, als er eine Geschichte der Lebensangst darstellt, jener Lebensangst, die letzlich mit der Todesangst identisch ist und die Kafka selbst aufs heftigste durchlitten hat.[113] Das Leben der Angst, das der in seiner Burg sich verschanzende Protagonist der Erzählung führt, spiegelt das Leben der Angst des in den selbstgezimmerten Bau seiner Schriftstellereinsamkeit zurückgezogenen Dichters. Und diese Angst ist um so größer, weil er sich dem eigentlichen Leben nie gestellt, sondern immer wieder durch Flucht in die eigene Innerlichkeit entzogen hatte. Aber dieses Vorbeileben am eigentlichen Leben erweist sich jetzt, da es zu Ende geht, als ein fataler Selbstbetrug. An der harten Wirklichkeit des Todes zerbricht die ganze kunstvolle Lebensplanung. Hier zeigt sich, daß der Tod der eigentliche Test des Lebens ist, daß also, wer das Leben nicht gemeistert hat, auch den Tod nicht meistern wird. Mag man sich auch mit dem Narkotikum einer (scheinbar) autonomen Künstlerexistenz am Leben und seinen Forderungen vorbeigedrückt haben, um nur sich selber und seiner (vermeintlichen) Bestimmung zu leben, gegenüber dem Tod bleibt dieses süße Gift der Eitelkeit wirkungslos. Im Gegenteil, der Tod ist gerade für den am schrecklichsten, der nicht wirklich gelebt hat. Wenn er naht, — ‚es kommt jemand heran' —, stürzt auch der kunstvollste Lebensbau alsbald wie ein Kartenhaus zusammen.

Was diese Geschichte der zur Todesangst verdichteten Lebensangst vergegenwärtigt, ist also nichts Geringeres als die Abrechnung Kafkas mit seinem Schriftstellertum, mit der Pseudoexistenz des nur Schreibenden und Meditierenden, die Enthüllung einer schlechthin negativen Lebensbilanz. Und auch dies wird deutlich,

---

[112] Daß das Tier, wie Henel a.a.O. 12 unterstellt, sich dem Bau nicht willig hingegeben habe, läßt sich aus dem Text nicht erweisen. Im Gegenteil, am guten Willen und an positiven Erwartungen hat es ihm bei dieser Entscheidung keineswegs gefehlt. Es war nicht nur „Angst vor der Welt", sondern auch „Liebe zur Einsamkeit", die seinen Entschluß, endgültig in den Bau zurückzukehren, motivierten. Ja, es äußert diese „Liebe zur Einsamkeit" mit emphatischen Worten: „Endlich auf meinem Burgplatz! Endlich werde ich ruhen dürfen." Oder: „. . . aus der Oberwelt bin ich in meinen Bau gekommen und ich fühle die Wirkung dessen sofort. Es ist eine neue Welt, die neue Kräfte gibt, und was oben Müdigkeit ist, gilt hier nicht als solche."

[113] Vgl. seinen Brief an Max Brod vom 5. Juli 1922.

daß die Angst, die den Dichter und seinen Helden in Panik versetzt, — im Sinne Kierkegaards — als das Akzidens der Schuld erscheint und sich daher — angesichts des nahenden Todes — um so weniger beschwichtigen läßt. Ist es doch nicht zuletzt die Angst des religiös Ungeborenen, die die Konfrontation mit dem Tod so schrecklich macht. Vor allem aber, wie könnte einer, der nur ein künstlich arrangiertes Leben von Dichters Gnaden lebte, Bereitschaft und Reife zum Tod aufbringen? Doch wie sehr er sich auch in seine Eigenwelt zurückgezogen haben mag und darüber alle Pflichten im menschlichen Miteinander ohne Skrupel versäumte, zum Schluß findet diese Selbstverwöhnung des egozentrisch künstlerischen Menschen ein jähes Ende. Auch wenn lebenslang alles nach Wunsch zu gehen schien, am Tod als dem Endpunkt der Reise führt kein Weg vorbei. Der Tod hebt alle Privilegien auf. Wer bis dahin noch so geschickt die fälligen Schuldzahlungen zu umgehen vermochte, hier muß er den gesamten zu entrichtenden Tribut mit Zins und Zinseszins auf einmal bezahlen. Der Ästhet, der in eitlem Selbstgenuß sein Leben nur spielte, fällt zum Schluß dem gnadenlos richtenden Moralisten zum Opfer.

Das Tier im Bau vertritt ein solches Leben des reinen Selbstgenusses, eine wohlorganisierte, durch nichts beeinträchtigte Form der Existenz, die nur sich selber will und keinen Beitrag über die eigenen Bedürfnisse hinaus leisten möchte. Es schwärmt vom ,Sinn der schönen Stunden, die ich, halb friedlich schlafend, halb fröhlich wachend, in den Gängen zu verbringen pflege, in diesen Gängen, die g a n z g e n a u f ü r m i c h b e r e c h n e t sind, für wohliges Strecken, kindliches Sichwälzen, träumerisches Daliegen, seliges Entschlafen. Und die kleinen Plätze, jeder mir wohlbekannt, jeder trotz völliger Gleichheit von mir mit geschlossenen Augen schon nach dem Schwung der Wände deutlich unterschieden, sie umfangen mich friedlich und warm, wie kein Nest seinen Vogel umfängt'. Eine perfekt eingespielte, bis in die kleinsten Kleinigkeiten den persönlichen Bedürfnissen angepaßte, künstlich kunstvoll inszenierte Lebenswelt, die kein Mit- und Füreinander, nicht einmal ein Nebeneinander kennt, die nur Selbsterfüllung sucht.

Zu dieser Bloßstellung der sich selbst verwöhnenden Künstlereitelkeit tritt die Abwertung der Einseitigkeit, Unausgeglichenheit und Hypertrophie einer solchen Fluchtexistenz durch depravierende Bilder. Schon die Tiermetapher als Bild des Künstlertums bedeutet Degradation. Wie aber sieht dieses den schreibenden Menschen darstellende Waldtier aus? Es besteht fast nur aus Stirn. Und diese Stirn ist, wie es wörtlich heißt, recht eigentlich ein ,Stampfhammer'. Mit diesem brutalen Bild der zum Stampfhammer pervertierten Stirn, die bezeichnenderweise das einzige Werkzeug des Tieres ist, wird die (nur noch sich selbst verpflichtete) Dicht- und Denkarbeit des Schriftstellers sinnenfällig gemacht und zugleich ad absurdum geführt:

> ... gerade an der Stelle, wo der Ort planmäßig sein sollte, die Erde recht locker und sandig war, die Erde mußte dort geradezu festgehämmert werden, um den g r o ß e n s c h ö n g e w ö l b t e n und g e r u n d e t e n P l a t z zu bilden. Für eine solche

Arbeit aber habe ich n u r d i e S t i r n. Mit der Stirn also bin ich tausend- und tausendmal tage- und nächtelang gegen die Erde angerannt, war glücklich, wenn ich sie mir blutig schlug, denn dies war ein Beweis der beginnenden Festigkeit der Wand ...

Schriftstellereitelkeit liegt auch darin, wenn das so fanatisch selbstbesessen arbeitende Tier sich mit dem Gedanken schmeichelt, daß ‚der Vorsehung an der Erhaltung meiner Stirn, des Stampfhammers, besonders gelegen ist‘. Vor allem aber kulminiert die durch den Gedanken der Erwähltheit stimulierte Selbstverwöhnung des Künstlermenschen in einem Wunschdenken, das alles, was die Idealität des selbstentworfenen Lebensbildes stören könnte, nach Möglichkeit verdrängt oder grundsätzlich übersieht. Entsprechend schiebt das Tier die sich ihm aufdrängenden Gedanken an offenkundige Schwächen seines Baues großzügig beiseite und tröstet sich ‚mit Gefühlen ..., nach denen das, was sonst nicht hinreichen würde, in meinem Fall einmal ausnahmsweise, gnadenweise wahrscheinlich ... hinreichen würde‘. Oder es weicht bei seinen Spaziergängen den schwachen Stellen seiner Festung einfach aus, ‚weil ich nicht immer einen Mangel des Baues in Augenschein nehmen will‘. ‚Mag der Fehler dort oben am Eingang unausrottbar bestehen, ich aber mag, so lange es sich vermeiden läßt, von seinem Anblick verschont bleiben.‘ Die eitle Selbstverwöhnung des Künstlers verführt also sogar zu höchster Selbstgefährdung ‚durch falsche Beruhigung‘. Allzu bereitwillig überläßt er sich der Illusion, ‚daß die Macht des Baues mich heraushebe aus dem ... Vernichtungskampf‘, daß er sich also wirklich ein zuverlässiges Refugium geschaffen habe. Und doch fühlt er immerzu, ohne es sich eingestehen zu wollen, daß er mit seinem Werk gescheitert ist. Ja er bekennt, daß der irreparable ‚Mangel‘ des Baues ‚schon zu sehr in meinem Bewußtsein rumort‘. Die permanente Angst, die ihn peinigt, ist nur ein Ausdruck der schon vollzogenen, wenn auch lebenslang getarnten Katastrophe. Vor allem ist sie das Korrelat der Hybris eines Selbstbesessenen, der sein Haus ganz nach seinen eigenen Entwürfen baute — und verbaute, eines Mannes, der kategorisch erklärte, daß er nur Literatur sei und nichts anderes sein könne als Literatur, und der nun — statt der begehrten restlosen Selbsterfüllung, die er im Schreiben zu finden hoffte — die völlige Selbstverfehlung feststellen muß. Statt die Angst zu überwinden, hat er sich nur vor ihr versteckt und ist so ihr Sklave geworden. Weil er alles auf e i n e Karte, die falsche Karte, setzte, hat er alles verspielt. Und als ein elender kleinmütiger „Falschspieler“ steht er jetzt dem Ende gegenüber. Der Bau, in den er fanatisch sein gesamtes Lebenskapital investierte, hält dem mächtigen Gegner nicht stand. Der Tod, der nach ihm greift, erscheint als ‚Verderber‘, nicht als Erlöser. Das Leben der Angst, das er führte, wird also durch den Tod nicht befriedigt werden. War es doch selber insgesamt eine einzige, künstlich beschwichtigte Angst vor dem Tode und kulminierte daher auch folgerichtig im entfesselten Schrecken der Todesangst.

So ist *Der Bau* die gnadenloseste aller Konfessionen des Dichters, gnadenloser als das Strafgericht des Vaters über den Sohn im *Urteil* oder die Hinrichtung Josef

K.s im *Prozeß*; denn sie stellt eine Selbstverurteilung dar, die nicht wie diese durch sühnende Strafe eine Bereinigung bringt, sondern — als ein permanent gefordertes ,Standrecht' — ad infinitum gilt. Was diese Geschichte enthüllt, ist das Scheitern schlechthin. Totaler Einsatz für totales Mißlingen — auf diese fatale Formel läßt sich der Sinn des parabolischen Geschehens bringen. Der hier scheiternde Held scheitert für immer. Die Verschuldung durch verfehlten Lebenseinsatz ist nicht wieder gutzumachen. Er ist gewogen und zu leicht befunden worden. Und er weiß auch um die Ausweglosigkeit seiner Situation, er weiß, daß er dem Nichts konfrontiert ist. Nicht einmal die Narrenillusion des Hungerkünstlers, der seine exzessive Lebensform im Licht des Märtyrertums sehen mag, kommt ihm zu Hilfe. Das Christuswort: „Auf der Welt habt ihr Angst, ich aber habe die Welt überwunden" hat für den in seinem Bau gefangenen und dem Vernichter ausgelieferten Protagonisten der Erzählung keine Geltung. Auch der Hiobstrost der Juden: ,Ich weiß, daß mein Erlöser lebt' versagt sich ihm. Darum bedeutet hier der Tod auch keine Lösung, sondern nur eine Motivierung der Angst. Wir erleben also das Paradox einer Lösung, die keine Lösung ist, eines Endes, das nicht wirklich endet, denn die Angst des Helden wird durch den Tod nicht überwunden, sondern bestätigt. Und i n d i e s e m S i n n trifft die These Henels von der Endlosigkeit der Qual zu. Der Protagonist wird zwar zuletzt vernichtet, aber das Mißlingen und die Angst überdauern die Vernichtung.

Solches zu gestalten, entzog sich freilich dem Wort, und man versteht, daß Kafka den schon geschriebenen Schluß der Geschichte wieder gestrichen hat. Der Endlosigkeit der Verdammnis, die die eigene Verdammnis meint, korrespondiert die Sprachlosigkeit des Dichters. Auch dies ein bezeichnender Vorgang: Er, der ausschließlich im Schreiben seine Erfüllung suchte, muß vor der letzten Aussage verstummen.

Biographische Daten und Werkchronologie

Hauptquellen unserer Kenntnis — außer Kafkas Briefen, Tagebüchern, Aphorismen, Gesprächen und den biographisch-autobiographischen Zeugnissen der ihm nahestehenden Freunde und Frauen (Oskar Baum, Hugo Bergmann, Max Brod, Dora Dymant, Willy Haas, Milena Jesenská, Johannes Urzidil, Felix Weltsch, Franz Werfel, Kurt Wolff u. a.) — sind die Kafka-Biographien Max Brods und Klaus Wagenbachs, ferner: Franz Kafka. In Selbstzeugnissen und Bilddokumenten (Wagenbach) und der Wagenbach-Pasleysche „Versuch einer Datierung sämtlicher Texte Franz Kafkas". (DVjs. 38, 1964)

1883	Franz Kafka wurde am 3. Juli 1883 in Prag geboren. Sein Vater, der Kaufmann Herrmann Kafka, stammte aus dem tschechisch-jüdischen Provinzproletariat und hatte bis zur Verehelichung in den Slums des Prager Gettos gelebt. Seine Mutter Julie (geb. Löwy) kam aus dem vermögenden und gebildeten deutsch-jüdischen Bürgertum und war „in einem der schönsten Häuser am Altstädter Ring, im *Smetanahaus*" aufgewachsen. (Wagenbach) Sein Geburtshaus (*Zum Turm*) stand „genau an der Grenze dieser beiden so gegensätzlichen Stadtteile" (Wagenbach) und verweist auf das kontrastreiche elterliche Erbe, das die Problematik seines Lebens entscheidend bestimmt hat. (Vgl. den Brief an den Vater von 1919)
1889— 1893— 1901	Von 1889—1893 besuchte Kafka die Volksschule am Fleischmarkt und von 1893—1901 das Altstädter Deutsche Staatsgymnasium. Er war ein stiller, von seinen Lehrern geschätzter Schüler mit überdurchschnittlichen Leistungen. Die häusliche Erziehung lag in den Händen zweier dafür nicht qualifizierter Hausangestellten. Aber auch der in sterilen Formen erfolgende Schulunterricht blieb ohne erweckende Wirkung. Ängstlichkeit und Kontaktschwäche Kafkas kamen hinzu und förderten den Zug zum Einzelgängertum. Seinen Mitschülern erschien er als gut und liebenswürdig, aber „immer irgendwie entfernt und fremd". Die von der Mutter überkommene Sensitivität ließ ihn die Robustheit des lebenstüchtigen Vaters als erdrückende Übermacht empfinden, der gegenüber ihm keine andere Möglichkeit der Selbstbehauptung zu bestehen schien als konsequente Beschränkung auf den engsten eigenen Kreis. Der Rückzug auf sein ‚traumhaftes inneres Leben' begann also bereits in früher Jugend.
1901— 1906	Von 1901—1906 studierte Kafka an der Deutschen Universität in Prag Jura (im zweiten Semester auch Germanistik und Kunstgeschichte). Die Juristerei galt ihm nicht als Berufung, wohl aber als Pflicht. Er erfüllte das vorgeschriebene Pensum „und promovierte nach der geforderten Mindestzahl von acht Semestern" zum Dr. jur. (Wagenbach). Nach kurzfristiger Beziehung zu OSKAR POLLAK und der zu volksnaher Sprache tendierenden Zeitschrift „Der Kunstwart" erfolgte 1902 die erste Begegnung mit MAX BROD, seinem lebenslangen Freund und tatkräftigen Förderer. Seit 1904 auch Freundschaft mit dem Schriftsteller OSKAR BAUM und dem Philosophen und Zionisten FELIX WELTSCH. Für den immer mehr sich

Abschließenden waren diese wertbeständigen Freundschaften das ihm verbleibende Fenster zur Außenwelt.

1904— Das erste größere Werk: *Beschreibung eines Kampfes,* ferner einige kurze Stücke
1905 der späteren Sammlung: *Betrachtung.*

1906 Nach dem Examen vorläufige Tätigkeit in einer Prager Advokatur und ab Oktober einjähriges gerichtliches Praktikum.

1907 *Hochzeitsvorbereitungen auf dem Lande.* Ab Oktober juristische Berufsausübung in der Versicherungsgesellschaft „Assicurazioni Generali".

1908 Im Juli Dienstantritt bei der „Arbeiter-Unfall-Versicherungs-Anstalt", in der Kafka als „Aushilfsbeamter" begann und über die Positionen eines „Concipisten" (1910), „Vizesekretärs" (1913), „Amtssekretärs" (1920) bis zum „Obersekretär" (1922) aufstieg und im gleichen Jahr pensioniert wurde.
Erste Veröffentlichung kleiner Prosastücke in der Zeitschrift *Hyperion.*

1909 Ferien mit Max und Otto Brod in Riva. Teilnahme an Veranstaltungen des *Klub mladych,* einer „Vereinigung verschiedener Jugendgruppen zur Propagierung sozialistischer Ideen". (Wagenbach) Beschäftigung mit den theoretischen Grundlagen des Sozialismus und Kontakt mit tschechischen Avantgardisten.

1910 Beginn des *Tagebuchs.* Verbindung mit der in Prag gastierenden jiddischen Schauspieltruppe. Diese Begegnung mit der noch ungebrochenen Glaubenswelt des orthodoxen Ostjudentums war für den emanzipierten Westjuden Kafka ein erregendes Erlebnis und drängte ihn zu neuerlicher Auseinandersetzung mit religiösen Problemen und zu systematischer Befassung mit der jüdischen Geschichte. Er nahm die an sich primitive jiddische Dramatik ernst, besuchte regelmäßig die Aufführungen, kooperierte, ja befreundete sich mit den jiddischen Schauspielern, insbesondere dem Hauptdarsteller JIZCHAK LÖWY bzw. JITSKHOK LEVI. Gleichzeitig regelmäßige Teilnahme an den Vortragsabenden im Haus von Frau BERTA FANTA, wo die intellektuelle Elite Prags — u. a. der Mathematiker KOWALEWSKI, der Physiker FRANK, der Philosoph EHRENFELS und der junge EINSTEIN — verkehrte; „er lernte also, kurz vor der Niederschrift seiner Hauptwerke, die bedeutendsten Fragestellungen des neuen Zeitalters [z. B. Quantentheorie und Relativitätstheorie] kennen." (Wagenbach)

1911 Reise nach Friedland und Reichenberg. Ferien an den oberitalienischen Seen mit Max Brod. Paris. Erlenbacher Sanatorium. Aktiver Kontakt mit dem jiddischen Theater.

1912 Entscheidungsvolles Jahr des literarischen Durchbruchs und des Versuchs zur Zweisamkeit einer Lebensbindung. Konzeption des Amerika-Romans *Der Verschollene.* Juli: Besuch Weimars mit Max Brod. August: Zusammenstellung des Bandes *Betrachtung,* der im Dezember erscheint. Erste Begegnung mit FELICE BAUER am 13. August bei Max Brod. Ab Oktober überreiche Korrespondenz mit Felice (bis zu drei Briefen täglich), die den unüberwindlichen Zwiespalt zwischen Einsamkeitsbedürfnis und Vereinigungsverlangen spiegelt, aber mit der Betonung des unbedingten Vorrangs der Literatur das Scheitern dieses Bindungsversuches bereits präludiert. Ab September konzentrierte Produktivität: es entstehen die ersten Hauptwerke: Kapitel 1—7 des *Verschollenen, Das Urteil, Die Verwandlung.* Erste öffentliche Lesung in Prag (*Das Urteil*).

1913   Besuche bei Felice in Berlin an Ostern und im Mai. Erscheinen des *Heizer*. Im September: Reisen nach Wien, Venedig und Riva. In Riva: Liebesbegegnung mit einem ungenannt gebliebenen 18jährigen Schweizer Mädchen, das Kafka das Glück einer ‚süßen Betäubung‘ brachte.

1914   Ostern: Besuch bei Felice in Berlin. Juni: Verlobung mit Felice in Prag. Juli: Entlobung in Berlin und Fahrt an die Ostsee. August: Eigenes Zimmer in der Bilekgasse 10. Nach Entlobung, Auszug aus dem Elternhaus, Kriegsausbruch hat Kafka endlich „die ersehnt-gefürchtete Einsamkeit". Beginn der Arbeit am *Prozeß*. Im Oktober: *In der Strafkolonie*. Letztes Kapitel des *Verschollenen*. Versuch einer Wiederaufnahme des Kontaktes mit Felice über deren Freundin GRETE BLOCH, mit der sich ein intimes Verhältnis entwickelte. Daß dieser Verbindung ein Sohn entsprang, ist Kafka infolge strikter Verheimlichung unbekannt geblieben.

1916   Wiedersehen mit Felice im Januar. Reise nach Ungarn. Fragment: *Blumfeld, ein älterer Junggeselle*. CARL STERNHEIM gibt den ihm verliehenen Fontane-Preis an Kafka weiter. November: Erscheinen der *Verwandlung*.

1916   Mit Felice in Marienbad (Juli). September: Erscheinen des *Urteil*. Öffentliche Lesung der *Strafkolonie* in München (November). Auf der Suche nach Ungestörtheit Einzug in ein neues Zimmer in der Alchimistengasse. Beginn der *Landarzt*-Erzählungen und der beiden Oktavhefte (*Die Brücke, Der Jäger Gracchus, Der Kübelreiter, Schakale und Araber, Der neue Advokat*).

1917   Fortsetzung der *Landarzt*-Erzählungen. Auf der Flucht vor Lärmbelästigung abermals neue Wohnung bezogen: im Schönborn-Palais. Juli: Zweite Verlobung mit Felice. September: Feststellung der Erkrankung an Lungentuberkulose. Übersiedlung zu der ihm in einem vollkommenen Vertrauensverhältnis verbundenen Schwester OTLA in Zürau. Dezember: Zweite Entlobung. Herbst 1917 bis Frühjahr 1918: *Aphorismen*. Erörterung weltanschaulicher Probleme, Lektüre KIERKEGAARDS und AUGUSTINS (Bekenntnisse), Diskussionen mit Oskar Baum über TOLSTOI, Studium der hebräischen Sprache.

1918   Aufenthalte in Zürau, Prag (Sommer), Rumburg, Turnau (September) und ab November in Schelesen bei Prag. Hier Begegnung mit JULIE WOHRYZEK.

1919   Schelesen, ab Frühjahr wieder Prag. Mai: Erscheinen der *Strafkolonie*. Verlobung mit Julie Wohryzek mit der Absicht einer ‚Verstandesheirat im besten Sinn‘. *Brief an den Vater*. Verbindung mit Minze E., einer ‚mit schwerem Seelenerbe und leerem Leben belasteten‘ Frau, die Kafka bis zu seinem Tod in Briefen beraten und getröstet hat.

1920   Ab April drei Monate in Meran. Von hier aus die ersten Briefe an MILENA JESENSKÁ, nach Kafkas eigenen Worten: ‚ein lebendes Feuer, wie ich es noch nie gesehen habe … Dabei äußerst zart, mutig, klug, und alles wirft sie in das Opfer hinein oder hat es, wenn man will, durch das Opfer erworben.‘ (an Max Brod) Er bekennt ihr: ‚Du gehörst zu mir, selbst wenn ich Dich nie mehr sehen würde.‘ Zugleich aber wußte er, daß es für diese Liebe zu spät war. *Er—Aphorismen*. Beratende, helfende Freundschaft mit GUSTAV JANOUCH. Entlobung mit Julie. Erscheinen von *Ein Landarzt*. Sommer und Herbst in Prag. Starke Produktivität (zahlreiche Erzählungen des Nachlasses). Ab Dezember im Lungenheilsanatorium Matliary in der Hohen Tatra. Väterliche Freundschaft mit dem Medizinstudenten ROBERT KLOPSTOCK.

1921   In Matliary. Ab Herbst wieder in Prag. *Erstes Leid.*

1922   Spindelmühle (Februar), Prag, Plana bei Otla (Juni bis September). „Hauptgeschäft" dieses Jahres (Januar bis September): *Das Schloß.* Außerdem: *Ein Hungerkünstler* (Frühjahr) und *Forschungen eines Hundes* (Sommer).

1923   Prag. Im Juli mit Schwester Elli in Müritz an der Ostsee. Hier Begegnung mit DORA DYMANT, einer Helferin in der Ferienkolonie des Berliner Jüdischen Volksheimes, deren chassidische Erziehung — als ,das einzige ihm unmittelbar vertraute Jüdische' — ihn ansprach. Auch ihre naive Natürlichkeit und Hilfsbereitschaft zogen ihn an. So kehrte er nur kurz nach Prag und zu einem Aufenthalt von wenigen Wochen bei Otla in Schelesen zurück und fuhr Ende September zu Dora Dymant nach Berlin. Euphorisch beschwingte letzte Liebesverbindung und Lebensgemeinschaft. Es entstehen *Eine kleine Frau* (Oktober) und *Der Bau* (Winter).

1924   Berlin (bis März), dann Prag. Letzte Erzählung: *Josefine, die Sängerin.* Im April mit Dora Dymant und Robert Klopstock in das Sanatorium in Kierling. Hier ist Kafka am 3. Juni gestorben und am 11. Juni in Prag begraben worden.

Unter dem Sammelnamen *Ein Hungerkünstler* erschienen im Sommer noch die vier späten Erzählungen: *Erstes Leid, Eine kleine Frau, Ein Hungerkünstler* und *Josefine, die Sängerin.*

Literaturverzeichnis

Bibliographien und Forschungsberichte

Paul Kurt Ackermann: A descriptive bibliography of Franz Kafka, Columbia University 1947

Ann Thornton Benson: Franz Kafka. An American Bibliography, Bulletin of Bibliography 1958

Anna Maria Dell'Agli: Problemi kafkiani nella critica dell' ultimo decennio. Annali A.I.O.N., Sezione Germanica, Napoli 1958

Angel Flores and Homer Swander: Franz Kafka Today, Madison 1964

Samuel Florman: American criticism of Franz Kafka. 1930—1946, Columbia University 1946

Rainer Gruenter: Kafka in der englischen und amerikanischen Kritik. Das literarische Deutschland 12, 1951

Rudolf Hemmerle: Franz Kafka, eine Bibliographie, München 1958

Harry Järv: Die Kafka-Literatur. Eine Bibliographie, Malmö 1961

Heinz Politzer: Probleme und Problematik der Kafka-Forschung. In: Monatshefte für deutschen Unterricht. Wisconsin, Oktober 1950

Hans Siegbert Reiß: Recent Kafka criticism (1944—1955)—A Survey. In: Ronald Gray (Hrsg.): Kafka. A collection of Critical Essays, Englewood Cliffs 1962, 163—178

Marthe Robert: Kafka en France, Mercure de France, Juni 1961

Kafka: Werktitel und Siglen

A	Amerika. Roman, Frankfurt a. M. 1953
B	Briefe 1902—1924, Frankfurt a. M. 1958
BK	Beschreibung eines Kampfes, Frankfurt a. M. 1954
BM	Briefe an Milena, Frankfurt a. M. 1952
E	Erzählungen, Frankfurt a. M. 1946
H	Hochzeitsvorbereitungen auf dem Lande, Frankfurt a. M. 1953
I	Gustav Janouch: Gespräche mit Kafka, Aufzeichnungen und Erinnerungen, Frankfurt a. M. (Erweiterte Ausgabe) 1968
P	Der Prozeß. Roman, Frankfurt a. M. 1953
S	Das Schloß. Roman, Frankfurt a. M. 1955
T	Tagebücher 1910—1923, Frankfurt a. M. 1954

Abkürzungen

DVjs.	Deutsche Vierteljahresschrift für Literaturwissenschaft und Geistesgeschichte
Euph.	Euphorion
GRM	Germanisch-Romanische Monatsschrift
MLN	Modern Language Notes
Mosaic	A Journal for the Comparative Study of Literature and Ideas (University of Manitoba Press)
PMLA	Publications of the Modern Language Association of America
WW	Wirkendes Wort
ZfdPh.	Zeitschrift für deutsche Philologie

Zitierte Literatur

Günther Anders: Franz Kafka. Pro und Contra, München 1951

Ders.: Reflections on my book Kafka—Pro und Contra, Mosaic, A Journal for the Comparative Study of Literature and Ideas III/4, 1970, 59—72

Wystan Hugh Auden: Kafka's quest. In: Angel Flores (Hrsg.): The Kafka Problem, New York: New Directions 1946, 47—52

Ana Maria Barrenechea: Borges. The Labyrinth Maker. Translated by Robert Lima, New York University Press 1965

Evelyn Torton Beck: Kafka and the Yiddish Theater. Its impact on his work, University of Wisconsin Press 1971

Friedrich Beißner: Der Erzähler Franz Kafka, Stuttgart 1952

Ders.: Kafka der Dichter, Stuttgart 1958

Ders.: Der Schacht von Babel. Aus Kafkas Tagebüchern, Stuttgart 1963

Ders.: Kafkas Darstellung des ,traumhaften inneren Lebens', Bebenhausen 1972

Max Bense: Die Theorie Kafkas, Köln—Berlin 1952

Lienhard Bergel: *The Burrow*. In: Angel Flores (Edit.): The Kafka Problem, New York 1946, 199—206

Samuel Hugo Bergmann: Erinnerungen an Franz Kafka, Universitas 1972, 739—760

Leonard Beriger: Humanismus und Reformation. In: Bruno Boesch (Hrsg.): Deutsche Literaturgeschichte in Grundzügen, Bern und München[3] 1963, 120—152

Hartmut Binder: Motiv und Gestaltung bei Kafka, Bonn 1966

Ders.: Kafkas literarische Urteile. Ein Beitrag zu seiner Typologie und Ästhetik, ZfdPh. 86, 1967, 210—249

Jorge Luis Borges: Labyrinth, München 1962. Übersetzungen: Karl August Horst und Liselotte Reger

Jürgen Born, Ludwig Dietz, Malcolm Pasley, Paul Raabe und Klaus Wagenbach: Kafka-Symposium, Berlin 1965

Literaturverzeichnis

Jürgen Born: Kafka und Felice Bauer, ZfdPh. 86, 1967, 176—186

Ders.: Vom *Urteil* zum *Prozeß*. Zu Kafkas Leben und Schaffen in den Jahren 1912—1914, ZfdPh. 86, 1967, 186—196

Ders.: Kafka's Parable *Before the Law*: Reflections towards a Positive Interpretation. In: Mosaic. A Journal for the Comparative Study of Literature and Ideas III/4, 1970, 153—162

Max Brod: Franz Kafka, eine Biographie, Berlin—Frankfurt a. M. ³1954

Ders.: Franz Kafkas Glauben und Lehre, Winterthur 1948

Ders.: Der Dichter Franz Kafka, in: Hans Mayer (Hrsg.): Deutsche Literaturkritik im zwanzigsten Jahrhundert, Stuttgart 1965, 352—360

Martin Buber: Schuld und Schuldgefühle, Heidelberg 1957

Ders.: Kafka and Judaism, in: Ronald Gray (Hrsg.): Kafka. A collection of critical essays, Englewood Cliffs, 1962, 157—162

Ders.: Der Weg des Menschen nach der chassidischen Lehre, Heidelberg ⁶1972

W. Burns: In the penal colony: Variations on a theme by Octave Mirbeau, Accent 17, 1957, H. 2, 45 ff.

Albert Camus: Hope and the Absurd in the work of Franz Kafka. In: Gray (Hrsg.): Kafka a.a.O. 147—155

Ders.: Le mythe de Sisyphe, Paris 1943 (Deutsche Ausgabe 1950)

Dorrit Cohn: „K. enters *The Castle*", Euph. LXII, 1968, 28—45

Dies.: Kafka's Eternal Present: Narrative Tense in *Ein Landarzt* and other First-Person-Stories, PMLA LXXXIII, 1968, 144—150

R. G. Collins: Kafka's special methods of thinking. In: Mosaic a.a.O. 43—57

Guy de Mallac: Some recent statements on Kafka. In: Radio Liberty Bulletin, No. 1708, March 1964, Munich

Ludwig Dietz: Die autorisierten Dichtungen Kafkas, Textkritische Anmerkungen, ZfdPh. 86, 1967, 301—317

Ders.: Franz Kafka und die Zweimonatsschrift ‚Hyperion', DVjs. 37, 1963, 463—473

Alfred Döblin: Die Romane von Franz Kafka. In: Die Literarische Welt (4. 3. 1927)

Edmund Edel: Franz Kafka: *Das Urteil*, Wirkendes Wort 9, 1959, 216—225

Pavel Eisner: Franz Kafka and Prague, New York 1950

Ja Elsberg: Sozialistischer Realismus. In: Kunst und Literatur 3, 1957, 5. Jg.

Wilhelm Emrich: Franz Kafka, Bonn ³1964

Ders.: Protest und Verheißung, Frankfurt a. M. ²1963

    Darin: — Zur Ästhetik der modernen Dichtung 123—134
          — Die Literaturrevolution und die moderne Gesellschaft 135—147
          — Formen und Gehalte des zeitgenössischen Romans 169—175
          — Franz Kafkas Bruch mit der Tradition und sein neues Gesetz 233—248
          — Die Bilderwelt Franz Kafkas 249—263

Ders.: Franz Kafka. In: Hermann Friedmann und Otto Mann (Hrsg.): Deutsche Literatur im Zwanzigsten Jahrhundert, Zweiter Band, Heidelberg ⁴1961, 190—208

Günther Engels: Der Stil expressionistischer Prosa im Frühwerk Kasimir Edschmids, (Diss.) Bonn 1952

Walter Falk: Leid und Verwandlung. Rilke, Kafka, Trakl und der Epochenstil des Impressionismus und Expressionismus, Salzburg 1961

Rita Falke: Biographisch-literarische Hintergründe von Kafkas *Urteil*, GRM 10 (N.F.), 1960, 164 ff.

Lothar Fietz: Möglichkeiten und Grenzen einer Deutung von Kafkas Schloß-Roman, DVjs. 37, 1963, 71—77

Karl-Heinz Fingerhut: Die Funktion der Tierfiguren im Werke Franz Kafkas, Bonn 1969

Angel Flores: The Kafka Problem, New York: New Directions 1946

Kate Flores: The Judgment. In: Angel Flores and Homer Swander (Edit.): Franz Kafka Today, Madison 1964, 5—24

Heinz Friedrich: Heinrich von Kleist und Franz Kafka. In: Berliner Hefte für geistiges Leben 4, 1949, 440—448

Norbert Fürst: Die offenen Geheimtüren Franz Kafkas, Fünf Allegorien, Heidelberg 1956

Lilian Furst: Kafka and the Romantic Tradition. In: Mosaic a.a.O. 81—89

Arnold Gehlen: Zeitbilder. Zur Soziologie und Ästhetik der modernen Malerei, Frankfurt a. M. 1960

Bluma Goldstein: Franz Kafkas *Ein Landarzt*: A Study in Failure, DVjs. 42, 1968, 745—759

Dies.: A Study of the Wound in Stories by Franz Kafka, Germanic Review 41, 1966, 202—217

Dies.: Franz Kafka's Artistic and Moral Universe: A Study of *Der Prozeß* and *Das Schloß*. (In Druck)

Eduard Goldstücker: Kampf um Kafka. In: Die Zeit — Nr. 35 — 24. August 1973

Ders.: Franz Kafka, Caliban Press London 1973

Caroline Gordon: Notes on Hemingway and Kafka. In: Ronald Gray (Hrsg.): Kafka a.a.O. 75—84

Ronald Gray (Hrsg.): Kafka. A collection of critical essays, Englewood Cliffs 1962, Kafka the Writer, ebd. 61—74

Rainer Gruenter: Kafka in der englischen und amerikanischen Kritik. Das literarische Deutschland, 1951, Nr. 12

Ders.: Beitrag zur Kafka-Deutung, Merkur 4, 1950, 278—287

Erich Heller: The world of Franz Kafka, in: Ronald Gray (Hrsg.): Kafka a.a.O. 99—122

Ders.: Enterbter Geist, Frankfurt a. M. 1954

Heinrich Henel: Kafkas *Der Bau*, or How to Escape from a Maze. In: The Discontinuous Tradition (Stahl Festschrift) Oxford 1971, 224—246

Ders.: Das Ende von Kafkas *Der Bau*, GRM 22, 1972, 3—23

Ingeborg Henel: Die Türhüterlegende und ihre Bedeutung für Kafkas *Prozeß*, DVjs. 37, 1963, 50—70

Dies.: Ein Hungerkünstler, DVjs. 38, 1964, 230—247

Dies.: Die Deutbarkeit von Kafkas Werken, ZfdPh. 86, 1967, 255—266

Dies.: Kafkas *In der Strafkolonie*. Form, Sinn und Stellung der Erzählung im Gesamtwerk. In: Untersuchungen zur Literatur als Geschichte. Festschrift für Benno von Wiese. Hrsg. von V. J. Günther, Helmut Koopmann, Peter Pütz, H. J. Schrimpf, Berlin 1973, 480—504

Stephan Hermlin: Ansichten über einige Bücher und Schriftsteller, Berlin 1947

Klaus Hermsdorf: Kafka. Weltbild und Roman, Berlin 1961

Clemens Heselhaus: Kafkas Erzählformen, in: DVjs. 26, H. 3, 1952, 353—376

Heinz Hillmann: Franz Kafka. Dichtungstheorie und Dichtungsgestalt, Bonn 1964

Ders.: Franz Kafka. In: Deutsche Dichter der Moderne. Hrsg. von Benno von Wiese, Berlin 1965, 258—279

Ders.: Das Sorgenkind Odradek, ZfdPh. 86, 1967, 197—210

Karl August Horst: Nachwort zu: Jorge Luis Borges: Labyrinthe, München 1962

Wolfgang Jahn: Stil und Weltbild in Kafkas Roman *Der Verschollene (Amerika)*, Tübingen 1961

Gustav Janouch: Gespräche mit Kafka. Erinnerungen und Aufzeichnungen, Frankfurt a. M. 1951. Erweiterte Ausgabe 1968

Inge Jens: Studien zur Entwicklung der expressionistischen Novelle, Diss. Tübingen 1954

André Jolles: Einfache Formen, Darmstadt ²1958

Roman Karst: Franz Kafka: Word-Space-Time. In: Mosaic a.a.O. 1—13

Norbert Kassel: Das Groteske bei Franz Kafka, München 1969

Wolfgang Kayser: Das Groteske. Seine Gestaltung in Malerei und Dichtung, Oldenburg 1957

Pierre Klossowski: Introduction au Journal Intime de Franz Kafka, in: Cahiers du Sud, Jg. 22, Marseille 1945, H. 270, 148—160

Werner Kraft: Franz Kafka. Durchdringung und Geheimnis, Frankfurt a. M. 1968

Winfried Kudszus: Erzählhaltung und Zeitverschiebung in Kafkas *Prozeß* und *Schloß*, DVjs. 38, 1964, 192—207

Heinz Ladendorf: Kafka und die Kunstgeschichte. In: Walraf-Richarts-Jahrbuch XXIII, 1961, 304 ff.

Eberhard Lämmert: Bauformen des Erzählens, Stuttgart ⁵1972

Herbert Lehnert: Rezension über: Franz Kafka, Briefe an Felice, edited by Erich Heller and Jürgen Born, Frankfurt a. M. 1967. In: MLN (Modern Language Notes) 85, 1970, 407—411

Keith Leopold: Breaks in Perspective in Franz Kafkas *Der Prozeß*, German Quarterly XXXVI, 1963, 31—38

Theodor Lessing: Jüdischer Selbsthaß, Berlin 1930

Georg Lukács: Wider den mißverstandenen Realismus, Hamburg 1958

Monika Mann: Kafka. In: Der Zeitgeist. Halbmonatsbeilage des „Aufbau" für Unterhaltung und Wissen, 8. Januar 1971

Zitierte Literatur

E. L. Marson: *Das Urteil*, Journal of the Australasian Universities' Language and Literature Association 16, 1961

Fritz Martini: Das Wagnis der Sprache, Stuttgart 1954

Ders.: Ein Manuskript Franz Kafkas — *Der Dorfschullehrer*, Jahrbuch der Deutschen Schillergesellschaft 1958

Fritz Mauthner: Erinnerungen I — Prager Jugendjahre, München 1918

Hans Mayer (Hrsg.): Deutsche Literaturkritik im zwanzigsten Jahrhundert, Stuttgart 1965

Ders.: Kafka und kein Ende? Zur heutigen Lage der Kafka-Forschung. In: Ansichten. Zur Literatur der Zeit, Reinbek 1962, 54 ff.

Ders.: Kafka oder „Zum letzten Mal Psychologie", in: Zur deutschen Literatur der Zeit. Zusammenhänge, Schriftsteller, Bücher, Reinbek 1967, 271—275

Mosaic. A Journal for the Comparative Study of Literature and Ideas III/4, 1970: New Views on Franz Kafka (Beiträge von Günther Anders, Lee Baxandale, Jürgen Born, R. G. Collins, Stanley Corngold, John Fowles, Lilian R. Furst, Milan Jungman, Roman Karst, Winfried Kudszus, Karl J. Kuepper, Hildegard Patzer, Rio Preisner, Renate Usmiani).

Günther Müller: Über das Zeitgerüst des Erzählens, DVjs. 24, 1950, 1—31

Walter Müller-Seidel: Nachwort zu: E. Th. A. Hoffmann: Die Elixiere des Teufels. Lebensansichten des Katers Murr, München 1961

Edwin Muir: Franz Kafka. In: Gray (Hrsg.): Kafka a.a.O. 33—34

Walter Muschg: Tragische Literaturgeschichte, Bern [3]1957

Ders.: Die Zerstörung der deutschen Literatur, Bern [3]1956

Bert Nagel: *Jud Süß* und *Strafkolonie*. Das Exekutionsmotiv bei Lion Feuchtwanger und Franz Kafka. In: Festschrift für Hans Eggers. Hrsg. von Herbert Backes, Tübingen 1972, 597—629

Ders.: Die Sprachkrise eines Dichters. Zum Chandos-Brief Hugo von Hofmannsthals. In: Antiquitates Indogermanicae. Gedenkschrift für Hermann Güntert. Hrsg. von Manfred Mayrhofer, Wolfgang Meid, Bernfried Schlerath, Rüdiger Schmitt. Innsbrucker Beiträge zur Sprachwissenschaft, Bd. 12, 1974, 111—126

Korbinian Nemo: Formen des Antihumanen in der Literatur. In: Die Weltbühne 2/1956

Malcolm Pasley und Klaus Wagenbach: Versuch einer Datierung sämtlicher Texte Franz Kafkas, in: DVjs. 38, 1964, 149 ff.

Ders.: Franz Kafka MSS: Description and Select Inedita, The Modern Language Review LVII, 1962

Hildegard Patzer: Sex, Marriage and Guilt: The Dilemma of Mating in Kafka. In: Mosaic III/4, 1970, 118—130

Heinz Politzer: Franz Kafka, der Künstler, Frankfurt a. M. 1965

Ders.: Franz Kafka: Parable and Paradox, Cornell University Press 1962

Ders.: Prague and the origins of Rainer Maria Rilke, Franz Kafka and Franz Werfel. In: Modern Language Quarterly 16, 1955, H. 1, 49—62

Ders.: Problematik und Probleme der Kafka-Forschung. In: Monatshefte für Deutschen Unterricht XLII, Wisconsin 1950, 272—280

Ders.: Kafka. In: Der Monat XI, 1959, Nr. 132, 3—12

Hermann Pongs: Franz Kafka. Dichter des Labyrinths, Heidelberg 1960

Ders.: Ambivalenz in moderner Dichtung. In: Sprache als Weltgestaltung (Herbert Seidler Festschrift) Salzburg/München 1966, 191—228

Jean Pouillon: Temps et Roman, Paris 1946

Paul Raabe: Franz Kafka und der Expressionismus, ZfdPh. 86, 1967, 161—175

Klaus Ramm: Reduktion als Erzählprinzip bei Franz Kafka, Frankfurt a. M. 1971

Bernhard Rang: Die deutsche Epik des 20. Jahrhunderts. In: Hermann Friedmann und Otto Mann (Hrsg.): Deutsche Literatur im 20. Jahrhundert, Bd. 1, Heidelberg ⁴1961, 82 ff.

Renate Rasp: Ein ungeratener Sohn, Roman, Köln 1967

Werner Rehfeld: Das Motiv des Gerichtes im Werke Franz Kafkas. Zur Deutung des *Urteils,* der *Strafkolonie,* des *Prozesses,* Diss. Frankfurt a. M. 1960

Paul Reimann: Die gesellschaftliche Problematik in Kafkas Romanen, in: Weimarer Beiträge 3, 1957, 598—618

Hans Siegbert Reiß: Franz Kafka. Eine Betrachtung seines Werkes, Heidelberg ²1956

Ders.: Recent Kafka criticism (1944—1955)—A Survey—in: Gray (Hrsg.): Kafka a.a.O. 163—178

Helmut Richter: Franz Kafka, Werk und Entwurf, Berlin 1962

Marthe Robert: Das Alte im Neuen. Von Don Quijote zu Franz Kafka. Aus dem Französischen übersetzt von Karl August Horst, München 1968 (L'Ancien et le nouveau, Paris 1963)

Robert Rochefort: Kafka oder die unzerstörbare Hoffnung. Mit einem Geleitwort von Romano Guardini, Wien—München 1955

Karl H. Ruhleder: Franz Kafkas *Das Urteil,* Monatshefte für deutschen Unterricht LV, Nr. 1, 1963, 13—22

Wolfgang Ruttkowski: Nachträglicher Diskussionsbeitrag zum Amherster Kolloquium: Psychologie in der Literaturwissenschaft, Heidelberg 1971, 229 ff.

Lawrence Ryan: „Zum letzten Mal Psychologie!" Zur psychologischen Deutbarkeit der Werke Franz Kafkas. In: Psychologie in der Literaturwissenschaft (Hrsg. Wolfgang Paulsen), Reihe: Poesie und Wissenschaft, Bd. XXXII, Heidelberg 1971, 157—173

Demosthenes Savramis: Religion und Sexualität, München 1972

Grete Schaeder: Martin Buber. Ein biographischer Abriß. In: Martin Buber. Briefwechsel aus sieben Jahrzehnten. Bd. I: 1897—1918, Heidelberg 1972, 19—141

Jost Schillemeit: Welt im Werk Franz Kafkas, DVjs. 38, 1964, 168—191

Hans-Joachim Schoeps: Franz Kafka oder der Glaube in der tragischen Position. In: Gestalten an der Zeitenwende, Berlin 1936, 54—77

Ders.: Theologische Motive in der Dichtung Franz Kafkas. In: Die Neue Rundschau, Jg. 62, 1951, 21—37

Ders.: Was ist der Mensch? Philosophische Anthropologie als Geistesgeschichte der neuesten Zeit, Göttingen 1960 (Kafka-Kapitel)

Ingo Seidler: *Zauberberg* and *Strafkolonie*. Zum Selbstmord zweier reaktionärer Absolutisten, GRM 19, 1969, 94—103

Ders.: Das Urteil: „Freud natürlich"? Zum Problem der Multivalenz bei Kafka. In: Psychologie in der Literaturwissenschaft (Hrsg. Wolfgang Paulsen), Reihe: Poesie und Wissenschaft, Bd. XXXII, Heidelberg 1971, 174—190

Walter Sokel: Franz Kafka. Tragik und Ironie. Zur Struktur seiner Kunst, München und Wien 1964

Ders.: Franz Kafka, New York 1966

Ders.: Das Verhältnis der Erzählperspektive zu Erzählgeschehen und Sinngehalt in *Vor dem Gesetz, Schakale und Araber* und *Der Prozeß*, ZfdPh. 86, 1967, 267—300

Erwin Steinberg: The Judgment in Kafka's *The Judgment*. In: Modern Fiction Studies 8, Nr. 1, 1962, 23—30

Herbert Tauber: Franz Kafka. Eine Deutung seiner Werke, Zürich 1941

Arnold Toynbee: Sind die Meister der Technik verrückt? In: Die Zeit (6. April 1971, 3)

Kurt Tucholsky: *In der Strafkolonie*. In: Die Weltbühne, 3. 6. 1920. *Der Prozeß*. In: Die Weltbühne, 9. 3. 1926

Ders.: *Der Prozeß*. In: Hans Mayer (Hrsg.): Deutsche Literaturkritik a.a.O. 398—404

Johanns Urzidil: Franz Kafka, Novelist and Mystic. In: Menorah Journal 31, New York, Oktober/Dezember 1943, 273—283

Ders.: Da geht Kafka, Zürich und Stuttgart 1965

Rudolf Vasata: *America* and Charles Dickens. In: Flores (Hrsg.): The Kafka Problem a.a.O.

Eliseo Vivas: Kafka's distorted mask. In: Gray (Hrsg.): Kafka a.a.O. 133—146

Klaus Wagenbach: Franz Kafka. Eine Biographie seiner Jugend, 1883—1912, Bern 1958

Ders.: Franz Kafka in Selbstzeugnissen und Bilddokumenten, Reinbek 1964

Martin Walser: Beschreibung einer Form — Franz Kafka, München 1961

Austin Warren: Franz Kafka. In: Gray (Hrsg.): Kafka a.a.O. 123—132

Ders.: The penal colony. In: Flores (Hrsg.): Kafka a.a.O. 140—142

Wladimir Weidlé: Die Sterblichkeit der Musen, Stuttgart 1958

Hermann J. Weigand: Franz Kafkas *The Burrow* (*Der Bau*): An Analytical Essay, PMLA 87, Nr. 2, March 1972, 152—166

Kurt Weinberg: Kafkas Dichtungen. Die Travestien des Mythos, Bern 1963

Otto Weininger: Geschlecht und Charakter, (Diss.) Wien 1917

Ernst Weiß: Franz Kafka. Die Tragödie eines Lebens. Zu Max Brods Biographie des Dichters. In: Pariser Tageszeitung vom 29. Oktober 1937

Felix Weltsch: Religion und Humor im Leben Franz Kafkas, Berlin 1957

John White: Franz Kafkas *Das Urteil* — An Interpretation, DVjs. 38, 1964, 208—229

Benno von Wiese: Franz Kafka. Ein Hungerkünstler. In: Die deutsche Novelle von Goethe bis Kafka, Bd. 1, Düsseldorf 1963, 325—342

Ders.: Franz Kafka. Die Verwandlung. Ebd., Bd. 2, 1964, 319—345

Ders.: Deutsche Dichter der Moderne, Berlin 1965

Edmund Wilson: A dissenting opinion on Kafka. In: Gray (Hrsg.): Kafka a.a.O. 91—98

R. O. C. Winkler: The Novels. In: Gray a.a.O. 45—52

Frederick Wyatt: Nachtrag zu: Psychologie in der Literaturwissenschaft, Heidelberg 1971, 223—227

Namenverzeichnis

Werkverzeichnis